VERRAAD

John Lescroart

Verraad

H&W
VAN HOLKEMA & WARENDORF
Unieboek BV, Houten/Antwerpen

Oorspronkelijke titel: *Betrayal*
Vertaling: Kick Rotteveel
Omslagontwerp: Wil Immink
Omslagfoto: Wes Thompson/Corbis
Opmaak: ZetSpiegel, Best

1 7. 08. 2009

Tweede druk, 2009

www.unieboek.nl
www.johnlescroart.com

ISBN 978 90 475 0933 2 / NUR 332

© 2008 The Lescroart Corporation
© 2009 Nederlandstalige uitgave: Uitgeverij Unieboek bv, Houten
Oorspronkelijke uitgave: Dutton, a member of Penguin Group (USA), inc.

Voor Lisa M. Sawyer,
met wie ik mijn leven deel
en die mijn hart bezit

De dood werpt je terug op jezelf.
– Aaron Moore, sergeant eerste klasse van het Amerikaanse Korps
Mariniers

Onrecht is draaglijk; gerechtigheid is pas echt pijnlijk.
– Henry Louis Mencken

Proloog

[2008]

Op een woensdagavond in de eerste week van december stond Dismas Hardy op de dunne bies van donker kersenhout in de lichte parketvloer van zijn werkkamer, en lanceerde een dart. Het was de laatste van het setje van drie en zodra hij het pijltje had gegooid wist hij dat het terecht zou komen in het vak waarop hij had gemikt: de twintig. Net als de twee vorige. Hardy was een goede speler – als je meedeed aan een darttoernooi kon je hem maar beter in jouw team hebben – dus driemaal achter elkaar in de twintig was voor hem niet veel bijzonders. Als hij er één of (hij moest er niet aan denken) twee miste, zou dat slecht zijn voor zijn humeur, dat toch al niet zo best was.

Het spelletje gaf Hardy weinig bevrediging. Als hij het vak raakte deed dat hem niets, maar als hij miste kreeg hij behoorlijk de pest in.

Na de worp liep hij niet naar het bord om de pijltjes te pakken, zoals hij de vorige dertig keer had gedaan. In plaats daarvan zuchtte hij diep, ontspande zijn schouders en beet onwillekeurig op de binnenkant van zijn wang.

In de receptie, aan de andere kant van de deur, bleef de telefoon overgaan. Het was al ruim na sluitingstijd. Phyllis, zijn ogenschijnlijk leeftijdloze bullebak van een secretaresse/receptioniste, had al bijna drie uur geleden haar hoofd om de deur gestoken om hem gedag te zeggen. Waarschijnlijk waren er elders nog wel collega's of assistenten in de weer met pleidooien opstellen en met research; want dit was per slot van rekening een advocatenkantoor, een bedrijf waar het declarabele uur de onontkoombare munteenheid was. Maar voor de meesten zat de werkdag erop.

Hoewel hij zelf niets dringends te doen had, was Hardy op kantoor gebleven.

In de loop van de afgelopen twintig jaar had de woensdagavond zich in zijn privéleven gaandeweg de vrijwel onaantastbare status van uitgaansavond verworven. Hardy en zijn vrouw Frannie lieten dan hun twee kinderen Rebecca en Vincent thuis – in het begin onder de hoede van een babysitter, later alleen – en gingen uit om te dineren en bij te praten. Vaak

11

spraken ze eerst af in de Little Shamrock, ongeveer halverwege hun huis aan 34th Avenue en zijn kantoor in het centrum. Hardy en Frannies broer Moses McGuire waren mede-eigenaar van de bar. Ze namen er een drankje om in de stemming te komen en verkasten vervolgens naar een stijlvollere of juist wat minder formele locatie – San Francisco had een ruim aanbod in alle soorten – om de draad van hun relatie weer op te pakken. Of daar in ieder geval een poging toe te doen.

Vanavond zouden ze naar de Jardinière gaan, het toprestaurant van Traci Des Jardin, dat ze pas een jaar geleden hadden ontdekt toen Jacob, de op één na jongste zoon van Hardy's maat Abe Glitsky, uit Italië was teruggekomen om op te treden in diverse producties in het operagebouw dat tegenover het restaurant stond. Maar Frannie had om halfvijf gebeld om af te zeggen. Ze had aan Phyllis doorgegeven dat ze een dringende afspraak met de familie van een van haar cliënten had.

Hardy was telefonisch in gesprek toen Frannie belde, maar in de regel zette hij lopende gesprekken in de wacht om zijn vrouw te woord te staan. Dat wist Phyllis. Frannie wilde het dus niet met hem bespreken. Haar besluit was kennelijk niet voor discussie vatbaar.

Nadat hij een poosje had geprobeerd er niet aan te denken, draaide hij met zijn schouders en liep naar zijn bureau. Hij pakte de telefoon, toetste een nummer in, hoorde de telefoon aan de andere kant van de lijn overgaan en wachtte.

'Jallo?'

'"Jallo?" Wat is dat voor een manier om de telefoon op te nemen?'

'Het is hallo, maar dat "ja" ervoor geeft er een vriendelijk tintje aan. Snap je?'

'Ik vind het toch minder griezelig als je gewoon met "Glitsky" opneemt.'

'Dat zal best. Dat komt door jouw primitieve inslag. Treya zei laatst tegen me dat het op sommige mensen nogal onvriendelijk overkomt als ik mijn naam snauw door de telefoon. En zoals altijd heeft ze gelijk.'

Glitsky, die zijn hele leven al bij de politie werkte, had zich een norsheid aangemeten die waarschijnlijk door de drang tot zelfbescherming was ingegeven. Hij was een grote, breedgeschouderde man. Kind van een zwarte moeder en een joodse vader. Vreemd genoeg had hij staalblauwe ogen, waarmee hij je met een onverstoorbare intensiteit kon aankijken. In combinatie met het litteken dat zijn beide lippen doorkliefde, leek hij dan een nauwelijks onderdrukte, blinde woede uit te stralen. Het gerucht ging dat hij verdachten een bekentenis kon ontlokken door alleen maar tegenover hen te gaan zitten, zijn armen over elkaar te slaan en hen zwijgend aan te staren. Het was best mogelijk dat het gerucht niet helemaal op waarheid berustte, maar Glitsky had nooit de moeite genomen het te ontzenuwen. Het klonk aannemelijk. Het zou best kunnen kloppen. Als politieman kon je zo'n gerucht best gebruiken.

'Ik kan me niet herinneren dat je ooit eerder in je leven moeite hebt gedaan vriendelijk over te komen,' zei Hardy.

'Dat is niet waar. Ik probeer het thuis. Ik wil mijn kinderen geen angst aanjagen.'

'Ze zijn best een beetje bang voor je. Maar dat is juist goed. Het heeft prima gewerkt bij de eerste lichting.'

'"De eerste lichting", dat klinkt goed. Maar een mens kan best veranderen. De onvriendelijke Glitsky kun je vanaf nu alleen nog maar beluisteren als je me op het bureau belt.'

'Ik weet niet of ik dit wel aankan.'

'Je komt er heus wel overheen. Nou, wat kan ik voor je doen?'

Het bleef even stil. Toen vroeg Hardy: 'Heb je misschien zin iets te gaan drinken?'

Hardy wist heel goed dat Glitsky niet dronk. Dat gaf de vraag dus een extra lading. Glitsky zweeg even en antwoordde toen: 'Oké. Hoe laat en waar?'

'Ik zit nog op het werk,' zei Hardy. 'Ik pik je over tien minuten op.'

Hardy reed met Glitsky naar de Jardinière. Hij maakte zichzelf wijs dat hij dit deed omdat het het eerste etablissement was dat hem te binnen schoot waar ze geen televisie aan hadden staan, maar hij schepte er eveneens een zeker genoegen in de plek te kiezen waar hij met Frannie had afgesproken. Nadat hij zijn auto had laten parkeren, liepen ze naar een tafel aan het eind van de ronde bar. Aan de overkant was de operavoorstelling van *De Barbier van Sevilla* waarschijnlijk nog niet verder dan de eerste akte, dus was het vrijwel leeg in het restaurant. Op de heenweg hadden ze over de gebruikelijke dingen gepraat: de toestand en de te verwachten veranderingen binnen het politiekorps. Het gesprek had de hele rit geduurd en was nog niet afgelopen. Glitsky, die hoofd van de recherche was, had het een en ander op zijn lever. Het kwam erop neer dat hij weinig plezier beleefde aan zijn huidige positie in de korpsleiding, maar er ook niets voor voelde vervroegd met pensioen te gaan.

'Wat blijft er dan nog over?' Hardy nam een slok bier. 'Nee, laat me raden. Terug naar de afdeling Salarisadministratie.'

Glitsky was een paar jaar geleden neergeschoten, toen hij nog hoofd van de afdeling Moordzaken was. Het herstel, dat met meerdere complicaties gepaard was gegaan, had bijna twee jaar geduurd en na zijn ziekteverlof hadden ze hem hoofd Salarisadministratie gemaakt. Een baan op brigadiersniveau, terwijl hij de rang van inspecteur had. Als Frank Batiste, zijn mentor, geen hoofdcommissaris was geworden, zat Glitsky waarschijnlijk nog steeds op die plek. Of, nóg waarschijnlijker: dan leefde hij nu van zijn pensioen en wat incidentele schnabbels in de beveiligingssector. Maar Batiste had hem benoemd tot commissaris, belast met de leiding van de recherche. Daarmee had hij een aantal hooggekwalificeerde kandidaten gepasseerd.

Door de bank genomen gaf Glitsky de indruk dat zijn positie hem beviel. Hij had een grote, indrukwekkende werkkamer, een auto met chauffeur, een dik salaris en nauw contact met de burgemeester en de hoofdcommissaris. Hij was een belangrijk man in de stad. Maar het nadeel was naar zijn mening dat de baan voornamelijk politiek was, terwijl Glitsky eigenlijk helemaal niets van politiek moest hebben. Zijn werk bestond hoofdzakelijk uit vaak zinloze vergaderingen bijwonen, persconferenties geven, officiële verklaringen afleggen, grote en kleine crises bezweren en contacten met allerlei belangengroeperingen onderhouden. Het had weinig te maken met het echte politiewerk, het werk waarvoor hij zich in de wieg gelegd voelde.

Glitsky zette het glas frisdrank aan zijn mond, zoog een ijsklontje naar binnen, kauwde erop en keek Hardy aan. 'Wist je dat Lanier met pensioen gaat?' Lanier was het huidige hoofd Moordzaken.

'Zo dom kun je toch niet zijn?' merkte Hardy op.

'Hoezo is dat dom? Ik zou ook met pensioen gaan als ik het me kon veroorloven.'

Maar Hardy schudde zijn hoofd. 'Ik heb het niet over Lanier,' zei hij. 'Ik heb het over jou.'

'Ik ga toch niet met pensioen?'

'Nee, dat snap ik. Maar je bent van plan Batiste te vragen je weer te benoemen als hoofd Moordzaken. Waar of niet?'

'En ik dacht nog wel dat ik het subtiel bracht.'

'Jij bent net zo subtiel als een trein die ontspoort.' Hardy dronk van zijn bier. 'Heb je het er al met Treya over gehad?'

'Natuurlijk.'

'En wat zei ze?'

'Als ik je dat vertel ga je weer vreemd naar me kijken. Maar goed, zij vindt alles prima, als ik me er maar lekker bij voel.' Hij zag hoe Hardy reageerde. 'Zie je wel, nou trek je zo'n raar gezicht.'

'Ik kan er niets aan doen,' zei Hardy. 'Dan moet je me maar niet zulke idiote dingen vertellen. Heb je al met Batiste gepraat?'

'Nee, nog niet. Hij heeft me al een grote dienst bewezen door me in de korpsleiding op te nemen. Ik wil niet ondankbaar overkomen.'

'Maar dat ben je toch gewoon?'

'Ik doe dit werk nu alweer drie jaar en het wordt er niet leuker op.'

'Moordzaken wel dan?'

Glitsky draaide zijn glas bedachtzaam rond. 'Het past beter bij me. Dat is alles. Ik ben niet bij de politie gegaan om pennenlikker te worden.'

Ten slotte kwamen ze op het onderwerp waar het om begonnen was.

'Er is zoveel veranderd,' zei Hardy. 'Ik bedoel, twee jaar geleden had ik nog een vrouw en twee kinderen die er waren als ik thuiskwam. Godallemachtig, we speelden Scrabble aan de keukentafel. We bekeken samen videofilms.'

'Ik meen me toch te herinneren dat je destijds niet kon wachten totdat daar een eind aan zou komen. Zo leuk vond je het.'

'Zó vervelend was het nou ook weer niet. En zelfs vorig jaar, toen Becky al naar de universiteit was maar Vincent nog thuis woonde, aten we nog een paar keer per week samen. Nu zit hij in San Diego, Frannie werkt alleen nog maar en... Alles is zo anders geworden.'

'De kinderen zijn de deur uit,' concludeerde Glitsky.

'Ik dacht dat ik ervan zou genieten.'

'Nou, dat heb je dan verkeerd gedacht.' Hij haalde zijn schouders op. 'Je went er wel aan.'

'Ik wil er helemaal niet aan wennen. Ik wil dat het weer zo voelt als vroeger.'

'Hoe bedoel je?'

'Ik wil uit met mijn vrouw, samen leuke dingen doen in de weekends, stedentripjes en zo. Ik wil weer een onbezorgd leven leiden, zoals vroeger.'

'Je romantiseert het verleden.'

'Je weet best wat ik bedoel. Het zit me gewoon niet lekker.'

'Wat zit je niet lekker? Het feit dat Frannie werkt?'

'Nee, nee. Ze is altijd al van plan geweest weer te gaan werken als de kinderen de deur uit waren. Daar sta ik ook helemaal achter. Weer terug naar school en zo. Ik bedoel, dat hadden we allemaal gepland.'

'Maar je had niet bedacht dat het betekende dat ze zo vaak weg zou zijn?'

Hardy nam een slok bier, slikte en zuchtte diep. 'Ze is een goede vrouw,' zei hij. 'Daar gaat het niet om.'

'Ze is een lot uit de loterij. Als je ooit iets stoms met haar uithaalt, dan doe ik je wat.'

'Ik ben helemaal niet van plan iets stoms uit te halen. Ik probeer er alleen maar achter te komen wat er is gebeurd. Het lijkt wel alsof ze tegenwoordig alleen maar voor haar werk leeft.'

'Hoe denk je dat jij bent tijdens een moordzaak? Volgens mij heb jij ook wel een paar keer het avondeten gemist thuis.'

'Daar gaat het niet...' Hardy klonk geïrriteerd. 'Ik was degene die het geld binnenbracht, Abe. Ik was de kostwinner. Dit is een andere situatie.'

'Ja, ik snap het. Als zíj het doet, dan is het iets heel anders.'

Hardy speelde met een bierviltje en keek voor zich uit in de schaars verlichte bar. Zelfs het bespreken van zijn problemen met zijn beste vriend gaf weinig verlichting. Veranderingen waren onvermijdelijk en zoals Glitsky had gezegd, kon hij er maar beter aan wennen. De veranderingen hadden zich allang voltrokken zonder dat hij zich ervan bewust was geweest. Hij was er domweg door overvallen. 'Zo gaat het dus altijd?'

Glitsky begon op het volgende ijsblokje te kauwen. 'Heb je het nu pas door?'

Na jaren van ellende en frustratie had Hardy zich eindelijk gewonnen gegeven en een parkeerbox gehuurd. De ruime dubbele garage was anderhalf huizenblok van zijn woning verwijderd en kostte hem bijna vierduizend dollar per jaar, maar had een deur die hij automatisch kon openen met de afstandsbediening op de zonneklep van de auto en het was dichterbij dan de parkeerplekken die hij doorgaans kon vinden als hij op de openbare weg moest parkeren. Hij kon hem ook gebruiken als extra opslagruimte, en misschien wel het grootste voordeel was dat hun twee auto's niet langer blootstonden aan het gevaar van diefstal of vandalisme, waar ze voordat Hardy de box had gehuurd in anderhalf jaar tijd drie keer het slachtoffer van waren geworden.

De wandeling naar huis viel mee. Hij had met Glitsky niet meer dan twee biertjes gedronken en omdat hij niet zoveel werk omhanden had, had hij de loodgieterstas, die doorgaans zo'n twintig kilo woog, niet bij zich. Het was een frisse en heldere avond. Zijn huis, een *railroad Victorian* van twee verdiepingen aan 34th Avenue vlak bij Clement Street was het enige vrijstaande huis van het blok, dat verder bestond uit appartementencomplexen. Het had een wit tuinhek en een netjes onderhouden, maar klein gazon; een klinkerpad leidde langs de bloemperken aan de rand van het gazon naar de vier treden van de kleine veranda. De buiten- verlichting boven de voordeur brandde. Voor de ramen bloeiden nog meer bloemen in bakken.

Hardy ging naar binnen en deed het licht in de gang aan. Het huis werd een 'railroad Victorian' genoemd, omdat de begane grond was ingedeeld zoals een treinwagon. Alle kamers – woonkamer, eetkamer, slaapkamers – bereikte je via de lange gang waardoor hij nu naar de achterkant van het huis liep.

Hij deed het licht aan in de keuken en de salon erachter – het was dood- stil in huis –, wierp een blik op zijn tropische vissen en strooide werk- tuiglijk wat voer op het water. Even bleef hij stilstaan, alsof hij iets tot zich door wilde laten dringen, zoals hij eerder op de avond had gedaan nadat hij de darts had gegooid. Toen liep hij terug de gang in.

Eerst deed hij de deur van Rebecca's kamer open. Ze had er een paar weken geleden nog geslapen, toen ze met Thanksgiving thuis was geko- men, maar nu was er vanzelfsprekend geen spoor van haar te bekennen. Het bed was keurig opgemaakt en op de boekenplanken stond alles net- jes gerangschikt. Vincent was ook thuis geweest en zijn kamer leek op die van zijn zus, maar het was er wat chaotischer; duidelijk een jongenskamer, met sport- en muziekposters en her en der rondslingerende spullen. Maar de beide kamers leken toch vooral leeg.

Hardy controleerde het antwoordapparaat (geen berichten) en keek vervolgens op zijn horloge. Toen belde hij het mobiele nummer van Frannie en kreeg haar voicemail. Als ze op bezoek ging bij cliënten zette ze haar telefoon altijd uit. Hij zei: 'Hoi, het is nu kwart voor negen en ik ga iets koken waarvan ik nu al weet dat het geweldig wordt. Als je onderweg naar huis bent en dit hoort, laat dan even wat horen, dan wacht ik op je. Anders is het jammer maar helaas. Ik hou van je.'

Hardy's zwarte gietijzeren koekenpan hing aan een grote haak die werd gebruikt om zeevissen zoals marlijn te vangen. Hij pakte het vijf kilo we- gende monster, zette hem op het fornuis, pakte het zeezout dat altijd vlak bij het fornuis op het aanrecht stond en strooide er wat van in de pan. Wat hij ook ging koken, zout kon in ieder geval geen kwaad.

Hij deed de koelkast open en vond champignons, een ui, een rode peper, wat overgebleven fettucini met een witte saus waarvan hij zich herinnerde dat die tamelijk smakelijk was. Hij gooide een beschimmelde tomaat weg, maar er waren er nog twee over die waarschijnlijk nog wel te gebruiken waren als hij het witte spul eraf sneed. Zonder zich ervan bewust te zijn neuriede hij de melodie van 'Baby, It's Cold Outside', het nummer van Steve Tyrell dat hij op de cd-speler in zijn auto had gedraaid. In het vriesvak vond hij nog wat van kipworstjes met basilicum die hij erg lekker vond.

Binnen vijf minuten had hij alle ingrediënten fijngesneden en ze met wat willekeurige kruiden, een paar scheuten tabasco en een half kopje van de net geopende zinfandel in de pan gedaan. Juist toen hij het vuur laag had gezet en het deksel op de pan had gedaan, ging de telefoon. Dat moest Frannie zijn. Nadat hij twee keer was overgegaan nam hij op. 'Eethuis Het Kliekje.'

Een mannenstem antwoordde: 'Het spijt me, ik heb een verkeerd nummer.'

'Nee, momentje! Sorry, ik verwachtte mijn vrouw.'

'Meneer Hardy?'

'Spreekt u mee.'

'Meneer Hardy, met Oscar Thomasino.'

'Hoe maakt u het, edelachtbare?'

'Goed, dank je. Bel ik misschien ongelegen?'

'Nee, absoluut niet. Geen probleem. Wat kan ik voor u doen?'

'Ik geef toe dat dit misschien en beetje ongebruikelijk is, maar we kennen elkaar al een tijdje en ik vroeg me af of ik je, gezien onze professionele relatie, misschien om een gunst zou mogen vragen.'

Dit was inderdaad ongebruikelijk, om niet te zeggen vrijwel ongehoord, maar Hardy slaagde erin dat niet te laten merken. 'Natuurlijk, edelachtbare, ik zal u graag van dienst zijn, als dat enigszins mogelijk is.' Een rechter die een advocaat om een gunst vraagt, dat was een zeldzame buitenkans.

'Ik denk dat je dat wel kunt,' zei Thomasino. 'Kende je Charlie? Charles Bowen?'

'Ik geloof het niet.'

'Als je hem kende zou je je hem wel herinneren. Opzichtige kleding, vuurrood haar en een grote baard.'

'Het zegt me niets. Is hij advocaat?'

'Ja, dat wás hij in ieder geval. Hij is zes maanden geleden verdwenen.'

'Waar is hij naartoe gegaan?'

'Als ik dat wist, dan was hij niet verdwenen, denk je ook niet? Dan zou hij ergens zijn.'

'Iedereen is altijd ergens, edelachtbare. Dat is één van de twee universele waarheden. Eén: iedereen houdt ooit van een ander, en twee: iedereen moet ergens zijn.'

Aan de andere kant van de lijn viel een stilte en Hardy realiseerde zich dat hij misschien buiten zijn boekje was gegaan. Zijn neiging om altijd de wijsneus uit te hangen zou hem nog eens de das om doen. Maar Thomasino herstelde zich redelijk, zozeer zelfs dat hij zijn gemaakt-informele toon hervond. 'Dank je, Diz,' zei hij. 'Dat zal ik onthouden. Maar goed, wat Charlie Bowen betreft...'

'Ja?'

'Het punt is... Hij werkte alleen. Geen firma, geen compagnons, maar een behoorlijke hoeveelheid zaken.'

'Dat is mooi.'

'Inderdaad, maar zijn verdwijning is lastig voor de rechtbank. En akelig voor zijn vrouw en dochter uiteraard. Zijn vrouw heeft haar eigen advocaat ingehuurd om een verklaring van overlijden te regelen. Maar tussen ons gezegd en gezwegen denk ik niet dat zo'n verzoek veel kans van slagen heeft, ondanks het feit dat het de rechtbank goed zou uitkomen.'

'Waarom?'

'Als een alleen werkende advocaat gaat hemelen, dan erft de rechtbank zijn zaken en moeten die vervolgens weer aan andere advocaten worden uitgedeeld.'

'U gaat ervan uit dat ze in de hemel terechtkomen?'

'In de meeste gevallen zullen ze wel een adequaat pleidooi kunnen voeren om er toegang toe te krijgen, denk je ook niet? Dat verwacht ik van jou in ieder geval wél.'

'Ik neem aan dat ik dat moet opvatten als een compliment. Dus bedankt, edelachtbare.'

'Hoe dan ook, ik weet dat het ondankbaar werk is, maar Bowen had een hoop zaken liggen en die moeten natuurlijk worden afgerond. En hoewel we pas een verklaring van overlijden kunnen afgeven als hij veel langer zoek blijft, heeft Marian Braun geoordeeld dat zijn verdwijning hem juridisch incompetent maakt, en gisteren heeft justitie zijn vergunning op verzoek van het gerechtshof ingetrokken.' Marian Braun was een van de andere rechters van het gerechtshof in San Francisco.

'Dus nu moeten zijn zaken worden verdeeld,' zei Hardy. 'Als ik cliënt bij hem was geweest en hij mijn telefoontjes na zes maanden nog niet had beantwoord, dan was ik inmiddels wel naar een andere advocaat gegaan.'

'Ik neem aan dat een aantal van zijn cliënten dat ook heeft gedaan, maar zeker niet allemaal.' Thomasino zuchtte. 'Charlie was een vriend van me. Zijn vrouw heeft het geld dat hem uit hoofde van deze zaken nog toekomt hard nodig. Ik wil er zeker van zijn dat de rechtbank de zaken aan iemand geeft bij wie ze in goede handen zijn. Om kort te gaan, ik kwam vandaag tijdens de lunch Wes Farrel tegen.' Farrel was een van Hardy's compagnons. 'Hij vertelde me dat jullie het momenteel niet zo verschrikkelijk druk hebben. Het goede nieuws is dat je er waarschijnlijk wel van uit kunt gaan dat een deel van de cliënten van Bowen naar jouw kantoor zal overstappen. Niet dat er een bij zit waar jullie rijk van zullen worden.'

Tussen de regels door kon Hardy wel opmaken dat dit grotendeels routinematig administratief werk zou zijn. Waarschijnlijk betrof het voornamelijk toewijzingen: arme sloebers die terecht moesten staan wegens onbeduidende misstappen en lichte vergrijpen. Hoe dan ook, de rechtbank zou de uren die Hardy's medewerkers moesten besteden aan de strafzaken allemaal betalen en als de civiele zaken iets opleverden, kon de firma rekenen op een redelijke vergoeding. In ieder geval bood het de mogelijkheid een rechter een gunst te bewijzen. Zo'n kans moest je nooit laten schieten.

'Je kunt ze waarschijnlijk allemaal wel binnen een paar maanden afronden.'

'Goed, edelachtbare. Ik zal u er graag mee helpen.'

'Bedankt, Diz. Dat waardeer ik. Ik weet dat het geen zaken zijn waar veel eer mee valt te behalen. Ik zal alles binnen een week bij jullie op kantoor laten bezorgen.'

'Hoeveel is het?'

Thomasino zweeg even en antwoordde toen: 'Ongeveer zestig dozen.' Verdomde veel, met andere woorden. 'Maar het mooie is: de helft betreft slechts één zaak.'

'Microsoft?'

Thomasino grinnikte. 'Helaas niet. Evan Scholler.'

'Waarom klinkt die naam me bekend in de oren?'

'Omdat hij in de krant heeft gestaan. Die twee kerels die allebei in Irak hebben gezeten.'

'Ja, nu begint het me te dagen,' zei Hardy. 'Ze hadden toch dezelfde vriendin of zoiets?'

'Volgens mij wel. Het zit vol met sappige details, maar dat merk je vanzelf wel. Hoe dan ook, Diz, ik ben erg blij dat je dit wilt doen.'

'De rechtbank dienen is mijn levenswerk, edelachtbare.'

'Je hebt je punten al verdiend, meneer de advocaat. Leg het er niet ál te dik bovenop. Goedenavond.'

Hardy hing op en liet het op zich inwerken. Hij dacht aan wat de rechter over de zaak-Scholler had gezegd: 'Het zit vol met sappige details.' Hardy bedacht dat hij wel weer eens wat sappige details in zijn leven kon gebruiken. Als zijn geheugen hem niet bedroog – en dat was zelden het geval – ging het om meer dan een doorsneemoord. Het was met name de context van chaos en geweld in Irak die de zaak-Scholler interessant maakte.

In Irak.

Deel I

[2003]

1

Een verzengende oranje zon kuste de westelijke horizon toen de zesentwintigjarige tweede luitenant Evan Scholler het terrein van Allstrong op reed met drie Humvees die onder zijn commando stonden. Ze waren met machinegeweren uitgerust en voor escortedoeleinden bestemd. Het complex was omringd met palmbomen, kanalen en groene weiden. Het landschap leek totaal niet op het vlakke, zanderige bruine terrein waar Evan aan gewend was geraakt sinds hij in Koeweit was gearriveerd. Het terrein had de omvang van ongeveer drie rugbyvelden en was, net als iedere veilige zone, afgezet met de zogenoemde Bremer-muren: zware betonnen panelen van ruim drieënhalve meter hoog. Aan de bovenkant van die verdedigingsmuren zaten concertina's: rollen prikkeldraad, voorzien van scherpe mesjes. Voor zich zag Scholler de drie enorme stacaravans die Allstrong Security, de door de Amerikaanse regering ingehuurde particuliere firma, zijn plaatselijke werknemers ter beschikking had gesteld.

Evan stopte bij de meest centraal gelegen barak, waarop de Amerikaanse vlag wapperde. Hij stapte uit en keek naar het grove zand dat voor zover hij kon zien de ondergrond van het gehele terrein binnen de afzetting vormde. In de deuropening stond een fit ogende man met een militaire uitstraling. Hij liep met uitgestoken hand de drie treden af. Evan salueerde, waarop de man moest lachen.

'Je hoeft niet voor me te salueren, luitenant,' zei hij. 'Jack Allstrong. Aangenaam en welkom op BIAP.' BIAP was de gangbare afkorting voor Baghdad International Airport, de luchthaven van Bagdad. 'Jij ben Scholler, neem ik aan?'

'Inderdaad. Het is fijn dat iemand ons voor de verandering verwacht.'

'Dus ze hebben je van het kastje naar de muur gestuurd?'

'Een beetje wel, ja. Ik heb acht man bij me en kolonel... Sorry, hoe heet de commandant hier ook alweer?'

'Calliston.'

'Ja, Calliston. Hij verwachtte ons helemaal niet. Hij zei dat jullie hier misschien wel een paar bedden voor ons hadden.'

'Hij heeft me inderdaad gebeld. Maar we hebben alleen maar veldbedden.'

'Veldbedden zijn prima,' antwoordde Evan.

Op het gezicht van Allstrong verscheen iets wat op mededogen leek.
'Hoe lang zijn jullie al onderweg?'

'We hebben een rit van drie dagen achter de rug met een konvooi van
Halliburton vanaf Koeweit en daarna hebben we vier dagen heen en weer
gereden tussen het vliegveld en Bagdad, omdat ze nergens wisten wat ze
met ons aan moesten. Het is uitkijken voor plunderaars op die route. En
nu zijn we hier. Mijn mannen hebben sinds we geland zijn geen behoorlijk bed meer gezien en geen fatsoenlijke maaltijd gehad. En een douche
zou ook welkom zijn. Zouden we dat eerst kunnen regelen?'

Allstrong tuurde met vanwege de wind half dichtgeknepen ogen naar
Evan en verplaatste zijn blik toen naar de Humvees met de op het dak
gemonteerde M60-machinegeweren, die nog uit de Vietnam-oorlog da-
teerden, en de vermoeide en smerig uitziende mannen die ernaast stonden. Hij keek Evan weer aan, knikte en wees naar de stacaravan aan zijn
rechterkant. 'Zet ze daar maar neer. Het is een gewone slaapbarak. Kijk
maar wat er vrij is en pik dat in. Jullie kunnen er ook douchen. Het
avondeten wordt om zes uur opgediend, dat is over veertig minuten.
Denk je dat je mannen dat redden?'

Evan kon met moeite een brede grijns onderdrukken. 'Het lijkt me
beter dat niemand probeert ze iets in de weg te leggen.'

'Dat zal niet gebeuren.' Allstrong maakte een hoofdbeweging in de
richting van de stacaravan. 'Nou, vooruit dan maar.'

Buiten was het donker geworden, maar zelfs binnen leek geen eind te
komen aan het voortdurende lawaai van landende en opstijgende vliegtuigen. Dat continue geluidsdecor werd aangevuld door brommende gene-
ratoren en blaffende honden.

Nu zijn mannen hadden gegeten en zich hadden geïnstalleerd, zat hij
in een regisseursstoel met een canvas rugleuning, in een ruime kamer
achter in de stacaravan waar Allstrong kantoor hield. Zijn blik dwaalde
langs de wanden. Aan de ene kant hing een grote landkaart en aan de
andere kant wees een verzameling medailles, insignes en foto's waarop
Allstrong stond afgebeeld met bekende politici op zijn illustere militaire
loopbaan. Hij had gediend bij de Delta Force en had het uiteindelijk ge-
schopt tot kolonel. Hij was onderscheiden met twee Purple Hearts en het
Distinguished Service Cross. Geen foto's van een gezin of familieleden.

Evan bestudeerde Allstrong terwijl deze een fles Glenfiddich vanachter zijn bureau tevoorschijn haalde, zo te zien uit een volle doos. Hij schatte zijn leeftijd op achter in de dertig. Hij had een open gezicht en was goedlachs, maar zijn mond en ogen leken niet helemaal in harmonie met elkaar te zijn. Het waren onrustige ogen, alsof Allstrong zijn omgeving voortdurend scherp in de gaten hield. Niet vreemd, bedacht Evan, voor iemand die zowat zijn hele leven in oorlogsgebieden had doorgebracht. Allstrong had dezelfde kleren aan die hij had gedragen toen ze elkaar eerder buiten hadden ontmoet: gevechtslaarzen, een camouflagebroek en een zwarte coltrui. Hij schonk een flinke hoeveelheid van de whisky in een doorzichtige plastic beker en gaf die aan Evan, waarna hij zichzelf inschonk. Hij trok een andere regisseursstoel naar zich toe en ging zitten. 'Je neemt me toch niet in de maling?' vroeg hij.

'Ik meen het,' zei Evan. 'Ze wisten niet dat we kwamen.'

'Jullie waren met tweehonderdzevenennegentig man en niemand wist dat jullie eraan kwamen?'

'Klopt.'

'Wat heb je toen gedaan? En wat hebben zij gedaan?'

'Ze hebben ons geparkeerd in een kamp vlak bij de start- en landingsbanen, in Koeweit. We hadden onze bepakking bij ons. Ze hebben ons daar gewoon gestald totdat ze hadden uitgezocht wat we hier moesten gaan doen.'

Allstrong schudde zijn hoofd. Misschien uit bewondering of misschien in ongeloof. 'Wat een leger,' zei hij. 'Wie is daar de commandant? Nog steeds die Bingham?'

'Zo heette hij, ja.'

'Dus ze plukten jullie van de ene op de andere dag uit je normale werk, gaven jullie een spoedtraining, stouwden jullie in een 737 en vlogen jullie vierentwintig uur lang non-stop van Travis naar Koeweit omdat het land jullie dringend nodig had... en toen jullie hier aankwamen, wist niemand ergens van?'

'Zo is het.'

'En toen?'

'Ken je Camp Victory?' Camp Victory was een veilige zone, een kilometer of zeven ten noorden van de stad Koeweit, een zandbak waar het leger vijf enorme tenten had opgericht om er komende en gaande troepen in onder te brengen.

'Camp Victory!' Allstrong barstte in lachen uit. 'Wat een giller!' Hij nam een slok whisky en schudde zijn hoofd. 'Ongelofelijk! Hoe lang heeft het geduurd voordat ze erachter kwamen wie jullie waren?'

'We hebben daar een week gezeten.'

'Jezus. Een week. En hoe kom je nu hier terecht? En wat is er met de rest van je eenheid gebeurd?'

Evan nam een flinke slok. Na zijn afstuderen had hij een paar maanden tamelijk veel bier gedronken, maar sinds hij een paar jaar geleden bij de politie was gaan werken, dronk hij slechts af en toe met vrienden of familie. Maar in de gegeven omstandigheden leek zijn eerste slok alcohol op zijn plaats en welverdiend, al was het officieel verboden als hij dienst had (en dat had hij vierentwintig uur per etmaal en zeven dagen per week). 'Dat weet ik niet,' antwoordde hij. 'De meesten zitten waarschijnlijk nog in Koeweit. Die werken aan de HET's die ze uiteindelijk hebben gevonden.' HET's, ofwel Heavy Equipment Transporters, waren zware voertuigen die vrachtwagens van tweeënhalf tot vijf ton en ander zwaar materieel van de luchthavens in Irak en Koeweit waar ze waren afgeleverd transporteerden naar de gebieden waar ze moesten worden ingezet. Evans eenheid van de Nationale Garde, de 2632d Transportation Company uit San Bruno, Californië, was een middelgrote transporteenheid die in het vervoeren van troepen en materieel getraind was.

'En wat is er met jullie negenen gebeurd?'

Het effect van de drank trad snel in. Evan voelde dat zijn lichaam zich ontspande. Hij leunde naar achteren en sloeg zijn benen over elkaar. 'Nou, dat was stom toeval of pure pech, net hoe je het wilt noemen. Toen Bingham die HET's eenmaal had gevonden, bleken de meeste niet te functioneren. Hitte, zand, het feit dat er al vier maanden geen onderhoud aan was gepleegd – noem maar op. Dus werd ongeveer de helft opgezadeld met onderhoudswerk en de rest zette Bingham daar in waar hij op een gegeven moment even iemand nodig had. Normaal werk ik bij de politie, ik heb bij de infanterie gediend en was de enige die noemenswaardige ervaring had met wapens. Dus toen Bingham op zeker moment een konvooi naar Bagdad stuurde, moest ik dat met mijn mannen escorteren.'

'Hebben je mannen ook een politieachtergrond?'

'Nee, ik ben de enige. En ik ben ook de enige die kan omgaan met de M60, als je tenminste de drie kwartier durende instructie die we allemaal hebben gekregen voordat ze ons op het vliegtuig zetten buiten beschouwing laat.'

'Nou neem je me écht in de maling.'

Evan stak drie vingers omhoog. 'Op mijn erewoord als padvinder.'

'Jezus,' zei Allstrong. 'En wat is momenteel jullie situatie?'

'Hoe bedoel je?'

'Ik bedoel, wat is jullie opdracht? Wat doen jullie morgen, bijvoorbeeld?'

Evan nipte van zijn whisky en haalde zijn schouders op. 'Geen idee. Ik meld me morgenochtend om acht uur bij kolonel Calliston en dan hoor ik het wel, neem ik aan. Ik vermoed niet dat hij ons terug zal sturen naar onze eenheid, al zal ik hem daar wel om vragen. Mijn mannen zijn niet zo enthousiast over dat escorteren. Ze hebben weinig zin overhoop te worden geschoten. Dat was ook niet het oorspronkelijke plan.'

Allstrong grinnikte veelbetekenend. 'Zo gaan de dingen in een oorlog, luitenant. Plannen zijn er om naar te handelen zolang je nog niet ter plaatse bent. Ze geven je de illusie dat je de zaken onder controle hebt, wat absoluut niet het geval is.'

'Daar begin ik zo langzamerhand achter te komen,' antwoordde Evan. 'In het kort komt het erop neer dat ik geen idee heb wat we morgen doen, en ook niet de volgende week, of wanneer dan ook. Volgens mij zijn we gewoon een vergeten eenheid.'

Allstrong stond op en liep met zijn glas in de hand naar de kaart. Hij keek er een paar seconden naar, wierp toen een blik over zijn schouder en zei: 'Misschien kan ik wel even met Bill praten. Calliston, bedoel ik. Misschien kan ik regelen dat jij en je mannen aan ons worden toegewezen. Lijkt dat je wat?'

'Om hier te blijven?'

'Ja.'

'Wat gaan we hier dan doen?'

Allstrong draaide zich om. 'Tja, dat is het slechte nieuws. Jullie zouden dan onze konvooien moeten escorteren, maar dat zijn er veel minder, en we zijn ook niet bang wat harder te rijden als het nodig is.'

'Waarheen?'

'Meestal heen en weer naar Bagdad, maar we zijn van plan ook kantoren te openen op andere bases in de buurt van Fallujah en Mosul. Overal waar we aan de slag kunnen, als we die vervloekte Custer Battles vóór kunnen blijven.'

'Custer Battles?'

'Nieuwe jongens. Ook beroeps, net zoals wij. En behoorlijk gedreven. Ze hebben de andere helft van de luchthaven hier in handen en ze zitten achter precies dezelfde handel aan als wij. Ik denk er sterk over hun mensen overhoop te laten schieten.' Allstrong schoot in de lach toen Evan bijna in zijn whisky stikte. 'Dat was bedoeld als grapje, luitenant. Groten-deels, tenminste. Over een paar maanden kun je hier over de hoofden lopen. Calliston zal ons hoe dan ook wel enige bescherming willen geven. En tenslotte zijn jullie hier nu al. Het lijkt me een prima oplossing. Het zal trouwens binnenkort wel veiliger worden op die weg tussen Bagdad en BIAP.'

'Je bedoelt de RPG-route?'

Allstrong glimlachte. 'Dus dat heb je al gehoord?'

'De "Raketwerperroute", dat klinkt niet zo veilig.'

'Het wordt beslist beter.'

'Evan voelde er niet veel voor zijn gastheer tegen te spreken. 'Verzor-gen jullie zelf de beveiliging dan niet?' vroeg hij. 'Ik dacht dat contractors zoals jullie de bewaking van Bremer deden.' Hij doelde op L. Paul 'Jerry' Bremer, hoofd van de CPA, voluit de Coalition Provisional Authority, die een paar weken tevoren zijn hoofdkwartier had opgeslagen in het Repu-blikeinse Paleis van Sadam Hoessein in Bagdad.

Allstrong grinnikte opnieuw. 'Ja, dat klopt. Ook zoiets absurds. Types zoals wij beveiligen administratief en burgerpersoneel, maar we mogen geen zware wapens dragen, dus moet het leger onze konvooien beveiligen.'

'Dat is krankjorum.'

'Ja, toch? Maar goed, als je interesse hebt bel ik Bill wel. Dan kunnen jullie tenminste een tijdje hier blijven. Zie ons maar als een tijdelijke hospita.'

'Dan horen we in ieder geval ergens thuis,' zei Evan. 'Oké, bel hem maar.'

2

Route Irisch, de weg tussen het vliegveld en Bagdad, was een moderne snelweg met in iedere richting drie goed onderhouden rijstroken. Het voornaamste verschil met de snelwegen in de Verenigde Staten was volgens Evan – afgezien van het feit dat er consequent aan de verkeerde kant werd gereden – dat zich op ieder willekeurig moment en op iedere willekeurige plaats nieuwe verkeersdeelnemers konden aandienen. Dit kwam doordat zich naast het asfalt een berm van zand bevond en er geen vangrails of andere fysieke belemmeringen waren, zodat iedereen vanaf het vlakke boerenland zomaar de snelweg op kon rijden – een mogelijkheid waar vaak gebruik van werd gemaakt. Alleen in en om Bagdad waren reguliere op- en afritten.

Dit werd vooral een probleem vanwege de autobommen. Gedurende de vier dagen nadat kolonel Calliston zijn eenheid had toegevoegd aan Allstrong was er nog geen auto met explosieven op hen af gekomen, maar de dreiging was absoluut reëel en alomtegenwoordig. Die ochtend, toen ze uit Bagdad waren weggereden, had Evan vier verwrongen en uitgebrande wrakken geteld, waarvan er één nog nasmeulde. Bij het laatste moesten ze een uur wachten totdat de autoriteiten de weg hadden vrijgemaakt en het verkeer weer door mocht.

Vandaag was Evans opdracht via Bagdad door te rijden naar de luchtbasis Balad, bijgenaamd Anaconda, die ongeveer zestig kilometer noordelijk van de hoofdstad lag. Daar moest hij een zekere Ron Nolan ophalen, een hooggeplaatste medewerker van Allstrong die de afgelopen week op zoek was geweest naar nieuwe business en naar locaties voor potentiële nieuwe vliegvelden in het westen en noorden van het land. Nadat hij Nolan had opgehaald, moest hij terug naar het hoofdkwartier van de CPA in Bagdad voor een of andere onduidelijke aangelegenheid, waarna hij voor donker weer terug moest zijn op BIAP.

De totale afstand die ze zouden afleggen, was ongeveer honderdvijftig kilometer en ze hadden zo'n twaalf uur daglicht, maar Evan nam geen risico's. Een halfuur na zonsopgang had hij de noodzakelijke toestemming

31

voor het konvooi van de legerautoriteiten en was hij op volle sterkte
– zijn drie Humvees – vertrokken. Iedere Humvee had een chauffeur en
een bijrijder om de chauffeur af te lossen die tevens munitie moest aangeven aan de schutter, die met zijn bovenlichaam boven het dak uitkwam, wat een tamelijk kwetsbare positie was. De zwaarbewapende
mannen verwisselden per rit van rol. Als commandant had Evan zich aan
de rol van schutter kunnen onttrekken, omdat hij het commando had en
het radiocontact moest onderhouden. Maar hij had er een punt van gemaakt net als zijn mannen bij toerbeurt dienst te doen als schutter.

Vandaag reed hij mee als passagier op de achterbank van de eerste
Humvee. Vanwege de vertraging door het uitgebrande wrak bereikten ze
Bagdad pas om acht uur en kwamen ze pas om kwart over elf aan bij de
buitenste ringweg van de zestig kilometer verderop gelegen basis Anaconda, die spoedig zou worden omgedoopt tot 'Mortaritaville'. Zelfs zonder autobommen bewoog het verkeer langs de voornaamste logistieke
aanvoerroute in de buurt van Bagdad zich met een slakkengangetje, wat
niet verwonderlijk was als je wist dat Anaconda zo'n zestienduizend
vluchten per maand afhandelde.

Toen ze de poort door waren, reden Evans chauffeur en sergeant Marshawn Whitman, de tweede man van hun eenheid, nog ruim een halve kilometer verder totdat ze bij een kruising kwamen met een bord waarop
stond aangegeven dat het hoofdkwartier zich anderhalve kilometer verderop naar rechts bevond. Maar Whitman sloeg niet meteen rechts af. In
plaats daarvan staarde hij door het geopende raam naar links, waar op de
hoek twee tenten stonden. Eén met het logo van Burger King en één met
het logo van Pizza Hut. 'Zie ik dit nou goed, luitenant? We zijn hier toch
in een oorlogsgebied? Het klopt toch dat we zo'n twee maanden geleden
in Bagdad zijn aangekomen? Mag ik niet even uitstappen om snel een
Whopper te halen?'

Toen Evan voor de ingang van de tent waarin het hoofdkwartier was
gevestigd Ron Nolans hand drukte, kreeg hij de indruk van een enorme,
beteugelde kracht. De man was ongeveer een meter achtenzeventig en
leek van top tot teen te bestaan uit alleen maar spierbundels. Een vierkante kaak onder het korte, aan de zijkanten opgeschoren haar. Hij droeg
een pistool in een holster aan zijn riem en over zijn kaki hemd droeg
hij het met kevlar versterkte camouflagevest dat gangbaar was bij het
leger.

'Luitenant!' zei hij joviaal glimlachend, terwijl hij op Evan toe liep. Hij sprak de rang gekscherend met een Brits accent uit. 'Wat geweldig dat je op tijd bent. Tijd is geld tenslotte, zeker vandaag de dag. Ik neem aan dat de airconditioning in de limousine goed werkt?'

Evan vertraagde zijn pas en maakte een hoofdbeweging naar de Humvees. 'Eh, meneer...'

Maar Nolan begon bulderend te lachen en sloeg Evan op de rug. 'Ik neem je in de maling, jongen. Geen zorgen. Ik voel me als een vis in het water in een Humvee. Je weet dat we even een stop moeten maken in Bagdad?'

'Dat zijn inderdaad mijn orders.'

Nolan bleef staan, stak zijn arm uit en legde zijn hand op Evans arm. 'Op de plaats rust, luitenant,' zei hij. 'Ben je een beetje zenuwachtig?'

'Ik voel me prima. Maar ik zou liegen als ik zou beweren dat Bagdad mijn favoriete stad is.'

'Nou, als het aan mij ligt hoeven we er niet lang te blijven en ik denk dat ik daar wel garant voor kan staan. Jack Allstrong is iemand die vele deuren weet te openen.' Hij zweeg even. 'Ben jij van het reguliere leger?'

'Nee. Nationale Garde van Californië.'

'Ja, ik had al gehoord dat ze die gingen inzetten. Hoe groot is je konvooi?'

'Drie Humvees.' Ze naderden de voertuigen nu, die vlak naast het plaveisel stonden geparkeerd. 'Dit zijn ze.'

Nolan bleef met zijn handen in zijn zij staan en bekeek de met machinegeweren uitgeruste voertuigen. 'Nou,' zei hij tegen Evan, 'dat ziet er prima uit.' Hij knikte naar korporaal Rees, die in het dagelijks leven lesgaf aan kinderen van twaalf tot veertien en nu het machinegeweer van de dichtstbijzijnde Humvee bemande. 'Hoe gaat het, jongen?'

'Goed, meneer.'

'Waar kom je vandaan?'

'San Carlos, Californië.'

'San Carlos!' bulderde Nolan. 'Ik ben daar vlakbij opgegroeid, in Redwood City!' Hij gaf een klap tegen de bumper van het voertuig. 'Wat is de wereld toch klein, nietwaar luitenant? Deze jongen en ik zijn thuis zowat buren geweest.'

'We komen allemaal uit dezelfde streek,' zei Evan, die zich ook enthousiast begon te voelen, al kon hij niet precies verklaren waarom. 'Onze eenheid komt uit San Bruno. We zijn alle negen afkomstig uit die buurt.'

'Nou wordt-ie mooi!' riep Nolan. 'Dan ben ik tegen de juiste groep aan gelopen, dat is wel zeker. Hoe lang zijn jullie hier al?'

'Een week of drie,' zei Evan.

'Is er al een keer op jullie geschoten?'

'Nog niet.'

'Maak je geen zorgen,' zei Nolan met een brede grijns. 'Dat zal zeker nog wel gebeuren.'

Om de een of andere duistere en ondoorgrondelijke reden werden ze via Haifa Street door de gemengde wijk Mansour geleid, in plaats van via de gebruikelijke route naar het CPA-hoofdkwartier in Bagdad, via de weg die uitsluitend bestemd was voor militair verkeer en die zwaar werd beveiligd. De bestemming van Ron Nolan was het oude Republikeinse Paleis van Saddam Hoessein in het centrum van Bagdad, maar het verkeer in Haifa Street kwam vrijwel tot stilstand voor de controlepost die je moest passeren om in de Groene Zone te komen. De voertuigen stonden bumper aan bumper en iedereen had zijn wapen gereed, klaar om te reageren als het nodig mocht zijn. Nolan opende het portier, stapte uit en rekte zich uit op straat. Evan voelde er weinig voor zijn passagier uit het oog te verliezen en overwon zijn reserves. Het wemelde van de Irakese burgers op straat en elk van hen kon een vijandelijke strijder zijn, maar hij stapte eveneens uit.

Het was al namiddag en het was bloedheet, met nauwelijks een spoor van een verkoelend briesje. Het rook naar een mengeling van geroosterd vlees en geroosterde vis, mest, olie en vuilnis. Haifa Street was breed, met aan weerszijden uit beton opgetrokken gebouwen van drie of vier verdiepingen hoog. De meeste hadden een of meer kapotgeschoten ramen. Als je naar de mensen op de trottoirs keek, onder wie zich ook veel vrouwen en kinderen bevonden, zou je niet denken dat dit een oorlogsgebied was. Waar het verkeer naar de Groene Zone moest passeren, waren stalletjes opgesteld waar van alles en nog wat werd verkocht, van kleding tot batterijen, van toiletpapier tot buitenlandse valuta en snoepgoed.

Nolan, die het allemaal in zich opnam, leek ervan te genieten. Toen hij Evan aan de andere kant van de Humvee zag staan, grinnikte hij. 'Als we gaan lopen, zijn we er twee keer zo snel. Heb je daar zin in?'

Evan, die er weinig voor voelde zijn mannen in de steek te laten, prefereerde de betrekkelijke veiligheid van zijn Humvee, maar hij was er ook voor verantwoordelijk dat Ron Nolan veilig bij Allstrong werd afgeleverd, en als dat betekende dat hij de straten van Irak moest trotseren, was dat waarschijnlijk niet meer dan een noodzakelijke nieuwe ervaring. De twijfel was van zijn gezicht af te lezen en Nolan merkte zijn aarzeling op. 'Kom op, luitenant. Wie niet waagt, die niet wint.'

'Ik dacht even aan mijn mannen, meneer Nolan,' zei Evan.

'Nou, als wij nog niet klaar zijn als ze bij het hek zijn aangekomen, laat je ze daar toch even stoppen? Dan zien we ze daar wel weer. Maar zoals het nu gaat zijn wij alweer terug tegen de tijd dat ze er zijn. En ik wil graag voor donker weer op BIAP terug zijn.'

Hun Humvee reed bijna twee meter verder en kwam weer tot stilstand.

'Hoe dan ook,' zei Nolan, 'ik ga lopen. Ga je mee of niet?'

'Oké.' Evan stak zijn hoofd door het geopende raam van het portier aan de passagierskant en informeerde Marshawn.

'Het lijkt me geen goed idee het contact te verliezen,' antwoordde zijn chauffeur.

'Mij ook niet, Marsh. Voor mij is dit ook allemaal nieuw.' Hij gebaarde met zijn kin naar hun passagier. 'Maar hij gaat lopen. En het ziet er hier allemaal tamelijk rustig uit.'

'Ja,' zei Marshawn, 'dat is ervóór.'

Ze wisten allebei wat hij bedoelde: voordat de bom op het drukke marktplein zou ontploffen.

'Laten we hopen van niet,' zei Evan. 'En hoe sneller we hiermee klaar zijn en uit Bagdad weg kunnen, hoe sneller we weer op de basis zijn.'

'Ik snap het, luitenant. Als het moet, dan moet het. Maar als jullie straks niet bij het hek staan? Wat moeten we dan doen? Waar zijn jullie dan?'

Bij wijze van antwoord haalde Evan zijn schouders op en stak zijn draagbare Motorola-portofoon omhoog, die een bereik had van zo'n anderhalve kilometer. Nolan, die het gesprek had gevolgd, boog zich naar voren en keek Marshawn aan. 'Kantoortje van de financiële administratie, in de kelder van het hoofdgebouw. Je kunt het niet missen. Maar wedden om honderd dollar dat wij eerder bij het hek zijn?'

Het verkeer kwam weer in beweging en Marshawn reed met een slakkengangetje ongeveer anderhalve meter door, waarna hij opnieuw moest stoppen. Er stond een file van bijna een halve kilometer lang. 'Dat lijkt me geen slimme weddenschap,' zei hij, 'zelfs al had ik honderd dollar bij me.'

'Dat denk ik ook, sergeant. Dat is de reden waarom we gaan lopen.' Nolan knipte met zijn vingers, alsof hij zich plotseling iets herinnerde. Hij trok het achterportier open en kwam even later weer tevoorschijn met zijn rugzak, die ogenschijnlijk leeg was. 'Die mag ik niet vergeten,' zei hij, opnieuw met een brede grijns. Hij maakte hem vast op zijn rug, over het kogelvrije vest.

* * *

Ron Nolan wachtte totdat Evan naast hem kwam lopen en zei toen: 'En trouwens, ik heet Ron, oké? Meneer Nolan, dat is mijn vader. Mag ik jou Evan noemen?'

'Zo heet ik.'

'Oké, Evan. Sorry, ik wilde je daarnet tegenover je mannen niet in verlegenheid brengen, maar besluiteloosheid is iets wat je je hier niet kunt permitteren. Je moet snel beslissingen nemen en daarnaar handelen. Dat is een van de voornaamste dingen hier.'

'Ik héb zonet een beslissing genomen. Maar ik ben er niet zeker van of het wel zo'n goede beslissing was mijn konvooi te verlaten. Ze hebben het er bij ons ingestampt dat het opvolgen van de regels essentieel is om alles ordelijk te laten verlopen.'

Ze liepen schouder aan schouder langs de weg. Nolan was het er niet me eens. Hij schudde zijn hoofd en zei: 'Mijn ervaring leert je dat je hier beter op je intuïtie kunt afgaan. En dan bedoel ik niet alleen maar hoe je in een fractie van een seconde moet besluiten of iemand moedj of hadj is' – moedjahedien waren de slechteriken en hadj de goeden – 'en van zo'n beslissing kan hier je leven afhangen. Maar het gaat ook om de commerciële mogelijkheden hier... Godallemachtig, wat een goudmijn! Maar je moet de kansen wél onmiddellijk pakken als ze zich aandienen, anders grijp je ernaast. Heb je op BIAP Jack Allstrong nog gesproken?'

'Heel even.'

'Heeft hij je verteld hoe hij die handel op het vliegveld heeft versierd? Waarmee we ons hier op de kaart hebben gezet?'

'Nee, daar heeft hij het niet met me over gehad.'

'Nou, dat is een perfect voorbeeld van wat ik bedoel. Weet je hoeveel onze helft van dat contract waard is? Als je zestien miljoen dollar zegt, zit je goed.'

'Maar wat doen jullie daar dan voor? Ik heb jullie stacaravans gezien, maar ik heb geen idee wat jullie precies uitvoeren.'

'We bewaken het vliegveld, dat is wat we doen.'

'Maar wij dan?'

'Wie bedoel je met "wij"?'

'Ik bedoel het leger, de mariniers. Wat doen wij dan? Bewaken wij het vliegveld niet?'

'Nee, jullie vechten tegen de gewapende strijders; dat geldt in ieder geval voor de reguliere legeronderdelen. Jerry Bremer heeft godzijdank in zijn onmetelijke wijsheid alle Irakese politiemensen ontslagen en het Irakese leger ontbonden, zodat er behalve ons niemand meer is om alle mensen te beveiligen die hier het land binnenstromen om zaken te managen en de infrastructuur weer op te bouwen. Bijna iedereen dus, goedbeschouwd.'

Evan hield zijn hand op zijn heupholster. De meeste lokale bewoners deden eenvoudigweg een paar passen opzij als ze de twee Amerikanen zagen aankomen, maar veel van de kinderen glimlachten en renden met hen mee. Evan had, net als de Irakese kinderen, al ontdekt dat de Amerikaanse soldaten een belangrijke bron van snoepgoed vormden. Het maakte deel uit van hun standaarduitrusting. Maar Evan had geen snoep bij zich en hij wilde zo snel mogelijk de Groene Zone bereiken. Daarom liep hij stevig door.

Ondertussen hield Nolan het gesprek gaande. 'Het ging helemaal niet zo goed met Jack sinds hij uit dienst is gegaan. Hij heeft geprobeerd een beveiligingsbedrijf op te zetten in San Francisco en wilde zich richten op zaken als het zekerstellen van watertoevoer en de binnenlandse strijd tegen het terrorisme, maar dat liep allemaal niet zo lekker. Toen viel Bagdad, en weet je wat Jack deed? Hij is met zijn laatste dollars op het vliegtuig naar Bagdad gestapt en is hier naar mogelijkheden gaan zoeken.' Nolan spreidde theatraal zijn armen. '*Et voilà!* Een paar maanden later: zestien miljoen ballen!'

'Zomaar?'

'Daar komt het wel zo'n beetje op neer. Jack kende nog een paar mensen met wie hij vroeger had gediend. Die hebben hem op de business op de luchthaven geattendeerd en degene die erover ging ervan overtuigd dat hij Jack naar dat contract moest laten meedingen.'

'Maar hoe heeft hij dat dan gekregen?' Ondanks zichzelf merkte Evan dat het verhaal hem intrigeerde en dat hij werd aangestoken door Nolans enthousiasme. 'Ik bedoel, ik neem aan dat hij het tegen de grote bedrijven zoals Halliburton, Blackwater en KBR moest opnemen.' KBR stond voor Kellogg, Brown & Root. Evan wist niet dat KBR geen onafhankelijk bedrijf was, maar een dochteronderneming van Halliburton.

'Precies, en vergeet DynCorp en ArmorGroup International niet, de grote jongens. Om maar niet te spreken van Custer Battles; die heeft ons nog de grootste last bezorgd. Maar Jack heeft ze er allemaal onder gekregen en de helft van de handel binnengehaald.' Zelfs in de gekte van de namiddagmarkt in Bagdad straalde Nolans gezicht bij de herinnering.

'Wat heeft hij dan geboden?'

'Om te beginnen een lage prijs, maar dat kwam doordat het allemaal nog nieuw voor hem was en hij er geen idee van had wat het waard was. Het doorslaggevende punt was echter de tijdlijn. Hij beloofde dat hij binnen twee weken bijna honderdvijftig man kon leveren.'

'Twee weken?'

'Twee weken.'

Ze liepen een paar meter verder en toen kon Evan zich niet bedwingen. 'Hoe wilde hij dat dan regelen? Hoe moest hij ze betalen? En trouwens, wie zou hij dan inhuren? Hadden jullie soms honderdvijftig man in San Francisco die jullie konden invliegen?'

Nolan schaterlachte. 'Ben je bezopen? Hij had welgeteld drie medewerkers in San Francisco en die had hij in juni nog met zijn creditcard moeten betalen. Het was erop of eronder voor hem. Maar hij heeft het voor elkaar gekregen.'

'Hoe dan?'

Ze waren bijna bij de controlepost, terwijl het verkeer nog nauwelijks vooruit was gekomen. Nolan bleef stilstaan en keek Evan aan. 'Dat is het allermooiste van het verhaal. Jack had geen krediet meer. Thuis wilde niemand hem meer een cent lenen, dus is hij teruggevlogen en heeft hij de CPA ervan overtuigd dat ze hem twee miljoen dollar moesten lenen met als onderpand de eerste uitbetaling uit hoofde van zijn contract.'

'Twee miljoen dollar?'

'Handje contantje,' zei Nolan. 'Gloednieuwe biljetten van honderd dollar. Jack heeft ze in een koffer gestopt en is ermee naar Jeruzalem gevlogen, waar hij het geld op de bank heeft gezet. Vervolgens heeft hij mij gebeld om te vragen of ik als de bliksem naar Irak wilde komen. Hij had de boel op de rit.'

Bij het hek, waar een kleine menigte zich verdrong om te worden binnengelaten, zwaaide Nolan even met zijn legitimatie, waarna ze door mochten lopen. Zelfs doodgewone bewakers leken hier te weten wie hij was. Ze staken de enorme binnenplaats over en passeerden de tanks die het grandioze witte paleis bewaakten, dat duidelijke sporen droeg van de bombardementen waaraan de stad de afgelopen maanden was blootgesteld: kapotte ramen, bomkraters, kogelgaten en sporen van granaatscherven.

In de gigantische hal van het hoofdgebouw heerste chaos. Zo'n vijfhonderd mensen wrongen zich in de rijen voor de opklaptafels die kennelijk fungeerden als sluis naar het heiligdom van Bremer en zijn staf. Er klonk een kakofonie van talen; sommigen droegen militaire uniformen, anderen zagen eruit als zakenmensen en weer anderen droegen kaftans. Zodra ze binnen waren werd Evan bedwelmd door het lawaai, de temperatuur van meer dan achtendertig graden en de stank van zoveel op elkaar gepakte mensen.

Nolan leek ongevoelig te zijn voor dit alles. Hij had nog geen drie stappen de hal in gezet of hij trok Evan aan zijn mouw en wees naar rechts. Ze liepen langs de rechtermuur, passeerden de menigte en kwamen uit bij een brede marmeren trap die naar beneden leidde. Het was hier veel minder druk dan in de ruimte achter hen.

'Wat is daar allemaal aan de hand?' vroeg Evan zodra hij zich verstaanbaar kon maken.

Nolan bleef op de onderste tree staan. 'Dat,' antwoordde hij, 'zijn kort gezegd de gasten die hier nét te laat en met nét te weinig middelen zijn aangekomen. In feite zijn het concurrenten van Jack, met dit verschil dat ze allemaal onderaannemer willen worden van de grote jongens. Je kunt eigenlijk wel zeggen dat het hele land te koop staat. Bremer probeert dat allemaal vanuit dit gebouw te administreren. Vanachter die tafels, die – geloof het of niet – allemaal een of ander ministerie vertegenwoordigen. Het zijn er zeventien geloof ik. Of twintig. Daar wil ik vanaf wezen. Iedereen wil een stukje van de taart. Godzijdank hebben wij dat stadium achter de rug. Wat een heksenketel, vind je ook niet?'

Maar hij wachtte niet op antwoord. Nolan draaide zich om en liep vlak langs de muur verder, met Evan in zijn kielzog. Verderop in de gang werd het geleidelijk aan rustiger. Na een meter of dertig gingen ze de hoek om. Voor hen strekte zich een andere gang uit, die verbazingwekkend leeg was. Ongeveer halverwege zat een man in militair uniform achter een tafel. Daarvoor stond een rijtje van drie mensen, ogenschijnlijk allemaal burgers. Verder was er niemand. Ze konden het lawaai en de gekte achter zich nog wel vaag horen, maar Evan voelde zich er plotseling lichamelijk van verlost, al hing hier nog wel de onaangename lucht van te veel mensen op een kluitje. Niet vreemd, aangezien er, ondanks de gaten waar ooit ramen voor hadden gezeten, geen noemenswaardige ventilatie was.

Nolan liep stug door. Hij keek op zijn horloge, richtte zijn blik toen op de openingen hoog in de muur waar de ramen hadden gezeten en versnelde zijn pas. Maar toen ze dichter bij de tafel kwamen stak hij plotseling een hand op en ging langzamer lopen. Hij vloekte.

'Wat is er?' vroeg Evan.

Nolan vloekte nogmaals en bleef staan. 'Net nu we haast hebben zit daar Charlie Tucker. Misschien had die sergeant van jou toch honderd dollar kunnen verdienen.'

'Wie is hij?'

'Het is een eikel. Hij is accountant bij de luchtmacht. Volgens mij is hij in het dagelijkse leven bibliothecaris. Hier is hij een muggenzifter die het mensen zoals Jack en mij lastig maakt, mensen die echt iets goeds willen doen en zaken voor elkaar proberen te krijgen.' Evan begon te vermoeden dat Nolan er de man niet naar was zich dwars te laten zitten door figuren als Charlie Tucker of door wat dan ook. Nolan produceerde een optimistische glimlach. 'Maar ja,' zei hij, 'daarom betalen ze ons ook zo goed. Omdat we zaken voor elkaar krijgen. Waar of niet?'

Toen ze eenmaal bij de tafel arriveerden had majoor Tucker een van de drie mannen die voor zijn tafel stonden al geholpen. De laatste man in de rij had zich omgedraaid, deed een stap in hun richting, maakte een lichte buiging en zei, in vlekkeloos Engels: 'Meneer Nolan, hoe maakt u het?'

'Kuvan!' Afgaand op het welgemeende enthousiasme waarmee Nolan hem begroette hadden ze dikke jeugdvrienden kunnen zijn. Evan schatte Kuvans leeftijd op een jaar of tweeëndertig. Zijn gezicht had een lichtbruine tint en behalve de voor Irakezen gebruikelijke snor had hij een forse haakneus. Nolan liep naar hem toe en greep hem bij beide schouders, waarna het leek alsof de beide mannen elkaar met de neus begroetten. Daarna prezen ze beiden de Profeet, een moslimgebruik waaraan Evan al gewend was geraakt, waarna Nolan vervolgde: 'Kuvan Krekar, dit hier is tweede luitenant Evan Scholler van de Nationale Garde van Californië. Hij is hier nog maar een paar weken en ik doe mijn best hem zich hier een beetje thuis te laten voelen.' Daarna, tegen Evan: 'Kuvan heeft ons geholpen met het werven van Filippijns personeel op BIAP. Hij is een genie in het vinden van mensen die willen werken.'

Terwijl Krekar Evan een stevige hand gaf zei hij glimlachend: 'Alle mensen worden beter van werk. Als iedereen een baan had, was er geen oorlog.'

'Maar dan had ík geen baan meer,' zei Evan. Hij verbaasde zich over zijn eigen opmerking.

Krekar ging er soepel op in: 'Vast niet lang, zou ik denken, Zelfs mijn vriend meneer Nolan hier, een professionele soldaat met een zekere reputatie, heeft zinvol werk gevonden in de private sector. Hoe dan ook, welkom in mijn land, luitenant. U bent bij de heer Nolan in goede handen.'

'Die indruk begin ik ook te krijgen,' zei Evan.

Krekar richtte zijn glimlach weer op Nolan. 'Er gaan geruchten dat de heer Allstrong op het valutaproject gaat bieden.' Dit was het contract voor de vervanging van het oude papiergeld van Irak – dertienduizend ton bankbiljetten met de beeltenis van Saddam Hoessein erop – door een nieuw ontwerp. Binnen een tijdsbestek van drie maanden moest vierentwintig ton aan nieuwe dinars worden gedistribueerd. Hieraan zouden honderden Irakezen in verschillende delen van Irak gaan werken. Ze moesten worden ondergebracht in kampen met moderne infrastructuur, waaronder internet, in Mosul, Basra en tal van andere plaatsen. Precies het soort werk dat Allstrong nu op de luchthaven van Bagdad deed. Er moest bovendien een vloot van vijftons vrachtwagens worden geleverd voor het transport van het personeel en de bankbiljetten.

'Dat is heel goed mogelijk,' zei Nolan. 'Maar ik moet zeggen dat ik Jack al een paar weken niet heb gesproken. En zoals u weet kan de wereld hier in twee weken tijd volkomen veranderen.'

'Als je hem ziet,' zei Krekar, 'vergeet dan vooral niet mijn naam te noemen. Voor het papier, de drukpersen, de ontwerpwerkzaamheden en de bankkwesties... voor dat alles ken ik de juiste mensen, en misschien kunnen Jack en ik wel tot overeenstemming komen, als Allah het wil.'

'Ik zal het hem zeker zeggen, Kuvan. Als hij tenminste inderdaad gaat meedingen.'

Achter hen schraapte Tucker zijn keel. Krekar boog haastig bij wijze van afscheid, waarna hij zich omdraaide en naar de tafel liep.

Nolan deed een paar passen naar achteren, trok Evan met zich mee en zei op fluistertoon: 'Over zaken voor elkaar krijgen gesproken: als Kuvan met ons in zee wil voor dat valutaproject, is het zeker dat we het binnenhalen. Niet dat ik wil afdingen op Jacks capaciteiten, maar zonder Kuvan hadden we de luchthaven nooit gekregen, en ik overdrijf niet.'

'Wat heeft hij dan gedaan?'

'Nou, zoals ik al zei ging het er vooral om dat we hier binnen een paar weken een heleboel mensen op de been moesten hebben. Jack beloofde dat hij dat kon regelen en de CPA geloofde hem, want hij kan behoorlijk overtuigend overkomen. Maar goed, toen puntje bij paaltje kwam was Custer Battles ons steeds voor als het ging om het rekruteren van mankracht. Jack had geen idee waar hij zo snel bewakers, koks en al het andere personeel dat hij nodig had vandaan moest halen. Nou wilde het toeval

41

dat een van Jacks oude maten bij Delta beveiligingswerk deed voor KBR, en die bracht hem in contact met Kuvan. Kuvan heeft toegang tot een vrijwel onbeperkt arsenaal aan arbeidskrachten uit Nepal, Jordanië, Turkije, de Filippijnen, noem maar op. Je betaalt die gasten een dollar per uur en dan doen ze alles voor je: koken, schoonmaken en mensen afmaken...'

'Een dollar per uur? Is dat alles wat ze verdienen?'

'Dat is wat koks en de andere medewerkers krijgen. Bewakers vangen misschien tweehonderd per maand.' Nolan begon nog zachter te fluisteren en gebaarde naar de tafel. 'Laat Tucker het maar niet horen, want Jack heeft het geoffreerd voor twintig dollar per uur de man, maar zoals ik al zei: die Kuvan is een genie. Zijn commissie is twee dollar per uur, dus voor ons blijft er zeventien over. Dat is per uur. Vermenigvuldig dat met zeven dagen à vierentwintig uur, maal honderdzestig man, tot dusver. En er zitten er nog tweehonderd aan te komen. Hoe meer we er aanbrengen, hoe meer we verdienen. Als je je kaarten goed uitspeelt, is het hier een goudmijn. Hoeveel betalen ze jou, Evan? Tweeduizend per maand?'

'Zoiets. Plus gevarengeld...'

Nolan onderbrak hem met een cynische lach. 'Gevarengeld, hoeveel is dat? Honderdvijftig per maand? Dat is wat onze koks verdienen.'

'Ja, dat zei je al.' Het stemde Evan tot nadenken. Voor die honderdvijftig dollar per maand extra stond hij iedere dag oog in oog met de dood.

Na een korte stilte keek Nolan hem zijdelings aan. 'Weet je hoeveel ik vang?'

'Geen idee.'

'Wil je het weten?'

Een knikje. 'Natuurlijk.'

'Twintigduizend per maand. Netto, trouwens. Natuurlijk heb ik veel ervaring en daarom kan ik hier extra veel verdienen. Maar iemand zoals jij kan als je tijd erop zit een maand later terugkomen en bij een van de contractors een maandsalaris verdienen van minstens tienduizend dollar. Blijf je zes maanden, dan kom je met een flink pak geld thuis. Als dit hier lang gaat duren, waar het wel naar uitziet, ben ik miljonair tegen de tijd dat ik naar huis ga.'

Majoor Charles Tucker zag er achter zijn bureau uit als iemand die wel een zonvakantie kon gebruiken. Er zaten zweetplekken in zijn hemd. Hij droeg een montuurloze bril, had een hoog voorhoofd en vrijwel onzichtbare blonde wenkbrauwen – een karikatuur van de gekwelde accountant.

En hij stak zijn minachting voor Nolan niet onder stoelen of banken. 'Laat uw papieren maar eens zien. Wie heeft ze dit keer afgetekend?'

'Kolonel Ramsdale, meneer. De coördinator Veiligheidszaken van de luchtmachtbasis.'

'Ook weer een vriendje van de heer Allstrong?'

'Een strijdmakker, inderdaad. Ze hebben samen gevochten bij operatie Desert Storm.'

'Dat is dan fijn voor ze.' Tucker bestudeerde de papieren die Nolan hem had gegeven. Hij sloeg het eerste om, bekeek het tweede en wierp toen opnieuw een blik op het eerste.

'Is alles in orde, meneer?' vroeg Nolan op licht ironische toon.

'Dit is erg veel geld om contant mee te nemen, Nolan.' Hij gebaarde naar Evan. 'En wie is dit?'

'Mijn gewapende escorte, meneer. We hebben beveiliging gekregen voor het transport terug naar de basis.'

Tucker richtte zijn aandacht opnieuw op de papieren. 'Goed, die salarissen, dat kan ik volgen, maar wat betekent die post van zestigduizend dollar voor...' Hij tuurde naar het papier. 'Staat hier dat het voor honden is?'

'Ja, meneer. Honden die zijn getraind om bommen te detecteren. We moeten ze voeren en er kennels voor bouwen. En dan zijn er natuurlijk nog de trainers en verzorgers.'

'En Ramsdale heeft dit goedgekeurd?'

'Daar lijkt het wel op, meneer.' Nolan boog zich naar voren en leek te controleren of de handtekening van Ramsdale inderdaad op het document stond. Evan moest een grijns onderdrukken. Nolan, die uiterst beleefd bleef, slaagde er uitstekend in iedere opmerking met de juiste dosis venijn te kruiden.

'Ik moet iemand sturen om dit te controleren.'

Nolan haalde zijn schouders op. 'Vanzelfsprekend, meneer.'

'Zestigduizend dollar voor een paar honden!'

'Honden die bommen kunnen detecteren, meneer.' Nolan bleef ontspannen. 'Bomhonden. Met de bijbehorende infrastructuur.'

Maar kennelijk kon Tucker er niets aan doen. De formulieren die Nolan bij zich had waren in orde en voorzien van de juiste handtekening. Hij krabbelde iets aan de onderkant van het formulier. Toen keek hij Nolan aan. Achter Nolan hadden zich een inmiddels alweer vier of vijf andere klanten opgesteld. 'Valuta?' vroeg Tucker.

'Hoe bedoelt u?' antwoordde Nolan.

'Neem me niet in de maling, Nolan. Dollars of dinars?'

'Laten we maar dollars doen.'

'Ja, dat dacht ik al. U betaalt uw mensen in dollars?'

'Dat is het enige wat ze aannemen, meneer. De goeie ouwe dinar is tegenwoordig niet meer zo in trek.'

Tucker maakte nog een andere aantekening, scheurde zijn kopie van het formulier en legde die in zijn rechterbovenla. 'Dit gaat voor controle,' herhaalde hij. Hij keek naar de man die achter Nolan stond en zei: 'De volgende!'

3

Die avond dronk Jack Allstrong in zijn kantoor in de stacaravan whisky met Ron Nolan. Ze wierpen elkaar een in plastic verpakte bundel van vijfhonderd biljetten van honderd dollar toe, vijftigduizend dollar in totaal. Zijn kantoor, al was het dan niet onaardig, was een teer punt voor Allstrong, omdat het kantoor van zijn voornaamste concurrent Custer Battles (CB) zich in een van de nieuwe, volledig gerenoveerde terminals bevond. Toen Mike Battles hier twee maanden geleden voor het eerst was gearriveerd, ontdekte hij dat hij op het vliegveld met een aantal vrijwel ontmantelde loodsen was opgezadeld, die vol lagen met glas, beton, betonijzer en huisvuil. Hij had de boel grondig opgeruimd, tapijt op de vloer gelegd, behang aangebracht, douches aangelegd en draadloos internet geïnstalleerd.

Op ongeveer hetzelfde moment was Allstrong begonnen zijn koks en bewakers onder te brengen in de stacaravans, maar hij kon niet concurreren met CB-voorzieningen zoals een zwembad en een recreatieruimte met een pooltafel. Allstrong wist dat dit soort details belangrijk was als hij zijn cliënten ervan wilde overtuigen dat hij serieus was en toegewijd aan de langetermijndoelstellingen van de missie, maar aanvankelijk had hij domweg te kampen met een gebrekkige infrastructuur en een tekort aan mankracht.

Toen was dat genie Kuvan Krekar op de proppen gekomen met het idee van de hondenkennels als een aanvullende inkomstenbron, en dat begon vruchten af te werpen. Allstrong had er inmiddels een behoorlijk aantal ambtenaren van ministeries van weten te overtuigen dat honden die in staat waren explosieven en bermbommen te traceren onmisbaar waren bij het herinrichten van bases overal in het land.

Dus Jack was om meerdere redenen opgetogen: Kuvan had interesse getoond in hun gooi naar het valutaproject. Dat vergrootte de geloofwaardigheid van hun bieding meteen aanzienlijk en daarmee zouden ze CB waarschijnlijk wel de loef af kunnen steken. De CPA betaalde hen nog steeds in dollars (wat betekende dat Allstrong tegen bodemprijzen op de zwarte markt zijn eigen dinars kon kopen waarmee hij de plaatselijke werknemers kon betalen) en aan de inkomsten uit de bomhonden was, in ieder geval voorlopig, door bureaucraten als Charlie Tucker nog geen einde gemaakt.

Waar het op neerkwam was dat van de twee miljoen in contanten die Nolan had opgehaald en in zijn rugzak had meegenomen ongeveer vierhonderdduizend dollar nodig was om de daadwerkelijke bedrijfskosten te dekken, inclusief smeergeld voor kolonel Ramsdale en verschillende andere tussenpersonen. De tijden waren te chaotisch en iedereen had het te druk of was te bang om na te gaan waar het geld precies voor bestemd was en in wiens zakken het verdween. Er was geld genoeg, in contanten, en de missie was Irak er weer bovenop te krijgen. 'Geld speelt geen rol' werd er niet bij gezegd, maar daar kwam het wel op neer.

Zo was het terrein van Allstrong gedurende de eerste week van het contract bijvoorbeeld zonder drinkwater komen te zitten, een heuse crisis. Jack was naar Ramsdale gegaan om hem te melden dat hij dringend meer water nodig had, maar dat hij krap zat vanwege alle noodzakelijke kosten voor salarissen, huisvesting, beveiliging, wapens en voertuigen zoals gepantserde Mercedes-personenwagens en alle andere noodzakelijke voorzieningen voor zijn personeelsbestand, dat inmiddels uit bijna honderdvijftig man bestond. Zonder zich persoonlijk op de hoogte te stellen en kennelijk zonder enige bedenking had Ramsdale zeshonderdduizend dollar extra uitgaven geautoriseerd, boven op de zestien miljoen die Allstrong krachtens het contract voor de eerste zes maanden al tegoed had. Zeshonderdduizend dollar was een kleinigheid als je naging dat Allstrong nu al achtentachtigduizend dollar in contanten per dag ontving.

Allstrong had Ramsdale voor het water in totaal slechts om honderdduizend dollar gevraagd, maar omdat Ramsdale gewend was in bedragen per maand te rekenen had hij Allstrong zes keer het gevraagde bedrag toegekend en Allstrong had het niet nodig gevonden hem te corrigeren. Tenslotte werkten ze allemaal in een buitengewoon vijandige omgeving waar de dreiging van de dood reëel en alomtegenwoordig was. Allstrong vond dat daar een behoorlijke beloning tegenover behoorde te staan, zelfs al ging dat grotendeels onder de tafel. Het was bovendien niet zo dat mensen als Ramsdale geen idee hadden van wat er gaande was. Sterker nog: Ramsdale had het plan opgevat nog voor het einde van het jaar ontslag te nemen uit het leger en hij zou daarna in Irak blijven om als senior consultant op het gebied van veiligheidszaken voor Allstrong te gaan werken, tegen een salaris van tweehonderdveertigduizend dollar per jaar.

Allstrong, die bij de landkaart aan de muur van zijn kantoor stond, ving het pakket biljetten op en draaide het om in zijn handen. 'Zo.' Het was geen vraag. Het was geen antwoord. Hij scheen ermee te willen zeggen: *Hier sta ik nou, met vijftigduizend dollar aan contacten in mijn handen, terwijl ik een jaar geleden nog platzak was.* Hij glimlachte. 'Is dit mooi of niet, Ron?'

'Ja,' antwoordde Ron, terwijl hij zijn glas whisky omhooghield, 'het lijkt erop dat dit een goed jaar wordt.'

'Zeker weten.' Allstrong liep naar zijn bureau en gooide de samengebonden bankbiljetten achteloos terug naar Nolan. 'En het zou zomaar nóg veel beter kunnen worden, maar ik moet voorzichtig zijn niet te veel van mijn beste medewerkers te vergen. Van mensen zoals jij. Nee, nee, bespaar me de valse bescheidenheid. Ik stuur je erop uit om een klus te doen en die klaar jij gewoon. Niet iedereen die je op pad stuurt om even twee miljoen dollar op te halen kan de verleiding weerstaan ermee vandoor te gaan.'

Dit was meer dan een hypothetische opmerking. Precies die verleiding, al ging het dan om minder geld – een kwart miljoen dollar – was gedurende de afgelopen twee maanden voor minstens een van de hoger geplaatste medewerkers van Allstrong te groot gebleken. Bovendien waren er, voordat ze met Kuvan in zee waren gegaan, ruim twintig bewakers met de noorderzon en hun nieuwe wapens verdwenen zodra ze die hadden ontvangen.

Maar Ron Nolan haalde eenvoudigweg zijn schouders op. 'Je betaalt me goed, Jack. Het werk bevalt me. Het is fijn om een vast salaris te krijgen. Bovendien ben ik er tamelijk zeker van dat je iemand achter me aan zou sturen om me overhoop te schieten als ik er met jouw twee miljoen vandoor zou gaan.'

Allstrong stak zijn wijsvinger naar hem uit. 'Dat zou heel goed kunnen. Maar dat moet je niet persoonlijk opvatten, hoor.'

'Nee, natuurlijk niet.'

Allstrong ging op de rand van zijn bureau zitten. 'Wat ik bedoel te zeggen is dat ik me afvraag of je niet te veel aan je hoofd hebt.'

'Nee, alles is onder controle.'

'Ik zeg dat omdat zich een nieuwe mogelijkheid heeft aangediend. Ik weet het: die groeien hier tegenwoordig aan de bomen, maar als ik ze niet pluk doet iemand anders het. Hoe dan ook, ik wilde het graag aan jou voorleggen, om te vragen of jij het zou willen oppakken. Ik moet je waarschuwen dat het tamelijk riskant is, zelfs voor hier.'

'Een wandeling maken is hier al riskant, Jack.'

'Ja, dat klopt. Maar dit is in de soennitische driehoek.'

Nolan gooide het pakket bankbiljetten omhoog en ving het weer op. Hij haalde zijn schouders op. 'Wat voor klus is het?'

'Pacific Safety, die tent van Rick Slocum, die nauwe banden heeft met Rumsfeld, heeft zojuist via de genie een contract binnengehaald om de hele driehoek in drie maanden te voorzien van nieuwe elektriciteit. Hoogspanningsmasten en -leidingen. Hij heeft zevenhonderd man nodig om zijn mensen te bewaken.'

Nolan floot. 'Zevenhonderd?'

'Ik weet het. Dat zijn er heel wat. Maar ik ben er zeker van dat Kuvan ze kan leveren.'

'Natuurlijk. Die Koerden zijn fantastisch.'

'Wat je zegt. Nou... Wil je horen wat het oplevert?'

'Natuurlijk,' zei Nolan. 'Ik heb al een paar dagen geen stijve meer gehad.' Met het pak bankbiljetten in de ene en zijn glas whisky in de andere hand liep hij naar het bureau van Allstrong.

Zijn baas pakte een calculator en begon hardop te rekenen. 'Laten we uitgaan van tweehonderd per maand voor de bewakers, hetzelfde als we ze nu betalen, oké? Dan hebben we zevenhonderd man die negentig dagen aan het werk zijn, dat komt op vierhonderdtwintigduizend. Daar komt eten bij, munitie en andere noodzakelijkheden. Laten we eens gek doen en dat inschatten op twintig dollar per man per dag, dat is dan tweeënveertigduizend. Als we dat ruim naar boven afronden zijn onze totale kosten vijfhonderdduizend. Slocum heeft me in vertrouwen verteld dat hij er, gegeven de grote risico's in dat gebied, van uitgaat dat het niet zal kunnen worden aanbesteed voor een bedrag onder de twaalf miljoen. Dat is precies wat ik ga inschrijven en als we dan even doorrekenen...' Hij bewerkte de calculator. '...dan komen we op een winst over drie maanden van elf miljoen en vijfhonderdduizend dollar.'

'Hij is hartstikke stijf,' zei Nolan.

'Dus je doet mee als we het krijgen?'

'Natuurlijk, Jack. We zouden gek zijn als we het niet deden.'

'Dat ben ik met je eens. Maar ik wil het niet mooier maken dan het is. Ik denk dat we best wel eens een mannetje of twaalf zouden kunnen verliezen. Ik heb het over dodelijke slachtoffers, niet over gasten die deserteren of verdwijnen.'

'Oké.'

'Er zit voor jou een aanzienlijke bonus in. Twintig per maand. Lijkt dat je wat?'

'Wanneer kan ik beginnen?'

'We moeten de klus eerst nog binnenhalen. Maar denk eraan: ik wil dat je weet waar je aan begint. Je loopt daar flinke risico's.'

'Maar ik heb zevenhonderd man om me te beschermen, Jack. Kan ik dat escorte meenemen? Ik mag die Scholler wel. Die gozer weet wat hij doet.'

'Ik zal het met Calliston opnemen, maar ik zou niet weten waarom dat een probleem zou zijn. Hij weet niet eens wie die jongens zijn.'

'Arme sloebers.'

'Luister eens,' zei Allstrong, 'ze zijn uit vrije wil in dienst gegaan. Wat hadden ze dan verwacht?' Hij liep om zijn bureau heen en staarde door het raam naar het vliegveld. Een enorme C-17 Globemaster III-transportkist taxiede voorbij – honderden tonnen nieuwe voorraden en uitrusting, rechtstreeks vanuit de VS. Zonder zich om te draaien vroeg hij: 'Hoe ziet je agenda er tot die tijd uit?'

'Welke periode bedoel je precies?'

'De komende paar weken.'

'Tamelijk leeg. Ik heb alles op Anaconda en in Tikrit in gang gezet. We hebben daar vrienden die hun best voor ons doen, maar die moeten eerst hun superieuren bewerken. Het zou kunnen dat we als onderaannemer van KBR aan de slag moeten, maar ik heb het gevoel dat ze er wel oren naar hebben dat we het op dezelfde manier aanpakken als we hier hebben gedaan. Hoe dan ook, dat heeft nog even tijd nodig. Hoezo?'

Allstrong draaide zich nu om. 'Ik wil je voor een week of twee naar de Verenigde Staten sturen. Om op de thuisbasis wat problemen op te lossen. Ik zou het zelf kunnen doen, maar ik kan hier moeilijk weg met al die nieuwe klussen die zich aandienen. Je bent dan in ieder geval op tijd terug voor dat project in de driehoek, als het doorgaat. En na vandaag is de betaling van de salarissen voorlopig ook geregeld.'

'Wat voor problemen?'

'Luister.' Allstrong dronk zijn glas leeg. 'Ik heb een privédetective ingehuurd en die heeft Arnold Zwick gevonden. Die idioot is gewoon teruggegaan naar San Francisco.' Zwick was de hooggeplaatste medewerker die er zes weken geleden met een kwart miljoen van Allstrongs geld vandoor was gegaan. 'Ik wil mijn geld eigenlijk wel terug. Misschien kun jij een woordje met hem wisselen. Daarna neem je maar even vakantie. Waar je wilt, dat maakt niet uit. Lijkt dat je wat?'

'Wanneer wil je dat ik vertrek?'

'Ik kan voor morgenochtend een vlucht naar Travis voor je regelen.'

'Oké.'

Allstrong glimlachte. 'Zal ik je eens wat vertellen, Ron? Ik vind het écht vervelend als je er zo lang over doet om een besluit te nemen.'

'Ik weet het,' zei Nolan. 'Dat is een zwak punt van me. Ik doe mijn best.'

Allstrong pakte een bruine envelop van zijn bureau en gaf die aan Nolan. 'Als wat hierin zit niet helemaal duidelijk is, hoor ik dat morgenochtend wel van je. Nu kun je maar beter gaan pakken.'

'Ik ben al weg.'

Nolan salueerde strak en draaide zich op zijn hakken om. Toen hij zijn hand op de deurkruk legde sprak Allstrong hem opnieuw aan.

'Vergeet je niets?'

Nolan richtte zich op en draaide zich om, terwijl hij het pak met bankbiljetten onder zijn jack vandaan haalde. Hij glimlachte breed. 'O, je bedoelt dit spul?' Hij gooide het naar zijn baas. 'Ik wilde alleen maar even kijken of je wel oplet, Jack. Een kleine test.'

'Ik ben altijd alert,' zei Allstrong.

'Dat blijkt maar weer. Ik zie je morgenochtend.'

Lieve Tara,

Vandaag heb ik door de straten van Bagdad gelopen met een waanzinnig type, een zekere Ron Nolan, die er geen besef van leek te hebben dat we ons in vijandelijk gebied bevonden. Of het kon hem gewoon niet schelen. Hij is een van de beveiligingsmensen van Allstrong, het bedrijf waar we voorlopig min of meer zijn gestationeerd, zoals je misschien in mijn vorige brief al hebt gelezen. Ik vind het nogal ironisch dat ik word verondersteld hem te beschermen, want deze man heeft net zomin bescherming nodig als een eend een regenjas nodig heeft.

Het was te gek voor woorden. Hij moest de salarissen voor deze maand ophalen. Dus ik dacht dat we naar een of andere bank zouden gaan waar hij van de mensen van Bremer een cheque zou krijgen die hij bij zijn eigen bank kon verzilveren. Niets daarvan. We komen in een gebouw met in de hal een afzetting van blokken beton en prikkeldraad voor een deur. Nolan laat zijn legitimatie zien aan de marinesergeant die er met een heel peloton de bewaking verzorgt. Het is net een fort.

Hoe dan ook, we worden doorgelaten – iedereen schijnt die Nolan te kennen – en ze brengen ons naar een klein kamertje zonder ramen. Overal op de vloer liggen stukken pleisterwerk, als gevolg van een bombardement in april. Ze hebben er niet eens gipsplaat voor teruggezet. Nadat Saddam de

stad heeft verlaten, zijn de plunderaars gekomen en die hebben alles mee-
genomen, en dan bedoel ik ook écht alles. Het betonvlechtsel, de elektrische
bedrading. Je gelooft je ogen niet. In het hele gebouw, waar ministeries in
hebben gezeten, is geen bureau meer te vinden. Ze gebruiken nu allemaal
van die uitklaptafels zoals je ze bij de Wal-Mart kunt kopen. Het zou me
niet verbazen als ze daarvandaan komen, als ze ze helemaal uit Amerika
hebben laten overvliegen.

Nou, we zitten dus in dat kleine smerige hok met als enige verlichting vier
kale peertjes aan het plafond. Het is er ongeveer vijfenzestig graden. Twee
gasten komen de papieren van Nolan controleren en verdwijnen dan in iets
wat eruitziet als een magazijn. Tien minuten laten komen ze terug met een
winkelwagen vol bundels met honderddollarbiljetten.

Dus ik sta daar en ik denk: dit kan niet waar zijn. Maar ja hoor, ze tel-
len veertig bundels van vijftigduizend dollar elk en – het is ongelofelijk
maar waar – die Nolan tekent ervoor en dan moet ik hem helpen het in de
lege rugzak te stoppen die hij heeft meegenomen, nadat we het nog een keer
opnieuw hebben nageteld!

Moet je je voorstellen: die Nolan draagt een rugzak met twee miljoen dol-
lar erin en samen lopen we door een drom niet al te vriendelijk kijkende
mensen in de hal van het Republikeinse Paleis en daarna lopen we de
Groene Zone uit en wandelen we door de straten van Bagdad, waar het
wemelt van de straatarme sloebers die minder dan honderd dollar per
maand verdienen en ons helemaal niet zo graag mogen. Vind je het gek dat
ik daar een beetje zenuwachtig van werd? Is die vent gek, of wat? En vol-
gens mij genoot hij er nog van ook.

Maar om een lang verhaal kort te maken: toen we die enorme markt
langs waren gelopen en weer bij mijn mannen in het konvooi waren aan-
gekomen, reden we terug naar de basis hier, waar Jack Allstrong in de kel-
der een brandkast schijnt te hebben, die vanzelfsprekend is overgevlogen uit
Amerika. Dat ding schijnt aan de betonnen fundering onder zijn kantoor
te zijn vastgeklonken.

Ik zou je nog veel meer kunnen vertellen over de idiote manier waarop
de economie hier draait; zo komen alle koks op de basis bijvoorbeeld van
de Filippijnen en zijn de jongens die het vliegveld bewaken Nepalezen. We
hebben vandaag een man ontmoet die Kuvan heet. Dat schijnt degene te
zijn die Allstrong aan al die arbeidskrachten helpt. Nolan heeft me verteld
dat geen van hen meer verdient dan honderdvijftig dollar per maand, ter-
wijl hij zelf twintigduizend vangt! Hij heeft me verteld dat ik voor Allstrong
kan komen werken als ik hier klaar ben. Voormalige Amerikaanse militai-

ren kunnen hier goud geld verdienen. Ben benieuwd hoe je zou reageren als
ik dat inderdaad zou doen.

Maar genoeg over dit alles hier. Je hoort waarschijnlijk al genoeg over
Irak. Wat ik eigenlijk wilde weten is of je dit allemaal wel leest, of ik nog
wel een beetje met je communiceer. Het is best moeilijk voor me dat je nooit
terugschrijft, Tara. Als je tot hier gekomen bent in deze brief, laat me dan
alsjeblieft op een of andere manier weten als je wilt dat ik je niet meer
schrijf. Dan beloof ik dat ik zal stoppen. Als je er goed over hebt nagedacht
en het écht uit is. Maar iets in me zegt dat er nog hoop is en dat je ons mis-
schien een kans wilt geven als ik thuiskom.

Ik weet het wel, je hebt het honderd keer gezegd: wie zegt dat ik nog thuis-
kom? Nou, luister goed naar me: ik weet zeker dat ik thuiskom.

Ik kan het moeilijk verkroppen dat het feit dat onze politieke inzichten
enigszins verschillen de reden kan zijn dat het kapot is gegaan. Ik geloof
echt dat je soms ergens voor moet vechten, omdat je in de missie gelooft of
gewoon omdat je ervoor hebt getekend. Omdat je je woord hebt gegeven. Zo
eenvoudig is het. Misschien denk jij er anders over en hopelijk kunnen we
daar nog een keer over praten.

Maar hoe je antwoord ook mag luiden, schrijf me alsjeblieft terug, Tara.
Ik wil zo graag iets van je horen. Want ik hou nog steeds van jou.

'Hé, Evan!'

Toen hij opkeek zag hij Ron Nolan in de deuropening van de slaapzaal van zijn mannen staan. Hij had de brief geschreven in het zwakke licht boven een van de tafels in de kantine, die afgezien van hemzelf helemaal verlaten was. Hij was net klaar met het schrijven van de envelop. Hij legde zijn pen neer en knikte. 'Dag meneer Nolan.'

Nolan liep de kantine binnen. 'Zeg, dit hadden we toch al besproken? Jij bent Evan en ik ben Ron. Hoe oud ben je, vierentwintig?'

'Zevenentwintig.'

'Nou, ik ben achtendertig. Doe me een lol. Als je meneer tegen me zegt voel ik me oud. Als ik me oud voel word ik gemeen. Als ik gemeen word maak ik mensen dood. En dat heb jij dan op je geweten. Het is een vicieu-ze cirkel en het zou allemaal aan jou te wijten zijn.'

De laatste woorden die hij aan Tara had geschreven, zaten nog in zijn hoofd en Evan moest moeite doen om een flauwe glimlach te produce-ren. 'Ga jij zomaar willekeurig mensen doodmaken?'

Nolan was de tafel nu genaderd. Hij grinnikte en antwoordde: 'Dat is best mogelijk. Dat wil jij niet weten. Biertje?'

Evan werd even geplaagd door de gedachte dat dit alcoholgebruik wel eens een hellend vlak kon zijn. Het zou al de tweede keer worden dat hij dronk sinds hij hier was gearriveerd. Maar wat zou het eigenlijk, dacht hij er onmiddellijk achteraan. Als je zag wat hier allemaal gebeurde, wat deed het er dan nog toe? Maar toch ondernam hij een halfhartige poging het af te wimpelen. 'We mogen eigenlijk niet drinken,' zei hij.

'O ja, sorry, dat is waar ook.' Nolan keek hem met een scheef hoofd aan. 'Meen je dat nou of neem je me in de maling? Denk je dat iemand je komt arresteren? Jij bent de baas hier, man.'

'Dat weet ik wel, maar ik moet aan mijn mannen denken.'

'Is dat je favoriete mantra of zoiets? Heb je dat soms in de een of andere film gezien? Ik zie die mannen van je trouwens helemaal niet, dus hoe zou je ze dan het slechte voorbeeld kunnen geven? Wees niet zo'n sukkel. Ik ga een biertje voor je halen.'

'Eentje dan.' Nolan had zich al omgedraaid

'Goed. Eentje, om te beginnen.'

Nolan liep naar de keuken, opende een enorme dubbeldeurskoelkast en kwam terug met twee flesjes Budweiser. Hij opende er een en schoof het over de tafel naar Evan, die het aanpakte en naar zijn mond bracht. Toen hij zijn eerste slok had genomen, zat Nolan naast hem. 'Voor het geval je het nog niet wist: we hebben hier e-mail.' Hij wees naar de envelop. 'Moeder of vriendin?'

'Ex-vriendin. Ik heb haar tijdens mijn hele opleiding gemaild en ze antwoordde nooit. Een deleteknop heb je zó ingedrukt. Je mailadres kun je gemakkelijk veranderen. Dus nu schrijf ik brieven.' Hij haalde zijn schouders op. 'Stom, maar het voelt echter.'

'Als ze je ex-vriendin is, waarom schrijf je haar dan nog?'

'Dat weet ik niet. Het is waarschijnlijk tijdverspilling. Ik ben niet goed wijs.' Hij nam nog een slok bier. 'Ik zou alleen graag willen weten of ze die verdomde brieven eigenlijk wel ontvangt.'

'Dus dit is niet de eerste?'

'Eerder de tiende.'

'En ze heeft niet teruggeschreven? Zelfs niet één keer?'

'Het was een tamelijk heftig meningsverschil. We waren het niet eens over de oorlog.'

'Dat kan geen reden zijn om uit elkaar te gaan.'

'Voor ons wel.' Hij keek naar de andere kant van de tafel. 'Maar soms ben ik bang dat haar iets is overkomen. Ik kan gewoon niet geloven dat ze me niet terug wil schrijven. Misschien ontvangt ze ze helemaal niet.

Als ze ze zou hebben gelezen, dan weet ik zeker dat ze... Misschien is ze wel overleden, of is er iets anders met haar gebeurd en kan ze niet...'

'Kan ze niet wat?'

'Ik weet niet...'

Nolan liet zijn flesje langzame cirkels beschrijven. 'Jongen,' zei hij, 'sorry dat ik het zeg, maar dit klinkt een beetje zielig. Je stelt hier iedere dag je leven in de waagschaal. Je hebt echt wel iets belangrijkers aan je hoofd.'

'Ja, ik weet het.' Hij nam een flinke slok. 'Ik weet het.'

'Je moet er een punt achter zetten.'

'Als ik iets van haar had gehoord, zou dat misschien makkelijker zijn.'

'Volgens mij laat ze wel degelijk iets van zich horen. Luid en duidelijk. Ga maar na.'

'Ja, je hebt gelijk. Ik weet dat je gelijk hebt.' Hij tilde zijn flesje op en dronk het leeg.

Nolan stond op, liep naar de keuken en kwam met een volgend rondje terug. Hij opende Evans flesje en gaf het hem aan terwijl hij ging zitten. 'Waar heb jij je opleiding gehad?'

'Santa Clara.'

'Een echt studentje dus.' Evan haalde zijn schouders op, waarop Nolan vervolgde: 'Geeft toch niks? Ik heb twee jaar op Berkeley gezeten. Ik had er een bloedhekel aan en ben het leger in gegaan. Bij de SEAL's begon voor mij het goede leven pas. Heb jij je studie afgemaakt?'

'Ja.'

'En wat ben je daarna gaan doen?'

'Ik ben bij de politie gaan werken.'

Nolan grinnikte en knikte. 'Ik had al zo'n idee dat je politieman was.'

'Hoezo?'

'Zo zie je eruit.'

'Ik ken er een heleboel die er niet zo uitzien als ik.'

'Als je weet waar je op moet letten, kun je het zien. Jij ook, dat weet ik zeker.' Nolan dronk en bleef glimlachen. 'Het zit 'm in hoe je loopt, hoe je beweegt. Je bent een grote kerel. Je bent fit. Ik wist wel dat je bij de politie zat. Laten we toosten op alle goeie politiemannen.'

Nolan ging staan en hield zijn handpalm omhoog. Evan kwam eveneens overeind en raakte hem zo hard dat de klap in de lege kantine echode. Toen hij weer zat bracht Nolan zijn flesje omhoog. Ze klonken en dronken hun flesjes in één teug leeg.

Toen Nolan terugkwam met het derde rondje en ze opnieuw proostten, wees hij op de brief die nog tussen hen in op de tafel lag. 'Is er thuis niet iemand anders die met haar kan praten, om erachter te komen hoe het met haar is?'

'Niet echt. En het is een beetje lastig om dat hiervandaan te regelen, dat snap jij ook wel.'

'Heb je geen familie?'

'Ja, maar wat moet ik dan doen? Mijn broer of mijn moeder vragen of ze Tara willen opzoeken? Dat zou een beetje stom zijn. Dan zou ze het gevoel kunnen krijgen dat ik haar aan het stalken ben of zoiets.'

'Nou.' Nolan tilde zijn flesje weer op. 'Dan weet ik het goed gemaakt. Ik vlieg morgen terug naar San Francisco. Geef mij die brief maar. Dan duw ik die gewoon in haar hand en vraag ik haar meteen of ze de andere ook heeft gelezen. Zo komen we er snel achter. Ik ben over twee weken terug.'

'Ga je naar huis? Waarom?'

Hij wuifde de vraag weg. 'Ach, gewoon wat stom gedoe over logistiek. Ik moet iets regelen voor Jack. Zakelijke toestanden. Even zorgen dat thuis alles op rolletjes loopt. Als een van die nieuwe projecten doorgaat, moeten we thuis een nieuw kantoor hebben.' Hij haalde zijn schouders op. 'Gewoon zaken. Maar hoe dan ook, ik hou genoeg tijd over om even naar Redwood City te rijden en uit te zoeken hoe het staat met jouw schatje.'

'Ex-schatje.'

'Hoe je het ook wilt noemen.' Hij boog zich naar voren en draaide de envelop om. 'Tara Wheatley,' las hij. 'Leuke naam.'

'Leuk meisje,' zei Evan.

'Ik geloof je op je woord.'

'Meen je het? Wil je haar echt die brief gaan bezorgen?'

Nolan spreidde zijn armen. 'Hé, man. Kom op. Afgesproken. Geen probleem.'

4

Ron Nolan zat buiten in de schaduw op de bovenste tree van de trap naar de eerste verdieping van appartementencomplex Edgewood in Redwood City, Californië. De schaduw was van de enorme magnolia's die voor de ingang van het complex stonden.

Een uur geleden, om ongeveer vijf uur 's middags, was hij de trap op gelopen en had vergeefs aangebeld bij 2C. Hij had eerst kunnen bellen om een afspraak te maken – Tara Wheatley stond in het telefoonboek –, maar het had hem beter geleken onverwachts op te dagen om de brief persoonlijk te overhandigen. Hij wilde haar niet de kans geven door de telefoon te zeggen dat ze hem niet wilde ontmoeten en dat ze niet gediend was van nog meer brieven van Evan. Dat had het allemaal lastiger gemaakt. Het was beter er gewoon op af te gaan en de missie af te ronden.

Hij had geen haast. Hij zou het nog een uur of twee aanzien en als ze dan nog niet was thuisgekomen, zou hij later vanavond of morgenochtend terugkomen. Evan had hem verteld dat ze in deze periode van de zomer meestal op school was om de start van het nieuwe schooljaar voor te bereiden. Ze gaf les aan groep 8 op St. Charles, een katholieke school in een nabijgelegen stad. Evan ging ervan uit dat ze, in ieder geval voorlopig, nog geen nieuwe vriend had, en hij was er tamelijk zeker van dat ze rond etenstijd wel thuis zou zijn. Als ze tenminste niet ernstig ziek of dood was.

Dus wachtte Nolan, ontspannen zittend op de stenen trap. Het weer was heerlijk; het parfum van de gardenia's dat de uitlaatgassen van de auto's in de drukke straat verderop verdreef mengde zich met de frisse geur van het gazon beneden en met de vage chloorlucht van het zwembad, waarvan hij verderop aan zijn linkerkant een klein stukje kon zien. Toen hij zijn ogen sloot waande Nolan zich heel even weer op de middelbare school. Beneden, bij het zwembad, klonk gespetter en gelach, en door deze geluiden, in combinatie met de zwoele lucht, droomde hij een ogenblik weg van wat zijn echte thuis was geworden: de wereld van stof en plichtsbesef, gevaar en dood.

Als het getrainde roofdier dat hij was, registreerden zijn zintuigen on-middellijk een nieuwe trilling in de trap. Hij keek naar beneden en zag een vrouw in een eenvoudige bikini. Ze bleef op de derde tree stilstaan en maakte wat grapjes met een paar vrienden en vriendinnen die zo te zien ook net uit het zwembad kwamen. Uit de glans van haar natte haar leidde hij af dat het blond moest zijn als het droog was. Een lange streng hing tussen haar schouderbladen, tot iets onder het bandje van haar bikinitopje. De badhanddoek, die ze achteloos over haar schouder had geslagen, hield ze vast met een gekromde vinger. Nolan bekeek haar van top tot teen en zag niets wat hem niet beval. Haar haar had de kleur van honing.

Net toen hij een stukje ging verzitten om haar beter te kunnen zien, keek ze omhoog. Ze zag dat hij keek en wierp hem een korte, mysterieuze glimlach toe die afkeurend noch uitnodigend was, waarna ze snel afscheid nam van haar vrienden. Een van hen maakte een opmerking die Nolan niet goed kon verstaan, maar waarom ze moest schateren. Zo'n vrolijke, zorgeloze lach had hij al tijden niet meer gehoord.

Toen kwam ze de trap op.

Nolan stond op. Hij droeg zwarte schoenen, een gestreken kakibroek en een camouflagehemd. Hij hield Evans brief in zijn hand. Halverwege de trap bleef ze plotseling stokstijf staan. Ieder spoor van vrolijkheid ver-dween uit haar gezicht. Er sprongen tranen in haar ogen en ze bracht haar hand naar haar mond. 'O mijn god,' zei ze. 'Dit gaat toch niet over Evan? Vertel me niet dat er iets met Evan is gebeurd.'

Nu hij zich realiseerde wat ze moest denken – dat hij door het leger was gestuurd om haar te berichten dat Evan in Irak om het leven was ge-komen – stak Nolan geruststellend zijn hand op en zei: 'Evan maakt het goed. Alles is prima met hem. Het spijt me dat ik je heb laten schrikken. Jij bent zeker Tara?'

Ze knikte, nog steeds uit het veld geslagen. 'Ja. Maar... gaat dit over Evan?'

Een van haar vrienden riep van beneden: 'Tara, alles goed?'

Dat gaf haar de gelegenheid zichzelf te herstellen. Ze draaide zich om en zwaaide. 'Prima.' Toen ze Nolan weer aankeek was haar gelaatsuit-drukking krachtiger. 'Maar wie ben je dan? Wat doe je hier? Ik dacht even dat Evan was gesneuveld.'

'Sorry. Mijn naam is Ron Nolan en ik ben een maat van Evan in Irak. Ik had me moeten realiseren hoe ik eruitzag voordat ik hier op je ging zitten wachten. Het spijt me.'

'Goed, het spijt je.' Ze wees naar de envelop in zijn hand. 'Maar wat is dat dan?'

'Het is een brief. Evan heeft me gevraagd je die persoonlijk te over-handigen. Hij maakt zich zorgen over je.'

'Waarom zou hij zich zorgen over me maken? Hij is degene die in het oorlogsgebied zit.'

'Nou, hij heeft helemaal geen brieven van je teruggekregen.'

'Dat klopt. Die heeft hij niet gekregen omdat ik ze niet heb geschreven. We zijn uit elkaar. Misschien heeft hij je dat niet verteld. Wat wil hij nog dat ik erover zeg?'

'Dat weet ik niet.' Nolan stak de envelop naar haar uit. 'Ik ben slechts de boodschapper. Mijn taak is alleen maar jou deze laatste brief te geven en Evan straks te vertellen dat het goed met je gaat.'

'Dat klopt. Het gaat inderdaad goed met me.'

'Ja, die indruk krijg ik ook. Wil je de brief aannemen?'

Ze maakte geen aanstalten.

Hij hield de envelop in zijn uitgestoken hand en wachtte af. Haar ge-zicht maakte indruk op hem. Met het natte, naar achteren vallende haar had ze een mooi hoog voorhoofd. Ze had zojuist gezwommen, dus er was geen make-up om het landschap van lichte sproeten onder haar ogen te bedekken. Zelfs zonder lippenstift had haar mond een dieprode kleur.

Nolan probeerde haar niet te lang aan te staren. Het kostte hem aan-zienlijke moeite.

Tara keek naar de envelop. 'Denkt hij dat ik zijn andere brieven niet heb gekregen?' vroeg ze. Haar schouders zakten omlaag, alsof iets in haar het had begeven. 'Ik heb geen zin om opnieuw met hem te beginnen. Snapt hij dat dan niet? Het zal nooit wat worden.'

'Omdat jullie het niet eens zijn over de oorlog?'

'Dat is niet het enige.'

'Nee?'

'Nee. Waarom vraag je dat?'

'Omdat hij dat schijnt te denken. Dat het alleen is vanwege de oorlog, bedoel ik. Al heb ik hem gezegd dat mensen die van elkaar houden niet vanwege zoiets uit elkaar gaan. En dat zeg ik nu ook tegen jou.'

'Mensen gaan niet uit elkaar omdat ze het niet met elkaar eens zijn dat andere mensen doden de enige manier is om de problemen van de wereld op te lossen? Nou, ik denk van wél.'

Ze stonden roerloos tegenover elkaar.

'En je hebt mij niet horen zeggen dat ik van hem hield,' voegde ze er-aan toe.

Hij keek haar met een scheef hoofd aan en zei: 'Toen je dacht dat ik hier was gekomen om je te vertellen dat hij gesneuveld was, kreeg ik wel de indruk dat je erg veel om hem geeft.'

'Je kunt genoeg om iemand geven om niet te willen dat hij doodgaat, zonder dat je van hem houdt. Geloof je niet dat dat mogelijk is?'

'Zeker.' Ze was een mooie vrouw, maar Nolan vond dat ze wel een beetje te veel praatjes had. 'Alles is mogelijk,' zei hij. 'Het is zelfs mogelijk dat jij op zekere dag anders gaat denken over de mensen die hun levens riskeren om jouw vrijheid te garanderen.'

Hij had duidelijk een gevoelig punt geraakt. Haar gezicht betrok. 'Dat is niet eerlijk,' zei ze. 'Zo klinkt het alsof ik geen respect heb voor militairen, maar zo is het nu ook weer niet.'

Haar mond glimlachte, maar haar ogen deden niet mee. 'Dat zal best,' zei hij. 'Maar je wilde niet met eentje trouwen.'

'Bovendien,' vervolgde ze, 'gaat deze oorlog helemaal niet over het garanderen van iemands vrijheid. Het gaat alleen maar om olie.'

Nolan keek haar hoofdschuddend aan. Alsof er iets mis mee was om te vechten voor olie of voor iets anders wat je nodig had. Hij keek omlaag naar zijn hand en stak die weer uit. 'Neem je die brief nu aan of niet?'

Met een verbeten gezicht keek ze naar de envelop, alsof het een levend ding was dat haar ieder moment kon bijten. En misschien was dat in zekere zin ook wel zo. Uiteindelijk schudde ze haar hoofd. 'Ik denk het niet. Ik heb die andere ook niet opengemaakt. En ik ben niet van plan ze nu opeens wel te gaan lezen.'

Hij knikte opnieuw alsof hij een conclusie had getrokken.

'Waarom kijk je zo?'

'Wat bedoel je? Ik kijk normaal.'

'Nee, dat was een veelbetekenende blik.'

'Goed dan. Je zei dat je Evans brieven niet nu opeens wél wilde gaan lezen. Volgen mij betekende mijn blik: "Dat klinkt als iemand die bang is dat ze anders over bepaalde dingen gaat denken als ze de feiten leert kennen."'

Misschien omdat ze zich plotseling bewust werd van het feit dat ze met een wildvreemde man stond te praten terwijl ze nauwelijks meer aanhad dan haar normale ondergoed, trok ze de handdoek over haar schouders en bedekte haar borsten met de beide uiteinden. Haar stem daalde van pure woede een octaaf en zonder hem te verheffen beet ze hem toe: 'Ik ben niet bang om feiten te leren kennen, meneer... Wat was de naam ook alweer?'

'Nolan. Ron Nolan.'

'Goed dan, meneer Nolan...'

'Ron, alsjeblieft.' Hij grinnikte weer, met de bedoeling haar uit haar tent te lokken.

'Jij je zin dan, Ron.' Hij had haar nu op de kast en dat was precies zijn bedoeling. 'Laat ik je zeggen dat ik uitstekend op de hoogte ben van alle feiten met betrekking tot Evan en die imbeciele oorlog in Irak. Ik heb er geen behoefte aan zijn brieven te lezen en me daardoor schuldig te gaan voelen. Hij heeft zelf de beslissing genomen erheen te gaan. Hij heeft ervoor gekozen dat te doen en mij te verlaten. Inmiddels ben ik verdergegaan met mijn leven, en hij vergist zich als hij denkt dat we de draad weer kunnen oppakken door mij nog eens uit te leggen waarom hij dat allemaal nodig heeft gevonden. Dat gaat niet gebeuren.'

'Nee, dat is me nu wel duidelijk.' Nolan hield de brief opnieuw onder haar neus. 'Laatste kans.' Toen ze geen aanstalten maakte hem aan te pakken, stak Nolan hem in de zak van zijn hemd en zei: 'Ik zal Evan zeggen dat alles in orde is met je gezondheid. Sorry, maar ik moet er nu vandoor. Het was leuk om je te ontmoeten.' Hij passeerde haar en liep de trap af.

Toen hij beneden was zei ze: 'Meneer Nolan. Ron.'

Hij draaide zich om en keek omhoog. 'Ik heb niet zozeer iets tegen het leger,' zei ze. 'Ik heb iets tegen het feit dat Evan betrokken is bij deze oorlog. Dat is iets anders.'

Nolan salueerde. 'Als jij het zegt.'

Om halfacht drukte hij opnieuw bij haar op de bel.

Toen ze de deur opendeed droeg ze een korte broek, een zwart mouwloos Nike-shirt en sportschoenen. Ze had nog steeds geen make-up op en het leek alsof ze had gehuild.

'Ik ga die brief niet lezen,' was het eerste wat ze zei. 'Dat heb ik je toch al gezegd?'

'Ja, dat klopt. Maar daarvoor ben ik hier ook niet.'

'Nou... waarvoor dan wel?'

'Aangezien het overduidelijk is dat je niet meer met Evan bent, wilde ik je vragen of je misschien ergens iets wilt gaan drinken.'

Ze sloeg haar armen over elkaar. 'Je vraagt me om met je uit te gaan?'

'Ik vraag alleen maar of je zin hebt om iets te gaan drinken of zoiets. Verder niks.'

'Ik dacht dat ik je nu wel voldoende duidelijk heb gemaakt dat ik niet zoveel op heb met militairen.'

'Dat klopt, en als ik militair was, dan zou ik dat verschrikkelijk vinden. Maar gelukkig ben ik geen militair.'

'Maar je was toch een maat van Evan in Irak?'

'Inderdaad. Maar ik ben burger. Ik werk voor het beveiligingsbedrijf Allstrong. Evan is gestationeerd op ons hoofdkwartier. Ik ben nu voor een paar weken hier om het een en ander te regelen, en waarschijnlijk moet ik vanavond in mijn eentje eten, wat ik niet erg leuk vind.'

'Dus als laatste redmiddel...'

'Dat niet, maar het zou leuk kunnen zijn de onderwerpen waar we over van mening verschillen nog wat verder te bespreken, als we Evan erbuiten laten.' Hij keek langs haar heen, naar het interieur van haar appartement. 'Het ziet er niet naar uit dat je hier straks een feestje hebt.'

'Nee.' Ze zuchtte.

Hij kreeg het gevoel dat haar verzet afnam en vroeg: 'Heb je al gegeten?'

'Nee.'

'Jij mag het restaurant uitkiezen,' zei hij. 'Waar je maar wilt. Het maakt niet uit wat het kost.'

Ze zuchtte opnieuw, glimlachte flauwtjes en knikte. 'Dat is een aardig aanbod. Ik hou er ook niet zo van om alleen te eten, al gebeurt dat de laatste tijd nogal vaak.'

Ze keek hem aan en wendde haar blik vervolgens af, kennelijk worstelend met de beslissing.

'Ik heb geen zin opnieuw te gaan bekvechten over die oorlog of over Evan.'

'Ik heb ook geen trek in geruzie, alleen maar in een goede maaltijd.'

'Dan lijkt het me wel wat.' Ze bleef nog een paar tellen staan, deed toen een stap achteruit en hield de deur voor hem open. 'Ga maar zitten, dan verkleed ik me even.'

Ze koos een sober ingericht maar uitstekend Italiaans restaurant aan Laurel Street in San Carlos, op misschien anderhalve kilometer afstand van haar appartement. De autorit was te kort om een uitgebreid gesprek te beginnen. Nolan, die zich gewoonlijk in iedere situatie een houding wist te geven, zat enigszins om woorden verlegen nadat hij haar uit de gang had zien komen, gekleed in een eenvoudige zwarte jurk met spaghettibandjes en schoenen met hoge hakken. Ze droeg een gouden ketting met één enkele zwarte parel en bijpassende oorbellen. Ze had haar

haar opgestoken, zodat haar gracieuze nek en haar profiel goed tot hun recht kwamen.

De bikini die ze eerder had gedragen, het mouwloze hemd, de korte broek en de tennisschoenen die ze had aangehad toen ze de deur opende, hadden hem geen van alle voorbereid op het raffinement dat ze nu uitstraalde. Ze had er leuk genoeg uitgezien om zich tot haar aangetrokken te voelen – het prototype van de smakelijke cheerleader uit Californië –, maar nu zag ze er zo volwassen en wereldwijs uit dat hij zich er enigszins door geïntimideerd voelde. Hij was van plan geweest het aan te pakken op de manier die hij gewend was. Hij zou haar eerst plagen met haar politieke opvattingen en overtuigingen, totdat ze het zat werd, haar dan aan het lachen maken, haar dronken voeren en met haar naar bed gaan. Vervolgens zou hij Evan vertellen dat hij blij moest zijn dat ze hem niet had teruggeschreven, omdat ze domweg niet de moeite waard was.

Nu, nadat ze tien minuten zwijgend in de auto hadden gezeten, was dat plan in duigen gevallen. Wat hij ook zou proberen en hoe graag hij het ook zou willen, zo gemakkelijk was ze niet te krijgen. Hij kon zich niet herinneren ooit eerder een vrouw te hebben ontmoet die niet alleen beeldschoon was, maar ook zoveel diepgang en verfijning uitstraalde.

Toen Nolan zijn autosleutels aan de valet gaf merkte hij dat Tara bleef zitten, met haar handen in haar schoot. Was dit een test? Als hij het portier opende, zou ze dat dan zien als een hoffelijk gebaar of kwalificeerde hij zich daarmee als een macho die vrouwen discrimineerde? Hij had zich al zeker tien jaar het hoofd niet gebroken over dit soort omgangsvormen, maar nu leek het plotseling van levensbelang de beslissing te nemen die in haar ogen de juiste was. Zijn enige optie was zichzelf te blijven. Zijn ouders hadden hem opgevoed met ouderwetse normen en waarden, dus liep hij om de auto heen en opende haar portier. Ze beloonde hem met een glimlachje. Het feit dat ze zijn gedrag had goedgekeurd, maakte hem zo blij als een kind.

De in avondkleding gestoken maître d'hôtel kende haar, in ieder geval van gezicht. Hij gaf haar een handkus, knikte naar Nolan met een mengeling van respect en een spoor van afgunst, en leidde hen naar een rustig hoekje achterin. Het restaurant was schaars verlicht. De kleine spotjes die op de tafels waren gericht, maakten het mogelijk het menu te lezen. Tara bestelde een Italiaanse witte wijn met een naam die hij nog nooit eerder had gehoord en hij vroeg om een Beafeater-martini zonder ijs.

Toen de ober was vertrokken nipte Tara van haar glas water. 'Ik zei dat ik geen ruzie wilde maken, maar praten is niet verboden. Als we dat niet doen, kon het wel eens een lange avond worden.'

'Ik doe mijn best gevoelige onderwerpen te vermijden.'

'Dat is prima, maar sinds we mijn appartement hebben verlaten, heb je nog geen twee woorden gezegd.'

'Dat komt doordat alles wat er in me opkwam me te riskant leek.'

'Zoals?'

Nolan aarzelde even en gaf toen antwoord. 'Ik zou bijvoorbeeld kunnen zeggen dat je er erg mooi uitziet. Zie je wel? Nu vind je al dat ik iets verkeerds heb gezegd.'

'Helemaal niet.'

'Volgens mij wel. Je fronste je wenkbrauwen.'

'Echt waar?'

'Zeker weten.'

'Dat was niet mijn bedoeling. Ik vind het geen verkeerde opmerking. Ik voel me juist gevleid. Dank je.' Ze streek met haar nagels over het servet naast haar bord. 'Ik kan gewoon niet zo goed omgaan met complimentjes. En ik ben een beetje nerveus. Misschien is dit wel een vergissing.'

'Wat?'

'Jij en ik. Deze afspraak. Het klonk wel aantrekkelijk en...' Ze zuchtte en nam een slok water. 'Maar ik wil je niet op verkeerde gedachten brengen.'

'Wat voor gedachten?'

'Dat dit een soort date is, als je begrijpt wat ik bedoel.'

'Oké, ik zal proberen geen verkeerde gedachten te krijgen. Wat zou het goede idee zijn?'

'Dat dit gewoon een etentje is. Twee mensen die samen in een restaurant zitten.'

Hij glimlachte. 'In tegenstelling tot een romantisch diner?'

'Zoiets. Ik had me niet voorbereid op een romantisch diner. Daarom fronste ik waarschijnlijk.'

'O, ging het daarover? Je fronste omdat ik zei dat je er erg mooi uitziet, wat zou kunnen wijzen op romantische gevoelens.'

De ober arriveerde met hun drankjes. Nolan wachtte totdat hij buiten gehoorsafstand was, nam een slokje van zijn martini en pakte toen de draad weer op. 'Goed,' zei hij. 'Ik beloof dat ik geen romantische gevoelens zal koesteren. Je bent de vriendin van een maat van me, dus dat zou niet gepast zijn. Maar daar staat tegenover dat je me hebt verteld dat het wat jou betreft uit is tussen jullie.'

'Dat geloof ik wel.'

'Aha. Het verhaal verandert.'

'Nee, niet echt. Ik had alleen niet gedacht dat ik al zo snel weer met iemand anders uit zou gaan.'

'Ik heb een idee. Laten we niet net doen alsof dit een date is of zoiets. Laat het gewoon zijn wat het is. Dat hoeven we toch niet nu meteen al vast te stellen?'

'Misschien niet. Ik wil je alleen niet de verkeerde indruk geven. Ik ben weliswaar niet meer met Evan, maar ik...'

'Je geeft nog steeds om hem.'

Ze haalde haar schouders op. 'Ik weet het niet. Door zijn brieven niet te beantwoorden heb ik een besluit genomen. Maar geen gevoelens meer voor hem hebben is iets wat je niet zomaar kunt besluiten. Ik kan niet zeggen dat ik al zover ben. En nu zitten wij hier. Jij en ik. Jij hebt me mee uit eten gevraagd en ik heb ja gezegd. Ik heb geen idee waarom ik dat heb gedaan.'

'Misschien omdat je trek had?'

'We hadden ook naar McDonald's kunnen gaan. Ik had me niet hoeven omkleden. Dit voelt... anders.'

'Anders dan McDonald's? Dat mag ik hopen.' Nolan boog zich over de tafel. 'Luister, Tara, zó ingewikkeld is het niet. Ik ken je niet en ik weet maar twee dingen over jou. Het eerste is dat we waarschijnlijk van mening verschillen over militaire zaken, waarover we niet zouden praten. Het tweede is dat je erg aantrekkelijk bent. Dat is gewoon een observatie. Een riskante observatie, dat geef ik toe, omdat het jou de indruk zou kunnen geven dat ik probeer je te versieren, waardoor dit inderdaad meer op een date zou lijken. Dus laten we dit nu meteen uit de wereld helpen.' Hij ging weer rechtop zitten. 'Dit is geen date. Ik ben veel te oud. Hoe oud ben jij eigenlijk? Tweeëntwintig?'

'Nee. Zesentwintig.'

'Nou, ik ben achtendertig, dat is een veel te groot verschil. Ik zou je vader kunnen zijn.'

Ze glimlachte en nam een slokje wijn. 'Alleen als je een heel vroegrijp jochie van elf bent geweest.'

'Dat was ik zeker,' zei hij, terwijl hij zijn glas hief. 'Op vroegrijpe kinderen.'

Ze maakte aanstalten om te proosten, maar stopte halverwege. 'Ik weet niet of ik daar wel op wil drinken. Ik geef les aan kinderen van elf. Als ze nóg vroegrijper waren, moesten er tralies voor de ramen.'

Nolan hield zijn glas stil. 'Goed dan,' zei hij. 'Laten we dan drinken op verzoening. Is dat goed?'

Ze tikte met haar glas het zijne aan. 'Verzoening is goed,' zei ze. 'Verzoening is heel goed.'

Nolan stopte op de parkeerplaats voor haar appartement. Hij zette de motor af, deed de lichten uit en maakte aanstalten het portier te openen.

'Je hoeft niet uit te stappen,' zei ze.

'Dat moet wél. Als het 's avonds donker is begeleidt een heer zijn dame naar haar voordeur.'

'Laat maar. Dat hoeft echt niet.'

Hij leunde naar achteren en keek haar aan. 'Je wilt de klassieke ongemakkelijke scène bij de deur vermijden. Dat snap ik. Maar ik verwacht niet dat je me nog uitnodigt voor een drankje bij jou thuis. En ik zal niet proberen je een zoen te geven. Zelfs al vind ik je na deze gezellige avond nóg een klein beetje aantrekkelijker dan ik je in het begin al vond. En het was een geweldige maaltijd.'

'Absoluut.' Maar in haar stem klonk geen enthousiasme. Met haar handen op haar schoot keek ze star voor zich uit.

'Wat is er?' vroeg hij. 'Voel je je niet goed?'

Ze zuchtte. 'Heb je die brief van Evan nog?'

'Jazeker.'

Ze verroerde zich niet. 'ik denk dat ik hem moet lezen. En de andere ook.'

'Prima. Hij ligt in het handschoenenvakje, voor je neus. Pak hem maar.' Hij opende het portier en stapte uit. Het rook naar gardenia, jasmijn en magnolia; hij was bijna vergeten hoe mooi de zomers in Californië waren. Hij liep naar de andere kant van de auto en opende het portier.

Tara bleef nog een seconde zitten en opende toen het dashboardkastje. Ze pakte de envelop, draaide zich opzij en stapte uit. 'Echt waar, Ron, je hoeft niet met me mee te lopen naar de voordeur. Die kan ik hiervandaan al zien.'

'Dat zal best, maar het druist in tegen mijn gevoel om je er alleen naartoe te laten lopen.'

Ze zuchtte. 'Goed dan.'

'En geen malle fratsen,' zei hij. 'Van jou dan, bedoel ik.'

Tegen wil en dank geamuseerd keek ze hem hoofdschuddend aan. 'Ik zal proberen mezelf in bedwang te houden. Ze hield de brief omhoog zodat hij kon zien dat ze hem had meegenomen en draaide zich om. Hij liep met haar mee over het parkeerterrein en begeleidde haar via de open trap naar haar voordeur. Ze stak de sleutel in het slot, duwde de deur open en deed het licht in de gang aan. 'Veilig,' zei ze. 'Dank je.'

'Geen dank.' Hij maakte een buiginkje. 'Ik vond het heel gezellig,' zei hij. 'Slaap lekker.'

5

Zaterdag nam hij haar mee naar San Francisco. Dit was geen date, vertelde hij haar, omdat het overdag was, en een echte date had je per definitie uitsluitend 's avonds. Hij haalde haar om halfelf 's ochtends op en met het dak open reden ze in zijn Corvette naar de stad via Highway 280, de groene route met het Crystal Springs-stuwmeer aan hun linkerkant en verderop, aan de rechterkant, het enorme glinsterende oppervlak van de baai.

Ze kende de stad niet zo goed als hij. Dat had ze hem tijdens hun etentje verteld en hij had het aangegrepen als excuus om haar opnieuw mee uit te vragen: ze kon onmogelijk zó dicht bij een van de mooiste steden van de wereld wonen zonder die goed te kennen. Dat was moreel onaanvaardbaar.

Dus bezochten ze het California Palace of the Legion of Honor, reden daarna terug door het Golden Gate Park, en dronken thee in de Japanese Tea Garden na een uur te hebben doorgebracht in het De Young Museum. Het was augustus en schitterend weer, dus nadat ze bij Ghirardelli Square hadden geparkeerd, liepen ze naar Polk Street, waar ze baguettes met paté aten en witte wijn dronken op het terras van een Franse bistro. Daarna maakten ze een wandeling en daalden ze Lombard Street af, die bekendstond als de bochtigste straat ter wereld, hoewel het niet eens de bochtigste straat van San Francisco was, vertelde Nolan haar. Dat was Vermont Street in Potrero Hill. Maar dat nam niet weg dat Lombard behoorlijk steil en bochtig was, dus zei hij haar dat het misschien verstandig was dat ze haar hand op zijn arm legde om haar evenwicht niet te verliezen. En dat deed ze.

Bij Caffe Trieste in North Beach haalde Nolan twee cappuccino's en zette die op hun kleine tafeltje neer. 'Oké,' zei hij. 'Ik heb nog even een paar riskante vragen.'

Dit keer, nu ze zich in zijn gezelschap meer op haar gemak leek te voelen, zei ze alleen maar: 'O jee.'

'Denk je dat je het aankunt?'

'Geen idee, vraag maar.'

'Evans brieven.'

'Wat wil je daarover weten?'

'Heb je ze gelezen?'

Ze keek omlaag naar haar koffie, tilde het kopje op, nam een slok en plaatste het voorzichtig weer op het schoteltje. 'Waarom vertel je me niet nog een keer hoe aantrekkelijk ik ben? Dan kunnen we het daar verder over hebben.'

'Goed, je bent aantrekkelijk. Hoe voelde het al die jaren toen je nog lelijk was?'

'Ja, dat was een zware tijd.' Maar het grapje werkte niet echt. Haar gezicht verstrakte, ze sloot haar ogen, zuchtte, opende ze weer en keek hem recht aan. 'Nog niet. Ik heb het die avond geprobeerd, maar ik heb er nog te veel gevoelens bij. Ik ben nog steeds niet van gedachten veranderd over wat hij daar nu doet, dus niets wat hij zegt kan me...'

Nolan zweeg, nipte van zijn koffie, dacht na en zei toen: 'Dus jij vindt een strijder niet nobel of edelmoedig?'

Ze keek hem vluchtig aan. 'Een "strijder"?' Het klonk afkeurend.

'Ja, precies, een strijder, dat zeg ik.'

Ze schudde haar hoofd. 'Evan is helemaal geen strijder, Ron. Evan is een doodgewone soldaat, een ondergeschikte die orders aanneemt van andere mensen voor wie hij geen respect heeft. Hij vecht in een land waar we helemaal niet welkom zijn en hij riskeert zijn leven voor een zaak waarin hij helemaal niet gelooft. Ik kan weinig met de begrippen nobel, edelmoedig en dapper als ik al die verspilling, stupiditeit en onwetendheid zie.'

'Oké,' zei Ron. 'We zouden een stevige discussie kunnen voeren over deze oorlog in het bijzonder. Maar dat bedoel ik niet. Ik heb het over het filosofische concept van de strijder.'

Haar gezicht leek als uit marmer gehouwen. 'Ik denk nooit na over het begrip strijder, Ron. Strijd is precies wat er mis is met deze wereld. Strijd is het eeuwige probleem.'

Nolan liet opnieuw een stilte vallen. 'Met alle respect, Tara,' zei hij zachtjes, 'je bent het aan jezelf verplicht hierover na te denken.'

'Waarom?'

'Omdat het te maken heeft met de reden waarom je de man van wie je houdt laat schieten. Daarom.'

'Ik heb je al gezegd dat ik niet eens weet of ik nog wel van hem hou.'

'Omdat hij is gaan vechten?

Ze draaide langzaam haar kopje rond op het schoteltje. 'Ik heb hem gezegd dat we naar Canada konden gaan, of waarheen dan ook.'

'En wat dan als ze zich in Canada of waar dan ook bedreigd voelen en soldaten nodig hebben?'

'Maar daar gaat het nou juist om, Ron. Er wás geen bedreiging. Irak wás geen bedreiging. Het was een oorlog zonder geldige reden. Je kunt het vergelijken met de Duitsers die Polen binnenvielen. Dat soort dingen is on-Amerikaans. Dat is het punt. Wacht maar af, er zijn helemaal geen massavernietigingswapens. Dat zijn allemaal sprookjes. Het gaat om oliewinsten en om niets anders. Halliburton en dat soort mensen. Snap je dat dan niet?'

'Bedrijven die voor defensie werken, bedoel je?'

'Ja. Bedrijven die voor defensie werken. De oorlogsindustrie. De contractors. Cheney en zijn maatjes.'

'Ja, natuurlijk weet ik waar je het over hebt, maar nu maak je het me een beetje moeilijk, want ik zit zélf bij zo'n contractor die voor defensie werkt. Maar naar mijn mening zijn wij degenen die daar het leger en ons burgerpersoneel beschermen. Wij zijn degenen die zorgen dat onze soldaten te eten hebben, we transporteren water en voorraden, we doen goed werk, we redden levens en we proberen het land weer op te bouwen.'

'Nadat we het eerst zélf hebben verwoest.'

Nolan haalde diep adem. 'Luister, Tara, oorlog mag dan misschien een hel zijn, maar dat betekent nog niet dat iedereen die ermee te maken heeft slecht is. Ik heb het kwaad gezien, en geloof me: dat is een heel ander beest dan jij voor ogen hebt. Dus laten we het niet over deze oorlog hebben. Ik geef toe dat er wat dubieuze kanten aan zitten. Laten we het over de strijder hebben.'

'De strijder, de strijder. Ik wil geen strijder in mijn leven, daar gaat het om. Ik wil geen strijder in deze wereld.'

'Juist, nou kom je op het cruciale punt. Natuurlijk zou het fantastisch zijn als er geen strijders nodig waren. Net zoals het fantastisch zou zijn als er geen kwaad in de wereld zou zijn. Maar geloof me: het kwaad bestaat. En zonder strijders zal het zegevieren.'

'Maar wat denk je hiervan, Ron: zonder strijders zou het kwaad ons helemaal niet kunnen aanvallen.'

'Dus het komt neer op de kip en het ei. Wat was er eerder? Bedoel je dat?' Hij legde zijn hand op de hare, maar trok hem meteen weer terug, alsof hij zich eraan had gebrand. 'Luister. Ik bedoel dit: het kwaad zal er altijd zijn, en ik geef toe dat het ook kwaadaardige strijders zal aantrekken. Kun je daarin meegaan?'

Ze gaf een kort knikje.

'Goed,' vervolgde hij. 'Dus het kwaad en zijn volgelingen vormen een gegeven. Ja, toch? Dat heb je zojuist toegegeven. En ik kan je verzekeren dat het zo is.'

Ze aarzelde even en zei toen: 'Oké. Ja. En wat dan nog?'

'Als dat kwaad komt oprukken, waardoor kan het dan anders worden tegenhouden dan door een nog sterkere macht om het goede te beschermen?'

Ze leunde naar achteren en sloeg haar armen over elkaar. 'Die grotere macht hoeft niet altijd een fysieke macht te zijn. Het kan ook een spirituele macht zijn. Kijk maar naar Gandhi, of Martin Luther King. Vechten behoort altijd een laatste redmiddel te zijn. Volgens mij zijn veel van die zogenaamde strijders gewoon oorlogshitsers en huursoldaten die alleen maar op hun eigenbelang uit zijn.'

'Dat is soms inderdaad het geval, ja. En Gandhi en King, dat waren geweldige mensen. Daar bestaat geen twijfel over, al zijn ze wel allebei vermoord. En geen van beiden hebben ze geweldloosheid toegepast in een échte oorlog. Ze verzetten zich tegen het kwaad, dat is waar, maar dat kwaad had nog niet echt de aanval ingezet. Het oorlogsstadium was nog niet bereikt. En trouwens, tegenover iedere King of Gandhi staat een Neville Chamberlain of iemand anders die zich niet wil verzetten. Alleen met een échte strijder – iemand als Churchill bijvoorbeeld – kun je een opmars van het kwaad stuiten. Denk je dat Hitler uit zichzelf wel was opgehouden? Of Saddam Hoessein?'

'We hebben hem tegengehouden – Hoessein, bedoel ik,' zei ze. 'Alleen was hij helemaal geen bedreiging.'

Nolan ontspande zijn schouders. De uitdrukking op zijn gezicht was er een van vredige neutraliteit. Zijn stem klonk zacht. 'Tara, toe nou, je draait de zaken om. Hij was geen bedreiging omdat we hem al eerder hadden tegengehouden. Onze strijders hebben hem in Koeweit tegengehouden. Dat is de enige taal die hij verstond.'

Tara speelde met haar theelepeltje en beet op haar onderlip. Ten slotte sloeg ze haar ogen op. 'Ik wil hier helemaal niet zo lang over nadenken, Ron. Over de rol van het kwaad in de wereld.'

Hij bleef kalm, keek haar aan, legde zijn hand op de hare en liet hem daar dit keer rusten. 'Dat neem ik je niet kwalijk, Tara. Daar wil niemand graag over nadenken. En op sommige plekken, zoals hier in de Verenigde Staten, op zo'n heerlijke middag als deze, in deze fantastische stad, kan het zo ver weg lijken dat je je niet kunt voorstellen dat het bestaat. God-zijdank. Godzijdank zijn er eilanden waar het beest meestal nooit komt. Het zit in zijn kooi. Maar wat je nooit moet vergeten is dat iemand het beest er ooit in heeft gestopt en ervoor moet blijven zorgen dat het er ook in blijft. En dat is de reden waarom we strijders nodig hebben. De wereld heeft ze nodig. Wat vond je ervan dat Evan bij de politie werkte?'

Haar frons werd dieper en ze schudde langzaam haar hoofd. 'Ik was er niet weg van, maar dat was iets anders.'

'Wat was het verschil?'

Ze trok even met haar lip en antwoordde toen: 'Soldaten hebben de taak om te doden. Politieagenten zijn meer bezig met beschermen.'

'Maar soms moeten ze doden om te kunnen beschermen.'

'Maar doden is niet het belangrijkste deel van hun werk.'

'En zou dat niet kunnen zijn omdat je voor slechteriken die in hun een-tje opereren geen leger nodig hebt om hen te verslaan?' Hij haalde zijn hand van de hare, ging iets meer rechtop zitten, bracht het kopje naar zijn mond en zette het weer neer. Toen hij haar weer aankeek zag hij dat haar ogen vochtig begonnen te worden. 'Het spijt me. Ik was niet van plan je dag te verpesten door je aan het huilen te maken. Laten we erover op-houden.'

Een enkele traan trok een spoor langs haar wang. 'Ik weet niet wat ik moet doen. Het is zo moeilijk.'

'Dat is het ook,' zei hij. 'Ik weet het.'

'Ik probeer de juiste beslissing te nemen.'

'Dat weet ik.'

'Ik zou in ieder geval zijn brieven moeten lezen.'

'Dat zou fijn zijn.'

'Maar ik ben nog steeds...' Ze zweeg, keek hem aan en schudde op-nieuw haar hoofd. 'Ik heb geen antwoorden. Ik weet niet wat ik moet doen.'

'Je hoeft vandaag helemaal niets te beslissen. Wat dacht je daarvan?'

Ze glimlachte dankbaar naar hem. 'Dat is beter.'

'Goed dan,' zei hij. 'Volgens mij was dit wel genoeg filosofie voor één dag. Zullen we weggaan uit deze ballentent?'

Een van de bezienswaardigheden van het oude San Francisco was de Trader Vic, het restaurant waar volgens de overlevering de mai tai was uit-gevonden en waar de beroemde columnist Herb Caen met zijn vrienden vele uren had doorgebracht. De oorspronkelijke Vic bestond al tientallen jaren niet meer, maar ze hadden vlak bij het stadhuis een nieuwe geopend. Het had een goede uitstraling en dezelfde tropische sfeer als het origineel. Er werden enorme schotels vol met Aziatisch getinte snacks geserveerd die je kon wegspoelen met mai tai-cocktails of andere drankjes met veel rum erin, die doorgaans voor twee personen in lege kokosnoothelften werden geserveerd.

Nolan en Tara hadden er een besteld toen ze arriveerden en er nog een genomen bij het eten. Door het ontspannen toeristische uitstapje en het diepgaande gesprek dat ze vervolgens hadden gevoerd, was het ijs tussen hen wat gebroken en was het onderscheid tussen date en geen date nogal vervaagd. Tegen de tijd dat de ober de tafel afruimde en de rekening bracht, begon Nolan de mogelijkheid onder ogen te zien dat deze fantastische vrouw hem op de een of andere manier misschien toch wel aantrekkelijk vond. Het was duidelijk dat de band tussen Tara en Evan Scholler op z'n best nogal tweeslachtig was, en het leed geen twijfel dat ze zijn gezelschap op prijs stelde. Ze lachte, plaagde en praatte honderduit. Niet dat ze flirtte of duidelijke toenaderingspogingen deed, maar ze gaf hem volop tijd en aandacht, en geen moment kreeg hij de indruk dat ze spoedig op de rem zou gaan staan. Zijn persoonlijke erecode verbood hem het met haar aan te leggen als ze op enigerlei wijze had laten weten nog aan Evan gebonden te zijn, maar daar was geen sprake van, en als ze later op zijn avances zou ingaan, was dat op zichzelf een duidelijk antwoord op die vraag.

Nolan wist dat de Vic valetservice had, maar omdat hij liever vermeed valets achter het stuur van zijn Corvette te laten plaatsnemen, had hij toen ze in de buurt van het restaurant kwamen goed opgelet en wonderbaarlijk genoeg op een paar straten afstand een lege plek langs de stoeprand gezien, waar hij min of meer werktuiglijk had geparkeerd. Het was zwoel in de namiddagzon en de wandeling met Tara van de parkeerplaats naar het restaurant was aangenaam geweest.

Inmiddels was het buiten donker geworden. De temperatuur was zo'n veertien graden gedaald, iets wat 's zomers in San Francisco normaal was. De kille oceaanwind blies het stof door de straten en maakte de wandeling terug naar de auto een stuk minder aangenaam. Ze bevonden zich op de Golden Gate Avenue, een straat die van oost naar west liep en waar de wind vol doorheen joeg.

'Hoe kan het weer zó snel omslaan?' vroeg Tara.

'Daar heeft deze stad al van oudsher het patent op. Waarschijnlijk om het tuig weg te houden. Volgens mij heeft het niet erg geholpen, maar desondanks hebben ze die wind niet afgeschaft. Waarom ga jij niet terug naar binnen? Dan haal ik je zo met de auto wel op.'

'Dat hoeft niet. Zo ver is het niet. Ik kan er best tegen.'

'Heb je het niet te koud?' Tara droeg sandalen, een korte broek en een T-shirt dat slechts een deel van haar buik bedekte – het soort kleding dat je 's zomers in Californië droeg. Maar waarvoor het nu plotseling veel te koud was.

Ze lachte alleen. 'Het is maar een paar straten verderop. Lekker fris.'

Nolan, die gewone schoenen, een lichtbruine Dockers-broek en een zijden Bahama-hemd droeg, antwoordde: 'Lekker fris... Oké. Weet je het zeker?'

'Laten we nou maar gaan.'

Bij de kruising met Polk Street bleven ze staan voor het stoplicht. Hij merkte dat ze begon te klappertanden. 'Terug naar de Vic is dichterbij dan door naar de auto. Weet je zeker dat je verder wilt?'

'Zo'n teer poppetje ben ik nou ook weer niet.'

'Dat heb ik ook niet gezegd. Maar volgens mij heb je het best koud.'

'Het gaat prima, echt waar.'

Goed dan. Hij sloeg een arm om haar heen. 'Denk erom: dit is alleen maar voor de warmte,' zei hij. 'Dus verbeeld je maar niets.'

Misschien een beetje aangeschoten sloeg ze haar armen voor haar borst en drukte zich tegen hem aan. 'Voor de warmte, dat is goed,' zei ze. 'Schiet op, stoplicht, schiet op!'

Maar voordat het licht op groen sprong was er ruimte tussen de auto's. Hij pakte haar hand en kneep erin. '*Vámonos!*' En ze renden naar de overkant. Bij de volgende twee kruisingen werkten de verkeerslichten niet. Hoewel ze niet ver van het stadhuis waren, realiseerde Nolan zich dat ze inmiddels in Tenderloin waren beland, een van de slechtste buurten van de stad, waar nogal eens wat achterstallig onderhoud was. Ze liepen snel door, hand in hand, en bij de volgende kruising met Larkin Street moesten ze opnieuw voor het rode licht en het verkeer wachten. Achter hen verscheen vanuit de schaduw van een gebouw een prostituee, gekleed in een zwart minirokje en een nethemdje zonder mouwen. 'Hebben jullie zin in een feestje?' Nolan hoorde aan de stem dat het een man was. 'Ik heb hierachter een gezellige ruimte.'

'Nee, dank je.' Nolan plaatste zich tussen Tara en de prostituee. 'We zijn op weg naar de auto.'

'Moeten we hier niet naar links?' fluisterde Tara.

'Nog eentje verder.'

Ze renden weer door het rode voetgangerslicht en liepen langs het volgende donkere huizenblok. De glinsterende stad waarvan ze de hele dag zo hadden genoten, was plotseling verdwenen. De wind blies de zurige geur van afval en urine door de straat. In het schijnsel van de koplampen van de passerende auto's zagen ze dat in bijna iedere portiek een zwerver lag, gehuld in vodden of krantenpapier. Zodra het verkeer er de gelegenheid voor bood staken ze halverwege het huizenblok over naar de andere kant van de straat. Door de kou en de adrenaline versnelden ze hun pas zodanig dat ze bijna renden. Ze sloegen links af, Leavenworth Street in, op weg naar Eddy Street. Ze bevonden zich nu in het hart van Tenderloin. Het goede nieuws was dat de auto in de volgende straat stond geparkeerd.

Dat bleek toch niet dichtbij genoeg te zijn.

De drie Afro-Amerikaanse mannen leken uit het niets te verschijnen en versperden hun de weg. 'O god,' fluisterde Tara, terwijl ze een stap achteruit deed. Alle drie droegen ze dikke jacks met capuchons. Ze namen een zodanige positie in dat het tweetal niet kon ontkomen. De man voor hen zwaaide met een mes. 'Waar moet dat zo snel naartoe?' vroeg hij.

Nolan, die de situatie snel tot zich liet doordringen en registreerde hoe de mannen zich hadden opgesteld – één aan de kant van de weg, één aan de kant van de huizen en één voor hen –, liet Tara's hand los en sloeg beschermend een arm om haar middel. 'Onze auto staat verderop, dáár in de straat,' zei hij, de richting aanwijzend.

'Die Corvette misschien?'

'Klopt.'

'Rijdt-ie lekker?'

'Zeker weten. Ik hoop dat hij er nog netjes bij staat.'

De leider grinnikte naar zijn mannen. 'Hij hoopt dat hij er nog netjes bij staat. Horen jullie dat? Meneer is bang dat er iets met zijn auto is gebeurd.' Hij richtte zich weer tot Nolan, terwijl hij het mes in zijn andere hand nam. 'Toevallig hebben we er een beetje op gelet, om ervoor te zorgen dat er niemand aan zou zitten, als je begrijpt wat ik bedoel.'

'Dat is mooi,' zei Nolan. Hij draaide zich nu om, prentte zich de positie van de twee andere aanvallers nogmaals zorgvuldig in en bewoog toen enigszins met Tara opzij, zodat hij tijdig kon waarnemen of de man achter hem zou aanvallen. Hij keek het drietal nu een voor een aan en zei: 'Maar mijn vriendin heeft het koud, ze moet zo snel mogelijk de auto in.' Hij greep naar zijn achterzak, alsof hij zijn portefeuille wilde pakken. 'Hoeveel ben ik jullie schuldig voor het bewaken van mijn auto?'

'Ron...' begon Tara.

'Blijf rustig,' fluisterde hij, terwijl hij haar steviger vastgreep. Op een of andere manier had hij de autosleutels uit zijn zak gehaald en hij drukte ze haar in de hand. 'Als het begint,' fluisterde hij in haar oor, 'ga je meteen naar de auto en start je de motor.'

'Als wát begint? Ron, je kunt ze toch niet...'

Nolan maakte aanstalten om te antwoorden, maar met een dierlijk gebrom als enige waarschuwing schoot de leider plotseling met zijn mes naar voren. Nolan duwde Tara uit de weg en dook omlaag om de aanval te ontwijken, waarna hij vervolgens de tweede aanvaller een harde trap tegen zijn knie gaf. De man slaakte een kreet en ging tegen de grond. Nolan draaide zich bliksemsnel om, trapte opnieuw en raakte nu de leider in de heup, waardoor deze tegen de derde aanvaller terechtkwam. Het gaf hem genoeg tijd om Tara naar de auto te sturen. 'Schiet op!' riep hij haar toe.

Ze begon te rennen.

Vanuit zijn ooghoek zag Nolan een nieuwe aanval aankomen. Hij dook weg en draaide mee. Hij zag het mes en deelde een karateslag uit op de pols, vlak erboven, waardoor het steekwapen op het trottoir kletterde. De man was nu zo dichtbij dat hij hem kon ruiken. Hij ramde een knie in zijn kruis en toen de man dubbelklapte deelde hij hem een karateslag uit op zijn nek. Nolan wist dat hij hem had gedood door de manier waarop hij als een zak aardappelen tegen de grond ging, maar hij wist dat er nog een mes in het spel was. Het flitste in zijn richting. Nolan deed een stap achteruit zodat hij niet kon worden geraakt, draaide zich vervolgens opzij en sloeg met zijn vlakke hand zo hard tegen de neus van de overgebleven aanvaller dat het kraakbeen in zijn hersens werd geramd. Het lichaam strekte zich even voordat het tegen het plaveisel klapte.

Nolan keek achterom naar de aanvaller wiens knie hij had verbrijzeld. Hij realiseerde zich dat de man, hoewel hij geen bedreiging meer vormde, nog wel een potentiële getuige was. En die brachten ongeluk, wist Nolan. Hij keek snel om zich heen en zag dat er niemand in de buurt was; in dit blok waren de portieken vrij van zwervers. De man lag nog steeds op de grond en probeerde zich met zijwaartse bewegingen uit de voeten te maken. Nolan had maar een paar passen en enkele seconden nodig om hem te bereiken.

'Jezus, man,' zei hij. Hij hijgde zwaar, maar zijn stem klonk emotieloos en bijna verontschuldigend. 'Dat was geen goed idee. Je kunt beter ophouden met dit soort ongein. Hoe is het met je been? Kun je opstaan? Misschien moet je er maar even naar laten kijken. Kom op, ik help je wel overeind.'

De jongeman aarzelde even, maar pakte toen Nolans hand en liet zich door hem overeind trekken. Zodra Nolan de man in de juiste positie had, greep hij hem bij de kin, duwde die naar achteren en gaf vervolgens een stevige zijwaartse ruk aan het hoofd. Hij liet dit laatste lijk vallen en keek om zich heen naar wat hij had aangericht. Nadat hij zich ervan had vergewist dat alles in orde was, sprong hij over de leider en draafde de straat uit. Het was niet ver. Tara had de auto al gestart en was half de straat op gereden, zodat ze er snel vandoor konden gaan. Hij gaf een klap op de kofferbak, liep om de auto heen, opende het portier aan de passagierskant en dook erin, buiten adem. 'Alles goed met jou?' vroeg hij haar. 'Kun je rijden?'

Ze klemde haar handen om het stuur, huiverde en slaagde erin te knikken.

'Kom op, dan. Rijden. Nu!'

Na een paar minuten zwijgend te hebben gereden, zette Tara de auto zes straten verderop aan de kant. 'Ik kan niet meer,' zei ze.

'Ik neem het wel over.'

Voor het eerst sinds hij was ingestapt keek ze hem aan. 'Ben je gewond?'

'Nee.'

'Wat is er met ze gebeurd?'

'Ik weet niet... Ze botsten tegen elkaar aan en dat hield ze even op, zodat ik ervandoor kon gaan.'

Even later zei ze: 'Ze hadden ons wel kunnen vermoorden, toch?'

'Dat weet ik niet. Ik geloof dat ze alleen maar wilden kijken wat we bij ons hadden. Ze hadden geen pistolen. Waarschijnlijk hadden ze ons geld en onze andere bezittingen afgepakt als we ons niet hadden verzet.'

Ze bleef roerloos zitten en liet in het kleine interieur van de auto een lange stilte vallen. Toen ademde ze hortend uit, opende het portier en stapte naar buiten. Nolan stapte aan zijn kant uit, wachtte tot ze was gaan zitten en sloot toen het portier voor haar. Toen hij achter het stuur zat maakte hij zijn gordel vast en reed weg.

'Godallemachtig,' zei ze na een tijdje. 'Is echt alles goed met je? Ik kan me niet voorstellen dat dit zomaar is gebeurd. Het ging zó snel. Ze waren er gewoon plotseling.'

'Ja, zo gaat het altijd.' Hij keek haar even aan. 'Ik had daar nooit moeten parkeren. Ik had beter moeten weten. Stom van me. Het spijt me, echt.'

'Je hoeft je niet te verontschuldigen. Het is jouw schuld toch niet? Sterker nog: als jij er niet was geweest...'

Maar hij schudde zijn hoofd. 'Dan was jij ook niet op die plek geweest. Dan had je gewoon de valetservice bij het restaurant gebruikt, zoals ieder verstandig mens.'

'Ja, maar toch...' Ze sloeg haar armen voor haar borst. 'Jeetje, ik blijf maar trillen.'

'Het geeft niet,' zei hij. 'Dat is de adrenaline.' Hij haalde zijn rechterhand van het stuur en stak die uit. 'Als dat helpt,' zei hij, 'dan is hier een hand die je vast kunt houden.'

Het kostte haar enige tijd om een besluit te nemen. Ze haalde diep adem en blies uit, pakte toen zijn hand en legde die eerst op de versnellingspook en vervolgens in haar schoot, waar ze zijn hand met haar beide handen omklemde. 'Dank je,' zei ze. 'Dat helpt.'

Er was dit keer geen discussie of hij wel of niet zou meelopen naar haar voordeur. Ze opende hem, deed het licht aan en draaide zich naar hem om. Ze was nog zichtbaar ontdaan. Ze glimlachte zwakjes en bijna verontschuldigend, tilde haar hand op en bracht die weer omlaag. 'Ik wilde zeggen: "Dank je wel, het was een gezellige dag", maar eerlijk gezegd ben ik een beetje in de war.' Ze keek hem recht in het gezicht. 'Vind je dat erg?'

'Dat geeft niets,' zei Nolan.

'Ik ga Evans brieven lezen.'

'Dat is een goed idee.'

'Ik wil niet dat je denkt dat ik ondankbaar ben.'

'Waarom zou ik dat denken?'

'Omdat je mijn leven gered hebt en zo. Omdat je een strijder bent.'

Die opmerking bracht een flauwe glimlach op zijn gezicht. 'Ik vroeg me al af of dat bij je was opgekomen. Maar je bent me niets verschuldigd, Tara, zeker niet daarom.' Hij tikte speels met zijn wijsvinger tegen haar kin. 'Maak je over mij maar geen zorgen. Ik voel me prima. Jij hebt gewoon een tik gehad die je even moet verwerken. Niets bijzonders. Dat komt allemaal weer goed. Je bent nu veilig thuis. Slaap lekker.' En met die laatste opmerking boog hij zich even naar voren en gaf haar een vluchtige kus op de wang. Alvorens te vertrekken zei hij: 'En nú wil ik dat je de deur dichtdoet.'

Ze kon de slaap niet vatten en begon de brieven te lezen.

Het waren openhartige brieven waarin hij zijn ziel blootgaf. Iedere brief deed haar denken aan hoe hij was: ontspannen en vol verhalen, maar aan het einde stortte hij altijd zijn hart uit. Hij miste haar. Hij hield van haar en hij wilde het opnieuw met haar proberen als hij weer thuis was.

Als hij weer thuis was.

Maar het was helemaal niet zeker dat hij thuiskwam. Levend. Gezond en wel. Zelfs nu ze zijn woorden las kon ze de gedachte niet van zich af zetten dat hij nu – op ditzelfde moment – misschien al dood was. Ze voelde er niets voor zich opnieuw aan hem te binden zolang de mogelijkheid bestond dat hij daar zou sneuvelen. Pas als hij terug was kon ze besluiten of ze zich opnieuw aan hem wilde binden. En eerst moest ze hoe dan ook een antwoord hebben gevonden op de filosofische vragen waar ze mee worstelde. Het zou dom zijn en een averechts effect hebben als ze hem een antwoord gaf voordat het zover was.

Tara las de brieven in bed. Ze droeg een pyjama en haar warmste badjas en ze had de dekens over zich heen getrokken omdat ze nog steeds trilde, ondanks het feit dat het een zwoele nacht was in Redwood City. Ten slotte legde ze de laatste brief neer – het was de vijfde of zesde die ze had gelezen – en sloot haar ogen in een poging zich Evan voor de geest te halen. In een poging zich iets te herinneren van de tijd waarin ze nog het ideale stel waren dat zou trouwen, een gezin zou stichten en samen een fantastisch leven zou gaan leiden. Het viel haar niet mee dergelijke herinneringen naar boven te halen.

Ergens hield ze nog van hem en geloofde ze dat hij terug zou komen uit de oorlog, zodat ze hun problemen konden oplossen. Maar hij was nu al maanden weg en ze had haar best gedaan hem te vergeten. Als hij terugkwam – áls hij terugkwam – zouden ze moeten zien waar ze op dat moment stonden. Als Evan en zij inderdaad het ideale paar waren, dacht ze, als ze werkelijk voor elkaar waren voorbestemd, zou niets hen uiteindelijk uit elkaar kunnen houden. Maar vooralsnog had ze haar eigen leven en haar principes. Ze voelde niets voor een relatie waarin ze die principes al meteen zou moeten opgeven.

Maar de gebeurtenis die ze vanavond met Ron Nolan had meegemaakt, had een paar van die principes aan het wankelen gebracht. Ze waren geconfronteerd met slechte mensen die hun kwaad hadden willen doen en als Nolan er niet was geweest om haar te verdedigen, dan had ze nu misschien niet meer...

Plotseling kreeg ze de beelden van de aanval weer scherp op haar netvlies: de mannen die om hen heen gingen staan en de glinsterende messen die ze in hun handen hielden. De eerste uithaal, die zonder enige waarschuwing leek te zijn gekomen. Als Ron er niet was geweest... Of, nee, sterker nog: als Ron niet was geweest wie hij was, kon het heel slecht zijn afgelopen. Dan was het niet zomaar een beroving geweest, maar het einde van haar leven. Het einde van alles.

Een nieuwe golf van adrenaline deed haar rechtop in bed zitten.

Ze gooide de dekens van zich af, stond op en liep naar het raam. Ze trok de gordijnen een klein stukje opzij, net genoeg om naar buiten te kunnen kijken. Het blauwverlichte water van het zwembad was rimpelloos. Ze zag geen schaduwen op het gazon of in de struiken eromheen. Het was een en al vredigheid in dit slaapstadje, ver van de grote stad. Ze liet de gordijnen weer dichtvallen en liep door de gang naar de woonkamer, terwijl ze onderweg wat lampen aandeed. Ze opende een kast in de woonkamer en daarna de kast bij de voordeur. Vervolgens liep ze de keuken binnen. Het raam boven het aanrecht bood uitzicht op de parkeerplaats. Ze deed het licht in de keuken uit om beter naar buiten te kunnen kijken.

In het schijnsel van een van de straatlantaarns zag ze de Corvette van Ron Nolan staan, op het stukje weg dat naar het parkeerterrein leidde. De kap was open en ze zag Ron op de rug. Zijn arm leunde ontspannen op de rand van het portier. Ze keek op de klok – hij had drie kwartier geleden bij de voordeur afscheid van haar genomen.

'Ron?'

Hij had de voetstappen gehoord, maar dwong zichzelf stil te blijven zitten, niet om te kijken, maar te wachten totdat ze voor hem stond. Nu keek hij haar aan. Ze had een T-shirt, een spijkerbroek en sandalen aangetrokken. 'Hé.' Zijn stem klonk ontspannen.

'Wat doe je hier?'

'Gewoon een beetje zitten. Ik geniet van de avond,' Het leek erop dat ze meer uitleg wilde, en die gaf hij haar. 'Ik voelde me een beetje opgefokt en ik wilde me eerst ontspannen voordat ik weer ging rijden. Ik dacht dat je onderhand wel zou slapen.'

'Nee,' zei ze. 'Ik was ook opgefokt.' Ze zweeg even en zuchtte. 'Ik heb Evans brieven gelezen. Ik geloof dat hij nog steeds in de war is. Dat geldt voor mij ook.'

'Waarover?'

'Over ons. Ik weet niet wat ik moet doen.'

'Wat wil je met Evan?'

'Als ik dat wist zou ik niet in de war zijn. Het is niet goed wat ik heb gedaan. Ik moet hem gewoon schrijven en hem vertellen wat ik voel.'

'Wat voel je dan?'

'Dat er misschien nog een kans voor ons is als hij zijn best doet de zaken op een rij te zetten. Maar dat moet in de toekomst gebeuren, als hij terugkomt. Als hij weer veilig hier is. Tot die tijd, totdat ik weet hoe het er echt met ons voor staat, kan ik me niet aan hem binden. Lijkt dat je redelijk?'

'Ik ben niet onbevooroordeeld,' zei hij. 'Als ik je goed begrijp heb je zojuist gezegd dat je je niet met hem verbonden voelt.'

'We hebben het vijf maanden geleden uitgemaakt, Ron.' Ze zweeg even en vroeg toen: 'Maar wat deed je hier nou eigenlijk echt?'

'Ik genoot van de avond, van de frisse geur hier, van de afwezigheid van geweervuur.' Hij keek haar aan. 'En bovendien hoopte ik dat je misschien niet zou kunnen slapen, dat je me hier zou zien zitten en dat je dan naar beneden zou komen en dat ik je dan weer zou zien. En dat ik misschien weer met je mee zou kunnen lopen naar je voordeur.'

Een tel later zei ze: 'Dat mag.'

6

De maandag daarop verscheen Abe Glitsky om halftien bij de afdeling Moordzaken in San Francisco. Darrel Bracco, de rechercheur die Glitsky in een grijs verleden onder zijn hoede had genomen, keek op van het rapport dat hij aan het schrijven was en gooide bijna zijn koffie om toen hij abrupt opstond, salueerde en 'Geef ácht!' riep.

Glitsky voelde dat het litteken op zijn lippen zich verzette tegen de neiging een glimlach te produceren. Een neiging die zich niet al te vaak aandiende. Zoals gewoonlijk verscheen de glimlach ook nu uiteindelijk niet. Sommige rechercheurs keken op van hun werk, maar er was verder niemand met militaire aanvechtingen. Bracco stond echter nog steeds, alsof hij ergens op wachtte. Kennelijk was hij op de hoogte van de reden waarom het hoofd Moordzaken, inspecteur Marcel Lanier, de commissaris had laten komen. 'Marcel heeft me gevraagd een seintje te geven als je er bent. Vandaar dat ik hem even wilde waarschuwen.'

Glitsky bleef staan. 'Voor het onwaarschijnlijke geval dat hij zich op een of andere manier misdraagt?'

'Je weet het maar nooit,' zei Bracco. Hij pakte de grap van Glitsky op en knikte naar een andere rechercheur, een vrouw die Debra Schiff heette. Ze keek hem aan en stond op van haar bureau terwijl Bracco vervolgde: 'Schiff was vanochtend een uur lang bij hem in de kamer, met de deur dicht. Als je haar zo ziet zou je nooit zeggen dat ze zoveel lawaai maakt tijdens de daad.'

Schiff, die wat papieren verzamelde, knikte naar Abe en antwoordde op neutrale toon: 'Mijn rug op, Darrel.'

Glitsky liep door en Bracco en Schiff volgden hem. Hij klopte op de geopende deur van Laniers kamer. De inspecteur zat te telefoneren, met zijn voeten op het bureau, en gebaarde hun naar binnen te komen. Zijn nieuwe kamer hier boven was minstens twee keer zo groot als het hok waar hij eerder, en Glitsky vóór hem, een verdieping lager had gezeten. Behalve de twee vaste stoelen stonden er tegen de muur vier klapstoelen, onder het schoolbord met gegevens over de lopende moordzaken. Glitsky klapte een ervan open en liet de beide rechercheurs op de vaste stoelen plaatsnemen.

'Ik begrijp het,' zei Lanier in de telefoon. 'Jazeker. Daarom heb ik Abe ook gevraagd hierheen te komen, zodat ik hem kan informeren. Nee...' Hij sloeg geërgerd zijn ogen ten hemel. 'Nee, ik begrijp heel goed dat we dat niet willen...' Hij hield de hoorn van de telefoon weg van zijn oor en Glitsky hoorde de stem van Frank Batiste, de hoofdcommissaris. Dus waar het ook over ging, het moest een kwestie van enige importantie zijn. 'Jazeker,' zei Lanier toen de stem aan de andere kant even verstomde. 'Dat is de bedoeling. Ja, dat zal ik doen. Prima.' Ten slotte hing hij op, zette zijn voeten op de grond, bewoog zijn bovenlichaam dichter naar het bureaublad en plantte zijn ellebogen erop. 'Dat was de hoofdcommissaris.'

'Die indruk kreeg ik al,' zei Glitsky. 'En hoe maakt Frank het op deze schitterende ochtend?'

'Frank maakt zich zorgen over de burgerij. Hij is bang dat ze misschien in paniek zullen raken.'

'En waarom zouden ze dat doen?'

'Tja, dat is nu precies de reden waarom ik jou hier heb uitgenodigd. Want als het uitkomt, dan duiken de media erbovenop, en ik weet hoe fijn je het vindt als je weer eens de gelegenheid krijgt met je gezicht in de krant te komen.' De ironie van Laniers opmerking ontging geen van de aanwezigen. Glitsky stond binnen het korps vooral bekend om twee dingen: hij vloekte nooit en accepteerde dat ook niet van anderen, en hij had er een pesthekel aan contacten met de pers te onderhouden. Helaas bestond ongeveer vijfentachtig procent van zijn werk uit het laatste.

Met een berustende uitdrukking op zijn gezicht sloeg Abe zijn benen over elkaar en keek hem aan. 'Oké. Wat is er aan de hand?'

Lanier keek naar zijn twee rechercheurs en richtte zijn blik toen weer op Glitsky. 'We hebben een seriemoordenaar rondlopen.'

'Aha,' zei Glitsly, 'dat hebben we alweer een tijdje niet gehad.'

'Vandaar de paniek,' zei Lanier, 'die Frank zo graag zou willen vermijden. Hoe dan ook, het leek me een goed idee om Darrel en Debra te vragen jou op de hoogte te brengen, zodat jij er je licht over kunt laten schijnen en kunt beslissen hoe we dit verder gaan aanpakken.' Hij knikte naar de vrouwelijke rechercheur, die altijd haar best deed haar aantrekkelijke gezicht wat minder aantrekkelijk te maken door nors te kijken, wat doorgaans weinig uithaalde. 'Wil jij beginnen, Debra?'

'Zeker.' Ze zat enigszins voorover in haar stoel, met haar ellebogen op haar knieën en de handen voor zich gevouwen. 'Op zichzelf is het niet zo'n opzienbarend verhaal, maar afgelopen woensdag kreeg ik een melding uit de Mish, waar in een steeg vlakbij een lichaam was gevonden bij de Make-Out Room. Een blanke, tamelijk goed geklede man, met zijn portefeuille nog in zijn broekzak. Hij bleek een zekere Arnold Zwick te zijn, een zesendertigjarige ex-SEAL van de marine. Geen strafblad, ongetrouwd en voor zover we weten geen relatie, momenteel zonder werk. Maar hij is kennelijk niet al te lang geleden teruggekomen uit Irak, waar hij voor Allstrong Security heeft gewerkt, dat hier in San Francisco is gevestigd.'

'Wat voor werk?' vroeg Glitsky.

'Het soort werk dat die ex-militairen daar meestal doen. Ik ben bij Allstrong gaan informeren en daar vertelden ze me dat het vliegveld van Bagdad bewaken momenteel hun belangrijkste opdracht is. Maar ze wisten niet waar Zwick uithing. De manager van het kantoor vertelde me dat ze dachten dat hij misschien in Irak was gedood. Want hij schijnt van de ene op de andere dag zomaar te zijn verdwenen. Alleen weten wij nu dat hij terug is gekomen naar San Francisco. En een paar getuigen – buren met wie hij goed bevriend was – hebben me verteld dat ze de indruk hadden dat hij veel geld had. Maar ik heb geen bankrekening van hem kunnen vinden waar een noemenswaardig bedrag op staat en hij had ook geen contant geld in huis. Dus het zou om een beroving kunnen gaan. Of hij moet het geld ergens heel goed hebben verstopt.'

Glitsky vroeg: 'Denk je dat het mogelijk is dat hij in Irak geld heeft gestolen van Allstrong?'

Debra knikte, kennelijk opgetogen over deze vraag. 'Dat vermoedde ik ook. Vooral gezien de manier waarop hij aan zijn eind is gekomen.'

'Hoe dan?'

'Iemand heeft zijn nek gebroken.'

'Dat luistert nogal nauw,' zei Glitsky. 'Zo gemakkelijk is dat niet.'

'Het wordt nog moeilijker als je rekening houdt met de militaire training die Zwick heeft gehad en met het feit dat er geen tekenen zijn van een worsteling. Er is ook geen wapen van zijn aanvaller gevonden. Bovendien was Zwick zwaar bewapend. Hij had een mes in een schede aan zijn onderbeen en in zijn jaszak droeg hij een .45. Die droeg hij allebei nog bij zich toen ik op de plaats delict arriveerde.'

'Dus zijn moordenaar was ook een commando,' zei Glitsky. Iemand die banden had met Allstrong, zou je bijna denken. Misschien wilden ze hun geld terughebben.'

Debra knikte. 'Zover was ik ook, totdat Marcel me gisteren belde en me vertelde over de zaak waar Darrel tegenaan is gelopen.'

Glitsky keek Bracco aan. 'Laat horen,' zei hij.

'Drie straatrovers met messen. Alle drie jong, sterk en gewapend, prima voorbereid voor een avondje loltrappen in Tenderloin. Alle drie met de blote handen afgemaakt. Misschien hebben ze gewoon besloten de verkeerde te beroven, dezelfde die Zwick heeft vermoord, maar dat is nogal onwaarschijnlijk, denk je ook niet?'

'Het onwaarschijnlijke zit 'm er dan in dat hij gewoon in de buurt is gebleven,' zei Glitsky. 'Als hij een van Allstrongs mensen is.'

'Maar er zijn hier helemaal geen mensen van Allstrong,' zei Debra. 'Iedereen zit in Irak. Ze hebben hier een vrouwelijke manager in een klein kantoortje in de buurt van Candlestick met een paar administratief medewerkers. Ze beweerden dat ze Zwick nooit persoonlijk hebben ontmoet. Iets wat ik geneigd ben te geloven.'

'Maar het zou natuurlijk ook kunnen,' merkte Lanier op, 'dat we hier te maken hebben met een echte krankzinnige die aan zijn trekken komt door mensen met zijn blote handen af te maken. Die straatrovers in Tenderloin bijvoorbeeld, daarvan hadden er twee een gebroken nek en bij een van hen is het neustussenschot de hersenen in geslagen. Maar er lijkt geen enkel verband te zijn tussen Zwick en dit tuig. Van geen van de slachtoffers lijkt iets te zijn gestolen.'

'Hoeveel keer hebben we het de afgelopen twintig jaar aan de hand gehad dat mensen op deze manier zijn vermoord, Marcel?' vroeg Glitsky peinzend.

De inspecteur knikte. 'Ik weet wat je bedoelt, Abe. En elke keer als iemand op die manier zijn nek brak gebeurde dat tijdens een worsteling. Daar is hier nauwelijks sprake van geweest. Het vervelende is dat de media er al lucht van hebben gekregen – Frank en ik zijn ik vanochtend allebei al door journalisten gebeld – en die kwijlen natuurlijk bij de gedachte aan sappige verhalen over een seriemoordenaar.'

Glitsky dacht even na. 'En dat bedrijf Allstrong Security huurt ex-commando's in voor het beveiligingswerk dat ze doen in Irak?'

'Als ik het goed heb begrepen wel,' zei Debra. 'Maar ik heb tot nu toe alleen maar een mooie brochure van ze gezien en geen personeel.'

Maar laten we de hoofdzaak niet uit het oog verliezen,' zei Lanier. 'Waar het op neerkomt is dat we de media niet de indruk moeten geven dat er een seriemoordenaar in de stad rondloopt. Want als dat gebeurt hangt Frank me op aan mijn kloten. Sorry, Debra.'

Maar Glitsky was al opgestaan. 'Ik heb zoals elke maandagochtend over vijftien minuten mijn favoriete persconferentie, Marcel. Het zal me wel lukken dat brandje te blussen. Als er binnenkort niet nóg iemand een gebroken nek oploopt.'

'Wat ga je ze vertellen?' vroeg Lanier.

'Dat ik geen commentaar kan geven op lopende onderzoeken, maar dat het onverantwoordelijk zou zijn geruchten te publiceren over een serie-moordenaar als daar geen enkel bewijs voor is. Gelukkig zijn de slachtoffers geen van allen bekende mensen. Het gaat om drie schooiers in een sloppenwijk en een werkloze in de Mish. Vervelend, maar dat soort dingen komt nu eenmaal voor. Einde verhaal.'

'Stel dat het dezelfde dader is?' opperde Bracco. 'Wie kan het dan geweest zijn?'

'Als dat zo is,' zei Glitsky, 'dan denk ik dat hij allang vertrokken is en zich hier nooit meer zal vertonen.'

7

Majoor Charles Tucker, de senior accountant voor luchtmachtzaken, hield er net zoals iedereen niet van de Groene Zone te verlaten. Maar gedurende de afgelopen tien dagen, sinds Ron Nolan in de kelder van het Republikeinse Paleis was verschenen met het verzoek hem twee miljoen dollar uit te betalen, had hij Allstrong Security nog eens drie komma drie miljoen dollar in contanten moeten leveren, allemaal goedgekeurd door kolonel Kevin Ramsdale, die verantwoordelijk was voor de beveiliging van de luchthaven.

Jack Allstrong zelf was vier keer voor Tuckers bureau komen opdagen om hem geduldig uit te leggen dat hij waarschijnlijk niet begreep hoe moeilijk de taak was die Allstrong Security op zich had genomen, als hij steeds maar vroeg waarom ze zoveel geld nodig hadden. BIAP, het vliegveld, besloeg maar liefst tachtigduizend hectare. Het beveiligen van zelfs maar de helft van dat enorme oppervlak was een gigantische klus, de vijandige omgeving in aanmerking genomen. Bovendien moest Allstrong voor zijn meest recente contract onmiddellijk geld hebben om de auto's en vrachtwagens te kunnen kopen waarmee de nieuwe dinars konden worden vervoerd. Hij had bovendien meer geld nodig voor zijn bomhonden, voor salarissen en om zijn steeds toenemende schare werknemers te voeden.

In weerwil van de gevaren die ieder uitstapje buiten de Groene Zone met zich meebracht, had Tucker besloten zelf te gaan kijken hoe de zaken op BIAP ervoor stonden. Gekleed in uniform had hij het Republikeinse Paleis vroeg in de middag verlaten en zich in een konvooi met door personeel van KBR beveiligde Mercedessen naar het vliegveld laten rijden. De ironie van de situatie was hem niet ontgaan. Toen ze bij de eerste controlepost van het vliegveld arriveerden was het al bijna vier uur 's middags.

Zoals altijd stond er een lange rij auto's, die allemaal moesten worden gecontroleerd en doorzocht. Op deze manier zou het zeker nog een uur duren voordat Tuckers konvooi zou worden doorgelaten. Dus besloot hij, om tijd te winnen, uit te stappen en het terrein te voet te betreden. Als het een beetje meezat kon hij zijn informele inspectie afronden en terugkeren naar Bagdad nog voordat zijn konvooi bij de afzetting was gearriveerd. Op die manier konden ze zonder verdere formaliteiten weer rechtsomkeert maken.

Maar zodra hij was uitgestapt werd hij zich bewust van het geluid van geweervuur. Niet het geweervuur in de verte, dat je vrijwel dagelijks hoorde in Bagdad en waarvan je meestal geen last had, maar schoten van dichtbij, die afkomstig leken te zijn uit de wijk aan zijn linkerkant, grenzend aan de oostzijde van BIAP. In tegenstelling tot de westkant, die grensde aan de rivier de Eufraat en vanwaar je uitzicht had op vlak boerenland dat werd doorsneden door sloten en gaandeweg overging in de woestijn, lag ten oosten van het vliegveld een dichtbevolkte wijk. Het was een eindeloze hoeveelheid lage, mestbruine bouwsels waaruit zoveel van de buitenwijken van Bagdad leken te zijn opgetrokken en waarvan Tucker wist dat ze een toevluchtsoord waren voor honderden voormalige officieren uit het leger van Saddam Hoessein. Geweervuur in dat gebied betekende nooit veel goeds. Maar als het zich concentreerde in die buurt hoefde hij zich er nog steeds niet veel zorgen over te maken.

Half voorovergebogen liep hij aan de veilige kant langs de rij auto's. Maar toen hij bijna bij de afzetting was gekomen, realiseerde Tucker zich dat het vuren van heel dichtbij kwam. Hij bleef staan en ontdekte een groepje mannen achter de barricades die aan de buitenkant van het hek waren opgetrokken. Ze waren allemaal in het zwart gekleed en hadden camouflageverf op hun gezicht gesmeerd. Tucker wist dat ze geen deel uitmaakten van het reguliere leger. Ze droegen geweren en munitie en schoten in de richting van de buitenwijk.

Nog steeds half gebukt sprintte hij naar het hek, waar vier eveneens zwaar gewapende mannen in dezelfde zwarte uniforms de toegang bewaakten, zichtbaar niet onder de indruk van de salvo's die achter hen werden afgevuurd. Tucker riep de man toe die het dichtst bij hem stond. 'Hé!' Hij stak zijn hand op. 'Majoor Charles Tucker. Wat gebeurt daar in 's hemelsnaam?'

De man, die duidelijk geen Amerikaan was, keek achter zich en vervolgens weer naar Tucker. Hij haalde zijn schouders op en antwoordde in overdreven correct Engels: 'We zijn zojuist onder vuur genomen. Jack Allstrong heeft onze mannen opdracht gegeven ze uit te schakelen.'

'Jullie vallen hen aan?'

'Daar lijkt het wel op, ja.'

'Dat kun je niet doen! Dat is tegen de voorschriften.'

De man haalde opnieuw zijn schouders op. 'Meneer Allstrong heeft het bevel gegeven.'

'Nou, laat meneer Allstrong dan maar hier komen, zodat hij het bevel kan intrekken. Je kunt geen mensen aanvallen met niet-militair personeel.'

Een andere man verwijderde zich van zijn collega's en ging voor Tucker staan. Hij sprak met hetzelfde accent als de eerste. 'Is er een probleem, meneer?'

'Reken maar dat er een probleem is.' Hij wees op de schutters. 'Ik neem aan dat die mannen voor Allstrong werken. Wie heeft hier het bevel?'

'Dat heb ik.'

'Wat is je naam?'

'Khada Gurung.'

'Waar kom je vandaan?'

'Nepal.'

'Nou, meneer Gurung, ik ben een majoor van het Amerikaanse leger. Particuliere beveiligers zijn niet bevoegd vijandelijke strijders aan te vallen.'

'Maar er werd op ons geschoten. Van daaruit.' Hij maakte een vaag gebaar naar de woonwijk.

'Er werd op jullie geschoten?'

'Ja, meneer.'

Tucker wees. 'Is er iemand in deze rij wachtende auto's geraakt?'

'Nee, ik geloof van niet. Nee, meneer.'

'Maar die auto's stonden hier wel toen er werd geschoten? Zoals ze hier nu staan?'

'Dat klopt.'

'En er is er niet één geraakt?'

'Volgens mij niet.'

'En op dit moment schiet niemand erop?'

'Nee. Ik denk dat we ze hebben verdreven.'

'Misschien, meneer Gurung. Of misschien was er helemaal geen georganiseerde aanval, als ze vanaf honderd meter afstand niet eens een stilstaande auto konden raken. Misschien waren het alleen maar vreugdeschoten, zoals we die zo vaak horen in Bagdad. Wat dacht u daarvan?'

'Dat is niet uitgesloten.'

Op dat moment rende een deel van het groepje commando's over een stuk braakliggend terrein in de richting van de Irakese huizen. 'Ze vallen aan, verdomme! Dat is hartstikke verboden. Waar blijft Jack Allstrong? Hij moet hier een eind aan maken. Ik moet hem onmiddellijk spreken. Denk je dat je in staat bent dat te regelen?'

Gurung, die enigszins onthutst leek door Tuckers woedende uitval, antwoordde: 'Natuurlijk. Als u hier even wilt wachten zal ik mijn best doen.' Op zijn dooie akkertje wandelde hij naar een klein stenen gebouwtje achter het hek dat eruitzag alsof het onlangs was gebouwd. Hij pakte de telefoon.

Ondertussen draaide Tucker zich om naar de man die hij het eerst had aangesproken. 'En wie ben jij?' snauwde hij.

'Ik ben Ramesh Bishta.'

'Nou, meneer Bishta, nu we hier op meneer Allstrong staan te wachten, kun jij mij misschien vertellen wat de reden is van al dit oponthoud. Waarom kan het allemaal niet wat sneller?'

'De chauffeurs.' legde hij uit. 'Vaak spreken ze geen Engels. Dat is lastig.'

'Natuurlijk spreken ze geen Engels. Het zijn bijna allemaal Irakezen. Ze leveren Irakese goederen af, het zijn Irakese handelslui. Hebben jullie hier bij de controlepost niemand die Arabisch spreekt?'

'Nee, meneer, het spijt me. Op dit moment nog niet.'

'Tolken dan misschien?'

'Ook niet, nee. Later misschien.'

Tucker bracht zijn handen naar zijn hoofd en masseerde zijn slapen. Hij had persoonlijk getekend voor betalingen aan Allstrong voor een totaalbedrag van zo'n zes miljoen dollar en kennelijk was Jack Allstrong er desondanks niet in geslaagd een plaatselijke medewerker aan te stellen die Arabisch sprak met de mensen die het vliegveld op wilden. Om maar te zwijgen van het feit dat hij tegen alle regels in zijn particuliere commando's aanvallen op de plaatselijke bevolking liet uitvoeren. Tucker had al een tijdje de indruk dat Allstrong het niet zo nauw nam met de regels in de chaotische realiteit van Irak, maar het leek erop dat het nog veel erger was dan hij had gevreesd.

Gurung kwam terug en vertelde Tucker dat meneer Allstrong eraan kwam. De volgende auto kreeg toestemming om door te rijden. De commando's leken zich even te hergroeperen langs de rij huizen aan de overkant. Tucker maakte van de gelegenheid gebruik Gurung naar de honden te vragen.

'Welke honden?' De bewaker, die op het irritante af beleefd was, haalde zijn schouders op.

'De bomhonden. Ik had gedacht dat ik die hier bij de ingang wel aan het werk zou zien. Die zijn toch hierheen gehaald om de auto's op bommen te controleren?'

'Nee. Die honden heb ik nog niet gezien. Misschien binnenkort.' Nog steeds glimlachend en een en al medewerking, vroeg Gurung of Tucker hem misschien even wilde excuseren. Hij liep naar Bishta en na een korte woordenwisseling liepen ze naar hun collega's, die ze kennelijk iets te vertellen hadden. Daarna gebaarden ze de volgende auto in de rij dat die door kon rijden. En daarna de volgende. En de volgende. De rij kwam in beweging.

Tucker keek het even aan en ging toen voor de volgende auto staan, met zijn hand omhoog ten teken dat hij moest stoppen. De chauffeur toeterde, maar Tucker hield zijn hand omhoog en wilde hem niet doorlaten. 'Meneer Gurung!' riep hij. 'Wat heeft dit te betekenen? Eerst laat u deze mensen hier uren wachten en nu laat u ze allemaal achter elkaar door?'

Er verscheen een getroebleerde uitdrukking op het gezicht van de Nepalees. 'Meneer Bishta zei dat u wilde dat het sneller ging.'

'Jawel, maar... jullie moeten ze niet zomaar doorlaten. Godallemachig! Jullie moeten wél de papieren controleren en de auto's doorzoeken. Misschien kunnen jullie wat Irakezen inhuren, een tolk op z'n minst, iemand die Arabisch verstaat. En de bomhonden...'

Halverwege Tuckers tirade veranderde Gurings gezichtsuitdrukking. Hij keek naar een punt achter Tuckers schouder en liep plotseling weg in de richting van Jack Allstrong, die er op een drafje aan kwam. De twee mannen bleven op zo'n twintig meter afstand van Tucker staan en spraken even met elkaar. Allstrong legde geruststellend een hand op Gurungs schouder en liep naar het hek.

Op dat moment werd Tucker, die nog steeds midden op de weg stond en de rij auto's tegenhield, opnieuw getrakteerd op getoeter van de chauffeur vóór hem. Woedend plaatste hij demonstratief zijn ene hand op het pistool in zijn holster, en richtte hij de vinger van zijn andere hand op de voorruit: een niet mis te verstane waarschuwing.

Achter hem zei Allstrong op rustige toon: 'Misschien kun je beter opzijgaan en mijn mannen hun werk laten doen, majoor.'

Tucker draaide zich geagiteerd om. 'Hoe kunnen ze nou hun werk doen als ze niet eens de taal spreken?' beet hij Allstrong toe. Onmiddellijk daarna wees hij op het commandoteam dat zich had opgesteld langs de muren van de huizen in de Irakese woonwijk aan de overkant. 'Maar allereerst moet je die mannen terugroepen. Ze mogen niet zomaar een aanvalsactie uitvoeren.'

Allstrong wierp een blik in hun richting. 'Er is op ons geschoten, majoor. Het is zelfverdediging. We moeten onszelf beschermen, daar hebben we het volste recht toe.'

'Je mannen hebben mij verteld dat er niets is geraakt. Dus ik betwijfel of er daadwerkelijk op jullie is geschoten.'

Allstrong rechtte zijn rug en liet zijn gebruikelijke gemoedelijke toon varen. 'Misschien heb je niets gehoord over de mortieraanvallen van vorige maand, majoor, die gaten zo groot als Volkswagens in de startbanen hebben geslagen, vier van mijn mannen hebben gedood en er nog twintig hebben verwond. Of over het geweervuur waarmee ze mijn kantoor hebben bestookt en waarbij – voordat ik het vergeet – twee van mijn mensen om het leven zijn gekomen.' Nu was het Allstrongs beurt om naar de massa lage huizen te wijzen. 'Die wijk daar is een broedplaats van terreur die op dit vliegveld is gericht, en het is mijn taak die te bestrijden.'

Tucker stak zijn kin naar voren. 'Op dit moment is er in ieder geval geen sprake van een aanval, Allstrong. Je roept nu je mannen terug of ik zweer je dat ik er persoonlijk bij Calliston en zelfs bij je vriendje Ramsdale op zal aandringen de betalingen aan jou te stoppen. Private contractors die zich hier als cowboys gedragen kunnen we missen als kiespijn. Als je je niet aan de regels wilt houden, hoepel je maar op.'

Gurung had zich inmiddels bij hen gevoegd. Allstrong wierp opnieuw een blik in de richting van zijn commando's en knikte toen naar zijn ondergeschikte. 'Geef via de radio maar door dat ze terug moeten komen,' zei hij. 'Er wordt vandaag niet meer gevochten.' Hij vervolgde tegen Tucker: 'Maar dat is niet de reden waarom je hierheen bent gekomen.'

'Nee, dat klopt. Ik ben hierheen gekomen om te onderzoeken waar ons geld voor wordt gebruikt. Weet je wel dat de bewakers hier bij de ingang geen Arabisch spreken? Hoe kunnen ze die chauffeurs nu ondervragen als ze de taal niet beheersen?'

Allstrong schudde zijn hoofd. 'Deze mannen zijn door het Britse leger getrainde Gurkha's, majoor. De trots van Nepal. Ze zijn absoluut gekwalificeerd voor dit werk. Ik heb diverse malen geprobeerd lokale mensen in te huren, en weet je wat er dan gebeurt? Ze stelen mijn spullen of ze komen niet opdagen, of allebei. Ze zijn bang dat hun familie zal worden vermoord als ze voor me komen werken, en daar hebben ze geen ongelijk in. Mijn mensen zijn betrouwbaar en ze doen hun werk grondig. Misschien gaat het wat langzamer dan de gemiddelde Amerikaan gewend is. Nou, dat is dan jammer. We zitten hier midden in een oorlogsgebied, verdomme.'

'En die honden? De bomhonden?'

'Wat is daarmee? We zijn ze nog aan het trainen. Ik heb zestig trainers en honderd honden achter de terminals die fulltime in de weer zijn.

Zodra ze klaar zijn zet ik ze in. Ondertussen doen mijn mannen het zelf.'

'Ik wil die kennels van je zien. En je vloot van vracht- en personenwagens waar we al dat geld voor hebben opgehoest. Je kunt mijn komst hier vandaag zien als een onaangekondigde, informele controle om te achterhalen of we terug moeten komen om een grondige, formele inspectie te doen. Daar heb ik al voorlopige toestemming voor van Calliston en van de inspecteur-generaal van het leger.'

'Dat is fijn voor je.' Allstrong deed een stap achteruit en sloeg zijn armen over elkaar. 'Maar ik ben bang dat ik je niet op het terrein kan toelaten.'

'Natuurlijk kun je me toelaten.'

'Ik dacht het niet, majoor. Je vergeet dat ik niet in dienst ben van het leger. Ik heb een contract met de Coalition Provisional Authority. Ik werk in opdracht van Kevin Ramsdale en via hem in opdracht van Jerry Bremer. Ik hoor de naam Calliston niet. Jij wel? En Tucker ook niet. Mijn opdrachtgevers zijn meer dan tevreden met het werk dat ik doe. Zo tevreden zelfs dat ze me bijna meer opdrachten geven dan ik aankan. Dus laten we het volgende afspreken. Als je me wilt komen controleren, neem je dat maar op met Ramsdale. Ik heb niets te verbergen, maar ik voel er helemaal niets voor mijn administratie te laten zien aan iemand die daar geen toestemming voor heeft. Dus ik dank je voor je belangstelling, majoor, maar ik vrees dat je met dit tochtje je tijd hebt verspild.' Hij draaide zich om naar zijn ondergeschikte. 'Gurung, majoor Tucker mag vandaag en ook in de toekomst niet het terrein op zonder mijn uitdrukkelijke toestemming. Is dat duidelijk?'

Gurung knikte. 'Ja, baas.'

Tucker staarde Allstrong aan. Ik ga naar Ramsdale en als het nodig is ook naar Bremer,' zei hij. Als ik jou was, Allstrong, dan zou ik maar zorgen dat je administratie in orde is. Ik kom terug en dan zul je me niet kunnen tegenhouden. Wacht maar af.'

'Ik zie het met belangstelling tegemoet. Ondertussen wens ik je een goede terugreis naar Bagdad, majoor. En doe vooral voorzichtig.' Allstrong produceerde zijn gebruikelijke gulle glimlach. 'Een ongeluk zit in een klein hoekje.'

Eerder die dag was Ron Nolan teruggekomen en nu zaten Evan Scholler en hij naast elkaar op de trap van de kantinecaravan. In de snikhete augustusavond restten nog een paar minuten zonlicht. De wind voerde stof mee en kleurde de lucht geelbruin.

'Jongen,' zei Nolan. 'Ze is verdergegaan met haar leven. Zeker weten. En ze wil dat jij dat ook doet.'

Evan had dit keer geen discussie met Nolan over de vraag of hij wel of niet nog een Budweiser zou nemen. Hij had er al drie op. Blikjes dit keer, geen flesjes. Hij maakte het nieuwe, koude blikje open en bracht het naar zijn mond. Hij nam een slok en veegde het schuim van zijn lippen. 'Was er iemand anders?'

'Wat? Bij haar? Op dat moment bedoel je? Nee, dat heb ik je toch al gezegd?' Nolan nam een slok van zijn blikje. 'Maar ik heb daar maar drie minuten gestaan, in de deuropening van haar appartement, in een poging haar zover de krijgen dat ze die brief zou aanpakken. Als er binnen al een andere kerel had gezeten, heb ik hem niet gezien.'

'Dus misschien...'

Maar Nolan onderbrak hem. 'Niks misschien, Evan, doe dit jezelf nou niet aan. Je had haar gezicht moeten zien. Een mooi gezicht, trouwens, dus ik snap hoe je je voelt en ik vind het rot voor je. Maar goed, als je haar had zien kijken, had je niet getwijfeld. Ze wilde niks met jou of met die brief te maken hebben. "Ik ga hem niet lezen," zei ze. Dus ik zei: "Je hoeft hem ook niet te lezen, maar ik heb Evan beloofd dat ik hem aan je zou geven. Je kunt hem toch wel van me aannemen?" En zij zei: "Dan gooi ik hem toch alleen maar weg." En ik weer: "Dat moet je zelf weten, maar ik moet hem aan je geven." Dus ze neemt hem aan, zegt dank je wel, kijkt me recht in mijn ogen en scheurt hem zo doormidden.'

Evan nam een slok van zijn bier en blies zijn adem uit. 'Godallemachtig.'

'Precies. Klote, dat ben ik met je eens. Maar ja, het goede nieuws is dat je nu tenminste weet waar je aan toe bent.' Nolan aarzelde, nam een slok van zijn bier en wendde even zijn blik af. 'Ik weet eigenlijk niet of je dit wel wilt horen, man, maar ik moet het je vertellen. Want je moet het gewoon weten. Ze heeft ook nog geprobeerd me te versieren.' Hij maakte onmiddellijk een afwerend handgebaar en voegde er snel aan toe: 'Nogal doorzichtig, en ik ben er met enige tegenzin niet op ingegaan, maar voor het geval je nog twijfelde...'

'Nee, dat zegt wel genoeg.'

'Mijn idee. Maar echt, geef mij maar duidelijkheid. Dat is altijd beter dan dat je niet weet waar je aan toe bent.'

'Misschien heb je wel gelijk.'

'Zeker weten, man!'

Evan keek hem aan. 'Heeft ze echt geprobeerd je te versieren?'

Nolan knikte plechtig. 'En ik kreeg niet de indruk dat ze het voor het eerst deed sinds je weg was. Die meid is een ijskonijn, Ev. Denk je dat ze de hele avond voor de buis zit? Mooi niet! Ze is een mens van vlees en bloed. Het leven is kort. En ze hééft een leven daar. Ga maar na. Jullie zijn uit elkaar gegaan voordat je hierheen kwam. Het is over. Accepteer het.'

Evan liet zijn hoofd hangen. Hij kon de kracht niet vinden het weer op te richten.

Shit, dacht Nolan, misschien kan hij haar straks nog steeds niet uit zijn hoofd zetten. Die mogelijkheid had hij nog niet onder ogen gezien. Nolan hoopte dat zijn leugens overtuigend genoeg zouden zijn, en dat dit definitief een punt zou zetten achter de relatie van Evan en Tara. Maar nu besefte hij dat het denkbaar was dat Evan het niet zou accepteren. Dat hij zou blijven proberen met haar in contact te komen. Dat hij er misschien achter zou komen wat er in Redwood City was gebeurd. Dat hij er misschien zelfs in zou slagen Tara weer van hem af te pakken.

Dat kon Nolan niet laten gebeuren. Hij wilde Tara voor zichzelf. Hij had haar veroverd en hij was van plan haar net zo lang te houden totdat hij genoeg van haar had, en dat zou best een behoorlijk lange tijd kunnen duren. Maar Evans reactie had hem verrast en dus moest hij nu zijn plan bijstellen. De missie scherpstellen. Hij moest hem bij Tara weghouden.

In oorlogen was alles geoorloofd. En volgens het aloude gezegde ging dat ook op voor de liefde. Je moest bereid en in staat zijn je aan te passen aan het onverwachte.

En tenslotte diende Evan Scholler in een gebied vol risico's, waar hem gemakkelijk van alles kon overkomen. Nolan kon het noodlot misschien een handje helpen. Hij kon Evan iets te doen geven waardoor hij helemaal geen tijd zou hebben om nog aan Tara Wheatley te denken.

Hij boog zich naar Evan toe en gaf hem een harde maar vriendelijk bedoelde tik op zijn arm. 'Weet je wat jij nodig hebt, man? Je moet gewoon eens een beetje afleiding hebben.'

'Ja, dat zal wel lukken in deze feesttent.'

'Er zijn hier heus wel manieren om lol te trappen. Je moet alleen maar weten hoe.'

'Ja, dat zal wel.'

'Geloof je me niet?'

Evan nam een flinke slok bier als antwoord.

'Hij gelooft me niet.' Nolan schudde quasiverbaasd zijn hoofd. 'Zet je bier maar neer en kom met me mee,' zei hij.

Evan bleef roerloos zitten, bracht vervolgens het blikje naar zijn mond en leegde het in één teug. Toen stond hij op. 'Waarheen?'

'We gaan even op huisbezoek,' zei Nolan.

'Wat bedoel je?'

'We gaan de moedj uitroken. Daar zul je van opknappen.'

Jack Allstrongs spion in de woonwijk die aan het vliegveld grensde was een goed opgeleide voormalige officier van de Republikeinse Garde, een soenniet genaamd Ahmed Jassim Mohammed. Niemand was helemaal zeker van zijn ware agenda, en het was duidelijk dat dit Ahmed goed uitkwam, maar de officiële versie was dat hij de nieuwe situatie die was ontstaan na de val van Saddam had geaccepteerd en met de Amerikanen en hun bondgenoten wilde samenwerken aan de wederopbouw van zijn land. Tijdens de mortieraanvallen op het vliegveld van afgelopen juli was hij officieel aangesteld in de functie van tolk/vertaler, maar in plaats daarvan had hij tegen betaling van vijfduizend dollar informatie verstrekt die tot de vondst van een aanzienlijke hoeveelheid wapens had geleid, zoals mitrailleurs, mortieren en explosieven.

Niemand – en dat gold niet in de laatste plaats voor Jack Allstrong zelf – sloot de mogelijkheid uit dat hij informatie over het vliegveld doorspeelde aan gewapende strijders. En hoewel Nolan en andere leidinggevenden binnen Allstrong Security het erover eens waren dat hij de Amerikaanse aanwezigheid misbruikte om ruzies met zijn persoonlijke vijanden binnen de voormalige Republikeinse Garde te beslechten, bleek de informatie die hij verstrekte doorgaans te kloppen. Nadat de doelen die hij had aangewezen waren uitgeschakeld, waren de mortieraanvallen op het vliegveld abrupt gestopt. Meer hoefde Allstrong of Calliston niet te weten. Allstrong had Ahmad inmiddels al verscheidene keren voor informatie betaald en hij was er op die manier in geslaagd de strijders die het vanuit de directe omgeving op het vliegveld hadden gemunt een stap voor te blijven. Tot nu toe werkte het prima.

De aanval van vandaag had niemand verwacht, maar Ahmed was kort erna op het terrein verschenen. Nu, in de drukkende vroege avond, zat hij voor in een van Allstrongs konvooivoertuigen. Ron Nolan reed. Evan, gekleed in zwart gevechtstenue met kogelwerend vest, en met vier biertjes in zijn lijf, stond ongemakkelijk achter het machinegeweer dat op het dak was gemonteerd. Op de stoelen achterin controleerden twee eveneens in zwart gevechtstenue gestoken Gurkha-commando's hun wapens.

De eenheid reed via de hoofdingang het terrein af. Aan de rechterkant

– eerder voelbaar dan zichtbaar – bevond zich de uitgestrekte conglomeratie van lemen huizen waarin de bevolking zich ophield. Toen ze zo'n driehonderdvijftig meter van het vliegveld verwijderd waren, draaide de Humvee plotseling naar rechts en begon hobbelend over het niemandsland tussen het vliegveld en de huizen te rijden. Nolan deed de schijnwerpers uit, waardoor alleen de koplampen van hun Humvee nog brandden.

Evan tuurde in de duisternis zonder veel details te kunnen zien. Het was beter geweest als hij die biertjes niet had genomen. Hij was niet dronken, maar voelde het effect van de alcohol wel degelijk, en hoewel Nolan hem had verzekerd dat ze nauwelijks gevaar liepen en dat hun alleen maar een enorme adrenalinestoot te wachten stond, had hij erop gestaan dat Evan net als de anderen zijn kogelwerende vest zou dragen.

Evan bedacht dat er misschien wel een situatie kon ontstaan waarin hij een maximaal beroep moest doen op al zijn zintuigen en hij realiseerde zich dat hij in zo'n geval niet over zijn gebruikelijke scherpte zou beschikken. Zijn mond was droog, zijn handpalmen waren vochtig en hij voelde zich licht in het hoofd. Hij was alleen hier op het dak van de Humvee, en een groot deel van zijn bovenlichaam was kwetsbaar. Achter zich in de wagen hoorde hij niets, maar dat stelde hem geenszins gerust.

Waar was hij in vredesnaam mee bezig?

Even later waren ze de wijk in gereden. Toen ze naderden dacht Evan een moment dat Nolan de wagen door een van de hekken van de achtertuinen zou boren, maar kennelijk wist Ahmed precies waar hij hen naartoe wilde brengen. Plotseling reden ze in een straat die zo smal was dat ze er nauwelijks doorheen konden. Hij werd uitsluitend verlicht door het licht dat in de huizen brandde, maar dat betekende niet dat er niemand meer liep. De plaatselijke bevolking hield van het buitenleven. Er stonden mensen te praten en te roken, en gaandeweg renden er steeds meer kinderen met de Humvee mee, fluitend en bedelend om eten of snoep.

Door de vele voetgangers waren ze gedwongen hun snelheid te verminderen. Nolan toeterde af en toe. Hij stopte geen enkele keer en dwong de bevolking opzij te gaan. Evan zweette nu flink en omklemde zenuwachtig de hangrepen van het machinegeweer, ook al riep Nolan naar boven: 'Rustig, jongen. Hier is nog niets aan de hand. We zijn er nog niet.'

Ze gingen linksaf en daarna rechtsaf. Vervolgens weer linksaf, een van de vele straten in die allemaal op elkaar leken, waarna ze terechtkwamen op een marktplein. De kramen waren al dicht en er waren weinig of geen mensen te bekennen. Nolan accelereerde en reed een ander gedeelte van de wijk binnen. Hier liepen ook nog mensen, maar veel minder, en er waren nauwelijks kinderen te bekennen. Nolan sloeg opnieuw een hoek om en stopte bij een groot open terrein voor een gebouw dat eruitzag als een moskee. Hier bevonden zich vrijwel geen voetgangers meer. Het enige licht en geluid – televisie en muziek – was afkomstig van een gebouw van twee verdiepingen op een hoek verderop aan hun linkerkant.

Het rechtervoorportier ging open en Ahmad stapte uit. Hij sloot het portier zachtjes, keek vervolgens door het geopende raam naar binnen en zei iets tegen Nolan. Toen zette hij het op een rennen en verdween in een van de zijstraten. Vervolgens doofde Nolan ook de koplampen en ze reden verder, om een meter of zestig verderop weer tot stilstand te komen, even voorbij het huis dat Ahmad hun had aangewezen.

Nu stopte het geluid van de motor. Nolan en zijn twee commando's openden hun portieren en stapten uit, met hun wapens in de aanslag. De radiomuziek die uit het huis kwam was hard genoeg om de geluiden die ze maakten te overstemmen.

Ze verzamelden zich op een punt links van Evan op straat. Tijdens de rit in de Humvee hadden ze kennelijk hun gezichten zwart gemaakt en granaten aan hun kogelvrije vesten gehangen. Evan, die in het donker bijna alleen de tanden van Nolan kon zien, vond deze details nogal verontrustend. Maar Nolan leek te glimlachen. 'Ik laat de sleutels in het contact,' zei hij tegen Evan, 'voor het geval je ze nodig hebt. Je weet vast nog wel hoe we hier zijn gekomen, toch?' Zelfs onder dit soort omstandigheden maakte hij grapjes. 'Als het nodig is ga je achter het stuur zitten en maak je dat je wegkomt,' vervolgde Nolan. 'Maar waarschijnlijk duurt het niet lang. En vergeet niet: al zijn we dan in het zwart gekleed, wij zijn degenen die hier het kwaad bestrijden.'

Toen deed hij het lampje op zijn helm aan. De anderen volgden zijn voorbeeld. Alles ging geroutineerd, alsof ze dit al vaak hadden gedaan. Na een hoofdknikje van Nolan liepen de mannen op een drafje naar hun doel. De twee commando's stelden zich op aan weerszijden van de voordeur. Nolan nam voor de deur positie in en opende zonder verdere plichtplegingen het vuur met zijn machinegeweer. Vervolgens trapte Nolan de vernielde deur in en leidde zijn mannen naar binnen.

Onmiddellijk brak de hel los. Geschreeuw en gegil, losse schoten en sporadische salvo's van automatische wapens, waarna de mannen zich weer buiten verzamelden. Een moment dacht Evan dat het al voorbij was, totdat de avond werd opgeschrikt door een oorverdovende explosie vanachter het raam op de begane grond. De mannen stormden opnieuw het huis binnen, waarin het nu volkomen donker was.

Evans knokkels kromden zich om de handvatten van zijn machinegeweer. Hij hoorde een geluid achter zich en draaide zich zo snel mogelijk om. Hij kreeg het machinegeweer niet volledig honderdtachtig graden om en realiseerde zich plotseling dat hij zich niet kon verdedigen tegen iemand die hem van achteren besloop. Hij trok zijn pistool, dook omlaag achter de rugleuning en tuurde naar achteren. Maar de straat leek volkomen verlaten. Verderop, in het huis, ging het schreeuwen en schieten door: losse schoten gevolgd door machinegeweersalvo's. Er klonk opnieuw een explosie, die ditmaal het glas uit de ramen op de eerste verdieping blies, en daarna werd het plotseling doodstil.

Een paar seconden later kwamen de mannen door de voordeur weer naar buiten. Twee van hen renden naar de Humvee, terwijl de eerste opnieuw naar binnen verdween en weer naar buiten sprintte toen de andere twee de Humvee al hadden bereikt. In het huis achter hem bliezen twee bijna gelijktijdige explosies al het resterende glas uit de bovenste ramen. Door de luchtdruk sloeg hij bijna tegen de grond, maar hij holde verder totdat ook hij de Humvee had bereikt.

Inmiddels was Nolan weer achter het stuur gaan zitten. Hijgend startte hij de motor. Over zijn schouder kijkend riep hij naar Evan: 'Dat was het goeie huis. Die Ahmad is te vertrouwen. Eerlijk waar man, er waren daarbinnen minstens tien moedj met misschien wel tweehonderd kalasjnikovs, granaatwerpers en noem maar op. Jezus, wat hou ik van dit werk. Nou, was dit leuk of niet? Let op, we gaan ervandoor.'

Achter hem sloegen rook en vlammen uit het ramen van de woning. Evan kon zijn ogen er niet vanaf houden. Hij was zich er vaag van bewust dat er in de straat deuren opengingen, dat er mensen naar buiten liepen, dat er werd geroepen, dat vrouwen begonnen te gillen. Hij hoorde het geluid van een schot, maar het was te chaotisch en te donker om een doelwit te ontwaren.

Al snel waren ze de hoek om gereden. Ze kwamen terug bij het open veld voor de moskee en passeerden vervolgens de dichte marktkramen. Evan slikte. Zijn keel was kurkdroog en hij had kramp in zijn maag. Hij zocht houvast aan de handgrepen van zijn machinegeweer. De knokkels van zijn handen waren spierwit.

8

Geruime tijd na middernacht probeerde Evan zonder al te veel lawaai te maken heelhuids via het trapje in de slaapcaravan te komen. Na het nieuws van Tara en zijn betrokkenheid bij de commandoactie was er aanleiding genoeg geweest om, nadat ze op BIAP waren teruggekeerd, samen met Nolan een van Allstrongs flessen Glenfiddich soldaat te maken, meende hij. Ze hadden de fles bijna helemaal leeggedronken, dus de grond onder hem leek nogal te bewegen. Hij verlangde naar zijn veldbed. Morgen zou hij proberen alles wat hem vandaag was overkomen eens rustig te overdenken.

Samen met zijn reservisten had hij met de Filippijnse koks en de geestelijken geregeld dat ze nu allemaal bij elkaar sliepen: acht veldbedden in een extra brede slaapruimte. Toen hij de deur opende werd hij getrakteerd op iets wat leek een verrassingsfeestje. Alleen was er geen jarige.

Plotseling gingen alle lichten aan. In zijn bedwelmde toestand verblindden die hem bijna. Hij wankelde achteruit met zijn handen voor zijn ogen en als Alan Reese – een van zijn mannen – hem niet had vastgegrepen, was hij gestruikeld en van het trapje gevallen.

Evan knipperde een paar maal met zijn ogen totdat hij aan het licht gewend was. Tegenover hem zag hij de leden van zijn team; een paar zaten op hun veldbed en de rest leunde tegen de muur. Marshawn Whitman, zijn sergeant en tweede man, stond in de houding en salueerde zelfs. 'Luitenant,' begon hij – een formaliteit die hij nog nooit eerder aan den dag had gelegd – 'we hebben iets te bespreken.'

Evan probeerde zijn ogen zodanig dicht te knijpen dat hij maar één Marshawn voor zich zag in plaats van twee. Hij leunde met zijn hand op de deurkruk om te voorkomen dat hij omviel. Hij had zijn tong niet erg goed onder controle en kon niet veel meer uitbrengen dan: 'Nu?'

'Nu lijkt me het beste,' zei Whitman. 'We moeten hier weg.'

'Waarheen?'

'Terug naar onze eenheid.'

'Onze eenheid? Hoe moeten we dat doen?'

'Dat weten we niet, luitenant. Maar hier zitten we niet goed.'

Evan, die tijd probeerde te winnen, keek eerst naar Reese, die naast hem stond, toen naar Levy, Jefferson en Onofrio, die als een identieke drieling op hun veldbedden zaten, met de ellebogen op de knieën en de handen voor hun lichaam gevouwen, en ten slotte naar Pisoni en Koshi en Fields, die met hun armen over elkaar tegen de muur stonden geleund. Waar dit ook over ging, deze mannen vormden een hecht team. Ze waren het gloeiend met elkaar eens. En ze waren nijdig.

'Jongens,' zei Evan, 'we hebben gewoon geen keus. Ze hebben ons hiernaartoe gestuurd.'

'Nou, niet echt. Ze hebben ons naar Bagdad gestuurd en vervolgens zijn we hier terechtgekomen.'

'Ik zie het verschil niet zo, Marsh.'

Korporaal Gene Pisoni, het jongste lid van de groep, een blonde, goedmoedige automonteur die bij de Honda-dealer in Burlingane werkte, schraapte zijn keel. 'Het verschil is dat we bij het werk dat we hier doen iedere dag overhoopgeschoten kunnen worden, luitenant. Er is vandaag nog op deze basis geschoten. We hebben tot nu toe gewoon mazzel gehad op straat.'

Reese sloot zich erbij aan. 'Volgens de statistieken zijn er alleen al in Bagdad vorige week honderdzestien man gesneuveld. Het geluk kan niet eeuwig aan onze kant blijven.'

Korporaal Ben Levy, een rechtenstudent aan Santa Clara, droeg zijn steentje bij: 'We zitten hier nou al een maand, luitenant. We zouden hier toch alleen maar tijdelijk worden gestationeerd?'

Evan voelde de vloer onder zich nog steeds bewegen, maar een deel van hem begon langzaamaan nuchter te worden. 'Nou, om te beginnen is het best mogelijk dat we nog een tijdje mazzel blijven houden, zeker als we voorzichtig blijven. Ik spreek jullie echter niet tegen. Dit was niet de bedoeling, dat ben ik met jullie eens. Ik weet gewoon niet wat we eraan kunnen doen.'

'Waarom praat je niet met Calliston?' Nao Koshi was een Amerikaan wiens ouders in Japan waren geboren. Thuis werkte hij bij Google; naar zijn zeggen had hij de beste baan ter wereld. 'Hij heeft ons hierheen gestuurd. Hij kan ons hier ook weer weghalen.'

'Dit deugt gewoon niet.' Anthony Onofrio, een drieëndertigjarige werknemer van Caltrans uit Half Moon Bay, had thuis twee jonge kinderen en een zwangere vrouw. Hij was zonder enige twijfel de meest beklagenswaardige van het gezelschap, maar hij klaagde vrijwel nooit. Nu vervolgde hij: 'Dit is echt zwaar balen, luitenant. Die vrachtwagens die we moesten gaan onderhouden zullen nu toch zo onderhand wel in Koeweit zijn gearriveerd? Dáár zouden we moeten zijn, om te doen waarvoor ze ons opgeleid hebben, niet hier achter die machinegeweren.'

'Ik ben het met je eens, Tony. Denk je dat ík het leuk vind hier? Maar ik dacht dat jullie allang blij waren dat we een normaal onderkomen hebben en normaal te eten krijgen.'

'Die gasten met wie we hier zijn gekomen, zullen dat onderhand ook wel hebben, waar ze ook uithangen. Misschien hebben ze het nog wel beter dan wij hier. Dat risico willen we graag nemen. Nietwaar, jongens?'

Er klonk instemmend gebrom.

'Wat Tony heeft gezegd,' vervolgde Whitman, 'is wat mij betreft de kern van de zaak, Ev. Wat we hier aan het doen zijn slaat nergens op. We voelen er niets voor Jack Allstrong of Ron Nolan rond te rijden om ze te helpen hun poen op te halen.'

'Dat vind niemand leuk, Marsh. Ik ook niet.'

'Zoals het er nu naar uitziet,' zei Whitman, 'is het alleen maar een kwestie van tijd.'

Evan schudde zijn hoofd in een poging zijn gedachten te ordenen en wreef toen met zijn hand langs zijn voorhoofd. 'Jullie hebben gelijk, jongens. Het spijt me. Ik zal met Calliston gaan praten. Misschien kan ik iets met hem regelen.'

'Hoe sneller, hoe beter,' zei Pisoni. 'Ik heb een slecht voorgevoel. Het wordt hier met de dag onrustiger. Het kan alleen maar erger worden.'

'Ik ga eraan werken, Gene,' zei Evan. 'Ik beloof het. Zodra ik er de gelegenheid voor heb. Morgen, als hij er is.'

'En luitenant,' voegde Whitman eraan toe, 'misschien is het beter dat je nuchter bent als je hem gaat opzoeken. Dan zal hij je verzoek serieuzer nemen. Sorry dat ik het zeg.'

'Ja,' zei Evan. 'Natuurlijk. Jullie hebben gelijk.'

Maar naar zou blijken had kolonel Calliston nog geen zeventien seconden, laat staan vijftien minuten, beschikbaar om zich bezig te houden met de problemen van een luitenant van de reservisten die met zijn mannen erg lucratieve taken vervulde voor een van de belangrijkste private bedrijven waarmee de CPA zakendeed. Ten slotte nam Evan de kwestie op met Nolan, die de wens van de mannen schijnbaar met sympathie aanhoorde. Hij beloofde Evan dat hij het zou aankaarten bij Allstrong, die dan op zijn beurt weer kon proberen iets bij Calliston voor elkaar te krijgen. Maar zoals met alles in Irak, zou het een tijdrovende aangelegenheid worden, een langdurig proces waarvan de uitkomst uiterst ongewis was. Nolan stelde Evan voor ondertussen brieven te schrijven aan de commandant van hun eenheid, of aan een paar van hun collega's in die eenheid, in welk deel van het oorlogsgebied die zich inmiddels ook mocht bevinden.

In de paar dagen waarin deze gesprekken en onderhandelingen plaatsvonden ging het in Bagdad van kwaad tot erger, vooral met de konvooien. Een van de KBR-konvooien die enkele tonnen aan Irakees papiergeld van Bagdad naar BIAP moest transporteren, liep even buiten de stad in een hinderlaag en slaagde er – met één dode en vier gewonden – met moeite in de basis te bereiken. Het raam van het rechtervoorportier was aan gruzelementen geschoten en de portieren en bumpers waren doorzeefd met kogels. Het was een gecoördineerde aanval waarin een autobom was ingezet in combinatie met een stel schutters op de daken van een paar huizen. Iedereen was het erover eens dat het nog veel erger had kunnen zijn. Gelukkig hadden de mariniers in het konvooi de bestuurder van de auto waarin de explosieven zich bevonden doodgeschoten voordat hij het konvooi dicht genoeg was genaderd om nog meer schade aan te kunnen richten.

Eerder die week had een konvooi dat door medewerkers van Dyna-Corp werd bemand de voorruit uit een Humvee geschoten waarin de Canadese ambassadeur werd vervoerd. Gelukkig hadden de contractors bij dat incident rubberkogels gebruikt, zodat niemand ernstig gewond was geraakt. Maar de spanning was om te snijden in het verkeer, dat nog steeds krankzinnig druk was.

Inmiddels waren de meeste toegangswegen tot de stad gebarricadeerd en kwamen er steeds meer wegblokkades die werden bemand door mensen van de CPA of door Irakese leger- en politie-eenheden. Maar jammer genoeg was de binnenstad een doolhof van straten en steegjes die uitkwamen op de hoofdwegen, die dan ook veel lastiger onder controle konden worden gehouden. Een konvooi zoals dat van Scholler stond vaak vrijwel stil in het hectische verkeer en het was niet ongewoon dat een auto met vier Irakezen plotseling uit een zijstraat de weg op reed en zich vlak achter het konvooi in de traag voortkruipende file voegde.

Omdat veel van deze voertuigen in feite autobommen waren, negeerden ze de hand- en geluidssignalen, met als doel het konvooi waarop ze het hadden voorzien zo dicht te naderen dat ze het konden uitschakelen.

En in dergelijke gevallen hadden de mannen die de mitrailleur op het dak van hun Humvee bedienden natuurlijk geen andere keus dan het vuur te openen, als ze tenminste in leven wilden blijven.

Maar helaas waren de inzittenden van de oprukkende auto's maar al te vaak onschuldige Irakese burgers, die de in het Engels geschreeuwde aanwijzingen om uit de buurt te blijven, of de gebrekkige Arabische woordjes die de soldaten hadden geleerd om misverstanden te voorkomen, niet begrepen. Of ze hadden niet in de gaten hoe serieus ze die aanwijzingen moesten nemen. In de eerste maanden van de bezetting van Bagdad waren dergelijke 'schietincidenten' goed voor zevenennegentig procent van alle burgerslachtoffers in de stad – meer dan alle doden als gevolg van aanvallen door vijandelijke strijders, bermbommen, sluipschutters en zelfmoordterroristen bij elkaar. Als een auto te dicht bij een konvooi kwam werd er geschoten, punt uit. Dat was de realiteit.

Nolan, die deze dinsdag bij Evan in de achterste Humvee was ingedeeld, had opgemerkt dat de verhoudingen binnen het team van Scholler de laatste dagen niet al te best waren. Toen hij naar het konvooi liep constateerde hij met enige verwondering dat Evan naast zijn voertuig stond te bakkeleien met Greg Fields, een van zijn mannen. Tony Onofrio stond ernaast. Hij luisterde en leek niet erg op zijn gemak.

'Omdat ik het zeg,' zei Evan. 'Daarom.'

'Dat slaat nergens op, luitenant. Ik zit al dagen achter elkaar boven. Waarom zetten we Tony vandaag niet eens achter het machinegeweer?'

'Tony is een betere chauffeur dan jij, Greg, en jij doet het beter achter het machinegeweer, dus dat gaat niet door. Ga naar je positie.'

Maar Fields verroerde zich niet.

Nolan was zich ervan bewust dat het feit dat hij samen met Evan een paar keer dronken was geworden, in combinatie met Evans kennelijke onvermogen de mannen overgeplaatst te krijgen, Evans autoriteit behoorlijk had aangetast. En nu zag het er zelfs naar uit dat Fields een rechtstreeks bevel van zijn luitenant zou negeren. Dus kwam hij tussenbeide. 'Hé, jongens, weet je wat, laat mij dat maar doen. Greg, ga jij maar lekker achterin zitten.'

De mannen namen het hem dan misschien kwalijk dat hij Evan ertoe had overgehaald te drinken, en ze vonden het niet leuk dat ze hem van hot naar her moesten rijden, maar Nolan ging ervan uit dat ze er moeilijk bezwaar tegen konden hebben als hij een keer de plek op het dak innam. Al was dat dan tegen de regels.

Evan, die nu voor een lastige afweging stond, vond dat hij zijn autoriteit moest laten gelden. 'Dat kan ik niet toestaan, Ron.'

'Natuurlijk kun je dat.' Hij gebaarde naar het machinegeweer. 'Ik ken dat wapen als mijn broekzak.'

'Dat zal best,' antwoordde Evan, 'maar jij hebt alleen maar toestemming om een pistool te gebruiken.'

Nolan produceerde de glimlach die hij altijd gebruikte om mensen op hun gemak te stellen. Hij liep naar Evan toe en fluisterde in zijn oor: 'Ben je gisteravond vergeten? Bovendien, het zijn jullie regels niet, het is alleen maar een aanbeveling voor contractors. Daar heb jij niks mee van doen. En ik neem aan dat Fields er ook geen bezwaar tegen heeft.' Hij draaide zich om. 'Of wel soms?'

De jonge man aarzelde geen moment. 'Absoluut niet.'

'Het gaat niet om Fields,' zei Evan. Hij zag dat de mannen van de andere Humvees hun kant op kwamen, nieuwsgierig naar wat er aan de hand was.

'Het gaat wél om mij, luitenant,' zei Fields. 'Ik heb er geen zin in daar iedere dag te zitten. Als meneer Nolan het een keer wil overnemen, laten we dan dank je wel tegen hem zeggen en op pad gaan.'

Evan wilde dit niet ten overstaan van de rest van zijn team laten escaleren. Nolan had hem een uitweg geboden waarmee hij gezichtsverlies kon voorkomen en nog enig respect bij zijn mannen kon behouden. Misschien was het ook wel waar wat hij had gezegd. Misschien was het alleen maar een richtlijn voor contractors en had het leger er niets mee te maken.

'Goed,' zei Evan ten slotte. Hij stak zijn vinger uit naar Fields. 'Maar alleen deze keer, Greg.'

Nu bevonden Evan en zijn ontevreden mannen zich in een wijk van Bagdad die Masbah heette en waar Nolan het een en ander moest regelen met een stamhoofd met wie Kuvan dikke maatjes was. Ze waren de controlepost al gepasseerd en bevonden zich op de brede doorgangsweg waar het verkeer volledig was vastgelopen. Aan beide kanten van de weg rezen achter de winkelpuien hoge gebouwen op. Voetgangers slalomden langs straatverkopers die aan beide zijden van de weg hun waren aan de man probeerden te brengen.

Maar in tegenstelling tot veel andere ritten die ze door de stad hadden gemaakt, ontmoetten ze nu tamelijk veel heimelijke vijandigheid. Kinderen die een week eerder nog met ze waren op gerend om snoep te bietsen, hielden zich nu op de achtergrond en bestookten hun Humvees soms met stenen en beschimpingen. Oudere jeugd, die je nauwelijks kon onderscheiden van de gewapende en uiterst gevaarlijke vijand, schoolde samen in kleine groepjes en wierp hun norse en zwijgende blikken toe. Het enorme en steeds toenemende aantal burgerslachtoffers als gevolg van machinegeweersalvo's van de – in de ogen van Evan meestal terecht op scherp staande – commando's op de Humvees, begon een duidelijke invloed te hebben op het sentiment van de bevolking. En in een tribale samenleving zoals die van Irak, waar de hele stam de plicht had de dood van een familielid te wreken, leek het Evan niet onwaarschijnlijk dat ze vroeg of laat werden getroffen door de concentrische cirkels van de wraak, ongeacht alle denkbare politieke realiteiten en militaire noodzakelijkheden.

Het feit dat Nolan achter het machinegeweer zat maakte Evan behoorlijk zenuwachtig. Hij wist gewoon niet precies wat zijn plicht was. Hij was nooit opgeleid voor dit soort werk en er was geen hoger geplaatste officier bij de hand om hem te vertellen wat hij moest doen. Had hij voet bij stuk moeten houden tegenover Nolan en hem moeten verbieden positie achter het machinegeweer in te nemen? Ondanks het feit dat dit hem verder van zijn mannen zou hebben vervreemd? Kon hij hem daar gewoon laten zitten en hopen dat het probleem zichzelf zou oplossen? Doorslaggevend bij zijn overwegingen was het feit dat, sinds de recente actie in die woonwijk, alles aan Nolan hem dwarszat.

Hoe langer Evan erover nadacht, hoe minder verdedigbaar die aanval leek te zijn en hoe meer die begon te lijken op een soort moordpartij. Evan was lang genoeg politieman geweest om te weten wanneer je wel en niet van moord kon spreken, en de aanval op die woning bevond zich in het allerbeste geval in een donkergrijs gebied. Want als het huis dat Nolan en zijn Gurkha's waren binnengestormd inderdaad een legitiem militair doel was geweest, had er dan geen militaire eenheid op af gestuurd moeten worden? Het kon best zijn dat het huis een opslagplaats was geweest van AK-47's en ander wapentuig en onderdak had geboden aan vijandelijke strijders, maar Evan kon de gedachte niet van zich af zetten dat het misschien wel eerder om een afrekening in de persoonlijke sfeer was gegaan. Misschien woonden er persoonlijke vijanden van Ahmad of Kuvan, of betrof het een afrekening met zakelijke concurrenten.

Nu ze op deze snikhete ochtend in Masbah vastzaten in het drukke verkeer probeerde Evan, die naast de bestuurder van de Humvee zat en nog een kater had van de vorige avond, zijn gedachten te ordenen. Hij moest zijn team elders gestationeerd zien te krijgen, hij moest niet meer iedere avond gaan drinken met Nolan, hij moest accepteren dat het uit was met Tara, hij moest bedenken wat hij met zijn leven ging doen als dit hier achter de rug was.

Het gebonk in zijn hoofd dwong hem zijn ogen te sluiten. Tony Onofrio, die achter het stuur zat, moest dat moment van zwakte hebben opgemerkt, want hij draaide het volume van de radio – die het nummer 'Courtesy of the Red, White and Blue' speelde, de nieuwe patriottische hit van Toby Keith – zo hoog dat het neerkwam op een decibelbombardement bestemd voor Evan. Een niet erg subtiele afstraffing voor het feit dat Evan er nog niet in was geslaagd hen elders gestationeerd te krijgen. Het was extra pijnlijk omdat Evan moeilijk kon zeggen dat hij er last van had, want daarmee zou hij toegeven dat hij een kater had. De boodschap was overduidelijk: als Evan hun veiligheid in de waagschaal mocht stellen door drankgelagen met Nolan voorrang te geven boven inspanningen om zijn mannen uit deze rotzooi weg te krijgen, dan mocht Tony zijn muziek zo hard zetten als hij maar wilde.

Maar plotseling werd hij ruw uit zijn overpeinzingen gewekt. Ze reden met een snelheid van zo'n vijftien kilometer per uur en nadat ze een van de vele zijstraten waren gepasseerd, gaf Nolan drie snelle klappen op het dak. 'Opgelet!' riep hij gespannen. 'Vijand op tien uur. Tien uur.'

Onmiddellijk alert – dit was het soort situaties waarvoor hij was getraind – greep Evan zijn radio en gaf de waarschuwing door aan de rest van het konvooi. 'Pisoni! Gene, kunnen we sneller?' Vervolgens riep hij naar Nolan: 'Eerst met handgebaren, Ron. Zorg dat ze afstand nemen! Zorg dat ze afstand nemen!'

Door de radio hoorde hij: 'Nee, luitenant. We zitten hier muurvast.'

'Hij komt dichterbij!' riep Nolan.

'Niet schieten! Ik herhaal: niet schieten!'

Hij wist dat hij zelf moest vaststellen hoe ernstig de bedreiging was alvorens te besluiten welke actie er genomen moest worden. Alles moest volgens de richtlijnen gebeuren, wat inhield dat ze eerst een aantal opeenvolgende waarschuwingen moesten geven. Maar als het inderdaad om een zelfmoordterrorist ging die het op hen had gemunt, moest hij niet bang zijn het vuur te openen. Hij trok zijn semi-automatische pistool, een Beretta M9, draaide zich half om in zijn stoel en stak zijn hoofd uit het raam. Uit een zijstraat achter hen was een gehavende witte personenauto zonder kentekenplaten de weg op gedraaid. De auto accelereerde en reed weg van het verkeer achter hen dat wél afstand had gehouden. Achter op de laatste wagen van ieder konvooi was een tamelijk groot bord bevestigd waarop in het Engels en in het Arabisch werd gewaarschuwd dat er minstens dertig meter afstand moest worden bewaard. Ervaren automobilisten hielden zich daar altijd aan, meestal voor de zekerheid met een ruime marge, maar deze auto was gewoon op bijna twintig meter afstand achter hen de weg op gedraaid en kwam dichterbij.

Evan keek omhoog en zag dat Nolan was opgestaan en zijn beide armen voor zich uit gestoken hield, met de palmen naar buiten – het stopteken dat iedereen begreep. Evan rekte zich verder uit het raam om de auto achter hen beter te kunnen zien. Met de zon die recht op de voorruit scheen kon hij moeilijk naar binnen kijken, maar Evan was er tamelijk zeker van dat hij voorin twee mensen zag zitten. Het achterraampje aan zijn kant was open en hij ving een glimp op van een onderarm, die onmiddellijk naar binnen werd getrokken.

'Het zijn er minstens drie!' riep hij naar Nolan. Vervolgens riep hij in de radio: 'Gene, kun jij naar de zijkant en proberen achter die auto te komen? Desnoods via het trottoir?'

'Dat gaat niet. Alles zit muurvast, luitenant. We moeten langzamer gaan rijden.'

'Shit.' Evan wist dat er achterin een zware schijnwerper lag voor dit soort situaties. Hij trok zijn hoofd naar binnen en gaf Greg Fields – die achter de bestuurder zat, maar er eigenlijk naast had horen te zitten – opdracht hem te pakken en op het gezicht van de bestuurder van de personenauto te richten. Het ding was bestemd om te gebruiken in het donker, maar wie weet werkte het ook overdag.

Uit de plunjezak die tussen zijn voeten lag haalde Evan de luchthoorn tevoorschijn die ze voor dit soort gelegenheden bij zich hadden. Het was verbazingwekkend hoeveel mensen – soms zelfs hele gezinnen – ondanks al het oorlogsgeweld gewoon met hun auto op pad gingen om boodschappen of wat dan ook te doen. Soms raakten ze zodanig verwikkeld in een gesprek of een ruzie dat ze de waarschuwende handsignalen pas opmerkten als het al te laat was.

Evan leunde uit het raam met de luchthoorn in zijn hand. Hij keek snel naar het dak. Nolan stond niet langer rechtop. Hij had de handvatten van de mitrailleur stevig vast. 'Wachten, Nolan. Niet schieten! Wacht op mijn bevel!'

De witte auto was hen binnen enkele ogenblikken tot op een meter of tien genaderd en leek nog steeds dichterbij te komen. Net als overal in de geciviliseerde wereld hadden de meeste automobilisten in Irak een afkeer van loze ruimte tussen twee auto's. Zelfs ondanks de felle zon die in de voorruit reflecteerde zag Evan dat Fields de schijnwerper op de bestuurder had gericht. Aan zijn kant liet hij de luchthoorn zijn oorverdovende geluid produceren.

Uit de radio klonk: 'Het staat vast verderop, luitenant. We moeten snelheid minderen.'

Evan controleerde de positie van de naderende auto. Minderde die nu eindelijk vaart? Inderdaad, de auto was godzijdank op tijd gestopt. Deze crisis was onder controle. Nu moest hij weten hoe het er verderop uitzag. Hij draaide zich om met de bedoeling Pisoni opdracht te geven het trottoir op te rijden. Dat betekende dat de voetgangers opzij moesten, maar het kon niet anders. Onofrio trapte op de rem en ze kwamen volkomen tot stilstand.

Alles was rustig. Evan slaakte een zucht van verlichting.

Toen, met een maniakale oorlogskreet, opende Ron Nolan het vuur.

De auto explodeerde niet.

Dat bezorgde Evan een schok. Dat, en het feit dat de auto al enkele seconden voordat Nolan begon te schieten was gestopt. Eindelijk hadden ze de wanhopige waarschuwingssignalen opgemerkt en de auto volledig tot stilstand gebracht. Pas na het eerste mitrailleursalvo was de auto opnieuw in beweging gekomen, misschien doordat de voet van de gedode bestuurder van het rempedaal was gegleden. De auto naderde hen nu steeds sneller en Nolan bleef er kogels in pompen, totdat hij uiteindelijk tegen de achterkant van Evans Humvee knalde en schuddend tot stilstand kwam.

'Bij de wagens blijven!' Evan probeerde de opkomende paniek niet in zijn stem te laten doorklinken. 'Blijf achter het stuur zitten en hou je wapens gereed! Wie zit er bij jou achter de mitrailleur, Gene? Oké, laat Reese hierheen komen.' Naar zijn assistent-chauffeur riep hij: 'Fields, jij gaat met mij mee naar buiten!'

Het was griezelig stil geworden op straat, maar zodra hij uit zijn Humvee sprong – het zag er nog net niet uit als vallen – werd Evan zich bewust van het aanzwellende lawaai om hen heen. Achter hen, op het trottoir, begon een man hartstochtelijk te jammeren en naast hem lag iemand. Een of meer van Nolans kogels hadden kennelijk iemand geraakt die daar had gelopen. Mischien was zoiets onvermijdelijk als het schieten eenmaal was begonnen, maar het verergerde de situatie aanzienlijk.

Iemand riep: 'Hij stopte! Hij stopte!' Evan naderde de witte personenauto behoedzaam. Hoewel de voorruit was verbrijzeld en de overige ruiten aan de binnenkant onder het bloed zaten, kon er nog steeds een gewapende strijder in zitten die nog leefde, of een nog niet geëxplodeerde bom. Fields en Reese naderden de auto aan de andere kant.

Toen Evan bij het rechterportier was aangekomen, opende hij het voorzichtig, waarna hij via zijn radio tegen Pisoni sprak. 'Gene, neem contact met iemand op en vertel wat er is gebeurd. Geef onze locatie door en zeg dat we onmiddellijk versterking nodig hebben. Wat ze ook maar hiernaartoe kunnen sturen.'

Achter hem hoorde hij meer kreten. De woede zwol aan. Hij keek naar het lichaam. Uit de kleding leidde hij af dat het een vrouw was. De bebloede flarden van naar nikab kleefden aan wat eerst haar gezicht was geweest. Ze gleed van de voorstoel, waardoor haar bloedende bovenlijf op straat belandde. Aan de andere kant had Fields het achterportier geopend. Hij deed een paar passen achteruit en zei vol afgrijzen: 'Godallemachtig, Ev, hier liggen drie kinderen.'

Even later raakten de eerste stenen zijn Humvee.

Misschien tien minuten lang, die meer op een uur leken, probeerde Evan de situatie in de hand te houden, ondanks het bombardement van stenen dat het gehele konvooi inmiddels te verduren had gekregen. Hij gaf zijn schutters, en met nadruk Nolan, de uitdrukkelijke opdracht niet op de menigte te schieten. Hij hoopte dat de versterking waar Pisoni om had gevraagd enigszins op tijd zou arriveren en hij koesterde de hoop dat het niet verder zou escaleren, tenminste niet voordat de hulptroepen waren aangekomen.

Maar hij kon niet voorkomen dat de menigte oprukte naar de witte personenauto. Sommigen leken de familie die Nolan had afgeslacht te kennen. Toen Evan en zijn mannen terugliepen naar hun gehavende Humvees hoorden ze van Pisoni dat er dichtbij gestationeerde Irakese politie-eenheden onderweg waren.

Ondertussen had iemand dekens op straat neergelegd, en de omstanders begonnen de lijken uit de auto te halen. Eerst de vrouw, daarna haar echtgenoot en vervolgens de drie kinderen, die zo te zien niet ouder waren dan zes of zeven jaar. Ze zaten alle drie onder het bloed, maar een van hen leek nog te ademen en iemand greep het kind en verdween ermee in de mensenmassa.

Nolan, die nog steeds achter zijn machinegeweer zat, had zijn blik nu op de weg voor hem gericht, die inmiddels vrij was omdat de rest van het verkeer weer in beweging was gekomen. 'Evan,' zei hij, en toen Scholler omhoogkeek wees hij naar voren. 'Kijk dan.'

Evan draaide zich om. 'Wat?'

'We kunnen door, man.'

'Waar heb je het over? We gaan helemaal nergens heen. Dit is een incident met dodelijke slachtoffers, Ron. We blijven hier totdat het behoorlijk afgehandeld is.'

'Dat is geen goed idee, luitenant. We moeten ervandoor zolang het nog kan. Deze mensen zorgen wel voor elkaar, maar wij doen er beter aan ter verdwijnen voordat het gerucht zich verspreidt.'

'We kúnnen niet weg. We moeten rapport uit...'

'Rapport uitbrengen? Aan de lokale politie? En wat dan? Nee, man, wat we moeten doen is nú wegwezen, nu het nog kan, voordat het akelig en persoonlijk wordt.'

'Persoonlijk? Voor ons?'

'Wij hebben ze vermoord, luitenant.'

'Wij hebben ze niet vermoord, Nolan. Jíj hebt ze vermoord.'

'Oké, wat jij wilt. Maar dat maakt hun niks uit. Wij staan aan dezelfde kant, dat is het enige wat telt. Het is hier een clancultuur, dus iedereen die tot dezelfde clan als dat arme gezin behoort heeft de ereplicht ons te vermoorden. Binnen een mum van tijd wordt het persoonlijk, dat beloof ik je.'

Evan keek de straat in, naar het verkeer in de verte, waarachter ze de hele dag hadden vastgezeten. Achter hen begonnen automobilisten te toeteren, hem aansporend door te rijden, de weg vrij te maken, uit de weg te gaan. Hij wist niet hoe hij het tegenover zijn geweten kon verantwoorden de plek waar deze verschrikkelijke gebeurtenis was voorgevallen zomaar te verlaten; dat was volledig in strijd met zijn politietraining. Er moest een onderzoek komen, er moesten foto's worden gemaakt en getuigen worden gehoord. Ze konden er toch niet zomaar vandoor gaan omdat de weg toevallig vrij was?

Fields, die aan de andere kant van de Humvee stond, zei: 'Ik denk dat meneer Nolan gelijk heeft, luitenant. We moeten hier weg. We kunnen naar een FOB gaan of zo.' Fields was al aardig op de hoogte van het jargon; een Forward Operating Base was een kleine beveiligde basis, met Bremermuren, afweergeschut en controleposten. 'We kunnen beter daar rapport uitbrengen.'

Evan antwoordde niet, maar pakte in plaats daarvan zijn radio. 'Gene,' zei hij, 'enig idee hoe we hier snel weg kunnen komen?'

'Wanneer?'

'Nu meteen.'

'Vierhonderd meter verderop is een onverharde weg die op een controlepost uitkomt, en ik kan...'

Op dat moment klonk er door de windstille lucht een snel in volume toenemend gezoem. 'Granaatwerper!' schreeuwde Nolan. 'Zoek dekking!' En een meter of twintig van de plaats waar Evan stond veranderde de eerste Humvee plotseling in een vuurbal en klonk er een explosie, die hem, Fields en Reese tegen de grond sloeg. Evan, die even niets meer kon horen, zag dat Nolan vanuit zijn gehurkte positie achter het machinegeweer sprong en het op het gebouw richtte waarvan hij vermoedde dat het projectiel ervandaan was gekomen.

Gene Pisoni en Marshawn Whitman konden de voltreffer onmogelijk hebben overleefd. Aan de andere kant van Evans Humvee krabbelde Reese overeind. De helft van zijn gezicht zat onder het bloed. Hij probeerde iets te zeggen en gebaarde naar Evan, maar ofwel er kwam geen geluid uit zijn mond, ofwel Evan kon het niet horen vanwege de oorverdovende herrie in zijn hoofd. Fields kwam ook overeind. Hij was zo te zien ongedeerd. Hij wees naar de Humvee en toen naar de lege weg die zich voor hem uitstrekte. Het was een niet mis te verstaan gebaar. Er was geen tijd meer om erover te discussiëren. Ze moesten hier weg.

Hij had gelijk. Want nu waren de tweede en de derde Humvee gemakkelijke doelwitten. Evan realiseerde zich later dat zij misschien nog niet waren aangevallen omdat ze zich te dicht bij de witte personenwagen bevonden en vanwege de omstanders. Maar daar dacht hij niet aan toen hij Reese naar de tweede Humvee stuurde en zelf in de derde stapte, terwijl er een salvo klonk en de kogels vlak over zijn motorkap suisden en in het plaveisel voor hem sloegen. Nolan maakte een snelle draai en vuurde opnieuw naar de gebouwen.

Onofrio schakelde in de eerste versnelling en trok op. Voor hen bereikte Reese het geopende rechterportier van de tweede Humvee, waarin Levy en Koshi en Davy Jefferson zaten. Hij dook naar binnen. Davy Jefferson uit Sunnyvale – thuis manager van een filiaal van de hamburgerketen In-N-Out – bemande het machinegeweer op de tweede Humvee. Het viel Evan op dat de omstanders zich van de twee resterende Humvees begonnen te verwijderen. Misschien uit angst, maar het had ook iets van een collectief weten. Hoe dan ook, hierdoor raakten ze meer geïsoleerd en werden een nog makkelijker doelwit. Davy Jefferson begon op de daken van omliggende huizen te schieten.

Opnieuw deed een kogelregen stukken plaveisel tussen de twee voertuigen opspatten. Vanuit het mangat ergens boven Evans hoofd vuurde

111

Nolan opnieuw een salvo af, dat onmiddellijk werd gevolgd door het angstaanjagende aanzwellende gezoem van een nieuwe granaat die op hen werd afgevuurd, maar miste en terechtkwam in een winkelpand aan hun linkerkant. Het regende glassplinters en stucwerk.

Evan tikte zijn chauffeur op de arm en wees naar het uitgebrande en nog rokende wrak van hun eerste Humvee. Hoewel hij schreeuwde kon hij zichzelf nog steeds nauwelijks horen. 'Gene en Marsh! Gene en Marsh!' Hij maakte Onofrio duidelijk dat hij niet van plan was de lichamen van zijn twee gesneuvelde mannen hier achter te laten zodat de menigte ze aan stukken kon hakken. Want het begon ernaar uit te zien dat dit het scenario was dat zich zou gaan ontrollen.

Ze reden om de tweede Humvee heen en op een teken van Evan renden hij en Fields de straat weer op. Evan gebaarde naar Nolan en Jefferson dat ze dekking moesten geven en ze renden naar de vernielde, smeulende Humvee. Whitmans verkoolde en bebloede lichaam was uit het mangat geslagen en lag languit op het dak van het voertuig. Evan en Fields grepen hun gesneuvelde kameraad bij de armen en trokken hem eraf, waarna ze hem zo snel mogelijk naar hun voertuig sleepten.

Het schieten stopte een paar seconden. Evan en Fields slaagden erin Whitmans lichaam achter in hun voertuig te leggen en renden terug naar Alan Reese. Die was uit de tweede Humvee gekomen en probeerde de voorportieren open te maken om Pisoni eruit te halen. Maar ze waren nog te heet om vast te pakken, en bovendien leek het alsof ze waren dichtgelast. De ruiten waren er door de explosie uit geslagen, dus boog Fields zich door het linkerportier naar binnen en probeerde vergeefs beweging in het lijk te krijgen.

'Hij zit nog in zijn gordel!' riep hij over zijn schouder.

Door de kracht van de granaat was het linkerachterportier vrijwel uit zijn scharnieren geschoten en Evan slaagde erin het met een paar trappen verder te openen. Op die manier moesten ze Pisoni eruit kunnen krijgen. Evan gebaarde Field hem te helpen door zijn schouder eronder te zetten, en juist toen ze begonnen te duwen klonken er vanaf de daken om hen heen opnieuw een paar mitrailleursalvo's. Evan hoorde Fields een weerzinwekkend grommend geluid maken, waarna hij om zijn as draaide en in een zittende positie op de grond terechtkwam.

Aan de andere kant van de wagen vuurde Reese een paar nutteloze schoten af met zijn pistool, terwijl er nu ook aan die kant van de straat met automatische wapens werd geschoten. Ergens achter hen bleef Nolan boven op de Hunvee driftig vuren, van de ene naar de andere kant, maar toen Evan omkeek in een poging wat meer dekking van de andere Humvee te krijgen, zag hij dat Davy Jefferson was verdwenen en dat er kogelgaten in de voorruit van Humvee nummer twee zaten. Het was een wonder als Levy en Koshi, die voorin zaten, niet waren geraakt.

'Alan,' riep Evan naar Reese. 'Kom naar deze kant!'

Reese keek hem over de motorkap van de Humvee aan en knikte. Hij draaide zich om, begon te rennen en vuurde nog een paar maal met zijn pistool naar de daken aan zijn kant. Maar voordat hij om de Humvee heen had kunnen rennen, werd hij opgetild door een paar salvo's. Een volgend salvo gooide hem tegen de motorkap, waarna hij op de grond viel en Evan hem niet meer kon zien.

Evan, met zijn pistool in de hand, zat naast het ineengezakte lichaam van Fields, in de gedeeltelijke dekking die de Humvee hem bood. Linksboven zag hij mensen over de daken rennen, maar Nolan slaagde erin hen af te weren. Met korte, gerichte salvo's voorkwam hij dat ze de gelegenheid kregen om te schieten. Maar Nolan was de enige schutter die ze nog hadden, en met de frequentie waarmee hij vuurde zou zijn munitie spoedig op zijn.

Evan gaf Fields een zetje. 'Kom op, man, we moeten hier weg.' Hij duwde nogmaals tegen Fields' schouder, waarop deze languit op zijn zij belandde. De voorkant van zijn hemd was doordrenkt met bloed. Hij hoorde een salvo vlak achter zich, maar toen hij zich omdraaide zag hij dat het van zijn eigen Humvee afkomstig was. Nolan kwam zijn kant op en trok een scherm van kogels op tussen hem en de gebouwen langs de weg.

Maar Evan had hier bij de eerste Humvee drie slachtoffers, en nog drie in nummer twee. Naar hoe Reese eraan toe was kon hij alleen maar gissen. Misschien was hij alleen maar gewond. Hij zou om de Humvee heen moeten lopen om erachter te komen. En dan waren er nog Koshi, Jefferson en Levy in Humvee nummer twee. Hij moest Nolan en Onofrio opdracht geven hem te helpen de doden en gewonden op de achterbank en in de laadruimte van de enige nog overgebleven Humvee leggen. Hij kon zijn mensen niet hier op straat achterlaten.

Het leek onmogelijk dat hij in zo weinig tijd zoveel manschappen had verloren.

Toen kwam zijn eigen Humvee aanrijden, met het achterportier open en Onofrio achter het stuur. Onofrio gebaarde wild dat hij in de wagen moest springen. Hij schreeuwde naar hem, hoewel Evan hem nauwelijks kon horen. Het was zijn enige kans, hún enige kans.

Maar hier, vlak naast hem, lag Fields dood te bloeden, als hij al niet dood was. Er zat niets anders op dan te proberen hem eerst de wagen in te krijgen.

'Er is geen tijd!' schreeuwde Nolan vanaf het dak naar Onofrio. 'Rijd door! Rijd door!' Hij vuurde een kort salvo af in de richting van de daken. 'Schiet op!'

Het leek alsof Nolan Onofrio aanspoorde – nee, beval! – hun eigen huid te redden en Evan achter te laten met de rest van zijn mannen. Maar zijn chauffeur minderde vaart toen hij bij Evan was aangekomen en met een uitdrukking van wanhoop en paniek op zijn gezicht bewoog hij zijn hand naar het rechterportier.

Vanaf het dak riep Nolan: 'Laat ze, laat ze, er is geen tijd meer. Ze zijn er geweest!'

De Humvee stopte nu. Onofrio boog zich dichter naar Evan toe, duwde het rechterportier open en stak zijn hand uit. Evan graaide wild in het rond totdat hij zich aan de mouw van zijn kameraad half omhoog kon trekken. Toen Evan bijna naar binnen kon klimmen voelde hij, ergens diep in zijn ingewanden, opnieuw het lage trillen van een volgende aansuizende granaat.

Het was het laatste wat hij de volgende elf dagen zou voelen.

Deel II

[2003 – 2004]

9

Naar Ron Nolans idee was er weinig mee te winnen in Irak te blijven en erover te praten.

Het zag ernaar uit dat het onderzoek naar het incident niet geheel risicoloos zou zijn. Onofrio was in eerste instantie de enige getuige en Nolan geloofde niet dat zijn verklaring schadelijk voor hem kon zijn. Hij had achter het stuur gezeten en had er waarschijnlijk geen idee van dat de auto die hen volgde al was gestopt toen Nolan erop had geschoten. Maar de geruchten die van omstanders en andere betrokkenen afkomstig waren, waren al doorgedrongen tot de plaatselijke Irakese en de Amerikaanse militaire politie, had Allstrong van zijn bronnen gehoord. En de kans dat Nolan zou worden gearresteerd was niet denkbeeldig.

Gelukkig was het schandaal rond de gevangenis Abu Ghraib net aan de oppervlakte gekomen en iedere Amerikaan die ook maar iets met wetshandhaving in Irak te maken had, was ervoor opgetrommeld. Zelfs majoor Charles Tucker, de irritante krentenweger die hen altijd maar lastigviel over geld, was overgeplaatst vanwege dat schandaal.

Maar desondanks en ondanks het feit dat hij wist dat het juridische systeem in Irak op z'n zachtst gezegd problematisch functioneerde – zeker als het ging om contractors die werden beschuldigd van criminele activiteiten zoals moord – wilde Nolan niet het risico lopen te worden gearresteerd. Je wist maar nooit waar dat op uit kon draaien. Wie weet zou de CPA hem gebruiken om een voorbeeld te stellen tegenover andere schietgrage contractors of zou hij worden overgedragen aan de Irakese aanklagers – twee opties waar Nolan niet aan moest denken.

Niet dat Nolan spijt had van wat er was gebeurd. Het was tenslotte oorlog en waar gehakt werd vielen spaanders. Die mafkezen hadden eerder moeten stoppen. Sterker nog: wat deden ze überhaupt op straat? Hoe dom kon je zijn? Als het nog een keer zou gebeuren zou hij precies hetzelfde doen, richtlijnen of geen richtlijnen. En hoewel hij de slachtoffers onder de mannen van zijn konvooi oprecht betreurde, zag hij ook dit verlies als niet meer dan een drol boven op de enorme mestvaalt die deze oorlog nu eenmaal was. Wie had trouwens kunnen voorspellen dat zo'n onbeduidend incident zulke enorme plaatselijke gevolgen kon hebben? En hoe had hij moeten weten dat deze jurk, deze Mohammed de Zoveelste, de vader die zo dom was geweest met zijn gezin de verdedigingscirkel van Nolans Humvee binnen te dringen, in feite Jahlil al-Palawo was, een vooraanstaand stamhoofd en de invloedrijkste sjiiet in de wijk Masbah?

Hoe dan ook, het verstandigste wat Nolan kon doen was een tijdje uit beeld verdwijnen totdat dit incident was neergedaald in de chaos van alle andere incidenten die dagelijks in dit land voorvielen. Over een paar maanden kon Nolan de draad gewoon weer oppakken en terugkomen om voor Allstrong of voor een ander beveiligingsbedrijf te gaan werken. Ondertussen voelde Jack Allstrong er weinig voor dat allerlei onderzoekers op BIAP de deur zouden komen platlopen zonder dat hij daar iets tegen zou kunnen ondernemen. Wie weet zouden ze iets zien wat hun niet beviel en dat rapporteren aan de CPA.

Zo kwam het dat Nolan binnen een week na het incident terug was in Redwood City. Na een onderhandeling met Jack Nolan, die eruit bestond dat ze samen een paar glazen Glenfiddich dronken, besloot het bedrijf dat zijn vertrek het gevolg was van goddelijke voorzienigheid en dat er niets anders op zat dan Nolan de resterende zes maanden van zijn contract zijn volledige gage door te betalen. En met een deel van zijn kennelijk onuitputtelijke financiële middelen deed Nolan een aanbetaling op een modern en elegant ingericht huis, ongeveer halverwege Redwood City en Woodside. Hij bleef in dienst van Allstrong als senior recruiter van voormalig militair personeel in de regio San Francisco. Hij was bekend met het soort mensen dat Allstrong in Irak nodig had en wist waar hij ze kon vinden.

Tara Wheatley was verbaasd Nolan zo snel terug te zien. In de weken van zijn afwezigheid had ze geprobeerd in het reine te komen met haar schuldgevoelens. Het was belachelijk, hield ze zichzelf voor. Ze was tenslotte volwassen en heel goed in staat haar eigen beslissingen te nemen. Maanden geleden had ze besloten een eind aan haar relatie met Evan te maken. Ze had helemaal niemand verraden. Ze had gewoon de draad van haar leven weer opgepakt. Ze had zich er uiteindelijk toe gezet Evans laatste vier brieven te lezen, maar na die avond waarop ze Nolan in haar appartement had uitgenodigd, kon ze het niet meer opbrengen hem terug te schrijven.

Wat had ze moeten schrijven?

O, ja en ik ben naar bed geweest met Ron, je weet wel, die maat van je
die me jouw brief is komen brengen. Ik was het eigenlijk niet van plan,
maar ik was in de war en eenzaam, vreselijk eenzaam, en bang om al-
leen te zijn. Bovendien had hij die avond zowat mijn leven gered en bo-
vendien leek het er niet op dat wij onze problemen ooit nog zouden kun-
nen oplossen. Het werd tijd dat ik niet alleen tegen mezelf vertelde dat we
uit elkaar zijn, maar ook de daad bij het woord voegde, snap je? We zijn
niet meer bij elkaar en dat zullen we ook nooit meer zijn, dus vind ik dat
ik met een ander naar bed kan gaan als ik dat wil. Daar heb jij niets
meer over te zeggen. Oké, natuurlijk wilde ik je misschien ook straffen
omdat je zomaar weg bent gegaan; en als je zoiets doet, is dít precies wat
je riskeert. En nu is het dus gebeurd, stomkop!

Nee, die brief zou ze nooit schrijven. Nu niet en nooit niet.

En vanzelfsprekend schreef Evan haar ook nooit meer.

Ron Nolan was een sterke, charismatische, aantrekkelijke man en als het met Evan niets werd – en alles wees daarop –, was Nolan met al zijn charme, zijn ervaring, zijn zelfvertrouwen en ook zijn geld, een geschikte kandidaat om haar te helpen haar eerste liefde te vergeten. Ze had een doodgewone, ongecompliceerde relatie nodig totdat de volgende ware liefde in haar leven zou komen.

Alsof er behalve Evan ooit een andere ware liefde kon zijn.

Nolan zag er de noodzaak niet van in haar te vertellen wat er in Masbah was gebeurd, wat er met Evan was gebeurd en welke rol Nolan in dat alles had gespeeld. Tara wist niet beter of Nolan had zelf besloten naar huis te komen, misschien wel als gevolg van de gesprekken over het morele ge-halte van de oorlog die ze hadden gehad. Hij had zijn verklaring bewust vaag gehouden. Hoe abstracter, hoe gemakkelijker je het de luisteraar maakt zijn eigen waarheid in jouw woorden te horen, had zijn leraar Engels altijd gezegd.

En in feite was het enige wat Nolan van Evan Scholler wist dat hij aan de laatste granaatinslag een ernstige hoofdwond had overgehouden en dat het er toen Nolan terugvloog niet naar uitzag dat hij het zou overleven. Misschien was hij al dood, al leek dat Nolan niet waarschijnlijk, want dan had Tara dat wel van iemand te horen gekregen.

Maar wat er ook met Evan was gebeurd, er waren al bijna drie maan-den verstreken. Tara had haar leven weer opgepakt. En Ron Nolan zag geen reden het er verder nog over te hebben.

Ze stond voor de artisjokken op de groenteafdeling van de supermarkt, twee dagen na het begin van de kerstvakantie van haar school. De ingeblikte muziek die de sfeer voor iedereen leuk en gezellig moest houden, was zojuist op onharmonieuze wijze overgegaan van de categorie belachelijk in de categorie subliem: na 'Rockin' Around the Christmas Tree' door de Chipmunks klonk nu Aaron Neville met 'O Holy Night'. De laatste opname was het lievelingskerstnummer van Evan en Tara, en nadat de eerste maten hadden geklonken, droomde Tara weg. Ze zag de bakken met groente voor zich en had plotseling geen idee meer waarom ze hier was en wat ze wilde kopen.

Zonder zich ervan bewust te zijn sloeg ze haar hand voor haar mond en zuchtte diep. Ze blies de adem uit tussen haar vingers en voelde tranen opkomen, al had ze geen idee waarom. 'Godallemachtig,' mompelde ze in zichzelf.

'Tara? Ben jij dat?'

Ze ademde opnieuw uit en kwam weer een beetje bij zinnen. 'Eileen?'

Evans moeder zag er nog heel aantrekkelijk uit en Tara had altijd gevonden dat dat niet alleen kwam door haar slanke lichaam en haar enigszins Scandinavische gezicht, maar vooral doordat ze een en al vriendelijkheid uitstraalde. In Eileen Schollers wereld was iedereen gelijk en was ieder mens de moeite waard, hoe anderen daar ook over dachten. Ze benaderde iedereen altijd met respect en vriendelijkheid. Nu, met haar hoofd een beetje schuin, als een waakzame vogel, vroeg ze: 'Gaat het wel goed met je? Je ziet eruit alsof je ieder moment kunt flauwvallen.'

'Zo voel ik me ook.' Tara probeerde te glimlachen, maar wist dat het er geforceerd uitzag. 'Jeetje, ik heb geen idee wat ik net had.' Ze leunde op haar boodschappenwagen en probeerde opnieuw vrolijkheid uit te stralen. 'Het zal wel stress zijn. De tijd van het jaar. Hoe gaat het met jou? Je doet hier normaal gesproken toch nooit boodschappen? Maar het is fijn om je te zien.'

'Ik was onderweg van het werk naar huis en het schoot me opeens te binnen dat ik nog wat groente nodig had. Maar nu ben ik zeker blij dat ik hier even gestopt ben. Het is goed om je weer te zien.' Haar ogen kregen een weemoedige uitdrukking. 'We hebben je echt gemist.'

Tara knikte rustig. 'Ik heb jullie ook gemist. Echt waar.'

'Nou, hoe dan ook, ik geloof niet dat kinderen zich realiseren wat ze hun ouders aandoen als ze het uitmaken. We waren er net aan gewend dat we de ideale schoondochter hadden, en van de ene op de andere dag ben je uit ons leven verdwenen. Dat is verschrikkelijk triest.'

'Ik weet het,' zei Tara. 'Het spijt me echt. Het was zeker niet mijn bedoeling.'

'Dat weet ik, lieverd. Het is niemand te verwijten. Zo gaat het nou eenmaal in het leven. Zoals Jim altijd zegt het is gewoon een KL.' Ze boog zich dichter naar Tara toe en fluisterde: 'Een Kloterige Levensles. Sorry voor mijn taalgebruik.'

'Vind ik niet erg. Hoe gaat het trouwens met Evan?'

'Nou, we maken ons natuurlijk nog wel zorgen, maar het schijnt goed te gaan. Er zijn nog wel problemen, maar we gaan hem met kerst opzoeken en daarna weten we meer.'

'Jullie gaan hem met Kerstmis opzoeken?'

'Ja, we vliegen er volgende week heen.'

'Naar Irak?'

Even viel Eileen Scholler helemaal stil. 'Nee, lieverd.' Haar ogen vernauwden zich. Hield Tara haar voor de gek? Maar haar uitdrukking bleef vriendelijk. 'Naar het Walter Reed.'

'Het Walter...'

'Heb je het niet gehoord? Ik dacht dat je het wel zou weten. Eerlijk gezegd viel het me een beetje tegen dat je ons nooit hebt gebeld. Als ik me had gerealiseerd dat je het niet wist, had ik...'

Tara wuifde het weg. 'Dat doet er niet toe, Eileen. Maar wat had ik gehoord moeten hebben? Is er daar iets met hem gebeurd?'

'Hij is de gewond geraakt,' zei ze. 'Afgelopen zomer. Ernstig gewond. Aan zijn hoofd. Hij was bijna dood.'

'O mijn god.' Plotseling leek het alsof haar benen haar niet meer konden dragen. Ze greep de boodschappenwagen steviger vast en keek Eileen vragend aan. 'Wat is er gebeurd?'

'Ze zijn ergens in Bagdad aangevallen. Vrijwel iedereen in zijn peloton is gesneuveld. Ze kwamen allemaal uit deze omgeving. Het is op de televisie geweest en heeft in alle kranten gestaan. Heb je er niets over gezien of gelezen?'

'Ik ben gestopt met het lezen van al die berichten, Eileen, en op het nieuws kijk ik er ook niet meer naar. Als het over Irak gaat zet ik een andere zender op. Ik kan er gewoon niet meer tegen. Ik ben ervan uitgegaan dat ik het wel zou horen als er iets met Evan gebeurde. Ik kon er niet tegen het iedere dag te volgen.'

'Nou, gelukkig is hij niet gesneuveld. En over de gewonden hoor je niet zoveel. Het lijkt wel alsof ze niet van belang zijn. Dus het is goed mogelijk dat je zijn naam nooit bent tegengekomen. Maar zijn peloton... Die arme jongens.'

'Zijn ze allemaal dood?'

'Op één na. Twee, als je Evan meetelt.'

'O mijn god, Eileen, wat erg. Hoe gaat het nu met hem?'

'Het gaat iedere dag een stukje beter. Hij klinkt al veel normaler als we hem aan de telefoon hebben. De dokters kunnen het natuurlijk nog niet met zekerheid zeggen, maar zijn neuroloog gelooft dat hij misschien een van de heel weinigen zou kunnen zijn die er na zo'n verwonding weer helemaal bovenop komen. Al zal het nog wel een tijdje gaan duren.'

'Krijgt hij therapie?'

'Iedere dag. Lichamelijk en psychologisch. Maar zoals ik al zei: hij gaat momenteel tamelijk goed vooruit. De eerste weken, toen hij net terug was, hadden we dat nog nauwelijks durven hopen. Dus dit is heel goed nieuws. En gelukkig hebben ze besloten dat hij toch recht had op die therapie.'

'Waarom zou hij daar geen recht op hebben?'

Eileen vertrok haar lippen. 'Er was sprake van dat hij misschien zou hebben gedronken voordat hij met dat laatste konvooi was vertrokken. Niemand had gezegd dat hij dronken was, maar... Hoe dan ook, dat moesten ze eerst ophelderen. Als hij inderdaad onder invloed van alcohol was geweest, had hij geen behandeling gekregen.'

'Ook al was er op hem geschoten?'

Eileen haalde rustig en diep adem. 'Er is niet op hem geschoten, Tara. Het was een granaat.'

Dat nieuws bracht Tara even tot zwijgen. 'Goed, maar hoe dan ook, hadden ze hem dan niet behandeld?'

'Als hij had gedronken misschien niet. Of niet meteen, in ieder geval. En inmiddels weten we hoe belangrijk het in dit soort gevallen is dat je zo snel mogelijk met de behandeling begint. Echt waar.'

Maar Tara was nog bezig deze onthulling te verwerken. 'Ik kan het gewoon niet geloven dat ze hem dan niet zouden hebben behandeld. Hoe kunnen ze iemand die gewond is geraakt in een oorlogsgebied medische behandeling onthouden?'

'Dat is mij ook een raadsel, lieverd, maar je wilt niet weten hoe er met sommige van die arme gewonden in het Walter Reed wordt omgegaan. Het is afschuwelijk. Maar – en daar zul je ook wel van opkijken – voordat Evan kon worden behandeld, moest hij een verklaring tekenen. Daarin stond dat een van de voorwaarden om te kunnen worden behandeld was dat hij tegenover de media of tegen wie dan ook nooit iets negatiefs zou zeggen over de omstandigheden in het Walter Reed.' Ze legde een hand op Tara's arm en glimlachte flauwtjes. 'Dus we kunnen maar beter dankbaar zijn dat ze hem nu eindelijk helpen. En dat zijn we ook.'

'Jij bent een stuk milder dan ik zou zijn, Eileen.'

'Dat weet ik niet. Ik ben gewoon mezelf. Natuurlijk is dat soort dingen vreselijk frustrerend, maar in ieder geval wordt Evan nu beter. Ik zie niet in wat we ermee opschieten als we er heibel over maken.'

Tara sloot haar ogen en zuchtte diep om de frustratie van zich af te zetten. Ze was het niet met Eileen eens. Ze dacht dat het misschien goed zou zijn als meer mensen heibel maakten. Maar de sfeer in de samenleving was veranderd. Plotseling was iedereen bang zich publiekelijk over misstanden uit te spreken, want dan was je niet vaderlandslievend. Dan steunde je de terroristen. Tara vond deze mentaliteit dom en verwerpelijk.

Ze had echter geen behoefte aan de zoveelste discussie over deze nog steeds voortdurende en desastreuze oorlog. Niet met Eileen, niet met Ron. Met niemand. Gelukkig had Evan medisch gezien kennelijk het ergste achter de rug, hoe slecht zijn toestand ook was geweest. 'Hoe lang ligt hij daar al?' vroeg ze.

'Ongeveer drie maanden. We hopen dat hij over een paar maanden weer naar huis kan, maar we zijn bang hem te vroeg naar huis te halen. We willen dat hij er helemaal klaar voor is als hij terugkomt, begrijp je?' Eileen liet haar ogen rusten op de vrouw die ze ooit als haar toekomstige schoondochter had gezien. 'En jij, Tara? Hoe is het jou vergaan?'

'Best redelijk, geloof ik.'

'Best redelijk, geloof je? Dat is niet het meest enthousiaste antwoord dat ik ooit heb gehoord.'

'Nee, dat zal wel niet. Ik voel me... Ik voel me gewoon een beetje verloren. Ik voel me op de een of andere manier niet compleet. Het lijkt wel alsof ik ergens op wacht, maar ik weet niet waarop. Ik weet niet eens of het ooit wel zal komen. Begrijp je dat?'

'Beter dan je denkt. Is er momenteel iemand in je leven?'

'Min of meer. Ik weet niet precies wat ik met hem wil. Eerlijk gezegd...' Ze zweeg.

Eileens hoofd nam weer die kenmerkende schuine stand aan.

'Ja?'

Tara zuchtte. Met Eileen zo dichtbij leek het alsof ze de aanwezigheid van Evan kon voelen. Hij had nog steeds invloed op haar; het was een gevoel van diepe verbondenheid dat ze met niemand anders ooit had gehad. Zeker niet met Ron Nolan.

Dus waarom ging ze eigenlijk nog met Ron om? Was het alleen maar omdat ze niet meer geloofde dat Evan nog werkelijk om haar gaf? Of omdat alles met Ron gewoon gemakkelijker leek? Liefde hoefde immers niet zo diep en allesoverheersend te zijn, toch? Ware liefde en eeuwige trouw voor altijd, dat was een spookje, een mythe. Daar was ze op hard-handige wijze achtergekomen. Inmiddels was ze een fase verder. Ze had nu een volwassen relatie die op de realiteit was gebaseerd, een relatie die haar nooit zoveel pijn kon doen als die met Evan. Dat was verstandig. Het was goedbeschouwd veel beter. Dat moest ze geloven.

Trouwens, Evan zou haar nu toch niet meer terug willen. Niet na wat ze had gedaan. Dat wist ze en ze kon het hem moeilijk kwalijk nemen.

'Tara?' Eileen deed een stap in haar richting. 'Is er iets?'

Ze probeerde te glimlachen, grotendeels vergeefs. 'Nee, niets. Zoals ik al zei: ik weet niet precies wat ik met die man aan moet.'

'Nou, luister dan maar naar een oude vrouw die veel om je geeft en neem geen onherroepelijke beslissingen totdat je zeker van je zaak bent.'

'O, maak je maar geen zorgen. De tijd van onherroepelijke beslissingen is nog niet aangebroken. Ik ben wat hem betreft nog nergens zeker van. Misschien komt het wel door de kerstsfeer, dan ga je toch weer denken aan al die hooggespannen verwachtingen die maar niet uit lijken te komen.' Ze voelde een golf van emoties in zich opwellen en slikte. 'Misschien hadden Evan en ik het wel te goed als we vroeger met de fa-milie bij elkaar kwamen. Ik mis het gevoel dat we toen hadden met Kerstmis.'

'Dat kan best nog weer eens terugkomen, hoor.'

'Ja, wie weet. Ik kan er in ieder geval altijd op hopen.' Tara glimlachte nu en pakte wat groente. 'Maar ik was helemaal niet van plan zo negatief over te komen. Vergeleken met wat jullie doormaken heb ik een gewel-dig leven.'

'Wij ook, hoor lieverd,' antwoordde Eileen. 'Evan leeft nog en we bid-den ervoor dat hij ooit weer helemaal de oude zal zijn. Het is een zware tijd geweest, maar we hebben het ergste achter ons. Nu we daar goed doorheen zijn gekomen, voelen we ons gelukkiger dan ooit.'

'Nou, dat is heel fijn om te horen. Jullie verdienen het om gelukkig te zijn.'

'Dat verdient iedereen, lieverd.'

'Goede mensen verdienen het méér.'

'Dat weet ik niet.' Eileen legde een hand op Tara's arm. 'Maar jij in ieder geval wel. Jij bent een goed mens.'

'Niet zo goed als je misschien denkt.' Helemaal niet zo goed, dacht ze. Ze kon het gevoel niet van zich af zetten dat ze Evan had bedrogen, zelfs al waren ze uit elkaar, zelfs al waren ze geen stel meer, zelfs al had ze hem niet meer geschreven sinds hij naar Irak was gegaan. 'Ik had niet zo koppig moeten zijn,' zei ze. 'Ik had hem moeten schrijven en...'

'Hé, hé, hé.' Eileen ging nog dichter bij haar staan. 'Jullie hadden een verschil van inzicht. Jij deed wat je goed vond en dat deed hij ook. Dat betekent niet dat een van jullie beiden niet deugt. Jullie zijn allebei fijne mensen.' Ze wreef geruststellend over Tara's arm. 'Misschien zou je hem nu een kort, vriendelijk briefje kunnen schrijven. Ik weet zeker dat hij blij zou zijn iets van je te horen.'

'Nee, dat kan ik niet doen. Trouwens, daar is het al te laat voor. Hij is beter af zonder mij.'

'Denk je niet dat hij dat zelf het beste kan beslissen? Misschien kan ik gewoon tegen hem zeggen dat ik je heb gezien en dat je hem de groeten doet. Dat zal hij vast leuk vinden. Of zou dat ook te veel voor je zijn?'

'Ik weet het niet, Eileen. Misschien wel.'

'Als hij je zou schrijven, denk je dat je hem dan terug zou kunnen schrijven?'

Tara schudde langzaam en een beetje bedroefd haar hoofd. Ze beet op haar lip. 'Ik weet niet eens of ik dát wel kan beloven.' Ze legde haar hand over die van de andere vrouw. 'We hebben het geprobeerd, Eileen, echt waar.' Ze haalde haar schouders op. 'Maar nu ligt alles achter ons.'

Eileen knikte, rustig als altijd. 'Dat is ook goed. Als je je bedenkt en je hem wilt zien als hij terugkomt, heb je vast ons telefoonnummer nog wel. Je bent natuurlijk ook welkom als je wilt langskomen voordat hij thuis is. Dat weet je toch, hoop ik?'

'Dat weet ik. Dank je.' Ze boog zich naar voren en kuste Eileen op de wang. 'Je bent fantastisch. Ik hou van je.'

Eileen drukte Tara even tegen zich aan en maakte zich toen los. 'Ik hou ook van jou, meisje, en ik vind jou ook fantastisch. En fantastische mensen moeten een beetje voor elkaar zorgen. En het zichzelf niet te moeilijk maken.'

'Ik zal het proberen,' zei ze. Tara kon plotseling niet zo helder meer zien. 'Ik zal het echt proberen.'

'Dat weet ik. Het was heel fijn om je weer eens te zien, lieverd. Veel geluk.' Eileen gaf Tara een afscheidszoen op haar wang, glimlachte, duwde haar boodschappenkar verder langs het schap, liep aan het eind van het gangpad de hoek om en was verdwenen.

Twintig minuten nadat ze hem had gebeld was Nolan in het appartement van Tara gearriveerd. Nu zat Tara in haar gemakkelijke stoel met haar tweede glas wijn. De kamer was bijna donker, alleen het licht in de keuken brandde. Nolan zat, gespannen luisterend, met zijn ellebogen op zijn knieën en een glas whisky in de hand op de bank. 'Dat meen je niet. Dat moet binnen een week nadat ik ben vertrokken zijn gebeurd.'

'Wist je er helemaal niets van?'

'Niets. Waarom had ik er iets van moeten weten?'

'Doe niet zo defensief, Ron. Ik vraag het alleen maar omdat jij daar ook was.'

'Nee, sorry, maar dat klopt niet. Het moet gebeurd zijn nadat ik ben vertrokken. Evan probeerde de laatste paar weken toen ik er nog was met zijn eenheid weg te komen van het vliegveld. Hij wilde zich weer bij zijn reguliere eenheid aansluiten. Dat is gelukt, neem ik aan. Als hij nog bij ons was geweest, had Jack Allstrong me er beslist iets over verteld.' Hij leunde naar achteren tegen de kussens en sloeg zijn benen over elkaar. 'En zijn moeder vertelde dat hij nu in het Walter Reed ligt?'

'Al een paar maanden.'

'Jezus,' zei hij, 'dat is ongelofelijk.' Nolans houding mocht dan ontspannen zijn, zo voelde hij zich allerminst. Hij was er altijd van uitgegaan dat Evan dood was, of op z'n best voorgoed een kasplantje. Na die laatste granaatinslag in Masbah had Onofrio erop gestaan dat ze Evan de Humvee in droegen. Nolan had een snelle blik op Evans hoofdwond geworpen en vastgesteld dat het er niet uitzag als het soort letsel waarvan iemand nog kon herstellen. Dus had hij Onofrio zijn zin gegeven.

Nu tikte Nolan met zijn vingertoppen op de armleuning van de bank. 'Maar volgens zijn moeder denken ze dat hij zal herstellen?'

'Volledig, al kan dat nog wel even duren.'

'Nou, dat is tenminste goed nieuws. En ze zei dat al zijn mannen gesneuveld waren?'

'Allemaal op één na, volgens Eileen. Plus Evan.'

Nolan streek met zijn handpalm langs de zijkant van zijn gezicht. 'Jezus, al die jongens. Dat waren prima gasten, ik kan het gewoon niet geloven... Ik bedoel, ze hadden daar helemaal niets te zoeken. Het was de bedoeling dat ze aan die grote vrachtwagens gingen sleutelen.' Hij keek haar aan en het viel hem op hoe beeldschoon en kwetsbaar ze er vanavond uitzag in de vrijwel onverlichte kamer. 'Wat betekent dit voor jou, Tara? Wil je hem gaan opzoeken?'

'Nee!' Ze spuwde het woord bijna uit. Toen zweeg ze even en zei: 'Ik weet niet wat voor zin dat zou hebben. Ik had dit niet verwacht, dat is alles. Misschien had ik hem wel... Nou ja, gewoon... Als het iemand is die je kent, van wie je hebt gehouden...' Ze zuchtte vermoeid. 'Ik weet niet wat ik ermee moet. Ik wil graag dat het goed met hem gaat, maar toen Eileen me vroeg of ik weer contact met hem wilde kon ik daar geen ja op zeggen. Al denk ik soms wel eens...'

'Wat?'

'Nee, het zou niet goed zijn als ik het zeg. Voor ons, bedoel ik.'

'Ik kan er heus wel tegen.'

'Dat weet ik, Ron. Jij kunt overal tegen. Maar soms is het beter niet alles te zeggen. Soms zijn er dingen die je gewoon zelf moet verwerken.'

Hij nipte van zijn drankje. 'Soms denk je dat je hem zou willen opzoeken, of met hem zou willen praten, als wij niets met elkaar hadden. Is dat het? Want als dat zo is zal ik je niet in de weg staan. Echt niet, Tara.' Hij boog zich naar voren. 'Maar laat me je dit vragen: dacht je vaak aan hem voordat je zijn moeder tegenkwam en hoorde dat hij gewond was?'

'Niet vaak, nee. Soms.'

'Dus misschien – het is maar een idee –, misschien heb je last van een schuldgevoel. Misschien denk je op een bepaalde manier wel dat je zijn toestemming nodig hebt.'

'Waarvoor?'

'Om de draad op te pakken. Om verder te gaan met je leven.'

Ze zat op de rand van haar ruime fauteuil en beet op haar lip, het vergeten wijnglas in beide handen, tussen haar knieën. Ten slotte schudde ze langzaam haar hoofd. 'Nee,' zei ze, 'ik geloof niet dat het dat is.'

'Oké,' zei Nolan. Ik heb het wel eens eerder bij het verkeerde eind gehad. Twee keer, geloof ik. Hij grinnikte in een poging de spanning te breken. Het lukte niet. 'Wat is jouw theorie?'

'Het is niet echt een theorie, maar meer een verandering van de feiten zoals ik ze dacht te kennen. Ik dacht dat hij was gestopt met schrijven omdat hij niet meer van me hield.'

'Misschien is hij gestopt met schrijven omdat je hem niet terugschreef.'

'Oké, misschien voor een deel ook daarom. Maar zo zat hij volgens mij niet echt in elkaar. Hij kan heel koppig zijn. Ik bedoel, hij heeft me al tien brieven geschreven en ik heb er niet één van beantwoord, dus waarom zou hij dan na de tiende ophouden? Ik geloof dat hij door was gegaan totdat ik hem had gevraagd ermee op te houden. Maar hij is gewond geraakt en hij kón me dus helemaal niet meer schrijven.'

'Dus je denkt dat hij nog steeds om je geeft?'

'Misschien wel.'

'En zou dat verschil maken?'

Ze blies de adem uit die ze had ingehouden. 'Ik was gewend aan het idee dat het voorbij was, dat is alles. Dat we er allebei een punt achter hadden gezet. Dat hij er vrede mee had. Dat maakte het gemakkelijker voor me.'

'Om iets met mij te beginnen, bedoel je.'

Ze knikte. 'Dat is de echte reden waarom ik hem uiteindelijk niet heb teruggeschreven. Dat weet je.'

'Ja, dat weet ik.' Hij leunde naar achteren, ademde langzaam uit en nam een slok. 'Heb je er spijt van? Van ons, bedoel ik?'

Tara schudde langzaam haar hoofd. 'Ik weet het niet, Ron. Ik weet het gewoon niet. Je bent een prima kerel en we hebben een mooie tijd gehad samen...'

'Maar?'

Ze sloeg haar ogen op en keek hem aan, met een uitdrukking van spijt en besluiteloosheid. 'Maar ik geloof dat ik wat tijd nodig heb om alles op een rijtje te zetten.' Haar ogen werden groter. 'God, ik weet niet eens waar die woorden plotseling vandaan kwamen. Ik bedoel niet dat ik je niet meer wil zien. Ik weet niet wat ik bedoel.'

Nolan draaide het ijsklontje in zijn glas rond met zijn wijsvinger. Hij zweeg even. 'Dan doen we het zo,' zei hij ten slotte. 'Jij neemt alle tijd die je nodig hebt en doet alles wat je moet doen. Daar staat tegenover dat ik misschien niet meer beschikbaar ben als je er te lang over doet. Dat is nu eenmaal zo. Ik wil je niet kwijt, maar ik wil je ook niet voor de helft. Dan weet je hoe ik erover denk.'

'Het is altijd duidelijk hoe jij erover denkt. Dat is een van jouw fantastische eigenschappen.'

Hij keek haar aan. 'Ga je hem bellen?'

'Ik weet het niet. Dat zou ik beter niet kunnen doen. Nu nog niet. Zijn moeder liet doorschemeren dat hij nog niet helemaal de oude is. Ik wil hem niet in een toestand zien waarin ik medelijden met hem krijg. Dat zou niet goed zijn.'

'Nee, dat is niet goed. Het is gemakkelijk om medelijden en liefde door elkaar te halen. Maar dat brengt ongeluk.'

'Toch moet ik erachter zien te komen wat hij nog voor me betekent.

Zolang ik dat niet weet heb ik geen rust. En dat zou niet eerlijk zijn tegenover ons.'

'Ik snap het,' zei Nolan. 'Echt waar. Hij dronk zijn glas leeg en stond op. 'Maar zoals ik al zei, Tara: wacht niet te lang. Ik wil graag dat je gelukkig wordt, maar het liefste met mij, dat zeg ik je eerlijk.'

'Dat zou best kunnen gebeuren, Ron, maar nu ben ik gewoon te veel in de war. Ik hoop dat je me daarom niet gaat haten.'

'Ik zou jou nooit kunnen haten, Tara. Als je dit hebt opgelost, kunnen we misschien opnieuw beginnen.'

'Dat zou mooi zijn.'

'Dat hoop ik ook.' Hij glimlachte koel. 'Luister, je hebt mijn nummer. Ik wacht op je telefoontje.' Hij knikte langzaam, zette zijn lege glas voorzichtig op de salontafel, liep naar de voordeur, opende die en verdween in de avond.

10

Evan Scholler was de vijand. Soms nam je zo'n beslissing in een fractie van een seconde en soms ging er een zorgvuldige analyse aan vooraf, maar als je hem eenmaal had genomen, kwam de rest neer op tactiek: de manier waarop je hem uitschakelde. In dit geval was er geen tijd te verliezen. Tara wist niet of ze contact met Evan zou opnemen, maar dat kon in een oogwenk veranderen. Hoewel Tara ertegenaan leek te hikken, zou er een moment komen waarop ze hem wilde zien of spreken. En ieder contact tussen die twee betekende een ramp.

Nolan had tegen Evan gelogen over wat Tara met zijn brief had gedaan; tegen haar had hij gelogen over wat er in Masbah was gebeurd en over tal van andere dingen. Al die leugens zouden uitkomen en dan was hij haar kwijt.

Dat kon hij niet laten gebeuren.

Dus was Evan de vijand.

Nolan verliet Tara's appartement, ging naar huis, stopte een winterjack en wat andere spullen in een tas en arriveerde om tien uur op het vliegveld van Oakland. In de propvolle wachtruimte bij de terminal van JetBlue sprak hij een student aan, die hij uiteindelijk drieduizend euro gaf in ruil voor diens stoel in de verder volgeboekte vroege vlucht naar Washington. Tijdens de vijf uur durende vlucht sliep hij vier uur als een blok.

In Washington was het zwaarbewolkt. Het sneeuwde licht en het vroor ongeveer drie graden. Toen hij uit de taxi stapte die hem van het vliegveld naar de hoofdingang van het Walter Reed Army Medical Center had gereden was het vijf voor halfelf. Hoewel hij in grote lijnen op de hoogte was van de aantallen gewonde militairen die in het centrum werden behandeld, verraste het enorme complex hem toch. Hij had min of meer verwacht dat het domweg een groot gebouw was met een hoop patiënten en artsen. Maar het leek wel een stad op zich.

De hal was afgeladen en deed hem denken aan de enorme entree van het Republikeinse Paleis in Bagdad. Bij het informatiebord bekeek hij een plattegrond van het ziekenhuis en hij zag dat er op een vloeroppervlakte van in totaal zo'n honderddertienduizend vierkante meter bijna zesduizend kamers waren, wat naar hij vermoedde neerkwam op vijftien- tot twintigduizend bedden.

Hij draaide zich om, bekeek de enorme ruimte en vroeg zich af hoe hij hier de weg kon vinden. Er was een grote informatiebalie, maar Nolan was hier om een van de patiënten uit de weg te ruimen. Het leek hem geen goed idee de aandacht op zichzelf te vestigen. Hij bekeek nogmaals de plattegrond, vond een gebouw dat 'Neurologie' heette en besloot daarheen te gaan. Hij haalde een gedrukt exemplaar van de plattegrond uit een bakje en liep het enorme terrein op.

Toen hij zijn bestemming had bereikt, was de sneeuwval zwaarder geworden en eenmaal binnen bleef hij even staan om de dikke vlokken van zijn jack te schudden en van zijn schoenen te stampen. De receptie in dit gebouw was beduidend minder groot als die bij de hoofdingang, maar het was er allesbehalve verlaten.

Het verbaasde hem dat er langs een van de muren vier brancards stonden met patiënten die waren aangesloten op infusen en ingepakt waren in groene lakens. De rij voor de OK? Of wachtten ze op een kamer? Hij wist het niet en was niet van plan het te vragen, maar het leek hem verschrikkelijk verkeerd. Deze jongens waren ongetwijfeld gewond geraakt tijdens het vervullen van hun nationale plicht. Het minste wat het leger kon doen, was zorgen dat ze een behoorlijke kamer hadden.

Maar hij was hier niet om kritiek te leveren op de omstandigheden in het Walter Reed. Er waren in het leger zoals hij dat kende zoveel zaken grondig mis dat hij was opgehouden erover na te denken. Bovendien was hij vanaf het moment dat hij Tara's appartement had verlaten gedreven door een combinatie van adrenaline en onderdrukte woede, en deze bijzondere missie eiste zijn onmiddellijke aandacht.

Terwijl overal om hem heen mensen zich doelbewust naar hun bestemming leken te begeven, ervoer Nolan een zeldzaam moment van besluiteloosheid. Waarom zou Scholler eigenlijk op deze afdeling liggen? Op de voordeur van het gebouw was aangegeven dat het om de neurochirurgische afdeling ging, maar Evan was al maanden geleden geopereerd. Nu lag hij waarschijnlijk elders in een van de vijftienduizend bedden op een verpleeg- of revalidatieafdeling om te herstellen.

Hoe kon Nolan Evan in 's hemelsnaam vinden zonder de weg te vragen en zonder de aandacht op zichzelf te vestigen? En als hij hem al had gevonden, hoe kon hij hem dan uit de weg ruimen, vooral als hij in een kamer lag met nog andere patiënten, wat gezien de brancards die langs de muur waren geparkeerd nogal waarschijnlijk was?

Natuurlijk kon hij ze allemaal elimineren. In iedere oorlog vielen onschuldige slachtoffers, dat moest je altijd incalculeren. Maar dit was niet Irak, waar hij domweg kon verdwijnen zonder een spoor achter te laten. Hier wemelde het van de potentiële getuigen aan wie hij zou moeten vragen waar Evan lag. En misschien zou hij alleen maar onder begeleiding van een arts, een verpleegkundige of een andere ziekenhuismedewerker bij de patiënt worden toegelaten.

Bovendien – en dat was misschien nog wel het belangrijkste verschil: luitenant Evan Scholler was niet zomaar een of andere onbeduidende winkeleigenaar in Bagdad. Als hij hier in het Walter Reed slachtoffer van een moord zou worden, zou ieder aspect van Evans leven onder de microscoop worden gelegd, inclusief het incident in Masbah, dat tot op heden voor hem geen enkele repercussie had gehad. De autoriteiten zouden met Tara willen praten en daarmee zouden ze onvermijdelijk bij hem terechtkomen.

Het was een onmogelijke missie, dat was duidelijk.

Shit, dacht Nolan. Maar hoe dan ook, die gast gaat eraan.

Een jonge vrouw in een gesteven bruin uniform keek hem glimlachend aan. 'Sorry, maar je ziet eruit alsof je verdwaald bent. Kan ik je misschien helpen?'

Nolan ontspande zich en glimlachte. 'Ik ben op zoek naar een vriend van me die hier ergens moet liggen, maar ik kan hem niet vinden.'

'Je bent niet de eerste wie dat overkomt,' zei ze. 'Ik heb een logboek bij de balie met gegevens die redelijk kloppen. Loop maar even mee als je wilt.'

Hij liep met haar mee. 'Alleen maar "redelijk"?'

Ze knikte en keek hem veelbetekenend aan. 'Ik weet wat je bedoelt, maar het is hier de laatste tijd zo krankzinnig druk dat de computer het niet kan bijbenen.'

'Domme computer,' zei Nolan.

'Ik weet het. Maar we doen ons best. Als hij niet op de afdeling blijkt te zijn waar hij volgens de computer moet liggen, weten ze daar in ieder geval waar hij naartoe is gegaan.'

'Dat zou goed nieuws zijn.'

'Ik kan het je niet kwalijk nemen dat je een beetje sarcastisch reageert,' zei ze, 'maar goed nieuws is een zeldzaamheid hier, kan ik je verzekeren.'

Je kunt er maar beter blij mee zijn.' Toen ze bij de balie waren aangekomen vroeg ze: 'Hoe heet die vriend van je?'

'Smith,' zei Nolan. 'Zijn eerste voorletter is J. We noemden hem altijd "J", maar het kan best zijn dat hij eigenlijk Jim of John heette.' Hij keek haar aan met een verontschuldigende blik en voegde eraan toe: 'Sorry, dat is iets van mannen onder elkaar.'

Evan Scholler staarde naar de neerdwarrelende sneeuwvlokken.

Misschien had hij geslapen of had hij het gewoon niet opgemerkt, maar iemand had wat kerstversiering op de muur aangebracht. Hij zag een kerstboom en van die beesten die de slee van de Kerstman trokken; hij kon zich niet meer herinneren hoe ze heetten, maar hij was er zeker van dat hij er ooit wel weer op zou komen. En dan was er Frosty de Sneeuwman; hij herinnerde zich Frosty en dat liedje over hem, dat werd gezongen door die zanger met die grote neus. Aan de deur hadden ze zo'n rond ding gehangen van versierde dennentakken.

Hij werd er gestoord van. Hij kende die dingen. Hij kon er alleen heel vaak niet op komen hoe ze heetten.

Wat hij zich wél herinnerde was dat dit zijn derde kamer was sinds hij in het Walter Reed was opgenomen. De eerste tien dagen had hij op de intensive care gelegen. Het grootste deel van de tijd daar was hij bewusteloos geweest en de enige herinnering die hij aan die dagen had, was dat hij niet kon geloven dat hij niet meer in Bagdad was. Het leek hem onmogelijk dat hij vanuit zijn gehurkte positie naast de Humvee rechtstreeks naar de IC hier kon zijn vervoerd.

Zo was het natuurlijk ook niet gegaan. Stephan Ray, zijn logopedist, had van zijn lichamelijke en mentale reis een soort geheugenspel gemaakt dat hij als onderdeel van zijn therapie had leren onthouden. Na wat er in Masbah was gebeurd, hadden ze hem eerst naar een veldhospitaal in Balad gebracht, waar ze een stukje van zijn schedel hadden weggenomen. De operatie, die de bedoeling had de zwelling in zijn hersenpan ruimte te geven, heette een craniectomie; het onthouden van dat woord was het eerste en belangrijkste succes in Evans genezingsproces. Toen hij het, de dag nadat hij het had geleerd, vlekkeloos kon herhalen, had Stephan zijn vuist in de lucht gestoken en voorspeld dat hij zou genezen.

In Balad hadden de artsen iets geweldigs gedaan. Het stukje dat ze uit zijn schedel hadden gehaald, hadden ze in een soort zakje dat ze daarvoor in zijn buikholte hadden gemaakt geplaatst. Hij kon het voelen – het was iets groter dan een dollar – en ze zouden het over een maand in zijn schedel terugplaatsen, zodra zijn hersens voldoende waren genezen.

Na Balad hadden ze hem naar Landstuhl in Duitsland gevlogen, waar ze na een kort onderzoek hadden besloten dat hij naar het Walter Reed moest.

Zijn tweede kamer hier bevond zich op afdeling 58, de afdeling Neurologie. Zijn ouders hadden hem verteld dat de artsen hem de eerste paar dagen daar aan zijn lot hadden overgelaten, omdat het leger eerst moest beslissen of hij wel voor behandeling in aanmerking kwam. Dat begreep hij niet, maar uiteindelijk was dat opgelost, en hij had aan zijn verblijf hier alleen maar goede herinneringen omdat dit de plek was waar hij Stephan had ontmoet. Evan had slechts een vaag besef van de reden waarom hij hier was en wat er met hem was gebeurd. Zijn therapeut was degene die het hem uitlegde en die hem hielp als het hem te verwarrend begon te worden.

De eerste dagen hadden ze spelletjes gedaan, gewerkt met kaarten met afbeeldingen, puzzels een eenvoudige rekenoefeningen. Stephan noch zijn artsen leken precies te begrijpen waarom, maar Evan herstelde ongebruikelijk snel, veel sneller dan de andere militairen die hier met ernstige hoofdwonden waren opgenomen. Nadat hij ongeveer een week op afdeling 58 had gelegen hadden ze hem opnieuw verplaatst, naar de kamer waar hij nu lag, vier verdiepingen boven de pediatrische IC.

Er lagen negentien mannen met de naam J. Smith in het Walter Reed, maar slechts één met een traumatische hoofdwond. De vriendelijke verpleegster-receptioniste van de afdeling Neurochirurgie had op de monitor achter de balie gekeken en Nolan verteld dat zijn vriend volgens de computer op afdeling 58 lag, de afdeling waar de neurochirurgische patiënten na hun operatie de eerste tijd kwamen te liggen. Ze voegde eraan toe dat hij waarschijnlijk geen bezoek mocht ontvangen als hij daar nog ter observatie lag.

'Dat kan niet kloppen,' zei Nolan. 'Ik weet zeker dat zijn vader en moeder hem al hebben bezocht.' Hij toonde zijn vriendelijkste glimlach. 'Zou de computer zich misschien opnieuw kunnen vergissen?'

'Het spijt me,' zei ze. 'Ik zei je al dat je hier soms een beetje geduld nodig hebt.'

Hij bleef ontspannen glimlachen. 'Ik heb absoluut geen haast. Weet je misschien waar patiënten met een hoofdwond na die afdeling 58 naartoe gaan als ze wat opknappen?'

Ze tuitte gefrustreerd haar lippen. 'Dat zou ik niet weten. Maar wacht even.' Ze pakte de telefoon, keek even op de monitor en toetste een nummer in. 'Hoi, met Iris Simms van de receptie Neurochirurgie. Ik heb hier een bezoeker die een van jullie patiënten wil bezoeken, Jarrod Smith. Volgens de computer moet hij nog bij jullie liggen, maar deze meneer denkt dat hij al naar een verpleegafdeling is verplaatst. Als dat zo is, waar hebben ze hem dan naartoe gebracht?'

Ze bedekte het mondstuk van de telefoon en vertelde Nolan: 'Er is veel overloop, maar ze zeggen dat je het beste kunt gaan kijken op de verdiepingen boven de pediatrische IC, maar wacht even...'

Ze stak een vinger in de lucht en luisterde. 'O, ja? Ik snap het. Maar hij zegt dat zijn ouders al op bezoek zijn geweest.' Ze wachtte op het antwoord. 'Oké, dank je wel. Ik zal het doorgeven.'

Ze hing op en schudde nogmaals gefrustreerd haar hoofd, waarna ze Nolan weer aankeek. 'Ik ben bang dat Jarrod nog op afdeling 58 ligt. Hij schijnt nog niet zo helder te zijn. En er mag daar alleen maar familie op bezoek komen. Sorry.'

'Dat geeft niks,' zei Nolan. 'Je hebt in ieder geval je best gedaan. De volgende keer zal ik eerst bellen voor ik langskom. Bedankt voor al je hulp.'

'Geen probleem,' antwoordde ze. 'Graag gedaan.'

Evan mocht dan sneller herstellen dan de meeste andere patiënten, naar zijn eigen gevoel ging het allemaal nog tergend langzaam. Die ochtend had hij geprobeerd al zijn kaarten door te nemen – hij had er inmiddels zeshonderd in een schoenendoos naast zijn bed –, maar toen hij in de buurt van nummer tweehonderd was gekomen, kreeg hij het gevoel alsof zijn hoofd op het punt stond te exploderen en had hij besloten zijn ogen even te sluiten en een minuutje rust te nemen.

Ruim twee uur later was hij weer wakker geworden. Zijn drie kamergenoten waren weg, naar hun revalidatieprogramma of voor een andere therapie. Buiten viel dikke sneeuw. Het maakte hem somber. En toen hij dacht aan zijn mislukte poging eerder die ochtend alle kaarten goed te raden, werd hij even overmand door een gevoel van machteloze wanhoop. Wat ze hier ook beweerden, hij zou nooit meer de oude worden. Ook nadat ze zijn schedel hadden hersteld, zouden de mensen de deuk in zijn hoofd kunnen zien. Hij zou nooit meer normaal kunnen praten. Hij zou nooit meer een relatie kunnen hebben met iemand zoals Tara. Het was beter geweest als die granaatscherven iets dieper in zijn hersenen waren gedrongen en er een einde aan hadden gemaakt. Dan was hij nu tenminste dood, net als zijn kameraden.

Zoveel doden. Zoveel verwoeste levens. Prima kerels. En hij was hun commandant geweest. Hij was verantwoordelijk voor hun dood.

Hij ging rechtop in zijn bed zitten en sloot zijn ogen tegen de opkomende en onwelkome tranen. Hij bracht beide handen naar zijn gezicht en drukte ze tegen zijn oogleden, zichzelf dwingend ermee op te houden. Plotseling, zoals al vaker was gebeurd, veranderden de somberheid en wanhoop plotseling in woede. Hij ging godverdomme niet janken. Maar waarom was dit hem overkomen? Waarom mocht hij hier niet uit? Waarom hadden ze die stomme oorlog eigenlijk bedacht? Wat maakte het uit of hij al zijn kaarten kon onthouden? Hij draaide zijn hoofd opzij, van plan de doos van het bed af te slaan. Maar toen hij de muur zag, trok de nieuwe versiering opnieuw zijn aandacht. De Kerstman en...

Rendieren!

Die vliegende beesten die de slee trokken waren rendieren. Zó heetten ze.

Hij begon te lachen. Het begon als een zacht gegrinnik, maar zwol snel aan tot een lachbui die hij niet meer onder controle had, een aanval die hem wild deed schokken, totdat hij nauwelijks meer adem kreeg. Wanhopig probeerde hij lucht te krijgen en toen hij zijn schouders eindelijk wat kon ontspannen huilde hij opnieuw, echt ditmaal. Uitgeput liet hij alle frustratie los die hij zo lang had binnengehouden. Hij viel achterover in de kussens en liet zijn tranen de vrije loop.

Stephan bette zijn gezicht met een warme handdoek. 'Wat is er gebeurd?'

'Niets. Hoe bedoel je?'

'Je gezicht is helemaal nat. Gaat het wel?'

'Ik was gefrustreerd. Toen kwamen de rendieren.'

'Oké.' Stephan, die misschien meer gewend was aan absurde dialogen dan de meeste mensen, knikte alsof hij volkomen begreep wat Evan hem zojuist had verteld. 'Maar voel je je nu weer wat beter?'

'Prima.'

'Weet je het zeker?'

'Absoluut.'

'Want ik heb over tien minuten een stafoverleg, maar als jij me nodig hebt, zeg ik dat af. Ook als je alleen maar even wilt praten.'

'Nee echt, Stephan, ik voel me goed. Niets aan de hand.'

Nolan bedacht dat dit maar weer eens bewees dat het nooit veel zin had na te denken over wat er allemaal fout kon gaan. Je moest gewoon doorzetten, recht op je doel af gaan en eventuele twijfels van je af schudden.

Niet dat het een enorme chaos was in het Walter Reed, maar het ziekenhuis was duidelijk onderbemand en overbezet. Waarschijnlijk had iemand hem volgens de regels om zijn legitimatie moeten vragen – daarop had hij bijna gehoopt, omdat hij een Canadees paspoort in zijn zak had dat hem identificeerde als Trevor Lennon –, maar dat was niet gebeurd. Afgezien hiervan was er op veel plekken in het overvolle ziekenhuis, zoals op de verdiepingen boven de pediatrische IC, geen videobewaking.

Hij was onzichtbaar.

Haast maken was niet noodzakelijk. Dit gebouw had zes verdiepingen en hij had de tweede en de derde al doorzocht. Hij liep met vastberaden tred door de gangen, alsof hij precies wist waar hij heen ging. Hij keek in iedere kamer om te zien of Evan er lag. Hij knikte naar de patiënten die in de gangen op hun brancards lagen of met krukken heen en weer schuifelden en zei iedereen die eruitzag als arts, verpleegkundige of stafmedewerker vriendelijk gedag. Hij had zelfs een naam – Jarrod Smith – voor het geval iemand hem zou vragen wie hij wilde opzoeken, al geloofde hij niet dat iemand dat nog zou doen.

Toen hij naar binnen keek in de derde kamer op de vierde verdieping zag hij Evan bij het raam in zijn bed liggen. De drie andere bedden waren leeg. Hij liep de kamer binnen en sloot de deur. Hij nam de ruimte zorgvuldig in zich op en bedacht ter plekke dat door het raam de beste manier was om het te doen.

Een gedeprimeerde patiënt met hersenletsel. Duidelijk een geval van zelfmoord.

'Gabber!'

Om de een of andere reden kreeg Evan de neiging in lachen uit te barsten. Stephan noemde het een onwillekeurige lachstuip, een normaal verschijnsel bij dit soort hersenletsel. Evan slaagde er dit keer in de neiging te onderdrukken. 'Ik ken jou,' zei hij na enige tijd.

'Natuurlijk ken je mij. Ik ben Ron Nolan.'

Evan knikte. 'Dat is waar ook. Ron. Hoe gaat het, Ron?'

'Met mij gaat het goed. Maar de vraag is: hoe gaat het met jou?'

'Ze vertellen me hier dat ik wonderbaarlijk goed vooruitga, maar daar merk ik zelf niet zoveel van. Wat doe jij hier?'

'Ik was in de stad en ik had gehoord dat je hier lag. Dus wilde ik je even gedag komen zeggen.'

'Welke stad?' vroeg Evan.

'Washington. Of in ieder geval vlak bij Washington. Vertellen ze je hier niet waar je bent?'

'Ja, waarschijnlijk wel.' Hij glimlachte. 'Ik kan me nog niet alles goed herinneren.'

'Nou,' zei Nolan, 'wacht dan maar even.' Hij liep om het bed heen naar het raam, keek naar buiten en schoof plotseling de onderste helft van het dubbele raam naar boven en stak zijn hoofd naar buiten. Toen hij zijn bovenlichaam had teruggetrokken, vroeg hij: 'Kun je je bed uit komen?'

'Ja, maar het gaat niet zo snel.'

'Nou, kom dan maar even kijken. De volgende keer als je niet meer weet waar je bent, dan kijk je gewoon even uit het raam. Buiten kun je het logo van het Walter Reed zien aan de...'

'Wat is een logo?' Evan had zijn dekens opzijgeschoven en zat op de rand van het bed. 'Ik zei het al,' legde hij uit, 'sommige woorden...'

Nolan stak zijn hand op, kennelijk om aan te geven dat het er niet toe deed. 'Kom maar hier, als je het ziet, dan kom je er vanzelf weer op.' Hij pakte Evans pols en trok hem voorzichtig van het bed overeind en liep toen achteruit, weg van het raam, om Evan naar buiten te laten kijken.

Drie stappen en dan...

Nolan legde een hand tegen Evans onderrug en duwde hem voorzichtig in de richting van het raam.

Twee stappen.

'Waarom staat dat raam open?' riep Stephan Ray vanuit de deuropening. 'Straks vat je kou en de rest van de patiënten hier trouwens ook.' Hij wees naar Nolan en vroeg: 'En wie is dit in 's hemelsnaam?'

Nolan herstelde zich onmiddellijk. Toen hij zich had omgedraaid, was de glimlach weer terug op zijn gezicht. 'Ron Nolan,' zei hij. 'Ik was samen met Evan in Irak.'

'Hij was met mij in Irak,' herhaalde Evan.

'Dat is fijn om te weten, maar laten we eerst dat raam eens even dichtdoen. En Evan, je moet echt nog niet te veel gaan lopen zonder looprek, oké? Hij vervolgde op rustiger toon en richtte zich nu tot hen beiden. 'Vallen kan op dit moment nog lelijke gevolgen hebben.'

'Ja, dat snap ik,' zei Nolan. 'Sorry, het was mijn schuld.'

De deur naar de gang stond nog open en er kwam er een andere patiënt binnen met zijn therapeut. De patiënt werd het bed in geholpen.

De kans was verkeken.

Plan B was een stuk minder bevredigend, effectief en definitief. Misschien zou het helemaal niet helpen, maar in ieder geval gaf het Nolan wat meer tijd. En het zou de kloof tussen Evan en Tara vergroten. Nu de getuigen aan de andere kant van de kamer nog bezig waren met hun therapie was het de enig overgebleven mogelijkheid. Bovendien had Nolan bekend moeten maken wie hij werkelijk was. 'Je verpleegkundige was een beetje boos, geloof ik,' zei hij, nadat Stephan was vertrokken.

'Hij is geen verpleegkundige. Hij is een...' Het woord 'therapeut' wilde hem niet te binnen schieten. Evan bestudeerde het plafond, maar ook daar kon hij het antwoord niet vinden. Dus hij hernam zich en vervolgde: 'Hij... Hij helpt me. En soms raak ik van streek. Dat hoort erbij.'

'Waarbij?'

'Hersenletsel. Dat is wat ik heb. Of had. Ze vertellen me hier dat ik beter word. Maar ik weet niet of ik ze moet geloven.' Evan pakte zijn laken en veegde er wat zweetdruppels mee van zijn voorhoofd. Niet dat hij het zo warm had in bed, maar de aanwezigheid van Nolan maakte hem zenuwachtig. 'Waarom ben je hier nou écht, Ron?'

'Wat ik al zei: ik moest in Washington zijn en het leek me een goed idee even langs te gaan om te kijken of ze goed voor je zorgen.'

'Ze zorgen prima voor me.' De sneeuw buiten leidde hem even af, waarna hij zich weer tot Nolan richtte. 'En je komt niet net terug uit Bagdad?'

'Nee. Ik ben een week na jou vertrokken.'

'Waarom? Ben je gewond geraakt?'

Er ging een zenuwtrek door Nolans wang. 'Nee, Onofrio en ik hebben je in de Humvee gelegd en daarna zijn we er als een speer vandoor gegaan. We hebben geluk gehad.'

'Jij hebt me daar weggehaald?'

'Ja.'

'Dat kan ik me helemaal niet meer herinneren.'

'Dat verbaast me niets. Ik dacht niet dat je het zou overleven. Niemand verwachtte dat.'

'Dan zou ik je moeten bedanken.'

Nolan haalde zijn schouders op. 'Ik deed niet meer dan mijn plicht. We konden je daar moeilijk achterlaten.'

'En de andere jongens? Wat is er met hen gebeurd?'

Nolan zuchtte. 'Die zijn allemaal gesneuveld, Evan.'

'Ja, dat weet ik. Maar wat is er met hen gebeurd? Met hun lichamen, bedoel ik? Als we ze niet weg hebben kunnen krijgen? Daar wil niemand me iets over vertellen.'

'Dat wil je niet weten, jongen. Echt niet.' Hij zweeg even. 'En dat zegt genoeg, neem ik aan.'

Evan wendde zich af, wierp opnieuw een blik op de sneeuw buiten en keek Nolan vervolgens strak aan. 'Maar waarom ben je dan weggegaan? Als je niet gewond was?'

'Vanwege politieke toestanden. Ze wilden me iets in de schoenen schuiven. Ze wilden me overdragen aan de CPA, of aan de plaatselijke autoriteiten. In beide gevallen had ik het kunnen schudden. Dus ben ik daar voorlopig even weg. Totdat het allemaal is overgewaaid of bedekt door alle andere shit die er iedere dag opnieuw gebeurt.'

'Wat bedoel je precies? Waar beschuldigen ze je van?'

'Er zijn een paar leugenachtige getuigen in Masbah die zeggen dat ik te snel heb geschoten. Dat de auto die we hebben uitgeschakeld al was gestopt. Dat is onzin, want zelfs nadat ik de voorruit eruit had geschoten reden ze nog door, totdat ze tegen ons aan botsten. Maar ze willen me er gewoon de schuld van geven. Dus ik zag het niet erg zitten in Irak te blijven hangen.'

Evan concentreerde zich op Nolans woorden en de heftige momenten van voor de aanval kwamen plotseling in alle hevigheid bij hem terug. Er waren geen leugenachtige getuigen in Irak; dat waren mensen die hadden gezien wat er was gebeurd en die de waarheid spraken. En de waarheid was dat deze schietgrage klootzak verantwoordelijk was voor alles wat er in Masbah was gebeurd. Hij was verantwoordelijk voor de dood van Evans mannen en voor Evans huidige toestand.

Nolan, die geen idee had dat Evans geheugen het wat dit onderwerp betreft niet liet afweten, vervolgde: 'Hoe dan ook, ik ben hier voor de kerst en om Jack Allstrong te helpen met de verdere uitbouw van zijn bedrijf. Je wilt niet weten hoeveel militairen zoals ik weer in Irak willen werken voor een private onderneming. Die markt daar groeit als kool en wij hebben de eerste keus.'

Evan voelde het bloed in zijn hoofd kloppen. Aan de rand van zijn gezichtsveld verschenen dansende lichtstipjes. De pijn dwong hem zijn ogen te sluiten. Hij bracht zijn handen naar zijn ogen.

'Maar eerlijk gezegd,' vervolgde Nolan, wiens stem plotseling een vertrouwelijker toon kreeg, 'ben ik eigenlijk hier gekomen om met je te praten over Tara.'

Evan opende zijn ogen. Het bonzen in zijn hoofd balde zich samen tot een kleine, pulserende, stille knikker. Hij bracht zijn handen langzaam omlaag om zijn innerlijke woede te verbergen en produceerde met moeite een verbaasde gezichtsuitdrukking. 'Tara? Wat is er met haar? Maakt ze het goed?'

'Ze maakt het goed. Prima zelfs.' Nolan schraapte zijn keel. 'Maar waar het om gaat, de voornaamste reden dat ik je wilde spreken, en omdat ik vond dat ik het aan je verplicht was om je persoonlijk te vertellen...'

'Wat?'

'Het punt is dat we iets met elkaar hebben, Tara en ik. We gaan met elkaar. Ik vond dat je dat moest weten.'

Evan voelde dat zijn handen zich onder de dekens tot vuisten balden, maar hij vond niet meteen de juiste woorden. Maar na een ogenblik reageerde hij met: 'Goed. Dat weet ik dan nu.'

'Ik neem het je niet kwalijk als je boos bent,' zei Nolan.

Evans neusvleugels trilden en hij ademde onregelmatig uit. Maar hij antwoordde: 'Ik ben niet boos. Het gaat me niet aan. We zijn al uit elkaar.'

'Ja, dat weet ik wel, maar ik heb haar ontmoet omdat ik haar iets van jou moest doorgeven. Dat maakt het misschien een beetje verdacht. En dat je nu gewond bent maakt het nog erger.'

'En wat dan nog? Wil je soms horen dat ik het je vergeef? Dan heb je de verkeerde voor je, "gabber".'

'Volgens mij niet. En ik voel me niet schuldig. Ik wilde je alleen maar vertellen hoe het is gebeurd, zodat je weet dat het niet mijn initiatief was. Ik ben er niet mee begonnen.'

'Hoe het is begonnen interesseert me niet.'

'Nee, dat geloof ik niet. Je wilt het vast wel weten. Het is gebeurd toen ik naar haar toe was gegaan om haar te vertellen dat je gewond was geraakt.'

'Heb je dat gedaan? Waarom?'

'Ik vond dat ik dat jullie allebei verschuldigd was.' Nolan tilde zijn rechterhand op. 'Ik zweer het: ik ben haar gaan opzoeken als een strijdmakker van je. Ik heb haar het hele verhaal verteld – dat je nog over haar had gesproken die avond voordat we werden aangevallen, dat je wist dat ze je laatste brief had verscheurd en dat je nog steeds wilde proberen het weer goed te maken.'

Behalve het feit dat Tara en Ron iets met elkaar hadden, werd Evan nu geconfronteerd met iets nog veel belangrijkers, en hij wilde er zeker van zijn dat hij het goed had begrepen. 'Dus jij wilt zeggen dat ze wist dat ik gewond was geraakt voordat ik hier in het Walter Reed ben beland?'

Nolan knikte. 'Hoogstens een week nadat het is gebeurd. Het enige wat ze zei was dat ze er altijd rekening mee had gehouden dat dit zou gebeuren als je naar Irak ging. Toen je erheen ging was ze klaar met je. Daarom heeft ze ook nooit geschreven. Daarom heeft ze hier ook nooit meer contact met je opgenomen. Het was voorbij, man. Toen ze wist dat ik naar Washington ging, heb ik haar verteld dat ik je ging opzoeken om in ieder geval te proberen je mijn kant van het verhaal duidelijk te maken...'

'Je hoeft me niets duidelijk te maken. Wie zou haar niet willen hebben? Denk je dat ik je dat kwalijk neem? Ik kende je niet eens voordat ik naar Irak kwam. Je bent me helemaal niets verschuldigd, Ron. Goed, jij hebt haar nu. Ik wens je veel geluk. Ik meen het. Maar hoepel nou alsjeblieft op, oké? Sodemieter op!'

'Ik ga al,' zei Nolan. 'Maar er is nog één ding. Ik heb haar gevraagd of er nog iets was wat ze je wilde zeggen. Dat moet je echt horen. Weet je wat ze zei?'

'Geen idee.'

'Ze zei letterlijk: "Ik vind het jammer dat hij gewond is en ik hoop dat het goed met hem gaat. Maar ik heb hem niets meer te zeggen. Hij heeft er zelf voor gekozen. Het is eigen schuld, dikke bult."'

Het duurde drie dagen voordat Tara voldoende moed bijeen had geraapt om Evan te bellen. Hoewel ze nog steeds niet wist wat ze precies moest zeggen, had ze vooraf al wat punten opgeschreven, zodat ze niets belangrijks zou vergeten. Ze wist niet dat hij gewond was geraakt. Ze miste hem. Maar vooral – dat had ze wel vijf keer opgeschreven – wilde ze zeggen dat het haar speet. Ze wilde hem vertellen dat ze vastbesloten was te proberen weer echt contact met hem te krijgen zodra ze had gehoord wat er met hem was gebeurd. Ze hoopte dat hij het haar kon vergeven dat ze hem zo slecht had behandeld, dat ze zijn brieven niet had beantwoord. Dat was fout van haar geweest en ze had er spijt van. Vreselijk, vreselijk veel spijt. Nu moest ze erachter komen wat hij nog voor haar betekende voordat ze verder kon gaan met haar leven. Ondanks hun verschillen van inzicht hadden ze samen iets zeldzaams en waardevols. Dat wist hij ook. Ze was er zeker van dat ze allebei waren veranderd sinds hij was vertrokken, en misschien zou het niet meer gaan, maar misschien konden ze op z'n minst met elkaar praten om te zien waar dat toe zou leiden.

Nu zat ze in de gemakkelijke stoel in haar woonkamer en hoorde hoe de telefoon aan de andere kant van de lijn overging, bijna vijfduizend kilometer verderop. Haar mond voelde droog aan en haar hart bonsde. Ze realiseerde zich dat ze haar adem inhield, ademde uit en herinnerde zichzelf eraan dat ze daarna weer moest inademen.

'Hallo?'

'Hallo. Evan, ben jij het?'

'Nee, je spreekt met Stephan Ray. Wil je Evan Scholler spreken? Ik ben zijn therapeut.'

'Ja, graag, als hij er is.'

'Een ogenblikje, wie kan ik zeggen dat er aan de lijn is?'

'Tara Wheatley.'

Stephan herhaalde haar naam en vervolgens hoorde ze de stem van Evan. Hij klonk onnatuurlijk scherp en onverbiddelijk. 'Tara Wheatley? Ik wil niet praten met Tara Wheatley. Ik heb haar niets te zeggen.'

Stephan moest zijn hand over de hoorn hebben gelegd, want zijn volgende woorden waren moeilijk te verstaan, maar wat Evan vervolgens zei was desondanks goed hoorbaar. Hij schreeuwde zo hard dat ze het in het Pentagon ook wel gehoord moesten hebben. 'Heb je me niet verstaan? Ik zei dat ik niet met Tara Wheatley wil praten. Duidelijk? Ik heb haar niets te vertellen! Zeg dat ze uit mijn leven verdwijnt en dat ze wegblijft ook! Ik meen het!' Vervolgens hoorde ze dat er een zwaar voorwerp tegen de muur of op de grond werd gesmeten. En gevloek. Evan die krankzinnig was geworden van woede.

Of van alles wat hij had meegemaakt.

In Redwood City staarde Tara naar de hoorn van de telefoon die ze in haar trillende rechterhand hield. Langzaam, alsof ze bang was dat het geweld dat ze er zojuist in had gehoord zou ontsnappen en haar opnieuw zou aanvallen, legde ze hem terug op het toestel.

11

Vijf maanden later, op het politiebureau van Redwood City, zat Evan Scholler op een harde, rechte stoel te wachten bij de ingang van de kamer waar hij werd verwacht. Het kleine hok met ramen van draadglas was het kantoortje van zijn baas, inspecteur James Lochland. Evans dienst had er twintig minuten geleden – om vijf uur – op gezeten. Op de deur van zijn kastje in de kleedruimte beneden had hij een briefje gevonden met het verzoek zich hier te melden. Nu, vanuit zijn stoel, kon hij Lochland achter zijn bureau zien zitten, bezig met het verplaatsen van papieren van een stapel die voor hem lag naar een van de bakjes aan de rechterkant. Toen de stapel was opgeruimd, keek hij op naar Evan en kromde zijn wijsvinger ten teken dat hij binnen kon komen.

Lochland was een jonge veertiger en de meeste van zijn dienders, die net als Evan een stuk jonger waren, vonden hem een geschikte vent. De littekens van de ernstige vorm van acne die zijn voor het overige knappe gezicht ooit moest hebben geteisterd, gaven hem een toegankelijke uitstraling. Zijn bruine haar was naar de gangbare normen bij de politie iets te lang en hij had een snor die ook wel een kleine trimbeurt kon gebruiken. Hij zei dat Evan kon gaan zitten en gebaarde naar de bezoekersstoelen aan de andere kant van zijn bureau. Hij liet zijn handen losjes op het vaalgroene vloeiblad rustten en wachtte totdat zijn bezoeker zat.

'Wat is er, inspecteur? Je wilde me spreken?'

'Ja, daarom heb je dat briefje gekregen. Het leek me een goed idee dat we even een informeel gesprek hebben om een paar zaken in de kiem te smoren voordat ze je in de problemen brengen. Maar voordat we het er in detail over hebben wilde ik je eerst eens vragen hoe het in het algemeen met je gaat.'

'Het gaat tamelijk goed, volgens mij. Maar luister, als er klachten binnengekomen zijn...'

Lochland stak afwerend zijn hand op. 'Als dat zo is zal dat zeker aan de orde komen, dat beloof ik je. Maar zover zijn we nog niet. Wat ik eigen-

144

lijk eerst wilde vragen is hoe het momenteel is met je mentale gesteld-heid. Hoe voelt het om weer terug te zijn hier, bij de politie?'

'Prima. Ik voel me er lekker bij. Ik ben blij dat ik weer terug ben.'

Lochland knikte en keek hem begripvol aan. 'Slaap je?'

Evan zuchtte en probeerde vergeefs te glimlachen. 'De meeste nachten wel. Zo veel mogelijk.'

'Heb je er iets voor nodig?'

'Hoe bedoel je?'

'Heb je wat nodig om te kunnen slapen?'

'Soms neem ik een borrel of twee. Als ik mijn gedachten niet kan stop-zetten.'

'Waar denk je dan aan?'

Evan haalde zijn schouders op.

'Irak?'

Hij zuchtte diep en haalde opnieuw zijn schouders op. 'Het lijkt wel alsof ik het niet van me af kan zetten. De jongens die ik heb verloren. Mijn vriendin. Alles.'

'Praat je er met iemand over?'

'Een therapeut, bedoel je?'

'Wie dan ook.'

'Totdat ik genezen ben verklaard, heb ik gesprekken gehad met een vrouw van het zorgcentrum voor veteranen in Palo Alto.'

'Dat was vlak voordat je hierheen kwam, nietwaar?'

'Negentien april. Niet dat dat een datum is die ik van nu af aan ieder jaar ga vieren of zoiets. Maar inderdaad, een paar weken voordat ik hier begon.'

'En daarna heb je met niemand meer gesproken? Hebben ze je geen adres gegeven waar je naartoe kon toen je daar klaar was?'

Evan snoof. 'Eh... nee. Maar hoor ik tussen de regels door nou dat jij denkt dat ik problemen heb?'

'Ik vraag het je, dat is alles. Misschien is het nog een beetje te vroeg. Misschien heb je nog te veel last van stress.'

'Je bedoelt posttraumatische stress?'

Lochland haalde zijn schouders op. 'Wat voor stress dan ook. Stress die je niet kunt gebruiken als je goed wilt kunnen functioneren bij de poli-tie. Ik wil alleen maar zeggen dat we hier programma's hebben, en men-sen naar we je toe kunnen sturen als je denkt dat je daarmee geholpen bent.'

'Die kant wil ik niet op.'

'Welke kant?'

'PTSS. Als je dat stempel eenmaal hebt, dan ben je voorgoed besmet. Volgens het leger ben ik helemaal hersteld. Zowel lichamelijk als geestelijk. Ik ben een medisch wonder. Maar als een van onze eigen psychologen nu gaat roepen dat ik PTSS heb kan ik het verder wel schudden.'

'Dat zie je niet helemaal goed.'

Evan schudde zijn hoofd. 'Reken maar. Post. Traumatische. Stress. Stoornis. Stóórnis, inspecteur. Dat is een psychiatrisch ziektebeeld. Daar wil ik niet aan. Ik ben gezond. Misschien heb ik alleen wat meer tijd nodig.' Opnieuw zuchtte Evan diep.

'Kijk!' zei Lochland. 'Dat bedoel ik nou.'

'Wat?'

Je zucht alsof je het leed van de hele wereld met je meedraagt, Evan. Elke keer als je je mond opendoet lijkt het wel alsof je eerst een enorm gewicht van je schouders moet halen voordat je wat kunt zeggen.'

Evan zweeg en liet zijn hoofd hangen. 'Dat is precies hoe het voelt.' Hij kon de woorden alleen maar fluisteren. Hij sloeg zijn ogen op en keek de inspecteur aan. 'Wat doe ik dan verkeerd? In mijn werk, bedoel ik.'

Ondanks de militaire richtlijnen die bepaalden dat politiemensen die als reservist of lid van de Nationale Garde dienstdeden in Irak na hun terugkomst weer op hetzelfde niveau en zonder verlies aan dienstjaren moesten worden aangesteld, was Evan na zijn terugkeer bij het politiekorps in dienst genomen als schoolvoorlichter voor het drugspreventieprogramma DARE. In die rol bezocht hij op diverse scholen in de stad leerlingen in de leeftijd van tien tot dertien jaar, om hun te vertellen dat ze zich verstandig moesten gedragen en van de drugs af moesten blijven. Hoewel het formeel geen degradatie was en hij hetzelfde salaris kreeg als toen hij voor het leger werd opgeroepen, was het geen functie voor iemand die al drie jaar politie-ervaring had opgedaan. Maar het was de enige vacature die ze hadden toen hij uit het ziekenhuis was ontslagen en weer aan het werk kon. Dus had hij er ja tegen gezegd.

Nu pakte Lochland een stapeltje formulieren uit het bovenste bakje. Hij trok de paperclip eraf, bladerde er snel doorheen – het waren ongeveer tien velletjes – en legde ze toen allemaal op zijn bureau. 'Ik geloof niet dat we deze stuk voor stuk hoeven te bespreken, Ev. Het komt allemaal ongeveer op hetzelfde neer.'

Evan ging rechter op zitten en drukte zijn rug tegen de stoelleuning. Hij hoefde niet te raden naar de strekking van de klachten. 'Ik kan het gewoon niet uitstaan. Deze kinderen hebben alles, ik bedoel echt álles, inspecteur: iPods, schoenen van tweehonderd dollar, merkkleding; ik kan het niet uitstaan zo verwend als ze zijn. En hoeveel maling ze aan alles hebben. Dat hele drugspreventieprogramma vinden ze een lachertje. En als ik dan denk aan de kinderen die ik in Irak heb gezien, die niets hebben, geen schoenen, geen eten, die bij ons kwamen bedelen om snoep en voedsel...' Hij schudde zijn hoofd, terwijl zijn woede alweer begon te zakken.

Lochland boog zich naar voren, plantte zijn ellebogen op het bureaublad en liet zijn kin op zijn handen rusten. 'Je moet gewoon niet tegen ze gaan schreeuwen, Evan. Je moet voorkomen dat je je zelfbeheersing verliest.'

'Ze luisteren niet! Wat ik zeg kan ze niets schelen. Ze hebben alles wat hun hartje begeert, maar ze geven nergens om!'

'Hoe dan ook...' Lochland schoof de papieren die voor hem op het bureau lagen heen en weer. 'Daar gaat het niet om. Dat schoolproject is binnenkort afgelopen. Maar waar je hierna ook terechtkomt, ik geef je de verzekering dat je dan nog veel meer reden hebt om je op te winden dan met dit stelletje schoolkinderen, zelfs als ze op hun ergst zijn. Ik kan jou niet de straat op sturen als je op scherp staat en elk moment kunt exploderen. Dat past gewoon niet bij dit soort werk.' Hij ging rechtop zitten en zijn stem daalde een octaaf. 'Hoor eens, Evan, we zijn hier allemaal heel trots op je. We vinden het fantastisch wat je hebt gedaan en de manier waarop je bent teruggekomen is geweldig. Je bent onze held. Maar je moet leren jezelf te beheersen. Je moet dit achter je laten.'

'Ja, dat is ook zo. Ik weet het. Het spijt me.'

'Het is mooi dat het je spijt, maar ik dacht meer aan een cursus woedebeheersing, een of ander traject, een professionele therapie. Als er nog meer klachten komen na dit gesprekje wordt dat meer dan een suggestie. En de volgende keer ben ik bang dat er ook iemand van Personeelszaken bij het gesprek aanwezig moet zijn, als je begrijpt wat ik bedoel.'

'Ik begrijp het, inspecteur.'

'Denk je dat je dit kunt oplossen?'

'Ja, inspecteur.'

'Ik denk het ook, Evan. Maar zorg dat je hulp krijgt. En voldoende slaap.'

'Ja, inspecteur, bedankt. Ik zal mijn best doen.'

Evan mocht minstens een jaar geen contactsporten beoefenen waarbij hij lichamelijk risico liep, en als de resultaten van het eerstvolgende lichamelijke onderzoek tegenvielen zou hij dat voor de rest van zijn leven kunnen vergeten. Daarom moest hij afzien van zijn favoriete sporten softbal en basketbal, die hij voordat hij was opgeroepen voor Irak in competitieverband had beoefend. Maar bij de politie hadden ze een bowlingcompetitie en al stelde dat sportief gesproken niet zoveel voor, het gaf hem iets te doen in zijn vrije tijd en bood hem de gelegenheid sommige collega's wat beter te leren kennen, al ging het in dit geval om een wat ander type dan zijn vroegere softbal- en basketbalmaten. Ze waren zwaarder, trager en ouder.

Een positieve bijkomstigheid van deze groepssamenstelling was dat er mannen bij zaten met veel ervaring en een hogere rang: twee brigadiers van de recherche en een inspecteur. En alle drie waren ze in hun nopjes met de nieuwe Irak-veteraan die ze hadden weten te strikken en die een gemiddelde score had van 191. Ze waren ervan overtuigd dat het joch het in zich had prof te worden. Hij was een natuurtalent. Die avond had hij een score gehaald van 621 punten uit drie games, zeker vijftig punten beter dan hun eigen beste persoonlijke score ooit en meer dan genoeg om ervoor te zorgen dat de Totems hun tegenstanders, de Waterdogs, vrijwel zeker konden inmaken.

'Op de Totems,' riep brigadier Stan Paganini van de afdeling Berovingen na afloop in de Trinity Bar, terwijl hij zijn glas gin-tonic omhooghield, 'en op alle overwinningen die ons dit seizoen te wachten staan.'

Inspecteur Fred Spinoza hief zijn whisky met ijs. 'En op onze onoverwinnelijke nieuwe aanwinst van dit jaar, professor Evan Scholler!' Spinoza gaf zijn collega's graag willekeurige eretitels als hij ergens enthousiast of opgewonden over was. 'Zeshonderdeenentwintig! Dat moet haast wel een absoluut record zijn. Ik heb in ieder geval nog nooit van een hogere score gehoord. Drie games van tweehonderd achter elkaar! Dat komt gewoon niet voor in deze competitie. In geen enkele amateurcompetitie.'

'Ze moeten dit aan de krant melden, Ev. Dit verdient publiciteit.' Dit commentaar was afkomstig van brigadier Taylor Blades van de afdeling Fraudebestrijding, die een brandy alexander dronk.

'Bedankt, mannen.' Evan had een voorliefde voor whisky ontwikkeld, maar kon de single malts niet betalen, dus dronk hij een Cutty Sark met soda met ijs. 'Maar ik heb al genoeg media-aandacht gehad.'

'Ja, maar nog niet als sportheld,' zei Paganini. 'Als je eenmaal bekendstaat als sportheld trek je veel vrouwen aan. Dat is algemeen bekend.'

'Hij heeft gelijk,' beaamde Spinoza. 'En daar zouden je teamgenoten ook van kunnen profiteren. Wij zouden de verdwaalde groupies kunnen opvangen. Denk eens na wat dat allemaal zou kunnen betekenen voor ons persoonlijke geluk.'

'Jawel, maar jullie zijn allemaal getrouwd,' reageerde Evan. 'Het zou jullie alleen maar moeilijkheden bezorgen. En bovendien ben ik bang dat die magneetfunctie van zo'n krantenartikel wel eens een beetje zou kunnen tegenvallen, we hebben het tenslotte alleen maar over een amateur-competitie bowlen.'

'Nee!' protesteerde Blades. 'Er moeten gewoon ook bowlinggroupies bestaan. En nu we het er toch over hebben, volgens mij komen er net een paar binnen. Misschien is het nieuws over jou al in omloop.' Hij knipte met zijn vingers. 'YouTube. Je bent natuurlijk gefilmd met een mobiele telefoon, ze hebben het op YouTube gezet en nu komen al deze vrouwen...'

Maar Spinoza stak zijn hand omhoog en onderbrak Blade. 'Ev? Wat heb je?'

Op het toilet bette Evan zijn gezicht een paar keer met koud water. Daarna keek hij in de spiegel om te zien of zijn gezichtsuitdrukking nog iets verried. Toen ging hij terug naar zijn teamleden en vertelde hun dat het een aanval van duizeligheid was geweest, iets waarvan hij af en toe nog last had als gevolg van zijn hoofdwond. Hij zei dat het hem speet een eind te moeten maken aan de pret, maar dat hij beter meteen naar huis kon gaan om zijn bed op te zoeken, als hij tenminste morgenochtend weer fris op het werk wilde verschijnen.

In plaats daarvan verplaatste hij zijn auto naar een van de achterste vakken van de parkeerplaats, zodat ze hem niet zouden zien als ze weggingen. Een halfuur later, nadat hij hen alle drie had zien vertrekken, stapte hij de auto uit, liep terug naar de bowlingbaan, ging aan de bar zitten en bestelde nog een Cutty Sark, ditmaal een dubbele met ijs.

Tara's baan lag op nog geen vijftien meter afstand van de zijne. Ze was met drie vriendinnen. Ze waren spraakzaam en opgetogen. Ze droeg een rood rokje met witte stippen dat een groot deel van haar mooie benen zichtbaar liet, en een dunne, rode zijden blouse waarvan het leek alsof hij bij iedere hartenklop een beetje oplichtte.

Hij dronk zijn whisky in een paar teugen op, bestelde opnieuw een dubbele en keek hoe het groepje jonge mannen in de aangrenzende baan een gesprek met de vrouwen probeerde aan te knopen of op z'n minst hun aandacht probeerde te trekken. Ze was hier tenminste niet met Ron Nolan, bedacht Evan. Dat zou een stuk moeilijker zijn geweest dan haar in haar eentje te zien, wat al pijnlijk genoeg was. Zou ze nog steeds met hem omgaan, vroeg hij zich af, of zou ze misschien weer vrij zijn? En als ze vrij was...

Maar wat haalde hij zich in zijn hoofd? Dit was de vrouw die niet eens om hem had gegeven toen hij meer dood dan levend uit Irak was teruggekomen. Die zo overtuigd was van haar eigen gelijk dat ze hem domweg voor altijd had afgeschreven alleen omdat hij zijn plicht wilde doen. Die hem, zodra hij was vertrokken, nooit meer had geschreven of gemaild.

Nu hij haar hier zo onbekommerd zag zitten, leek het hem plotseling onmogelijk dat degene die hij twee jaar zo goed had gekend en van wie hij zoveel had gehouden, zo enorm was veranderd. Ze had altijd uitgesproken ideeën gehad, maar een van haar beste eigenschappen – en de reden dat zijn moeder altijd zo op haar gesteld was geweest – was haar natuurlijke goedheid. Tara was altijd een goed mens geweest. Waarom had ze plotseling een ander karakter gekregen?

Nou, het werd tijd om daarachter te komen.

Hij legde een biljet van twintig dollar op de bar en dronk zijn glas opnieuw leeg als een man die enorm veel dorst heeft. Toen hij opstond werd hij plotseling overvallen door de duizeligheid die hij eerder alleen maar had voorgewend tegenover zijn teamgenoten. Hij leunde een paar seconden tegen de bar en probeerde zich te herstellen, verbaasd dat hij opeens zo dronken was – hij had maar vier of vijf biertjes gedronken tijdens het bowlen en daarna een stuk of zes whisky's aan de bar. Of waren dat allemaal dubbele geweest? Hij zette twee stappen en moest zich toen aan de rugleuning van een stoel en de rand van een tafeltje vastpakken om niet te vallen.

Dit was geen goed idee.

Hij was niet van plan Tara te benaderen als een strompelende en lallende dronkenlap. Daarmee zou hij het te makkelijk voor haar maken zich van hem te ontdoen als een onaangename interruptie. Hij moest wachten op een betere gelegenheid, als hij nuchter was. Hij wierp een laatste blik op Tara en haar vriendinnen, concentreerde zich vervolgens op het lopen en slaagde er met enige inspanning in zonder ongelukken de uitgang te bereiken. Hij liep de trap af en verdween in de duisternis naar zijn Honda CR-V aan het einde van de parkeerplaats.

Toen hij achter het stuur had plaatsgenomen, deed hij de portieren op slot, maakte zijn gordel vast, bewoog de rugleuning naar achteren totdat die bijna een horizontale positie had bereikt, liet zich achteroverzakken en sloot zijn ogen.

Evan hoorde de knallen van de geweerschoten, de kogels die overal om hem heen in het asfalt insloegen. Hij schreeuwde naar Alan en Marshawn: 'Omlaag! Omlaag! Dekking zoeken!'

Het spervuur ging onverminderd door en de wagen werd keer op keer getroffen. Hij draaide zich om en zag dat de tweede wagen achter hem was veranderd in een massa verwrongen staal; de lichamen van nóg twee van zijn mannen, die er door de kracht van de explosie uit waren geblazen, lagen bloedend op straat. En plotseling was hij zich ervan bewust dat Nolans schijnwerper op hem was gericht en hem verblindde omdat die met de Humvee zijn kant op reed. Hij bedekte zijn gezicht met zijn handen en schreeuwde de chauffeur toe: 'Doe dat licht uit! Nu!'

Nog meer kogels raakten de Humvee, maar nu het onderdrukte geluid tot zijn bewustzijn doordrong veranderde het in een herhaald geklop. Toen hij zijn ogen opende scheen het licht nog steeds in zijn gezicht, maar nu herkende hij wat het was: een schijnwerper aan de andere kant van het raampje van de auto. Nog natrillend van de angst en het realiteitsgehalte van de droom haalde hij even diep adem, klopte toen zelf op het raampje van zijn portier en hield zijn hand op tegen het felle schijnsel. Een nabij geplaatste straatlantaarn gaf zoveel licht dat hij de twee uniforms kon zien.

Politieagenten. Collega's.

Hij draaide het raampje voor de helft omlaag. 'Hé, mannen, wat is er aan de hand?' Hij wierp een blik op zijn horloge. Het was vijf over halfdrie.

De agent met de zaklantaarn deed een paar passen achteruit. 'Mogen we misschien je rijbewijs en autopapieren even zien?'

'Jazeker, ik...' Hij bracht zijn hand naar de hendel en trok eraan om het portier te openen.

Maar de agent die het dichtstbij stond sloeg het portier weer dicht en zei door het halfgeopende raam: 'Blijf maar in de auto. Rijbewijs en autopapieren alsjeblieft. Waar kom je vandaan?'

Evan stopte even met het tevoorschijn halen van zijn portefeuille, leunde naar achteren en probeerde het zich te herinneren. 'Trinity Lanes,' antwoordde hij ten slotte. Toen hij door de voorruit had gekeken en zag dat hij in een straat in een buitenwijk stond, was hij even gedesoriënteerd geraakt. 'Ik ben wezen bowlen.'

'En drinken.'

'Daar lijkt het wel op.'

'Zodat de vraag zich opdringt hoe je hier terecht bent gekomen.' Terwijl hij Evans portefeuille opende kon de politiepenning hem moeilijk ontgaan. 'Godallemachtig,' zei hij vol walging, waarna hij de legitimatie aan zijn collega gaf. Toen richtte hij zijn aandacht weer op Evan en vroeg: 'Weet je nog hoe je vanaf de Lanes hier bent gekomen? Ik neem aan dat iemand je hierheen heeft gereden?'

Evan keek hem alleen maar aan.

'Want je zult toch zeker niet zelf hebben geprobeerd hierheen te brengen in jouw toestand, neem ik aan?'

Maar toen mengde de tweede agent zich erin. 'Ben jij Evan Scholler?'

Op deze vraag wist hij het antwoord. 'Ja.'

Nummer twee zei tegen zijn maat: 'Dat is die kerel uit Irak.' Toen, tegen Evan: 'Heb ik gelijk, jongen?'

'Klopt.'

'Je draagt je wapen niet, neem ik aan?'

'Nee, dat ligt in het handschoenenvak.'

De eerste agent schudde gefrustreerd zijn hoofd en zei toen: 'Als je nog steeds wilt uitstappen, doe dat dan maar.' Hij trok het portier open. 'Het ruikt hier naar een whiskystokerij, man.'

'Dat verbaast me niets,' antwoordde Evan.

'Het is misschien een idee de raampjes open te doen om het een beetje te laten luchten voordat je er weer in gaat rijden,' zei de eerste agent. 'Dus, voor alle duidelijkheid,' vervolgde hij, 'herinner je je nog wie je hiernaartoe heeft gebracht?'

Evan realiseerde zich inmiddels op welke plek hij zich bevond en waar hij had geparkeerd, maar van de daadwerkelijke rit erheen herinnerde hij zich helemaal niets. 'Mijn vriendin.' Hij wees naar het appartementencomplex aan de overkant. 'Ze woont daar. We hebben ruzie gehad en ze heeft me hier in de auto achtergelaten om mijn roes uit te slapen.'

'Dat is een goede verklaring,' zei de eerste agent. 'Ik zou de auto maar op slot doen en naar haar toe gaan. Wij blijven hier wel even wachten tot je binnen bent.'

Evan leunde achterover tegen de wagen. Hij zwaaide heel langzaam heen en weer. 'We wonen niet samen. Ze wil me niet binnenlaten. Ik moet terug naar mijn eigen huis.'

De tweede agent gaf Evan zijn portefeuille terug. 'Hoe ga je dat doen?'

Evan zweeg even en probeerde te bedenken of hij nu wel of niet in lachen uit moest barsten; uiteindelijk besloot hij van niet. 'Goede vraag,' zei hij. 'Uitstekende vraag.' Hij keek de ene agent aan en richtte zijn blik toen op de tweede. 'Ik denk dat ik maar ga lopen. Zo ver is het niet. Bedankt, jongens. Sorry voor het ongemak.'

Hij had ongeveer vijf stappen gezet – geen van alle erg stabiel – toen een van beiden hem weer aansprak. 'Scholler, misschien moet je je auto eerst even op slot doen.'

Hij bleef staan en draaide zich om.

De eerste agent zei: 'Net doen alsof je wegloopt totdat we weg zijn en daarna proberen toch naar huis te rijden lijkt me geen goed idee.'

'Nee,' beaamde Evan. 'Dat zou dom zijn.'

'Waar woon je?' vroeg de tweede agent.

'Vlak bij de universiteit,' antwoordde Evan.

De tweede agent zei tegen zijn collega: 'Helemaal niet ver. Maar ongeveer zesenhalve kilometer, via een weg die steil omhoogloopt.'

De agent met de zaklantaarn zei: 'Stap maar bij mij in de patrouillewagen, dan rijdt hij achter ons aan met jouw auto. En als je in mijn auto kotst ruim je het zelf op.'

'Is goed,' zei Evan.

12

Evan was bij zijn ouders thuis voor het zondagse etentje dat min of meer een gewoonte was geworden sinds hij terug was in Californië. Ieder jaar, nadat de zomertijd was ingetreden, barbecuede Jim Scholler bijna dagelijks en op deze zwoele zomeravond in mei had hij een kip gegrild, die ze hadden gegeten met verse asperges, zuurdesembrood en Eileens 'beroemde' aardappel-tomatensalade met koriander en rode uien. Nu, nog voor het invallen van de duisternis, zaten ze in de grote achtertuin van de Schollers, in de schaduw van de pruimen-, vijgen-, citroen-, sinasappel- en abrikozenbomen van hun kleine boomgaard.

Hier, bij hun laatste glas goedkope witte wijn, nu Evan weer in dienst was bij de politie, was gesetteld in zijn nieuwe appartement en grotendeels genezen was van zijn hoofdwond, raapte Eileen eindelijk de moed bijeen Evan te vragen naar zijn liefdesleven.

Hij slaagde erin te grinniken. 'Welk liefdesleven?'

'Dus er is helemaal niemand?'

'Dat is niet bepaald een van mijn prioriteiten geweest, mam. Ik ben niet echt op zoek.'

Zijn vader schraapte zijn keel. 'En Tara?'

'Wat is er met haar?' Het kwam er scherper uit dan hij had bedoeld. 'Had ik je niet verteld dat ze niet één van mijn brieven heeft beantwoord? Niet één, pa! En ik heb er wel tien gestuurd. Dat was duidelijk genoeg. En bovendien heb ik gehoord dat ze een nieuwe vriend heeft.'

'Wanneer heb je dat gehoord?' vroeg Eileen.

'Toen ik in het Walter Reed lag. Die gast is het me zelf komen vertellen.'

'Wie?' vroeg Jim. 'Tara's nieuwe vriend? Waarom zou hij je dat komen vertellen?'

'Dat weet ik niet. Omdat hij zich schuldig voelde, waarschijnlijk.'

'Hoezo? Omdat hij met Tara ging?'

'Omdat hij mijn vriendin heeft afgepakt nadat ik hem naar haar toe had gestuurd om haar een van mijn laatste brieven persoonlijk af te geven en hij haar in plaats daarvan heeft versierd terwijl ik in het ziekenhuis lag.

154

Dat lijkt me wel een goede reden om je schuldig te voelen. Of misschien omdat hij ervoor heeft gezorgd dat mijn hele peloton is vermoord.'

'Jouw mannen, bedoel je?' vroeg Eileen. 'Wil je zeggen dat Tara's nieuwe vriend degene was in jouw konvooi die te vroeg heeft geschoten?'

'Goed geraden, mam. Ron Nolan. Ik denk dat ik die naam wel eens heb genoemd.'

'Niet bepaald op een aardige manier,' zei Jim.

'Er valt over die man niets aardigs te zeggen,' zei Evan, nadat hij een slok wijn had genomen.

'Evan,' zei Eileen, terwijl ze haar wenkbrauwen fronste en hem verbaasd aankeek, 'het is voor het eerst dat ik hoor dat hij iets met Tara had.'

'Maar wacht even,' zei Jim. 'Ik dacht dat Tara en jij het hadden uitgemaakt vanwege de oorlog. Maar die Nolan zat er toch ook?'

'Ja, precies,' zei Evan. 'Vreemd, nietwaar? Dus ik neem aan dat het tussen Tara en mij eigenlijk helemaal niet over de oorlog ging. Misschien had ze er gewoon geen zin meer in en gebruikte ze het alleen maar als excuus.'

Nee.' De stem van Eileen klonk vastberaden. 'Zo is Tara niet. Dan had ze je gewoon de waarheid gezegd.'

Hij schudde zijn hoofd. 'Ik denk niet dat we weten hoe Tara eigenlijk is, mam. Niet meer, in ieder geval.'

Maar Jim kwam terug op zijn oorspronkelijke vraag. 'Maar kwam die Nolan nou naar het Walter Reed om zich te verontschuldigen?'

'Zo bracht hij het. Maar als je het mij vraagt wilde hij alleen maar zout in de wond wrijven.'

'Waarom zou hij dat nou willen doen?' vroeg Eileen.

'Zo zit hij gewoon in elkaar, mam. Hij is een huursoldaat. Hij heeft gewoon op die Irakese auto geschoten omdat hij daar zin in had. Punt uit. Omdat hij er de kans voor had. En als je het mij vraagt is een van de redenen waarom hij naar het Walter Reed is gekomen dat hij me duidelijk wilde maken dat hij ermee was weggekomen, en dat hij er bovendien in was geslaagd mijn vriendin af te pakken. Geloof me, die man deugt voor geen meter.'

'Maar wat ziet Tara dan in hem?'

'Dat probeer ik je steeds uit te leggen, mam. Tara is niet wie je denkt dat ze is.'

'Ik snap nog steeds niet hoe je dat kunt zeggen.'

Geconfronteerd met de onverstoorbare kalmte van zijn moeder en haar kennelijke permanente onvermogen het slechte in andere mensen te zien, verloor Evan plotseling zijn geduld. Hij sloeg met zijn vlakke hand op de tafel en had nauwelijks nog controle over zijn stem. 'Nou, dan zal ik je nog eens wat vertellen, mam. Weet je wat ze zei toen Nolan haar had verteld dat ik gewond was geraakt? Ze zei dat ik er zelf voor had gekozen. Het was eigen schuld, dikke bult. Zo heeft ze het letterlijk gezegd!' Zijn ogen waren vochtig geworden, maar het waren geen tranen van verdriet. Het waren tranen van woede. 'Het kon haar gewoon niets schelen, mam. Zo is ze nu geworden.'

Een paar seconden lang was het enige geluid in de tuin het zachte ruisen van de wind door de bladeren van de fruitbomen.

'Dat kan ik niet geloven,' zei Eileen ten slotte. 'Dat kan gewoon niet waar zijn.'

Evan haalde diep adem en keek zijn moeder recht aan. Hij was uitgeput en kwaad, maar slaagde er desalniettemin in zijn stem onder controle te houden. 'Sorry mam, maar hoe kun jij dat nou weten? Dat is wat ze heeft gezegd.'

Eileen boog zich over de houten tafel en legde geruststellend een hand op de arm van haar zoon. 'En wanneer was dat?' vroeg ze.

'Wanneer was wat?'

'Wanneer heeft ze gehoord dat je gewond was geraakt en gezegd dat het je eigen schuld was?'

'Dat weet ik niet precies. Ergens begin september, vlak nadat Nolan terug is gekomen en ongeveer op het moment waarop ik in het Walter Reed ben opgenomen.'

'Nee, dat is onmogelijk.' Ze vertelde hem dat ze Tara vlak voor Kerstmis in de supermarkt was tegengekomen. 'Ik mag dan misschien een ziekelijke neiging hebben altijd alleen maar het goede in de mensen te zien,' zei ze, 'en ik weet dat ik het soms bij het verkeerde eind heb. Maar ze kan domweg onmogelijk hebben geweten dat jij gewond was geraakt voordat ik het haar heb verteld. En dat was in december.'

'Maar als dat waar is, waarom heeft ze me toen dan niet gebeld? Gewoon om te vragen hoe het met me ging? Om me beterschap te wensen? Om me...' Hij zweeg abrupt en herinnerde zich plotseling de afbeelding van de rendieren aan de muur, tegenover zijn bed. Tara hád hem gebeld in het Walter Reed, en híj had geweigerd haar te woord te staan. En dat was vlak voor Kerstmis geweest.

Of, als zijn moeder gelijk had, een paar dagen nadat ze had gehoord dat hij gewond was geraakt.

Eileen tikte op Evans arm. 'Misschien heeft ze je niet gebeld omdat ze toen al omging met die Nolan. Misschien voelde ze zich daar schuldig over, of misschien vond ze het gewoon allemaal te pijnlijk. Maar wat ik alleen maar wil zeggen is dat ze in september onmogelijk heeft kunnen weten dat jij gewond was. En een opmerking als "eigen schuld, dikke bult" lijkt me echt niets voor haar.'

'Maar waarom zou Nolan dan...'

Jim, die aandachtig had geluisterd, kon zijn enthousiasme plotseling niet meer verbergen. Hij wist het antwoord al voordat Evan de vraag had afgemaakt. 'Waarom die Nolan helemaal naar het Walter Reed zou komen om je een leugen te vertellen? Misschien wel om ervoor te zorgen dat je Tara zo erg zou gaan haten dat je er niet over zou piekeren haar te bellen als je terugkwam!'

Evan keek zijn vader en moeder enige tijd zwijgend aan. Toen richtte hij zich tot zijn vader: 'Pa, hoe ben jij zo slim geworden op je oude dag?'

De zon verdween achter de heuvels toen Evan de open trap van Tara's appartementencompex op liep en bij haar aanbelde. Toen er niemand opendeed liep hij naar het keukenraam en tuurde naar binnen, maar het licht was uit en hij zag geen beweging. Misschien had hij eerst moeten bellen om zich ervan te vergewissen dat ze thuis was, maar het besluit om rechtstreeks vanaf het huis van zijn ouders naar haar toe te gaan om met haar te praten had hij impulsief genomen; hij was zo goed als nuchter en uitgerust, en hij had gedoucht en zich geschoren. Hij kon zich geen beter moment voorstellen. Hij had zijn ouders gedag gezegd en was in de auto gestapt.

Omdat Nolan niet bij haar was geweest toen hij haar bij de bowling-club had gezien, schatte Evan de kans dat Tara niet meer met hem omging op meer dan vijftig procent. En als het uit was zou hij met haar praten om er eens en voor altijd achter te komen of er ondanks alles nog iets van het oude vuur over was. In ieder geval wist hij dan de waarheid.

Hij had zijn auto niet op het parkeerterrein neergezet maar op straat geparkeerd, op dezelfde plek waar zijn onderbewustzijn hem de vorige keer kennelijk ook naartoe had gedirigeerd. Nu liep hij terug naar zijn auto en stapte in. Hij haalde zijn mobiele telefoon tevoorschijn en wilde in het geheugen naar haar vaste en mobiele telefoonnummers zoeken, maar bedacht zich. Als ze nog wél een relatie had met Nolan of, erger nog, op dit moment bij hem was, dan was de timing rampzalig.

Hij startte de motor even, zodat hij zijn raampje open kon doen, en zag op het dashboardklokje dat het kwart over negen was. Een van de regels waar Tara zich altijd stipt aan had gehouden toen ze een relatie hadden gehad, was dat ze nooit laat thuis wilde komen of veel wilde drinken als ze de volgende dag les moest geven. En de volgende dag, maandag, was een schooldag. Hij bewoog de stoelleuning een beetje verder achterover, maar niet zo ver dat hij niet goed meer naar buiten kon kijken, zette de motor af en maakte het zich gemakkelijk.

Het duurde niet lang.

Net voordat de laatste sporen daglicht waren verdwenen, reed er een gele Corvette cabriolet het parkeerterrein op. Het dak was open en Evan kon Tara duidelijk zien zitten naast Nolan. Nolan stapte uit, liep naar de andere kant en opende haar portier. Hand in hand liepen ze ontspannen het parkeerterrein af en de trap op. Ze opende de voordeur, ze liepen samen naar binnen en Evan voelde het bloed in zijn slapen pulseren. Hij legde zijn hand voorzichtig op de plek waar hij gewond was geraakt. Het leek alsof die warmer aanvoelde dan normaal.

Binnen ging het licht in de keuken aan. Er verscheen een schaduw voor het raam, die na een paar tellen weer verdween. De keuken en het hele appartement werd weer donker.

Evan plaatste zijn trillende handen op het stuur en probeerde weer enige controle te krijgen over zijn lichaam. Het kostte hem moeite te slikken. Zweetdruppels liepen langs zijn wenkbrauwen en zijn ruggengraat.

Wat moest hij nu doen?

'Kom op, kom op, kom op, kom op, kom op,' zei hij tegen zichzelf. Maar het was een zinloze aansporing. Nu hij hen zo samen had gezien, nu hij wist dat ze echt een stel waren, leek de eerdere ontdekking van het feit dat Tara zijn toestand niet opzettelijk had genegeerd van geen enkele betekenis meer te zijn. Wat maakte het uit als ze nog steeds met Nolan naar bed ging? Als hij de man in haar leven was, in plaats van Evan?

Eerst overspoelde hem een gevoel van zelfhaat en verbittering. Vervolgens daalde er een ijzige kalmte over hem neer. Net als de meeste agenten had hij, ook als hij niet werkte, voor noodgevallen zijn dienstwapen bij zich. Zijn .40 semi-automatische pistool lag in het afgesloten handschoenenvak. Hij haalde het tevoorschijn, controleerde het magazijn en de veiligheidspal. Toen haalde hij diep adem en opende het portier, terwijl hij het wapen onder zijn zomerhemd achter zijn broekriem stak.

Hij liep de straat op.

Evan zat achter een van de computers op het politiebureau. Voor zijn werk in het kader van het drugsprogramma was er geen enkele noodzaak ooit het kentekenregistratiesysteem te raadplegen en het was voor het eerst keer dat hij dit programma gebruikte. Tot dusver liep het niet zo soepeltjes als hij had gehoopt. In het ideale geval had hij in een paar tellen gevonden wat hij zocht en zou niemand hem hier zien, wat verreweg zijn voorkeur had.

Maar hij leefde al heel lang niet meer in een ideale wereld.

En alsof de duvel ermee speelde hoorde hij, ondanks het tijdstip – het was zondagavond halftien, en normaal gesproken was er dan nauwelijks iemand op het bureau – iemand vanuit de deuropening zijn naam roepen. Hij ging rechtop zitten, drukte op de ESC-knop en draaide zijn hoofd zo snel om dat hij het in zijn nek hoorde kraken. Het was inspecteur Spinoza, van de Totems, die nu naar hem toe liep. Evan glimlachte en zei: 'Hé, Fred, wat doe jij hier?'

'De mensen kunnen er maar niet genoeg van krijgen elkaar van kant te maken, vandaar. En wij arme overheidsdienaren maar overuren maken.' Hij legde een hand op Evans schouder. 'Maar hoe gaat het eigenlijk met jou?' vroeg hij. 'Ik maakte me een beetje zorgen over je, na je plotselinge duizeligheid die avond van het bowlen.'

'Niks aan de hand. Geen idee wat dat was. Mijn stomme hersens speelden weer eens op.'

'Nou, hoe dan ook, je zag eruit alsof je tegen een trein op was gelopen, en dan druk ik me nog voorzichtig uit.' Hij rolde een stoel naast die van Evan en ging er schrijlings op zitten. 'Ik weet niet of je het weet, maar we hebben hier tegenwoordig een regeling die inhoudt dat je je ziek mag melden als je je niet goed voelt. Iedereen hier weet wat je hebt doorgemaakt. Je hoeft je echt niet kapot te werken. Niemand zal er aanstoot aan nemen als je wat rust neemt. En trouwens, om het belangrijkste argument niet te vergeten: je moet wél zorgen dat je aanstaande dinsdag weer fit bent. Daar kun je je beter op richten in plaats van je energie te verspillen aan die pogingen kinderen ertoe te bewegen geen drugs te gebruiken.'

'Nee, Fred, dat is echt niet nodig. Ik heb geen rust nodig.'

'Dat is wel duidelijk, want anders zat je nu niet hier. Wat is er zo belangrijk dat het per se op zondagavond moet gebeuren?'

Evan maakte een vaag gebaar in de richting van de monitor. 'Ik wilde mijn computervaardigheden weer eens een beetje ophalen.' Hij sloeg zijn armen over elkaar in een poging ontspannen over te komen. 'Maar waarom ben jij hier?'

'Ik zou bijna zeggen vanwege de gebruikelijke redenen, maar dat klopt niet helemaal.' Spinoza had duidelijk al een lange dag achter de rug. 'Zegt de naam Ibrahim Khalil je iets?'

'Hoezo? Heeft hij iets met Irak te maken?'

Dat antwoord leek Spinoza even van zijn stuk te brengen. 'Nee,' zei hij. 'Ik snap waarom je het vraagt, maar meneer Khalil woont in een villa in Menlo Park. Daar woonde hij vroeger, kan ik beter zeggen. Hij bezit ongeveer de helft van alle 7-Eleven-winkels in de buurt van San Francisco. Maar hij en zijn vrouw bezitten op dit moment niets meer. Als ze het zijn, tenminste...'

'Hoe bedoel je? Weet je dat dan niet?'

Spinoza schudde zijn hoofd. 'Nou, we weten dat het hun huis was. En we weten dat er twee lijken in liggen. Maar het zal wel even duren voordat we de overblijfselen een beetje hebben kunnen reconstrueren.'

'Welke overblijfselen?'

'Van hun lichamen.'

Evan zweeg even en vroeg toen: 'Heeft iemand ze in mootjes gehakt?'

'Nee, iemand heeft ze opgeblazen, met een bom of zoiets. Zodat het huis in de fik is gevlogen en half is afgebrand. Dus voorlopig zullen we niet veel te weten komen. Maar de buren hebben de explosie gehoord en daarna de brand gezien.'

'Dus iemand heeft nogal veel moeite gedaan geen sporen achter te laten.'

'Spinoza glimlachte flauwtjes. 'Toe maar,' zei hij, 'het kan niet alleen bowlen, maar het heeft ook nog analytisch vermogen. Jongen, als je zo doorgaat word je nog eens rechercheur.'

'Laat ik eerst maar zorgen dat ik uit dat stomme drugspreventieprogramma wegkom.'

'Prima idee. Hoe lang moet je nog?'

'Totdat de schoolvakanties beginnen.' Evan zuchtte vermoeid. 'Het gaat best, maar het kost me soms moeite ze niet de nek om te draaien.'

'Nee, dat kun je beter niet doen. Dat vinden de meeste ouders niet leuk.' Plotseling dwaalde Spinoza's blik af naar de computer en hij maakte een paar keer een klakkend geluid met zijn tong, als een strenge onderwijzer. 'Jongens en meisjes, dit mag echt niet, hoor!'

'Wat?'

'"Wat?" vraagt hij. Denk je soms dat ik gek ben?' Hij vervolgde op een theatrale fluistertoon: 'We – en met "we" bedoel ik het korps – hebben er officieel bezwaar tegen als onze medewerkers op deze manier proberen aantrekkelijke jongedames te versieren.' Hij voegde er op serieuze toon

160

aan toe: 'Echt waar, nog afgezien van de privacyaspecten is het echt beter dat je daar niet aan begint. Want als je wordt gesnapt, kan dat onaangename gevolgen hebben.'

'Ik probeer helemaal geen aantrekkelijke jongedame te versieren, Fred.'

Spinoza knikte. 'Nee, natuurlijk niet. Stel je voor. Ik wilde je alleen maar even wijzen op de richtlijnen die we daar binnen het korps over hanteren, voor het onwaarschijnlijke geval je ooit op het idee mocht komen. Maar wiens adres zoek je dan?'

'Het adres van een of andere vent.'

Spinoza trok een wenkbrauw op. 'Voor zoeken op internet naar aantrekkelijke jongemannen gelden dezelfde richtlijnen, hoor,' zei hij. 'Ik weet dat we niet naar seksuele voorkeur mogen informeren, maar...'

'Ik ben niet homoseksueel, Fred. Maar een aantal van mijn kinderen in het DARE-programma heeft me iets verteld over een gast die drugs verkoopt.'

'Waarom geef je dat niet aan de afdeling Narcotica door?'

'Omdat het bij hen alleen maar onder op de stapel terechtkomt, en als ík de klootzak vind die drugs verkoopt aan mijn leerlingen, spoor ik hem op en maak ik hem af.'

'Dat is andere koek. Waarom zei je dat dan niet meteen?' Spinoza boog zich over het toetsenbord. 'Nou, heb je een kenteken?'

Voor het eerst sinds hij uit het Walter Reed was ontslagen, voelde hij de behoefte te praten met Stephan Ray. Hij wist niet of er een medische term was voor wat hij doormaakte, maar het leek op hoe hij zich had gevoeld toen hij zich in de eerste maanden na zijn operatie niet kon herinneren hoe dingen heetten. Nu, net als een paar keer eerder in de afgelopen dagen, leek hij plotseling wakker te worden tijdens een of andere activiteit, of zich in de greep van een emotionele reactie te bevinden, zonder dat hij enig idee had van hoe hij daar terecht was gekomen. Alsof hij er geen enkele controle over had.

Zoals eerder vanavond toen hij ineens naast die Corvette stond, met zijn pistool in de hand.

Wat ging hij in godsnaam met dat wapen doen? Wat wílde hij ermee doen? Hij had geen idee. Hij kon zich niet herinneren dat er enige vorm van besluitvorming aan vooraf was gegaan. Hij had in zijn auto zitten wachten totdat Tara thuis zou komen, met de bedoeling een goed gesprek met haar aan te knopen. En het volgende dat hij zich herinnerde was dat hij plotseling naast de Corvette op de parkeerplaats stond, met het pistool in zijn hand. En hij had geen idee waarom.

Hij was toch zeker niet van plan Nolan dood te schieten? Of Tara? Of allebei? Misschien was het zijn bedoeling geweest de banden van Nolans sportwagen lek te schieten. In het vage avondlicht leek dat hem nog het meest waarschijnlijk. Maar nu hij kennelijk weer helemaal bij zinnen was, realiseerde hij zich dat zoiets een hoop herrie zou maken en er hoogstwaarschijnlijk voor zou zorgen dat hij werd herkend. Hij zou er misschien ook mee prijsgeven dat hij belangstelling had voor Nolans activiteiten, iets wat hij liever nog even voor zichzelf wilde houden totdat hij wist wat hij van plan was met de rest van zijn leven te doen.

Met Tara.

Zijn bezoek aan het politiebureau was een bewuste beslissing geweest. Hij wist wat hij daar zou opzoeken, al wist hij nog niet precies waarom. En hij had het gevonden.

Maar nu hij eenmaal wist waar Nolan woonde, het adres had gevonden en langs de stoeprand stond geparkeerd, ontdekte hij dat hij opnieuw zijn pistool in de hand hield. Als Nolan alleen thuiskwam was de situatie totaal anders dan die keer dat hij hem met Tara had gezien. Dit was een rustige straat met weinig verkeer en veel bomen.

Het was een mooi, vrijstaand huis met een aangebouwde garage, te midden van soortgelijke woningen. Vrijstaand en redelijk geïsoleerd. Perfect voor...

Voor wat eigenlijk, vroeg hij zich af.

En plotseling werd hij zich weer bewust van waar hij was en wat hij aan het doen was. Hij had hier een missie – starend naar de afbeelding van een rendier vroeg hij zich af hoe het heette –, maar wat de missie precies inhield was hij vergeten.

Hij keek naar het pistool, boog zich opzij en legde het weer in het nog geopende handschoenenvakje, dat hij vervolgens sloot en op slot deed. Toen, met de autosleutels nog in de hand, besefte hij dat hij hier weg moest voordat hij iets stoms uithaalde. Iets waarvan hij geen idee had waar het door kwam.

Hij draaide het contact om. Het klokje op het dashboard gaf aan dat het twaalf minuten over halfelf was.

Hij trok op, maar nadat hij nog geen tien meter had gereden, trapte hij de rem zo hard in dat de banden piepten. Hij had de koplampen niet aan en door de geopende ramen voelde hij een warme bries. Dat deed hem ergens aan denken.

Nadat hij gewond was geraakt was het langzaam weggezakt, maar plotseling herinnerde hij zich die avond met Nolan tot in het kleinste detail.

Die avond toen ze de vijandelijke strijders in hun hol hadden overvallen. In de woonwijk die aan BIAP grensde. Het felle licht van de oorverdovende explosie die de ramen eruit had geblazen, de vlammen die naar buiten likten en de schoten die achter hem hadden geklonken.

Huurlingen op het oorlogspad.

Een explosie, gevolgd door een brand.

Een hond ergens in de buurt die blafte.

Evan blies zijn ingehouden adem uit. Hij deed de koplampen aan en haalde zijn voet van de rem.

13

'Nou, jongen,' zei Spinoza, 'we kunnen het nog steeds bij het verkeerde eind hebben, maar de laatste theorie is dat het een fragmentatiegranaat was. Die zou je moeten kennen, want het schijnt dat ze die momenteel in Irak gebruiken. Als zo'n ding is afgegaan, heb je een sneeuwruimer nodig om het puin te verzamelen. En daar lijkt het hier wel verdomd veel op.' Hij leunde naar achteren in zijn stoel, legde zijn voeten op het bureau en nam een hap van zijn broodje. 'Maar waarom vraag je dat? Geef jij les in liquidatietechnieken aan die kleine ettertjes?'

'Zomaar,' antwoordde Evan. 'Ik was gewoon nieuwsgierig. Volgens mij is het nog nooit eerder vertoond dat iemand op zo'n manier is vermoord. In ieder geval niet in de Verenigde Staten.'

'Nou,' zei de luitenant, terwijl hij bedachtzaam verder kauwde, 'normaal is het in ieder geval niet, dat moet ik toegeven. Iemand wilde deze mensen morsdood hebben, met een flinke knal. Iets heel anders dan een of ander bendelid dat wild om zich heen schiet in de hoop dat hij iemand raakt.'

'Is er een mogelijkheid dat het slachtoffer het zelf heeft gedaan?'

Spinoza haalde zijn schouders op. 'Ik denk dat we dat niet helemaal kunnen uitsluiten. Er is nog niets gevonden wat op een dader wijst. Maar er is ook geen enkele aanwijzing dat meneer Khalil dit zichzelf had willen aandoen. Met zijn zaken ging het uitstekend. Het lijkt erop dat hij veel van zijn vrouw hield. Hij had geen gezondheidsproblemen. Dat is tenminste wat de familieleden ons hebben verteld. En geloof me, daar zijn er behoorlijk veel van. Dus ik geloof niet in zelfmoord. Dit was het werk van een professional. Want één ding staat vast: degene die dit heeft uitgevreten, wist wat hij deed. Het enige wat we op dit moment hebben zijn resten van die fragmentatiegranaat. Al moet ik je eerlijk zeggen dat ik nog steeds hoop dat ik me vergis.'

'Hoezo?'

'Nou, zoals het er tot nog toe voor staat hebben we te maken met een gewone moord op een zakenman, een gewone burger. Dat kunnen we voorlopig wel zeggen, want Ibrahim was genaturaliseerd Amerikaan.'

'Waar komt hij oorspronkelijk vandaan?'

'Ik dacht dat ik je dat gisteravond al had verteld. Uit Irak. Het schijnt dat de helft van zijn familie daar nog woont. De andere helft zit hier en bezit de 7-Eleven-winkels hier in de omgeving.'

'En wat is het probleem als het een fragmentatiegranaat is?'

'Die mag je niet in je bezit hebben. Dat is een federaal misdrijf. Wat betekent dat de explosievendienst erbij betrokken is. En dat is goed waardeloos.'

'Hoe kun je erachter komen of het inderdaad een fragmentatiegranaat was?'

Spinoza haalde zijn voeten van het bureau en ging rechtop zitten. 'Vrees niet, jongen, de explosievendienst is al op de plaats delict geweest om monsters te nemen. Tegen de avond hebben ze het resultaat van hun analyse en dan weten we meer. Als het is wat we denken dat het is, hebben we hier morgen de FBI over de vloer. En het voorlopige resultaat is dat het inderdaad om een fragmentatiegranaat gaat.'

'Wat is daar zo erg aan, Fred? Die hebben toch veel meer middelen dan wij?'

'Geen twijfel over mogelijk,' zei Spinoza. 'Meer technische hulpmiddelen, meer geld, toegang tot meer gegevens, noem maar op. Maar het probleem is dat ze niet samenwerken. Wat betekent dat wij ons een week het vuur uit de sloffen lopen om iets te vinden dat zij allang hebben ontdekt. Het is een soort wedstrijd waaraan wij met één been op de rug gebonden mogen meedoen.'

'Volgens mij zeg je dat anders.'

'Dat kan wel zijn,' zei Spinoza, terwijl hij de rest van zijn broodje in zijn mond stopte, 'maar zó voelt het.'

Hij kende de slotenmaker van de Ace Hardware-winkel nog van zijn middelbareschooltijd en zijn softbalteam. Nu, een paar minuten voor twee op de middag waarop hij zijn inspecteur had verteld dat hij last van migraine had en naar huis moest om in zijn donkere slaapkamer te gaan liggen, zette Dave Saldar zijn auto achter de Honda CR-V van Evan, die voor Nolans huis stond geparkeerd.

Evan, die zijn politie-uniform droeg om zo geloofwaardig mogelijk over te komen, stapte uit en ze begroetten elkaar op het trottoir met een high five. Nadat ze poosje over andere dingen hadden gepraat – Saldar had van de jongens van het softbalteam het een en ander gehoord over Evans belevenissen in Irak – kwamen ze ter zake.

'Heb je geen reservesleutel liggen, ergens onder een steen of zo?' vroeg Saldar.

'Nee. De gedachte dat ik ooit mijn sleutels zou vergeten is nooit bij me opgekomen. Wie vergeet er nou zijn sleutels?'

'Mijn vrouw. Elke keer als ze het huis verlaat.'

'Nou, ik niet. Het is me nog nooit overkomen.'

'Als ik toch een dubbeltje kreeg voor elke keer dat ik die zin hoor... Waarom denk je dat er slotenmakers bestaan?'

'Dat snapte ik al nooit.'

'Nou, dan weet je het nu.' Saldar maakte een hoofdbeweging naar de vrijstaande woningen. 'Oké. Wat is de jouwe?'

Ze liepen naar Nolans voordeur, die gedeeltelijk aan het zicht werd onttrokken door een L-vormig muurtje van ondoorzichtige glastegels. Saldar haalde zijn gereedschap tevoorschijn en ging aan de slag. Evan stond zo wankel op zijn benen dat hij tegen het glas aan moest leunen om zich staande te houden. Met iedere seconde werd hij zich meer bewust van de mogelijke gevolgen van wat hij nu aan het doen was. Hij voelde zich net zo licht in het hoofd als tijdens de nachtelijke overval met Nolan op dat huis vlak bij BIAP. Het leek alsof de plek waar hij aan zijn hoofd was geopereerd met een drilboor werd bewerkt. De migraine die hij tegenover inspecteur Lochland had voorgewend, dreigde realiteit te worden; aan de rand van zijn gezichtsveld explodeerden speldenknoppen van licht. Hij bleef de straat angstvallig in de gaten houden en viel bijna flauw toen er een Mazda MX-5 de heuvel op kwam rijden en het huis passeerde.

Saldar, die leek te merken dat Evan zich niet op zijn gemak voelde, keek hem aan. 'Alles goed?'

'Prima,' antwoordde hij. Maar in werkelijkheid brak het zweet hem uit. Hij moest moeite doen zijn zelfbeheersing te bewaren. Hij bracht een hand naar zijn voorhoofd en veegde de zweetdruppels weg.

Ten slotte draaide Saldar de knop om en opende de deur. 'Hier. Eén minuut en vijftien seconden. Dit kon best eens een nieuw record zijn.'

'Dat geloof ik beslist, Dave. Fantastisch.'

Saldar hield de voordeur open. 'Hé, gaat het wel goed met je, Ev? Je ziet er niet zo lekker uit.'

'Het gaat best. Beetje last van mijn hoofd, dat is alles.' Hij greep zijn portefeuille terwijl hij dacht: hij moet hier weg! Stel je voor dat Nolan komt opdagen. Maar hij slaagde erin zijn stem neutraal te laten klinken toen hij vroeg: 'Wat is de schade?'

'Laten we zeggen dertig. Per slot van rekening zijn we vrienden. Als je wilt, pak dan even een paar sleutels, dan kan ik in de auto snel een paar duplicaten maken voor maar vijf dollar per stuk.'

'Dat hoeft niet.' Evan haalde twee briefjes van twintig tevoorschijn. 'Ik weet zeker dat ik binnen nog een paar reservesleutels heb. Ik moet alleen niet vergeten ze ook ergens buiten te verstoppen voor de volgende keer. Maar ik denk dat ik nu maar naar binnen ga. Ik wil even gaan liggen.'

'Goed. Maar laat me eerst je wisselgeld halen.'

'Nee, laat maar zitten.'

'Ik neem uit principe geen fooien aan van clubgenoten, Ev. Ik heb wisselgeld in de auto. Dat duurt nog geen dertig seconden.'

Evan plaatste zijn hand stevig op de schouder van zijn vriend. 'Dave, ik voel me niet zo lekker. Bedankt voor je hulp, maar ik moet nu plat, anders word ik echt ziek, eerlijk waar. Veel plezier nog en tot ziens.'

'Heb je een dokter nodig?'

Het kostte hem enorm veel moeite een flauwe glimlach te produceren. 'Als je me nu niet met rust laat heb jíj er straks een nodig. Begrepen?'

'Oké, ik ben al weg. Maar kom een keer langs op het sportveld. We spelen nog steeds iedere dinsdag en donderdag.'

'Dat doe ik. Zeker weten.'

'Dan bestel ik een paar biertjes voor je van je fooi.'

'Afgesproken,' zei Evan, terwijl hij naar binnen liep. 'Ik zie je nog wel.'

Hij was in de woonkamer. Eigenlijk kon hij nauwelijks geloven dat hij hier echt binnen stond. Dat hij illegaal de woning van een ander was binnengegaan. Het voelde onwerkelijk. Zo was hij niet. Zoiets was nog nooit in hem opgekomen, laat staan dat hij het ooit had gedaan.

Maar nu kon hij zich niet door dit soort overpeinzingen laten ophouden. Hij had geen idee wanneer Nolan thuis zou komen. Evan wist zijn werktijden niet, hoe zijn dagelijkse routine eruitzag, zelfs niet of hij die wel had. Als er belastend materiaal in dit huis aanwezig was – en daar was Evan zeker van –, dan moest hij het vinden en zorgen dat hij zo snel mogelijk weer wegkwam. Het was hem niet in eerste instantie begonnen om bewijsmateriaal dat in een rechtszaak zou kunnen worden gebruikt; hij wilde gewoon de waarheid weten.

Dat was in ieder geval wat hij zichzelf wilde doen geloven. Wat hij ermee zou doen bedacht hij later wel.

Het was een spartaans ingerichte kamer met een leren bank en twee bijpassende leren stoelen aan weerszijden van de open haard. Een grote spiegel boven de schoorsteenmantel zorgde voor een ruimtelijk effect, maar de kamer was hoogstwaarschijnlijk niet meer dan een meter of drie breed. Aan de achterkant bood een glazen deur toegang tot een kleine, betegelde patio die in de schaduw van een paar grote eiken lag. In de hoek stond een pot met een plant. Zijn eerste indruk was dat hier niets bijzonders te vinden was, maar hij dwong zichzelf toch even poolshoogte te nemen.

Toen hij klaar was keek hij door de lamellen in de woonkamer naar buiten, zag dat de straat leeg was en liep over het betegelde gedeelte van de vloer naar de keuken, die ongeveer evenveel sfeer had als de woonkamer. Hij liep er echter meer in de gaten, omdat de dubbele ramen boven het aanrecht uitzicht boden op de straat achter het kleine gazon.

Het zag er niet naar uit dat Nolan vaak kookte. In de koelkast vond hij eieren, bier, een stuk kaas en melk. De groentela bevatte tomaten, sla en wat kruiden, en in het vriesgedeelte lagen drie pakken spinazie, een pak ijs, ingevroren kipfilet en gehakt.

Een deur naast de koelkast leidde naar de kleine garage, waar Nolan zijn plunjezak en twee lege rugzakken aan haken in de muur had opgehangen. De lege werkbank was zo te zien nauwelijks gebruikt en de laden eronder waren vrijwel leeg.

Terug in de keuken kreeg Evan eindelijk zijn zenuwen in bedwang. Hij tuurde naar de straat en bukte voordat hij naar de andere kant van het raam liep. Naast de woonkamer bevond zich een redelijk ruime werkkamer met een bureau en een computer. Aan de muur hing een kaart van Irak met tal van aantekeningen en diverse gekleurde prikkers op plaatsen als Bagdad, Mosul, Kirkuk, Abu Ghraib en Anaconda. Evan keek eerst of de computer op de slaapstand stond door de muis te bewegen en toen er niets gebeurde zette hij hem aan. Terwijl de computer opstartte liep hij naar de volgende deur, die toegang bood tot de slaapkamer. Nadat hij de deur had geopend bleef hij even als aan de grond genageld staan.

Vervolgens liep hij naar de tafel die naast het bed van zijn rivaal stond en pakte de zware zilveren lijst met de foto van Nolan en Tara. Ze omhelsden elkaar voor de camera. De foto was zo te zien genomen op een boot in de baai. Het was een schitterende dag en ze glimlachten hem toe. Hij hield de foto lang genoeg vast om de opwelling hem tegen de muur aan gruzelementen te smijten te laten wegzakken. Hij zette hem zorgvuldig op de goede plek terug en begon toen serieus werk te maken van zijn speurtocht. Hij doorzocht de laden, kasten en andere bergruimten in de slaapkamer en de badkamer.

De hoofdplank van het bed onthulde het eerste wapen, een Beretta M9, het wapen dat Evan in Irak ook had gedragen. Hij bracht de loop naar zijn neus en rook niets, nam het magazijn eruit en constateerde dat dat vol was. Niets bijzonders, want als een professional zoals Nolan het pistool had gebruikt, had hij het beslist onmiddellijk schoongemaakt en opnieuw geladen.

In de kast in de slaapkamer, die net zo schoon en opgeruimd was als de rest van het huis, lag op de bovenste plank nog een rugzak. Hij leegde de inhoud ervan op het bed. Hij bevatte een tweede Beretta M9, tien volle magazijnen en zes handgranaten. Evan wist niet zeker of het fragmentatiegranaten waren of flashbangs, die veel minder gevaarlijk waren. Maar hij was er tamelijk zeker van dat burgers geen van beide soorten in bezit mochten hebben. De politie zou er beslist belangstelling voor hebben als hij een manier had bedacht om ze op het spoor van Nolan te zetten als potentiële verdachte van de moord op Khalil en zijn vrouw.

Nadat hij de rugzak weer had ingepakt en teruggelegd liep hij naar de werkkamer en ging achter de computer zitten. Hij klikte op een map die 'Allstrong' heette en bekeek een paar documenten; zo te zien waren het voornamelijk kopieën van contracten of aanhangsels van contracten met de overheid of opdrachtformulieren die te maken hadden met de buitenlandse projecten van het bedrijf. Er waren ook nogal wat e-mails en diverse cv's van ex-militairen die iets te maken hadden met het werk dat Nolan hier waarschijnlijk voor Allstrong deed. Evan opende nog enkele documenten, maar geen enkele zoekopdracht naar de naam Khalil leverde iets op.

Omdat hij het wachtwoord niet wist probeerde hij een paar voor de hand liggende mogelijkheden, maar hij slaagde er niet in het e-mailaccount van Nolan te openen. 'Mijn Afbeeldingen' kon hij echter probleemloos bekijken. De gedachte dat hij hier misschien meer foto's zou vinden van Tara en Nolan verlamde hem een ogenblik, maar ten slotte klikte hij op de eerste map. Hij zag niet één foto van Tara en haalde opgelucht adem.

Dit leken foto's te zijn die Nolan had gemaakt toen hij op zoek was naar een huis. Evan zag foto's van een lommerrijke straat zoals die waar hij zich nu bevond, met auto's die langs de stoepranden stonden geparkeerd. Meer foto's genomen vanuit diverse standpunten, van een ander huis. Een groot en opvallend huis. Toen hij de duidelijkste foto bekeek die recht voor het huis was genomen, zag hij dat het eigenlijk een foeilelijk, roze bouwsel was. Wat kon Nolan in 's hemelsnaam in dat huis hebben gezien om er zo'n gedetailleerde fotoreportage van te maken?

Plotseling ging er een schok van herkenning door hem heen. Hij ging rechtop zitten. In de krant van die ochtend had Evan een zwart-witfoto gezien van de overblijfselen van het huis van Khalil, dat natuurlijk weinig gelijkenis meer vertoonde met het huis op de foto's. Maar had hij in dat artikel niet ergens gelezen dat het huis roze was?

Gehaast opende hij de bureauladen. In de middelste la lag een digitale camera en even overwoog hij te kijken wat erop stond. Maar daar had hij geen tijd voor. Hij keek op zijn horloge – het was kwart voor drie. Hij was hier al veel te lang binnen. In de onderste la aan de rechterkant vond hij een open verpakking waarin tien cd-roms hadden gezeten. Er zaten er nog vier in en met trillende handen nam hij er een uit, legde die in de lade en kopieerde de inhoud van de map naar de cd, die hij vervolgens in zijn borstzak liet glijden.

Hij leunde naar achteren, haalde diep adem en sloot de computer af op de juiste manier, via het startmenu.

Hij spitste zijn oren om er zeker van te zijn dat er geen auto de straat in reed of de garagedeur werd geopend en dwong zichzelf te wachten totdat het scherm zwart was geworden. Daarna stond hij op en zette de stoel terug op de plek waar hij dacht dat deze had gestaan. Hij schoof alle bureauladen dicht. Nadat hij zich ervan had vergewist dat de cd in zijn borstzak zat liep hij terug door de woonkamer en keek naar buiten. Toen hij zag dat de kust veilig was, verliet hij het pand.

14

Twee uur geleden had het laatste kind het klaslokaal verlaten; in de gang was nauwelijks meer iets te horen en het geluid van het kopieerapparaat dat nog af en toe door iemand werd gebruikt drong nauwelijks tot Tara door. Ze keek naar buiten en genoot als altijd van het uitzicht op het kleine groepje eiken boven op de heuvel aan de andere kant van de straat. Soms stelde ze zich voor dat het geen stadse of voorstedelijke heuvel was, maar een heuvel ergens ver weg, in Toscane bijvoorbeeld, waar ze nog nooit was geweest. Op namiddagen zoals deze, wanneer een lentebriesje de geuren van lelies en jasmijn meedroeg, zodat die zich konden vermengen met de lucht van krijt en inkt, kon ze zich geen mooiere plek op de hele wereld voorstellen dan dit klaslokaal.

Als ze de momenten van haar leven waarop ze zich volmaakt tevreden en gelukkig had gevoeld op haar vingers moest aftellen, had ze het merendeel ervan hier doorgebracht. Sommige leerkrachten hier op St. Charles waren in de loop der jaren misschien wat cynisch geworden. Misschien werkte Tara hier nog niet lang genoeg, maar waarschijnlijk had ze gewoon geen aanleg om cynisch te zijn; zo zat ze gewoon niet in elkaar. Ze hield nog steeds van haar leerlingen. Ieder jaar weer een nieuw stel, wat ieder jaar nieuwe uitdagingen betekende. 'Uitdagingen' klonk dan misschien als een cliché, maar toch leerde ze zelf ook ieder jaar nieuwe dingen en bood ieder jaar nieuwe gelegenheden om contact te maken en om lief te hebben. Nieuwe klei. Zo noemde ze het altijd als het nieuwe schooljaar begon. Nieuwe klei.

Ze leunde naar achteren in haar stoel achter de lessenaar en droomde weg, met een ontspannen uitdrukking op haar gezicht en een glimlach die eruitzag alsof ze ermee was geboren. Precies zo'n dag als vandaag was het geweest. Een zachte en geurige dag. Was het alweer drie jaar geleden? Ze herinnerde zich nog dat ze zich de hele dag bijna afschuwelijk had gevoeld, omdat ze zich tijdens haar eerste afspraakje met die nieuwe man, Evan, zo gemakkelijk had laten gaan. Té gemakkelijk. Ze had hem veel te snel veel te aantrekkelijk gevonden en het hem laten merken ook. Ze had niet eens geprobeerd zich ertegen te verzetten, zo meeslepend was het gevoel geweest.

Maar stel dat hij haar niet respecteerde en haar nooit meer zou bellen – het klassieke en gevreesde cliché? Ze was een intelligente vrouw met een goede baan en ze was er zeker het type niet naar haar leven helemaal in dienst te stellen van een man. Maar de gedachte dat ze deze man nooit meer zou zien was bijna ondraaglijk, zelfs al had ze hem nog maar één keer ontmoet.

Toen ze was opgestaan om naar het raam te lopen en de geuren van buiten op te snuiven – iets wat altijd hielp als ze zich ergens zorgen over maakte of gedeprimeerd was – had ze, toen ze omlaagkeek, Evan gezien die uit zijn auto stapte met een bos bloemen. Het gelukkigste moment van haar hele leven.

Met een zucht opende ze haar ogen, verbaasd dat haar dagdromen zoveel oude emoties hadden opgeroepen dat ze bijna moest huilen. Ze haalde diep adem, pinkte een traan weg en schoof haar stoel naar achteren. Het werd tijd om naar huis te gaan. Het had geen zin in het verleden te blijven hangen. Het weer was nog steeds schitterend, met een zachte wind die een verfijnd bloemenparfum meedroeg.

Ze liep naar het raam om nog een laatste keer van de geuren te genieten. Ze keek omlaag.

Daar, beneden op straat, stapte Evan uit zijn auto. Geen bloemen. Maar hij was het. Hij was eindelijk gekomen.

Opnieuw voelde ze tranen opwellen en ze sloeg haar hand voor haar mond. Na een ogenblik bracht ze hem omlaag en liet hem op haar hart rusten.

'Hé.'

'Hoi.'

'Ik dacht wel dat je hier zou zijn.'

'Dat klopt. Het is een heerlijke middag. Mijn favoriete moment van de dag.'

'Dat herinner ik me nog.'

Een stilte. Toen hij bij de deur van het klaslokaal was gearriveerd stond ze, maar nu deed ze een pas achteruit en ging op haar lessenaar zitten. 'En hoe gaat het met je?' vroeg ze ten slotte. 'Je ziet er goed uit.'

'Het gaat best. Ik heb nog wel af en toe hoofdpijn, maar in principe heb ik een hoop geluk gehad.'

'Dat heb ik gehoord. Ik ben blij voor je.'

'Ik ook.' Hij kwam een stap dichterbij. 'Gaat het wel? Je ziet eruit alsof je hebt gehuild.'

Ze schudde haar hoofd en glimlachte geforceerd. 'Allergie. Dat is het nadeel van al die bloeiende bloemen.' Ze snoof, ademde langzaam uit en probeerde opnieuw te glimlachen. Vergeefs. 'Ik heb geprobeerd je te bellen.'

'Dat weet ik. Ik ben een sukkel geweest. Ik zou natuurlijk kunnen zeggen dat ik toen nog aan het herstellen was en dat ik het me niet meer kan herinneren, maar dan zou ik liegen. Het spijt me.'

Ze haalde haar schouders op. 'Ik ben ook een sukkel geweest. Te star. Te stom.'

'Goed,' zei hij, 'we zijn allebei sukkels.'

'Stomme sukkels,' corrigeerde ze. En eindelijk slaagde ze erin werkelijk te glimlachen.

'Dat is beter,' zei hij. Hij keek langs haar heen naar buiten, naar de heuvels en de eiken. Toen hij haar weer aankeek leek zijn kaaklijn harder. Hij haalde adem en gooide het eruit: 'Ga je nog om met Ron Nolan?'

Ze beet op haar onderlip, knikte en antwoordde, bijna op fluistertoon: 'We zien elkaar nog wel af en toe.'

'Hou je van hem?'

Ze haalde haar schouders op, schudde haar hoofd en haalde opnieuw haar schouders op. 'Ik weet het niet, Evan. We hebben wel een paar goede momenten gehad, maar ik weet het niet. Houden van is nogal veel gezegd.'

'Ja, dat klopt. Wat gaan we eraan doen?'

'Wat bedoel je met "we"?'

'Jij en ik. Wij. De gebruikelijke betekenis. Het feit dat ik van je hou.'

'O god, Evan.' Ze schudde langzaam haar hoofd. 'Zeg dat alsjeblieft niet.'

'Waarom niet? Het is waar.'

'Nou...' Ze liet zich van de lessenaar glijden en liep opnieuw naar het raam. Na een paar tellen draaide ze zich om. 'Zeg dat alsjeblieft niet,' herhaalde ze. 'Ik weet niet wat ik ermee moet.'

'Je moet er helemaal niets mee. Maar dat is wel een van de redenen waarom ik hierheen ben gekomen. Om je dat te vertellen. Zodat je het weet, voor het geval je het je af zou vragen.'

Ze keek hem recht in de ogen. 'Oké,' zei ze zachtjes. 'Dat weet ik dan nu.' Ze bracht haar hand omhoog en duwde haar vingertoppen zo hard tegen haar voorhoofd dat ze wit werden. Daarna trok ze haar hand terug. 'Waren er nog meer redenen?'

'Andere redenen waarvoor?'

'Voor je komst hierheen. Je zei dat een van de redenen was dat je me wilde vertellen dat je nog van me houdt. En de andere?'

Evan fronste zijn wenkbrauwen. Hij kon het zich niet herinneren. Gedurende één afschuwelijk moment vreesde hij zich nooit meer te kunnen herinneren wat de echte reden was waarom hij Tara vandaag was gaan opzoeken. Het was niet om haar te vertellen dat hij van haar hield. Daar was hij niet eens meer zeker van geweest voordat hij haar daadwerkelijk opnieuw had gezien. Maar nu ze hadden gepraat en dat uitgesproken was, wist hij niet meer wat de echte reden van zijn bezoek was. 'Ik probeer het me te herinneren,' zei hij. 'Heb je een paar seconden?'

Nu ervoer ze voor het eerst een effect van zijn verwonding en hij was zich er pijnlijk van bewust dat dit alles tussen hen zou kunnen veranderen. Misschien was hij in haar ogen nu beschadigd of gehandicapt, op een of andere manier niet meer zo scherp als hij vroeger was geweest, niet meer helemaal dezelfde. Niet iemand met wie ze zich kon meten.

Dat kon hij niet laten gebeuren.

Hij sloot zijn ogen en probeerde zich te concentreren. *Kom op, stom brein, kom op met die informatie.* Totdat hij de informatie en de woorden vond en zijn ogen opende. 'De reden dat ik hier eigenlijk ben,' zei hij, 'is dat ik je een eenvoudige, feitelijke vraag wilde stellen.'

Onmiddellijk had hij haar weer aan zijn kant. Haar gezichtsuitdrukking ontspande, ze deed een paar passen in zijn richting en sloeg haar armen over elkaar. 'Een eenvoudige, feitelijke vraag kan ik wel aan,' zei ze. Er speelde een glimlach rond haar mond.

'Oké. Kun jij je herinneren wanneer je hebt gehoord dat ik gewond was geraakt?'

Ze keek hem lang nogal verbaasd aan, alsof ze het raar vond dat hij die vraag überhaupt stelde. 'Ja hoor,' zei ze. 'Het was die avond toen ik je moeder in de supermarkt tegenkwam. Een paar dagen voor Kerstmis, geloof ik. Het was een paar dagen voordat ik je belde, dat weet ik zeker.'

'Je bedoelt voordat je me in het Walter Reed belde? Toen ik niet met je wilde praten?'

'Precies.'

'En dat weet je zeker? Dat het toen was, bedoel ik. Vlak voor Kerstmis?'

'Natuurlijk. Dat weet ik zeker. Wanneer had ik het anders moeten horen?'

'Nou, vlak nadat het was gebeurd, in september bijvoorbeeld.'

'Geen sprake van, Evan. Hoe had ik het toen kunnen weten?'

Hij haalde zijn schouders op. 'Wanneer ben jij begonnen met Ron Nolan?'

'Wat heeft Ron hiermee te maken?'

'Ik dacht dat hij het je wel had verteld, dat is alles.'

'Hij wist er helemaal niets van, Evan. Jullie waren allemaal al overgeplaatst, een week voordat hij terugkwam.'

Evan hield zijn hoofd enigszins schuin. Hij bestudeerde haar gezichtsuitdrukking en het enige wat hij zag was oprechtheid, openheid en misschien een beetje verwarring. Maar één ding was zeker: ze vertelde hem de waarheid zoals zij die kende.

'We waren overgeplaatst?'

'Dat heeft Ron gezegd.'

'Waarheen zijn we overgeplaatst, Tara? Heeft hij je dat ook verteld?'

'Nee, ik geloof dat hij dat niet wist.'

'Klopt. Dat wist hij niet. En weet je waarom? Omdat we helemaal niet waren overgeplaatst. Onze laatste missie voerden we uit vanaf het vliegveld van Bagdad, waar we de hele tijd bij Ron zijn geweest. Dat kun je gewoon verifiëren.'

De kiem van verbazing spreidde zich uit over haar gezicht als een epidemie. Opeengeklemde lippen, gefronste wenkbrauwen en ogen die wanhopig op zoek leken naar een rustpunt. 'Maar...' Het woord bleef in de ruimte tussen hen in hangen. Haar armen hingen slap langs haar lichaam. 'Dat begrijp ik niet.'

'Ron was bij ons in dat laatste konvooi, Tara. Hij zat in mijn Humvee. Hij was vlakbij toen ik werd geraakt.'

'Nee. Dat kan niet waar zijn.'

'Waarom zou ik zoiets verzinnen, Tara?'

'Ik zeg niet dat je het verzint, Evan. Al zou ik wel een reden kunnen bedenken waarom je het zou kunnen doen. Maar ik geloof niet dat je tot zoiets in staat bent.'

'Dat klopt. Ik verzin het ook niet,' zei hij. 'Ik vertel je gewoon wat er is gebeurd.'

Hij keek haar aan en ze wendde haar blik niet af. En toen, nauwelijks verstaanbaar, greep ze de volgende strohalm. 'Misschien... Nou ja, het is alleen maar een gedachte... Zou het misschien kunnen zijn dat je je niet alles meer zo goed herinnert, na wat er met je hoofd is gebeurd?'

Hij knikte, kalm en geduldig. 'Dat is een vraag die je zeker mag stellen. Ik ben inderdaad een aantal zaken vergeten. Van de periode vlak nadat ik weer wakker ben geworden, herinner ik me hele dagen en zelfs weken niet meer. Maar Ron was bij ons in dat konvooi. Dat herinner ik me tot in het kleinste detail. Als je dat nog steeds niet gelooft kun je het gewoon op internet opzoeken. Ga maar naar Google en tik Masbah in.' Hij spelde de naam van de buurt in Bagdad voor haar. 'Je kunt het er allemaal vinden. Hij is de oorzaak dat het daar fout is gelopen. En daarom wilde hij zo snel weg uit Irak. Ze waren begonnen met een onderzoek en hij wist dat het rechtstreeks naar hem zou leiden.'

Alle kleur was uit haar gezicht verdwenen. Ze keek naar de hoeken van het lokaal, alsof ze hoopte daar het antwoord te kunnen vinden. Ze streek een lok haar van haar voorhoofd weg. Ze legde haar hand op een van de leerlingentafels en liet zich op het bijbehorende bankje zakken. 'Hij zei dat hij er geen idee van had dat je gewond was,' zei ze. 'Hij zei dat hij het nooit had geweten als hij het niet van mij had gehoord, nadat ik jouw moeder die avond had gesproken.'

'Rond kersttijd.'

Ze knikte. 'Precies.'

'En hij vertelde je dat hij er daarvoor niets van wist?'

'Niets. Ik zweer het, Evan. Nee, híj zwoer het. Hij had er van niemand iets over gehoord.'

'Hij hoefde het ook niet van iemand te horen, Tara,' zei Evan. 'Hij was erbij. Hij was degene die de eerste schoten loste.'

Spinoza zette koffie en nam Evan mee naar de tuin zodat ze Leesa en hun vier kinderen, die in de woonkamer naar een film zaten te kijken, niet zouden storen. Het was zeker een halfuur voor zonsondergang en buiten was het warm en geurig. Ze gingen aan een houten tafel zitten onder een met wingerd begroeide pergola. 'Zo,' begon Spinoza, 'en heb je die drugsdealer al in de kraag gevat?'

'Nee, nog niet,' zei Evan. 'Hij is de stad uit.'

'Timing is alles,' zei Spinoza.

'Dat weet ik niet,' antwoordde Evan. 'Timing is belangrijk, maar de locatie geef ik toch ook wel punten. Een paar centimeter meer naar rechts of links en het had er voor mij heel anders uitgezien.'

'Dat geloof ik graag,' zei Spinoza, waarna hij de draad weer oppakte. 'Weet je zeker dat hij de stad uit is?'

Evan haalde zijn schouders op. 'Zijn auto is weg en niemand doet open.'

'Doe geen domme dingen, Ev,' zei de brigadier. 'Als je echt denkt dat die gast niet koosjer is, leg het dan maar neer bij Narcotica.' Spinoza blies in zijn koffiemok en nam een slokje. 'En nog iets anders: die Khalil, waar we het de vorige keer tijdens de lunch over hadden? Sinds een paar uur werken we in die zaak officieel samen met de FBI. Herinner je je dat verhaal over die granaat? Nou, ze hebben vastgesteld dat het inderdaad een fragmentatiegranaat was waardoor die kamer is geëxplodeerd en de boel in de fik is gevlogen. Dus de FBI is er nu bij betrokken, zelfs al lijkt het erop dat Khalil en zijn vrouw eerst met een 9mm-kogel door het hoofd zijn geschoten.'

Evans gezicht moest iets hebben verraden, want Spinoza zette abrupt zijn koffiemok op de tafel. 'Wat?'

'Niets,' zei Evan.

Evan voelde zich ontzettend gefrustreerd toen hij het huis van Spinoza verliet. Hij had gehoopt de foto die hij op Nolans pc had gevonden onder de aandacht van de brigadier te kunnen brengen, maar hij kon hem moeilijk vertellen hoe hij eraan was gekomen. Hij had bij de man ingebroken en dat maakte zijn hele plan dom en onuitvoerbaar. Maar nadat hij langs Khalils vernielde huis was gereden en zich ervan had overtuigd dat het inderdaad hetzelfde huis was als op de foto, besloot hij dat hij de diskette naar de FBI zou sturen. Dat was het enige wat erop zat. De FBI had ongetwijfeld een dossier over Nolan en daar zouden ze alles weten over zijn achtergrond. Het voordeel van deze aanpak was dat zowel de ATF als de FBI het niet zo nauw nam met de procesregels. Als ze eenmaal dachten dat Nolan Khalil en zijn vrouw had vermoord, zouden ze, zeker als er ook nog mogelijke banden waren met Irak en het terrorisme, gemakkelijk een voorwendsel vinden om hem te ondervragen en misschien zelfs zijn huis te doorzoeken, waar ze dan de granaten, de andere foto's en de wapens zouden ontdekken. Hoe dan ook, zodra ze de diskette ontvingen was Nolan zichtbaar op hun radar. En daarna was het alleen een kwestie van tijd voordat ze hem hadden ingerekend.

Inmiddels was het donker geworden. Terwijl hij in de keuken stond voelde Evan het kloppen in zijn hoofd erger worden en verschenen de speldenknopjes van licht weer aan de randen van zijn gezichtsveld, de eerste tekenen van een opkomende migraine. Hij had al een paar vicodintabletten ingenomen en besloot naar bed te gaan zodra hij klaar was. Anders kon hij morgen onmogelijk fris op het werk verschijnen.

Met zijn handen in blauwe latex handschoenen gestoken trok hij de bruine envelop met de plakstrook dichter naar zich toe. Het had hem behoorlijk veel moeite gekost met zijn linkerhand de gegevens van Nolan op een vel briefpapier te schrijven en de envelop te adresseren aan de FBI. Maar nu was hij tevreden: het handschrift was goed leesbaar, maar kon onmogelijk worden geïdentificeerd als het zijne. Hij stopte het briefpapier met Nolans adres samen met de diskette in de envelop, trok de strip van de zelfklevende strook en plakte de envelop dicht. Hij trok tien zelfklevende postzegels van de rol die hij had gekocht en plakte ze erop. Morgen zou hij naar een andere buurt rijden en hem daar op de bus doen.

Hij legde de envelop op zijn tafel en wierp er een kritische blik op. Nadat hij zich ervan had vergewist dat hij er geen sporen op had achtergelaten, deed hij het licht uit en liep naar zijn slaapkamer. Met zijn kleren nog aan ging hij op bed liggen, trok de deken omhoog tot over zijn schouders, draaide zich op zijn zij en sloot zijn ogen.

Vlak nadat het volkomen donker was geworden, belde Tara Evans moeder om naar zijn adres te vragen. Ze wachtte, dacht na, woog de voors en tegens af en stapte uiteindelijk even na elf uur in haar auto. Nadat ze in de donkere straat tegenover zijn appartement had geparkeerd, bleef ze nog vijf minuten zitten met de ramen dicht en haar handen voor haar mond gevouwen, alsof ze in gebed was.

Eenmaal bij de deur overstemde het kloppen van haar hart de schuchtere klop op de deur. Even later klopte ze opnieuw; harder nu. En ze wachtte.

Binnen ging licht aan en er klonken voetstappen. Ze hield haar adem in.

De deur ging open. Hij had geslapen met zijn kleren aan. Zijn haar zat in de war en zijn ogen hadden die slaperige uitdrukking die ze zich nog zo goed herinnerde. Ze keek naar hem op en realiseerde zich hoe fijn ze het altijd had gevonden naar hem op te kijken, hoe ze dat had gemist. Ze hield van zijn grote lichaam. Hij was zo anders dan Ron Nolan. Alles aan Evan was anders, en zoveel beter. Hoe had ze dat kunnen vergeten?

Ze kon zich er niet toe brengen te glimlachen. Ze was te bang. Het bloed bonsde in haar oren, haar handen trilden bijna.

Hij keek haar alleen maar aan.

'Is het niet te laat?' vroeg ze. 'Te laat op de avond, bedoel ik.'

'Nee.'

'Ik wilde nog een beetje met je praten. Mag dat?'

'Jij mag alles, Tara. Jij mag alles doen wat je wilt. Wil je binnenkomen?' Hij deed een stap opzij en gaf haar ruimte om naar binnen te lopen, waarna hij de deur zachtjes sloot. Ze liep door naar zijn woonkamer en bleef staan bij de afscheiding naar de keuken. Ze draaide zich om en keek hem aan. Ze voelde een spanning in haar schouders.

Vanuit de deuropening van de woonkamer zei hij: 'Ik weet niet of ik nog wel een goede gesprekspartner ben op dit tijdstip. Ik slaap niet altijd even goed, dus ik ben een beetje duf. Bovendien heb ik een paar borrels op. Ik drink te veel. Daar moet ik eigenlijk mee kappen.'

'Komt het doordat je veel pijn hebt?'

Hij haalde voorzichtig zijn schouders op. 'Soms, maar dat is niet echt de reden.' Hij zweeg even en vervolgde toen: 'Wat ze ook mogen zeggen, ik ben nog niet helemaal de oude. Misschien word ik dat wel nooit meer. Om je de waarheid te zeggen word ik soms bijna wanhopig als ik eraan denk. Meestal als ik alleen ben. Maar ik wil niemand het gevoel geven dat hij altijd bij me in de buurt moet zijn.'

'Je moeder?'

'Bijvoorbeeld, ja. Wie dan ook. Maar dat is...' Hij haalde opnieuw zijn schouders op. 'Dat is gewoon waar ik nu mee bezig ben, Tara: proberen niet op te geven. Hopelijk word ik beter. Hopelijk kom ik eroverheen.'

Evan stond nog steeds bij de deur en ondernam geen poging de afstand kleiner te maken. Ze had het gevoel alsof er aan haar werd getrokken, wat haar een nieuwe pijnsensatie bezorgde. Ze zette een stap in zijn richting. En nog een.

'Maar dat gaat allemaal alleen maar over mij,' zei Evan. 'Waar wilde je over praten?'

'Ron. Ik heb nooit van hem... Ik wilde je vertellen dat het nooit hetzelfde is geweest als tussen ons. Het was gewoon iets totaal anders.'

'Was? Verleden tijd?'

Ze zuchtte diep. 'Ja. Na wat je me vandaag hebt verteld.'

'Goed. En waarom was wat wij hadden dan zo anders?'

Tara vouwde haar handen ter hoogte van haar middel. Die vraag verdiende ze. En hij verdiende een eerlijk antwoord. 'Omdat wij écht contact hadden, Evan. Heel diep contact.'

Hij knikte. 'Dat weet ik.'

'Ik geloof niet dat het ooit weggaat.'

'Nee, ik ook niet.'

Hij stond nog steeds aan de andere kant van de kamer. Ze keek hem aan en vroeg: 'Waarom blijf je daar staan? Het lijkt wel alsof je bang voor me bent.'

'Dat ben ik ook. Net zo bang als nodig is.'

'Hoe nodig is dat?'

'Dat hangt ervan af in hoeverre het feit dat je van Ron af bent ook betekent dat je weer terug bent bij mij.'

Ze wachtte nog een paar seconden en liep vervolgens naar hem toe. Ze keek opnieuw naar hem op; ze kon hem ruiken. 'Doet het pijn als ik het litteken aanraak?' vroeg ze.

'Het is gewoon een litteken.' Maar hij boog zijn hoofd zodat ze het kon zien. Een bijna volmaakte cirkel, een kleine deuk.

Langzaam stak ze haar hand uit en bewoog die naar zijn hoofd. Onmiddellijk toen ze het litteken aanraakte voelde ze de kracht uit haar benen wegvloeien. Terwijl ze langs de rand van het litteken streek, welden de tranen op in haar ogen en ze deed geen moeite om ze te stoppen. Evan legde zijn hoofd tegen haar schouder.

Met haar andere hand streelde ze nu zijn haar en met beide handen hield ze zijn hoofd vast.

Hij sloeg zijn armen om haar heen en knielde voor haar neer, waarna hij de zijkant van zijn gezicht tegen haar bovenbeen drukte. Nu leidde ze hem, met een hand op zijn hoofd, zodat ze hem dichterbij voelde, en zijn handen grepen haar van achteren en trokken haar dichter naar zich toe. Even duwde ze hem van zich af, zodat ze uit haar kleren kon stappen, en daarna trok ze hem weer naar zich toe.

Razendsnel belandde ze nu op de grond met haar benen rond zijn nek, totdat het kokende bloed en de opwinding die ze alleen met hem had gekend haar overmanden, en vervolgens smaakte zijn mond naar haar en riep hij haar naam terwijl alles tussen hen terugkwam, en opnieuw kwam, totdat ze beiden uitgeput op de grond lagen, verenigd in de meest compleet denkbare vorm.

15

De belangrijkste passage uit de e-mail van Jack Allstrong die Nolan had geïnspireerd op pad te gaan luidde: 'Zodra de CPA zijn bevoegdheden aan de Irakezen heeft overgedragen, schuift Uncle Sam twee komma vier miljard dollar – dat lees je goed: twee komma vier miljard! – in de vorm van in bulk verpakte biljetten van honderd dollar. Weet je wel hoeveel dat is, Ron? En het is vrijwel allemaal bestemd voor infrastructuur en wederopbouw, met andere woorden: voor ons. Daarom geef ik jou met onmiddellijke ingang de vrije hand zo veel mogelijk nieuwe medewerkers te rekruteren.'

Nolan was zojuist teruggekomen van een paar vruchtbare werkdagen. In bars in de buurt van militaire bases in Californië – Pendleton, Ord, Travis – had hij vier man geworven voor de lopende en zich almaar uitbreidende operaties van Allstrong in Irak. Het veiligheidswerk bij Allstrong mocht dan zwaar en risicovol zijn, er waren voldoende voormalige legerofficieren te vinden die zich verveelden of blut waren (of allebei) en maar al te graag gebruikmaakten van de mogelijkheid hun loopbaan weer op te pakken, hun gevoel voor eigenwaarde op te vijzelen en de speciale talenten die hun in het leger zo goed van pas waren gekomen te gelde te maken.

En nergens waren ze meer nodig dan in Anbar. Zoals Jack Allstrong in augustus al had voorspeld, bleek de aanleg van een infrastructuur van elektriciteitsmasten en -leidingen in die provincie een ware goudmijn voor het bedrijf, al was het tegelijkertijd ook een uiterst kostbaar project omdat er veel doden bij vielen. Allstrong had voor het meest recente contract – dat aanvankelijk een omvang had van veertig miljoen, maar in de afgelopen zeven maanden was uitgegroeid tot meer dan honderd miljoen – inmiddels meer dan vijfhonderd man op de loonlijst staan. Jack kon er niet genoeg van krijgen te benadrukken dat Allstrong Security in 2003 het snelst groeiende bedrijf ter wereld was. Zelfs Google hadden ze voorbijgestreefd, dankzij de financiële grootmoedigheid van de Amerikaanse regering en Jacks talent om de chaos van de wederopbouw zo goed mogelijk uit te melken.

Maar in Anbar had het bedrijf al zesendertig van Kuvan Krekars mannen verloren. Kuvans aanvoerlijn dreigde op te drogen en het leek alsof het enthousiasme van potentieel personeel tanende was. Bovendien had Kuvan zware concurrentie gekregen van een andere ronselaar die Mahmoud al-Khalil heette. Niet alleen leverde deze nieuwe concurrent goedkopere arbeidskrachten, maar bovendien leek het erop dat hij Kuvans mensen terroriseerde en in sommige gevallen misschien zelfs uit de weg ruimde om ze ervan te weerhouden bij Kuvan aan te monsteren. Waarom? Omdat Mahmoud zodoende de bijzonder lucratieve provisie in zijn zak kon steken in plaats van Kuvan. Nu aan het leven van zijn pater familias in Menlo Park een abrupt einde was gekomen, zou Mahmoud hopelijk spoedig tot het inzicht komen dat het zakelijk gezien minder handig was rechtstreeks de concurrentie aan te gaan met Allstrongs favoriete onderaannemer. Met de plunjezak over zijn schouder liep Nolan via de garage de keuken van zijn woning in. Hij liep door de woonkamer naar zijn werkkamer om de computer aan te zetten en ging daarna naar de slaapkamer, waar hij de plunjezak op bed liet vallen. Vervolgens liep hij naar zijn bureau om zijn e-mail door te nemen en te controleren of hij al was betaald. Je moest tenslotte prioriteiten stellen in het leven.

Het geld was overgemaakt.

Hierna liep Nolan terug naar de slaapkamer en begon zijn plunjezak te legen. Hij pakte een broek, draaide zich om en opende de kledingkast. Hij bleef als aan de grond genageld staan.

Er klopte iets niet.

Nolan stond nooit echt stil bij zijn hang naar orde en netheid, maar als hij 's ochtends opstond maakte hij altijd met militaire precisie zijn bed op. Het laken moest zo strak gespannen zijn dat je er een muntstuk op kon laten stuiteren. Zijn schoenen waren altijd keurig gepoetst en stonden in slagorde op de vloer in de kast. Zijn hemden en broeken hing hij op volgorde van licht naar donker en de ruimte tussen de hangers was altijd gelijk. Dat alles was voor hem niet meer dan een automatisme.

Nu staarde hij naar de rij hangers. Hij kon zich niet meer precies herinneren hoe hij de hemden en broeken voor deze trip had gepakt, maar het was onmogelijk dat hij de hangers met zoveel ongelijke tussenruimten had achtergelaten. Hij keek omhoog naar de rugzak op de bovenste plank. Die had hij precies halverwege de hemden en broeken gelegd, maar nu lag die midden boven de hemden. Hij reikte omhoog en trok hem naar zich toe, opgelucht omdat het gewicht nog hetzelfde leek. Hij maakte hem open en zag dat er niets weg was. De granaten, het pistool, de munitie: alles zat er nog in.

Dat was vreemd.

Misschien verbeeldde hij zich wel dat de hangers waren verschoven. Het leek onwaarschijnlijk dat iemand bij hem had ingebroken zonder de granaten en het pistool mee te nemen.

Maar hij moest het zekere voor het onzekere nemen. Hij haalde de Beretta uit de rugzak, plaatste het magazijn en transporteerde een kogel naar de kamer. Hij liet de rugzak naast de plunjezak op het bed vallen en controleerde de badkamer, waar een indringer zich misschien nog verborgen kon houden. Toen hij daar niemand had aangetroffen, liep hij via de woonkamer terug naar de voordeur, waar het stukje plakband dat hij aan de deur en de deurstijl had bevestigd nu onder de deur terecht was gekomen.

Het stond nu vast dat er iemand in zijn huis was geweest.

Methodisch nu liep hij terug naar de garage, waar hij de lege rugzakken die aan de muur hingen bevoelde. Net toen hij op het punt stond de laden open te trekken kwam hij weer overeind en dacht na.

Hij kon zich nauwelijks voorstellen dat het mogelijk was, maar als een van de leden van de omvangrijke familie van Khalil erachter was gekomen dat hij degene was die de pater familias had geëlimineerd, zouden ze wel eens kunnen terugslaan met een bom. Laden openen was in dat geval niet slim. Door zijn uitgebreide ervaring met bermbommen in Irak wist hij dat er, mocht er een bom in zijn huis zijn geplaatst, buiten iemand kon wachten om hem te activeren als hij binnen was. De andere mogelijkheid was dat de bom afging als hij een elektriciteitsschakelaar gebruikte. Maar die scenario's impliceerden dat iemand wist dat hij Khalil had omgebracht.

En dat was volgens Nolan domweg onmogelijk. Hij had geen fouten gemaakt. En daarom was er geen bom. Bovendien had hij zijn computer al aangezet en her en der het licht aangedaan. Hij opende alle laden in de garage en deed hetzelfde in de keuken. Hij deed de koelkast open. Hij had geen idee waar hij naar zocht, maar iemand was tijdens zijn afwezigheid in zijn huis geweest en als hij niets had meegenomen, wat had hij dan gedaan?

Hij had geen idee.

Terug in zijn werkkamer ging hij achter zijn bureau zitten, legde zijn pistool neer en tuurde een minuut lang naar zijn computer. Hij pakte de hoorn van de telefoon en hoorde een onderbroken kiestoon, wat betekende dat er een of meer boodschappen waren ingesproken. Hij toetste zijn code in.

Het eerste bericht was afkomstig van Tara, die hem maandagavond had gebeld. Ze klonk overstuur, maar ook gedecideerd: 'Ron, Evan Scholler is me vandaag op school komen opzoeken. We hebben een lang gesprek gehad en hij heeft me een aantal dingen verteld waarvan ik erg ben geschrokken; ik neem aan dat je wel weet welke dingen dat zijn. Ik weet niet wat ik erover moet zeggen, alleen dat ik me enorm misbruikt voel. Ik begrijp niet dat je zo tegen me hebt kunnen liegen. Ik spreek dit expres in op je voicemail, omdat ik je niet meer wil spreken of zien. Ik kan gewoon niet geloven dat je dit hebt gedaan. Ik begrijp niet hoe iemand zo wreed en egoïstisch kan zijn. Het spijt me, Ron. Niet wat ik zojuist heb gezegd, maar het spijt me dat je bent wie je bent. Dag Ron. Bel me niet terug en kom me nooit meer opzoeken. Blijf uit mijn buurt. Ik meen het.'

Hij had de telefoon nog aan zijn oor en zijn greep op de hoorn was nog even krampachtig toen het volgende bericht werd afgespeeld. Dit was 's ochtends ingesproken, ongeveer zes uur geleden. 'Meneer Nolan, u spreekt met Jacob Freed, agent van de FBI. Ik vroeg me af of we u misschien een paar minuten mogen spreken over een kwestie met betrekking tot de nationale veiligheid die ons onder de aandacht is gekomen. Het is een puur routinematige aangelegenheid. Het klinkt misschien wat vaag, maar u zult begrijpen dat we niet alles door de telefoon kunnen zeggen. Wilt u mij zo snel mogelijk laten weten wanneer u tijd hebt voor een afspraak? Ik zal u zelf ook vandaag of morgen weer proberen te bereiken. Mijn nummer is...'

Toen Nolan ten slotte ophing bleef hij onbeweeglijk zitten met zijn rechterarm gestrekt, terwijl zijn hand op de Beretta rustte. Na een poosje liet hij het wapen los en bracht hij zijn hand naar de muis. Zodra hij het icoon van de map 'Mijn afbeeldingen' zag realiseerde hij zich dat hij een fout had gemaakt door die bestanden voor zijn vertrek niet te wissen. Hij opende de map nu, met de bedoeling de put alsnog te dempen. Hij bekeek het log en zag dat iemand de map inderdaad twee dagen geleden had geopend. Maandag, de dag waarop Tara met Evan Scholler had gesproken.

Al was het eigenlijk al te laat, toch kon hij het bestand beter alsnog wissen, zodat de FBI, als ze huiszoeking kwamen doen...

Maar hij was zich ervan bewust dat je tegenwoordig eigenlijk nooit meer echt iets kon wissen. Een beetje computerexpert kon alles wat je ooit op de harde schijf had gezet weer tevoorschijn toveren.

Toch zweefde zijn vinger nog even boven de muis, terwijl hij naar een van de vele foto's keek die hij van Khalils huis had gemaakt ter voorbereiding van zijn plan van aanpak. Eén klik en hij was weg. Voorlopig in ieder geval.

Hij leunde naar achteren en kneep zijn ogen tot spleetjes. Plotseling trok hij zijn hand weg van de muis. Ineens wist hij dat het helemaal geen goed idee was de foto's te wissen. Al moest hij zich wel ontdoen van de geheugenkaart in het digitale fototoestel in de la van zijn bureau. Als in trance tikte hij een tijdje met de nagel van zijn wijsvinger tegen zijn voortanden.

Het idee was perfect. Hij kon er geen gaten in schieten.

Hij pakte de telefoon.

'Mag ik agent Freed van u?'

'Spreekt u mee.'

'Agent Freed, met Ron Nolan. U hebt op mijn voicemail ingesproken dat u me wilde spreken over een nationale veiligheidskwestie.'

'Inderdaad, dat klopt. Bedankt dat u zo snel terugbelt.'

'Misschien zou ik ú wel moeten bedanken, meneer Freed. Ik ben zojuist teruggekomen van een zakenreis en tijdens mijn afwezigheid is er iemand mijn huis binnengedrongen. Ik was van plan de politie te bellen, maar toen hoorde ik uw bericht. Ik weet niet of u daarvan op de hoogte bent, maar ik doe nogal gevoelig veiligheidswerk voor Allstrong Security, een bedrijf dat voor de overheid werkt in Irak. Ik had het gevoel dat het onderwerp waarover u me wilt spreken daar misschien iets mee te maken zou kunnen hebben.'

'Tja, zoals ik al zei: misschien kunnen we dat beter in een persoonlijk onderhoud bespreken, maar als u een inbraak of een diefstal wilt aangeven, kunt u dat toch beter gewoon bij de politie doen. Dat soort dingen valt buiten onze bevoegdheid.'

'Dit was geen gewone inbraak, agent Freed. Wie het ook is geweest, ze hebben niets meegenomen. Ze hebben juist iets achtergelaten. En ze hebben iets uitgespookt op mijn computer. Ik weet niet precies wat het is, maar ik heb het gevoel dat iemand me iets probeert te flikken.'

'Wat bedoelt u precies?'

'Nou, ik heb in ieder geval één ding gevonden, maar misschien is er nog wel meer. Ik zoek liever niet verder, want ik ben bang dat hij ergens een bom heeft geplaatst.'

'Wie is "hij"?'

'Dat weet ik niet. Degene die heeft ingebroken.'

'Oké. En wat is dat voor een voorwerp dat u hebt gevonden?'

'Dat is het vreemde. Het is een rugzak met wapens en munitie en – u zult me niet geloven – het lijkt erop dat er zes handgranaten bij zitten.'

'Handgranaten?'

'Dat klopt. Zoals u misschien al weet ben ik diverse malen in Irak geweest. Ik ben op de hoogte van dit soort wapens. En deze zien eruit als fragmentatiegranaten.'

Freed en zijn partner, een kleine, gedrongen vrouw die Marcia Riggio heette, zaten samen met Nolan op de kleine patio in de schaduw van de eikenbomen. Binnen was een team van drie forensisch specialisten al klaar met het onderzoeken van de inhoud van de rugzak. Ze waren nog bezig met vingerafdrukken afnemen van ieder denkbaar glad oppervlak en alle andere vondsten die van belang zouden kunnen zijn in kaart brengen, zoals het tweede pistool dat Nolan achter het hoofdbord van zijn bed bewaarde en de digitale camera in de la van zijn bureau. De harde schijf van zijn computer werd gekopieerd.

Nolan wilde deze federaal agenten met zorg bespelen. Hij moest de indruk vermijden dat hij ze een bepaalde kant op wilde sturen. Maar nu, terwijl agent Riggio opkeek van haar schrijfblok, besloot Nolan dat het tijd werd. 'Mag ik jullie iets vragen?' begon hij. 'Hebben jullie enig idee waarom iemand dit zou doen?'

De twee agenten keken elkaar veelbetekenend aan. Freed gaf Riggio een knikje waarop die vroeg: 'Hebt u misschien vijanden?'

Nolan fronste zijn wenkbrauwen. 'Zelfs als ik die had,' zei hij, 'wat heeft dit dan voor zin? Tenzij ik de pin uit een van die handgranaten trek. Maar iedereen die me ook maar een beetje kent weet dat ik dat nooit zou doen.'

'Misschien was het helemaal niet de bedoeling u te doden of te verwonden,' vervolgde Riggio. 'Misschien was het de bedoeling u iets in de schoenen te schuiven.'

'Maar wat dan?'

Nu kwam Freed tussenbeide. 'Voordat we daarop doorgaan,' zei hij, 'wil ik eerst graag nog iets meer weten over uw vijanden.'

Nolan glimlachte breed. 'Daar kan ik me echt niets bij voorstellen. Ik kan met iedereen goed opschieten, eerlijk waar, en de mensen zijn doorgaans op me gesteld. Volgens mij baas is dat een van mijn zwakke eigenschappen. Maar serieus, daar moet ik echt ontkennend op antwoorden. Ik heb geen vijanden.'

'Oké,' zei Riggio. 'Rivalen dan misschien?'

'U bedoelt in zaken? Concurrenten?'

'In zaken, in de liefde, in wat dan ook.'

Hij liet een lange stilte vallen en verkneukelde zich al een beetje om het vervolg. 'De enige mogelijkheid die ik zou kunnen bedenken...' Hij schudde zijn hoofd. 'Nee, laat maar zitten.'

Freed ging er onmiddellijk op in. 'Wat?'

'Niets. Iemand die ik ken uit Irak en die vroeger iets met mijn vriendin had. Maar dat is al zo lang geleden.'

'Als hij in Irak is kan hij het niet zijn geweest.'

'Nou, hij is inmiddels weer terug.'

'En is hij er al overheen? Over de relatie met uw vriendin, bedoel ik?' vroeg Riggio.

'Dat weet ik niet. Hij had het er in het begin wel moeilijk mee, maar ik heb hem al maanden niet gezien. Maar luister, dat kan het niet zijn. Het is een goeie vent. Trouwens, hij werkt bij de politie. Hij zou zoiets nooit...'

Freed onderbrak hem. 'Hij werkt bij de politie?'

'Ja, hier in Redwood City. Zijn naam is Evan Scholler. Hij is gewond geraakt daar en ze hebben hem naar huis gestuurd.'

'Maar in Irak had hij toegang tot dat soort granaten?'

'Ja, maar die zou hij absoluut niet mee naar huis hebben genomen. Hij heeft een paar maanden in het Walter Reed gelegen voordat hij weer naar huis kon.'

'Militairen sturen vaak illegaal wapens en ander verboden spul naar huis, bij wijze van souvenir,' zei Reggio. 'Meestal per boot. Dat is een bekend probleem.'

'Nou, ik zou niet weten wat Evan daarmee had willen... Ik bedoel, wat heeft het nou voor zin een paar handgranaten in mijn klerdingkast te verbergen? Ik ga mezelf er echt niet mee opblazen. Dus het is niet bepaald de manier om van me af te komen als hij me als een rivaal ziet.'

Reggio en Freed keken elkaar even aan en opnieuw gaf Freed Riggio een bijna onmerkbaar knikje. Riggio boog zich naar voren en plantte haar ellebogen op haar knieën. 'Kent u een zekere Ibrahim Khalil?'

'Nee,' zei Nolan. 'Waarvan zou ik die moeten kennen?'

'Hij is een zakenman die hier in de buurt woont, met banden in Irak. Hij en zijn vrouw zijn het afgelopen weekend vermoord.'

'Nou, dat spijt me, maar ik was de stad uit. Ik heb er niets over gehoord.'

'Kon Evan Scholler hebben geweten dat u de stad uit was?'

Nolan haalde zijn schouders op. 'Als hij wist waar ik woon had hij kunnen kijken of mijn auto in de garage stond. Als dat zo is ben ik thuis.'

'Maar voor zover u weet is hij hier nog nooit geweest?' vroeg Reggio.

'Nee. Zoals ik al zei zijn we niet meer zo goed bevriend.' Alsof dit hem net te binnen schoot voegde hij eraan toe: 'Maar hij werkt bij de politie. Dus het is makkelijk zat voor hem om erachter te komen waar ik woon. En het lijkt erop dat hij dat heeft gedaan.'

Freed ging erop door. 'Dus afgelopen zondagochtend was u bij uw vriendin op wie die Evan Scholler nog zo gek is?'

'Tara,' antwoordde Nolan. 'Tara Wheatley. Inderdaad. Maar wat betekent dit dan allemaal?'

'Die foto's op uw computer die u niet kon thuisbrengen,' zei Riggio, 'zijn foto's van het huis van meneer Khalil voordat iemand ze heeft vermoord, er een fragmentatiegranaat heeft laten ontploffen en de boel heeft laten afbranden.'

'Een fragmentatiegranaat...' Nolan wilde niet al te naïef overkomen. Zowel Freed als Riggio wist dat hij gevechtservaring had en misschien wisten ze nog wel veel meer over hem. Dit was het moment waarop hij, in weerwil van zijn diepgewortelde geloof in de goedheid van zijn medesoldaten, uiteindelijk de kennelijke waarheid onder ogen moest zien. Dus knikte hij langzaam en keek het tweetal bedrukt aan. 'Godallemachtig. Hij probeert me erin te luizen. Dus hij is degene die ze heeft vermoord?'

16

Hoewel het al zes uur was geweest, brandde de zon nog op parkeerplaats en in de portiek van Tara's appartement. Ze voelde de warmte in haar hand die ze tegen de dichte en vergrendelde deur hield. 'Ik heb je gezegd dat ik je niet meer wil zien. Ik heb geen zin om met je te praten.'

'Maar ik moet je spreken, Tara, alsjeblieft. Ik wil het uitleggen.'

'Er valt niets uit te leggen. Ik geloof je niet meer. Ik vind het bovendien ongelofelijk dat je het ook maar in je hoofd haalt langs te komen om met me te praten. Je hebt tegen me gelogen, Ron. Je hebt me al die maanden voor de gek gehouden.'

'Nee, ik heb gevochten voor de waarheid. En de waarheid is dat ik van je hou.'

'Je liegt niet tegen iemand van wie je houdt.'

'Je hebt gelijk. Dat was een vergissing. Dat had ik niet moeten doen. Het spijt me vreselijk.'

'Spijt hebben is niet voldoende. Ik wil het er helemaal niet over hebben. Ik wil dat je nu weggaat.'

'Dat kan ik niet doen, Tara. Ik kan het niet zo laten eindigen. Wil je alsjeblieft opendoen? Zodat ik je in ieder geval kan zien?' Ze antwoordde niet, maar hij bleef tegen de deur praten. 'Luister, ik weet dat je in de war bent vanwege Evan, vooral door het tijdstip waarop onze verhouding is begonnen. Ik dacht dat je medelijden met hem zou krijgen als je wist dat hij gewond was geraakt... dat je hem dan opnieuw een kans zou willen geven... en dat ik je dan zou verliezen, wat er verder ook van zou komen.'

'Dat is dan nu gebeurd.'

'Dat kan ik niet accepteren, Tara. Ik dacht dat hij het niet zou overleven. Ik dacht dat het niet meer uitmaakte.'

'Daar gaat het niet om, Ron. Je hebt me voorgelogen. Alles wat we hebben gedaan was verkeerd, begrijp je dat dan niet? Als jij Evan gewoon wilde wegcijferen, ook al zou hij sterven, hoe zou er dan ooit iets waardevols tussen ons kunnen ontstaan?'

'Maar er wás iets moois tussen ons.'

'Nee, dat is niet waar. En dat is nog het ergste. We hadden elkaar moeten kunnen vertrouwen. Dat kan nu nooit meer. Snap je dat dan niet?'

'Vanwege één vergissing?'

'Je begrijpt het echt niet, hè?'

'Ik weet alleen maar dat ik zo bang was de vrouw te verliezen van ik wie hou dat ik niet wilde dat ze zou worden afgeleid vanwege een gewonde ex, die misschien sowieso nooit meer levend thuis zou komen.'

'Dacht je dat Evan voor mij niet meer betekende dan een afleiding?' De ketting rinkelde en de deur ging op een kier, totdat de ketting strak stond. 'Ik heb geen zin meer vanachter de deur naar je te roepen. Ik wil gewoon dat je weggaat. Je maakt me bang op deze manier.'

'Hoe kun je nou bang voor me zijn, Tara? Ik ben hier om je te smeken naar me te luisteren, om me nog een kans te geven.' Hij verplaatste zijn gewicht naar zijn andere voet. 'Komt het door hem?'

'Bedoel je of ik nog van hem hou? Dat weet ik niet. We hebben lang geen contact meer gehad en ik weet op dit moment nog niet wat mijn gevoelens zijn. Maar ik weet wel dat je me nu de stuipen op het lijf jaagt. Waarom? Omdat je hebt gelogen. Omdat je me de ene leugen na de andere hebt verteld.'

'Ik heb één keer gelogen, Tara. Omdat ik wilde beschermen wat we hadden, dat is alles.'

'Nee, dat is niet waar, Ron. Want hoe zat het met Masbah?'

'Wat is daarmee?'

'Je hebt op een onschuldig gezin geschoten. Ik heb het opgezocht op internet en er alles over gelezen. Door jou is het allemaal gekomen.'

Ron liet zijn hoofd hangen en wreef over zijn bezwete voorhoofd. 'Ik wilde het konvooi beschermen. Ik dacht dat we met een zelfmoordterrorist te maken hadden. Zoiets kun je alleen maar begrijpen als je het ooit hebt meegemaakt, en ik ga me er echt niet voor verontschuldigen.'

'Maar ik heb gelezen dat ze allang waren gestopt.'

'Je moet niet alles geloven wat je leest. Het luisterde allemaal erg nauw en als ik twee seconden langer had gewacht, hadden we allemaal dood kunnen zijn.'

'De meesten van jullie zijn ook gestorven. Of was je dat vergeten?'

'Dat was mijn schuld niet. Als ik al te vroeg heb geschoten – en ik zeg niet dat dat zo is – dan was dat alleen maar uit voorzichtigheid.'

'Ron, je hebt een onschuldig gezin uitgemoord! Zit dat jou helemaal niet dwars?'

'Natuurlijk zit het me dwars, Tara. Ik word niet goed als ik eraan denk.

Maar gegeven de omstandigheden kan ik niet zeggen dat ik het een volgende keer anders zou doen. Het was een kwestie van leven of dood waarover ik in een fractie van een seconde moest beslissen en ik heb het besluit genomen mijn mannen te beschermen.'

'Evan heeft mij iets heel anders verteld, Ron. En hij was er ook bij.'

'Hij heeft je zeker niet verteld dat ik hem uit het spervuur heb gesleept, zodat hij het er levend vanaf heeft gebracht?'

'Dus nu ben jij de held?'

'Dat zeg ik niet. Ik zeg alleen maar dat Evans geheugen op dit moment misschien niet het allerbetrouwbaarste is wat er op de wereld bestaat. En ik zeg dat hij een goede reden heeft om mij zwart te maken.'

'Hij is er niet de schuld van dat jij tegen me hebt gelogen.'

'Hoe vaak moet ik nog zeggen dat ik spijt heb van die leugen? Zeg het maar. Dat wil ik doen zo vaak als je maar wilt.'

'En die andere leugens dan?'

'Welke andere leugens? Er zijn geen andere leugens.'

'Dat ik de laatste brief zou hebben verscheurd die je me had gebracht?'

'Die heb je helemaal niet verscheurd.'

'Precies. Maar dat heb je wel tegen Evan gezegd.'

'Nee, dat is niet waar. Heeft hij je dat verteld?'

'Ja.'

'Dan liegt hij.'

'Dat geloof ik niet, Ron. En die keer dat je hem hebt opgezocht in het Walter Reed en hem vertelde dat ik gezegd had dat het allemaal eigen schuld, dikke bult was?'

Nolan keek omlaag en schudde zijn hoofd.

'Nou?'

'Dat is ook niet waar, Tara. Waarom zou ik dat zeggen? Ik ben hem gaan opzoeken omdat ik wilde weten hoe het met hem ging, of hij beter zou worden. Dat is alles. Hij is degene die niets meer van jou wilde weten.'

'Hij heeft me iets heel anders verteld.'

'Ja, dat zal wel. Enig idee waarom?'

Door de kier tussen de deur en de deurpost zag hij dat ze haar hoofd achterover liet vallen tot het tegen de muur naast de deur rustte. Hij slaagde erin haar uit te putten en langzaam tot haar door te dringen. 'En zal ik je nog eens wat vertellen?' zei hij. 'Dat zul je nog veel minder leuk vinden, zeker als je nog gelooft dat jouw vriend Evan zo aardig en onschuldig is. Enig idee wat hij in mijn huis heeft achtergelaten nadat hij daar het afgelopen weekend heeft ingebroken?'

Tara keek Nolan na toen hij wegreed en liep vervolgens naar haar woon-kamer. Ze liet zich op de bank zakken en legde haar voeten op de salon-tafel. Ze vouwde haar handen voor haar mond, sloot haar ogen en haalde diep adem. Ze trilde over haar hele lichaam, overmand door een maal-stroom van tegenstrijdige mogelijkheden en gevoelens.

Ron Nolan was hun relatie begonnen met een grote leugen, maar bete-kende dat ook dat ieder woord dat uit zijn mond kwam verdacht was? Ze had niet verwacht dat hij nog zou komen opdagen en ook niet dat hij de leugens waarop hij hun relatie had gebaseerd ruiterlijk zou toegeven. Misschien was de waarheid inderdaad dat hij van haar hield en dat hij een fout had gemaakt. Een vreselijke fout, maar een waarvan hij nu spijt had.

Net zoals hij spijt had van het doden van dat gezin in Irak.

Wat klopte er van dat verhaal? Had hij misschien toch een goede reden gehad om te schieten? En had hij het leven van Evan inderdaad gered? Ze waren omsingeld en zwaar in de minderheid. Als er een bom in die auto had gezeten, had geen van hen het overleefd. Zou zijzelf onder de gege-ven omstandigheden misschien de beslissing hebben genomen te vuren?

De mogelijkheid dat zij zelf misschien degene was die zich onredelijk gedroeg raakte haar als een mokerslag. Ron Nolan was altijd goed voor haar geweest, meer dan goed zelfs. Die keer in San Francisco had hij haar zelfs het leven gered. En het feit dat hij haar vandaag was komen opzoe-ken om vergiffenis te vragen, betekende dat niet dat hij meer diepgang en karakter had dan ze ooit had vermoed?

Mensen konden veranderen, ze ontwikkelden zich en leerden van hun fouten. En stel nu eens dat het waar was wat Ron haar had verteld? Dan liep hij nu zelf gevaar.

Nee. Dat kon ze niet geloven. Ron probeerde haar gewoon nog verder te vergiftigen met zijn leugens.

Nadat Evan haar op school had opgezocht en na hun vrijpartij van de afgelopen nacht wist ze wat ze voelde: niet alleen de nog steeds krachtige lichamelijke aantrekkingskracht, maar ook een diepe zielsverwantschap – irrationeel, gebaseerd op gevoel, maar fundamenteel. Het was een ver-bondenheid die ze met niemand anders ooit had gevoeld.

En nu was Ron haar komen vertellen dat Evan tegen haar had gelogen. Een notoire leugenaar die een ander ervan beschuldigde te liegen. Het leek wel op een wetenschappelijk experiment waarbij A altijd de waar-heid sprak en B altijd loog. Hoe kwam je erachter wie de leugenaar was? En wie moest je geloven?

Zou Evan in staat zijn geweest te verzinnen dat Ron had gezegd dat ze zijn brief had verscheurd? En had hij kunnen liegen over wat er in het Walter Reed was gebeurd? Evan had toegegeven dat zijn geheugen hem soms in de steek liet, vooral in het begin. Had hij tegen haar kunnen liegen zonder het te beseffen? En zou Evan werkelijk in staat zijn bij Ron in te breken om hem een moord in de schoenen te schuiven? Een moord die hij zelf had gepleegd?'

Dat laatste kon Tara absoluut niet geloven. Ze kende Evan. Zelfs na al die tijd en na alle problemen die ze hadden gehad, wist ze hoe hij in elkaar zat.

Hij was geen leugenaar. En hij was geen moordenaar.

En dat betekende dat Ron Nolan opnieuw tegen haar loog. En tegen de FBI. En misschien ook wel tegen de plaatselijke politie.

Liegen is wat leugenaars doen.

Abrupt opende ze haar ogen en ging rechtop zitten.

Ze moest naar Evan toe. Ze moest hem waarschuwen.

17

Hoewel de Old Town Traven niet echt bekendstond als een plek waar veel politiemensen kwamen, lag de kroeg vlak bij het politiebureau. Je kon er tijdens het happy hour een redelijk smakelijk maar niet al te gezond borrelgarnituur krijgen met kippenvleugeltjes, doppinda's, kleine gehaktballetjes met jus en popcorn. Hoewel het happy hour al ruim twee uur geleden was verstreken, waren er nog voldoende hapjes voorhanden. Het liep niet bepaald storm in de Traven en Evan, die zich op het bureau had omgekleed, zat samen met zijn bowlingmaat Stan Paganini aan het einde van de bar, waar ze het rijk alleen hadden.

Omdat hij een beetje nerveus was over de envelop die hij naar de FBI had gestuurd en omdat hij zijn zinnen wilde verzetten, zodat hij niet in de verleiding zou komen Tara op te zoeken voordat ze het met Nolan had uitgemaakt (als ze dat al zou doen), vond Evan dat hij maar het best een stuk of tien borrels kon drinken, zodat de moeilijke avond in een roes voorbijging. Morgen was er weer een dag.

Het was inmiddels halftien en ze hadden het over de naam van de bar. Als gevolg van de ondermaatse intelligentie van de eigenaars, een in dronkenschap begane vergissing of een combinatie van beide stond er op het neon uithangbord boven de deur te lezen: OLD TOWN TRAVEN. Ook op de visitekaartjes van de bar stond het woord *tavern* verkeerd gespeld, dus luidde Evans conclusie dat de uitbaters waarschijnlijk niet de slimsten waren en zeker nooit de spellingwedstrijd voor leerlingen van negen en tien jaar van alle scholen in San Mateo hadden gewonnen, een prestatie die hijzelf destijds had geleverd.

'Maak dat de kat wijs.' Paganini stak een cocktailprikker in het laatste gehaktballetje en spoelde het weg met een flinke slok gin-tonic.

'Serieus. Ik heb gewonnen met het woord "hygiëne", wat natuurlijk eigenlijk niet eerlijk is, want dat is veel te makkelijk.'

'Wacht! Niet voorzeggen.' Paganini nam nog een slok. 'H, Y,' begon hij.

'Nou, dat begint veelbelovend,' moedigde Evan hem aan.

'Oké, nu en dan komt er een G, en een E...'

'*Tuuut!* Jij bent gezakt.' Evan schudde zijn hoofd.

'Nee, kom op, dat was een vergissing, er moet eerst nog een I voor.'

'Het gaat er bij zo'n spellingkampioenschap juist om dat je je blijft concentreren. Dat is bij jou kennelijk geen sterk punt.'

'Hoe dan ook, je hebt gelijk: "hygiëne" is een makkelijk woord.'

'Maar "tavern" is nog makkelijker, en dat hebben ze hier fout gespeld. Niet één keer, maar twee keer. Misschien wel drie keer, als ze ook lucifermapjes hebben laten bedrukken.'

'Nou, ja, het zal wel...' Paganini schoof met zijn omvangrijke lichaam heen en weer op de kruk en riep: 'Hé!'

'Wat is er?'

'Ik zat ergens op.' Paganini gleed van de kruk en stak zijn hand in zijn broekzak. Hij haalde er een enorme sleutelbos uit en kwakte die op de bar. Vervolgens toverde hij een zwaar metalen voorwerp tevoorschijn, dat hij ernaast legde. 'Boksbeugel,' lichtte hij toe.

Tijdens een van hun bowlingavonden hadden de politiemannen een discussie gehad over de mogelijke hulpmiddelen waarmee je je in een gevecht kon verdedigen. Toen was naar voren gekomen dat Paganini veel ontzag had voor boksbeugels en dat Evan er nog nooit een had gezien.

Nu pakte hij het metalen wapentuig op. 'Wat een zwaar kreng.'

'Als je daar een klap mee krijgt ga je knock-out,' zei Paganini. 'Maar ja, wie vecht er tegenwoordig nog met zijn vuisten? Als je weet dat er problemen komen neem je een schietijzer mee, waar of niet?'

'Misschien zijn er nog mensen die hun tegenstander niet meteen willen vermoorden?'

Paganini grinnikte. 'Alsof dat tegenwoordig nog voorkomt. Toe maar, doe hem maar om. Hou hem maar als je wilt. Ik heb een hele verzameling, allemaal afgepakt van tuig. Ik heb er thuis wel een stuk of zes liggen.'

Terwijl Evan de koperen boksbeugel in zijn zak stak verscheen de barkeeper plotseling. Het was een slungelachtige man met een enigszins mislukte baard. 'Zijn onze glazen alweer leeg?'

'Daar lijkt het wel op,' zei Evan. 'Doe nog maar twee dubbele, Jeff.'

Jeff keek van de een naar de ander. 'Gaan jullie straks wel lopend naar huis? Want als jullie worden gearresteerd wegens rijden onder invloed kunnen ze mij daar ook op pakken.'

'Wij worden niet gearresteerd wegens rijden onder invloed,' zei Paganini. Hij haalde zijn portefeuille uit zijn kontzak en opende die, zodat de barkeeper zijn politiepenning kon zien. 'Schenk ons nog maar een keer in, als je het niet erg vindt, dan ga ik er even over nadenken of ik het feit door de vingers kan zien dat je die gehaktballetjes zo lang hebt bewaard, wat natuurlijk een duidelijke overtreding van de warenwet is. Lekkere ballen trouwens. Doen me denken aan die van mijn moeder.' Hij maakte een hoofdgebaar in de richting van Evan. 'Volgens mij had deze meneer hier een dubbele besteld.'

Jeff liet het even tot zich doordringen, knikte en vertrok om nieuwe glazen en ijsklontjes te pakken.

Evan boog zich naar Stan en vroeg op fluistertoon: 'Ik ben toch niet al aan het lallen?'

'Nee. Je bent zo welsprekend als Cicero. En ik?'

'Wat?'

'Ben ik al aan het lallen?'

'Nee.'

'Enig idee waar we zijn?'

'De Traven,' antwoordde Paganini.

'Nee, Stan, ik bedoel qua aantal drankjes. Ik weet nog wel wat onze fysieke locatie is.'

'Ik denk een stuk of vier. Met een dubbele erbij maakt dat zes.' Hij keek op zijn horloge. 'En we zitten hier al drie uur. Dus als je het mij vraagt komen we op ongeveer nul komma vijf als we moeten blazen, of maximaal nul komma zes. Voorlopig kunnen we nog rijden.'

Maar Evan, die maar al te goed wist hoe politiemannen hun eigen alcoholgebruik konden rationaliseren, maakte zijn eigen rekensom. Hij was er tamelijk zeker van dat ze al meer dan vier drankjes op hadden. Misschien wel zes of zeven, en als ze daar nog een paar dubbele achteraan dronken – ieder twee, misschien –, dan had hij elf stevige borrels achter de kiezen. Hij wilde juist zeggen dat hij toch misschien maar geen dubbele meer moest nemen toen de deur openging. Hij keek in de spiegel achter de bar, legde een hand op Paganini's arm, stond zonder een woord te zeggen op en draaide zich om.

'Je moeder zei dat ik je misschien wel hier zou kunnen vinden als ik je zocht.' Gezeten aan het tafeltje achterin, waar niemand hen kon horen, bekeek Tara de smoezelige bar. 'Leuk zeg. Kom je hier vaak?'

'Soms. De avonden duren lang en thuis komen de muren op me af. Soms ga ik bowlen. Of lezen of zoiets. Twee dagen geleden was ik bij mijn ouders. Dus je ziet: ik heb best een sociaal leven.'

'Natuurlijk. Zo bedoel ik het niet.'

'Ja, zo bedoel je het wel.' Hij leunde naar achteren en sloeg zijn armen over elkaar. 'Je keurt het af dat ik hier zit.' Hij keek haar strak aan. 'Ben je hier gekomen om me de les te lezen?'

'Nee,' zei ze. 'Helemaal niet. Ik ben hierheen gekomen omdat... Nou, omdat ik weer met je wilde praten.'

Jeff verscheen met twee drankjes, die hij op het tafeltje zette. 'En voor mevrouw?'

'Ik neem wel een van zijn glazen. En een bosbessensap.'

Nadat Jeff was vertrokken schoof Tara haar stoel dichter naar de tafel, boog zich naar Evan toe en raakte zijn hand aan. 'Ik ben hier echt niet gekomen om je te bekritiseren, Evan. Maar de vorige keer zei je dat je zelf vond dat je te veel dronk en dat je een beetje wilde minderen.'

'Nou, volgens mij lukt dat vanavond niet zo goed. Maar waarom kijk je me zo aan? Is het dan zó erg, een paar borrels?'

'Dat zei ik niet. Als je dat nodig hebt, dan heb je het nodig.' Ze pakte zijn hand en hield die vast. 'Luister,' fluisterde ze, 'ik heb geen flauw benul van wat je allemaal hebt meegemaakt. Jij bent degene die zei dat het beter was als je minder alcohol dronk.'

'Dat zou ook beter zijn. Dat klopt.' Koppig trok hij zijn hand weg, pakte zijn glas op en nam een flinke slok. 'Maar daar schijn ik nu niet mee bezig te zijn. Nu probeer ik gewoon de zaken op een rij te zetten.'

'Wat voor zaken?'

'Mijn baan, om maar iets te noemen. Wat er met mijn mannen is gebeurd in Irak. Waarom ik zelf nog leef. Mijn woede. Mijn schuldgevoel. Noem maar op.' Hij sloeg zijn ogen op, maar het kostte hem moeite scherp te zien en zijn oogleden voelden zwaar aan. 'En dan heb ik het nog niet eens over jou.'

Jeff arriveerde met Tara's bosbessensap. Hij zette het voor haar neer, draaide zich om en liep weg. Er viel een stilte. Evan tilde zijn glas op en zette het vervolgens weer neer. 'Hoe staat het nu tussen Ron en jou?'

'Er is niets meer tussen Ron en mij. Het is afgelopen. Hoe kun je dat nog vragen nadat...' Ze slikte. 'Ik heb hem gebeld nadat ik je maandag op school had gesproken. Het is voorbij.' Ze zuchtte en vervolgde: 'Maar vanmiddag is hij langsgekomen.'

'Hij had het niet begrepen zeker? Hoe ging dat?'

'Ik heb hem niet binnengelaten. Hij vertelde me dat hij nooit had gezegd dat ik jouw brief had verscheurd.'

Evan hoorde het aan en knikte langzaam. 'Die man is een notoire leugenaar.'

'Evan, kijk me aan.' Haar blik boorde zich in de zijne. 'Zweer je dat hij dat echt heeft gezegd? Dat je het niet hebt verzonnen om hem zwart te maken? Ik weet het: het is vreselijk dat ik het je vraag, maar ik kan niet anders. Ik moet het absoluut zeker weten.'

Evan nam Tara's hand in zijn beide handen. 'Ik zweer het je,' zei hij. 'Ik heb nooit tegen je gelogen. Dat zweer ik op de nagedachtenis van mijn gesneuvelde mannen.'

Een diepe zucht ontsnapte Tara, alsof iets wat haar probeerde te wurgen plotseling losliet. 'Hij heeft ook ontkend dat hij heeft beweerd dat ik vond dat het eigen schuld, dikke bult was wat er met je was gebeurd.'

Evan schudde zijn hoofd. 'Die goeie ouwe Ron was behoorlijk op dreef.' Hij pakte zijn glas, dronk het leeg, boog zich naar voren en greep zijn tweede glas, dat aan Tara's kant van de tafel stond. 'Dat heeft hij wel degelijk gezegd.'

'Hij heeft nog iets gezegd vandaag.'

'Ik ben benieuwd. Wat dan? Heb ik misschien iemand vermoord?'

Hierop verstijfde Tara. 'God, Evan, waarom zeg je dat?'

'Wat?'

'Dat je iemand hebt vermoord.'

'Natuurlijk heb ik niemand vermoord. Dat was een grapje. Hoezo?'

Ze wilde iets zeggen, maar hield zich in. Toen vervolgde ze: 'Ron zei dat je het afgelopen weekend bij hem hebt ingebroken en dat je iets in zijn huis hebt neergelegd dat je uit Irak hebt gesmokkeld, met de bedoeling het te laten voorkomen dat Ron een of andere man en diens vrouw zou hebben vermoord, terwijl jij dat eigenlijk had gedaan.'

Evan liet zijn schouders hangen en zakte onderuit op zijn stoel. Hij pakte zijn tweede drankje en sloeg het in één keer achterover.

'Evan?'

'Die lul! Die godvergeten klootzak!'

Ze vertelde de rest. 'Hij zei dat je handgranaten en pistolen in zijn huis had verstopt die je uit Irak hebt gesmokkeld. En dat je belastende foto's op zijn computer hebt gezet.'

Evan probeerde zijn lichaam onder controle te krijgen door zijn rug tegen de harde stoelleuning te drukken. Hij sprak langzaam en voorzichtig, omdat zijn tong het niet meer zo goed deed. 'Die kerel die vermoord is, die Khalil, dat was een Irakees. Denk na. Bedenk wat voor werk Ron hier doet...'

'Wat bedoel je? Ron doet iets met personeelszaken, hij...'

'Nee, luister naar me. Hij is op de allereerste plaats een huursoldaat. Het waren zijn eigen wapens, zijn eigen granaten, zijn eigen foto's.'

Tara leunde naar achteren en sloeg haar armen over elkaar. 'Ga je me nu vertellen dat je hier inderdaad iets vanaf weet? Hoe kun je dat allemaal weten?'

Hij keek haar aan, opende zijn mond en deed hem weer dicht.

Ze boog zich opnieuw naar voren. 'Wil je zeggen dat hij niet loog dat je bij hem hebt ingebroken? Heb je dat gedaan, Evan? Zeg me alsjeblieft dat je dat niet hebt gedaan.'

'Nee, ik...' Evan schudde zijn hoofd en probeerde helder te blijven denken. 'Ik bedoel, ja, ik ben zijn huis binnengegaan.'

'Je hebt ingebroken bij Ron? Wat heb je daar dan uitgespookt?'

'Niets. Ik heb helemaal niets gedaan. Nee,' vervolgde hij, 'dat is niet waar. Ik heb zijn computer aangezet en foto's gevonden van het huis van die man, die waren gemaakt voordat het is afgebrand.'

'Waarom heb je dat gedaan?'

'Omdat Ron een moordenaar is, Tara. Hij heeft die man vermoord en dat was het bewijs...'

'En wat heb je er dan mee gedaan?'

'Ik heb het aan iemand opgestuurd.'

'Iemand van de FBI, bedoel je?' Ze sloeg met haar vlakke hand op de tafel. 'Heb je die diskette naar de FBI gestuurd, Evan? Want de FBI is vandaag bij Ron thuis op bezoek geweest en hij heeft ze verteld dat jij al die spullen daar hebt neergelegd. En nu zit jij me doodleuk te vertellen dat jij daar echt binnen bent geweest? Snap je dan niet dat ze een haar of een vingerafdruk van je zullen vinden? Of iets anders waarmee ze je kunnen identificeren? Hij probeert je hiervoor te laten opdraaien.'

Ze liet haar handen door haar haar glijden en bracht ze naar haar nek. 'Grote god, dit kan gewoon niet waar zijn. Misschien staan ze je nu al bij je huis op te wachten, besef je dat wel? En wat ga je dan doen? Wat ga je ze dan vertellen?'

Hij keek haar een poosje aan, tilde toen zijn hand op en beet op de knokkel van zijn wijsvinger. 'Deze hele rotzooi moet nu afgelopen zijn.' Hij kreeg de woorden niet meer goed over zijn lippen.

'Evan.' Ze pakte zijn handen. 'Hij heeft de FBI al ingeschakeld, snap je dat? Het is al begonnen.'

'Dat kan niet. Ik moet hem tegenhouden.'

'Nee. Je moet niets doen. Neem een advocaat of ga praten met een van je bazen. Misschien kunnen zij hem een waarschuwing geven of zoiets. Maar zelf moet je erbuiten blijven. Ron is gevaarlijk, Evan. En hij heeft het op jou gemunt. Je moet slim zijn. Je moet zorgen dat je nuchter wordt en een plan maken.'

Evan sloeg met zijn vuist op de tafel. 'Hoezo moet ik nuchter worden? Gaat het daar nu opeens allemaal over? Of ik nuchter ben of niet? Ik bén nuchter. Nuchter genoeg om Ron Nolan aan te pakken.'

'Evan,' zei ze op bijna smekende toon, 'dat ben je niet. Luister nou naar jezelf. Als je nuchter bent vloek je niet. En dan kun je normaal uit je woorden komen.' Ze stond op en legde haar hand op zijn arm. 'Waarom kom je niet met me mee naar huis? Ik rijd wel.'

'En dan?' Evans benevelde stem trilde van woede. 'Stel dat de FBI me daar vindt? Of dat ze me morgen op het werk komen opzoeken? Wat doe ik dan?'

'Ga nou met me mee. Dan praten we erover en vinden we vast wel een oplossing.' Ze pakte zijn hand. 'Ga mee. Alsjeblieft.'

'Nee!' Hij trok zijn hand weg en wendde zich af. Hij rolde met zijn schouders en draaide zich toen weer naar haar om. 'Ik pik dit niet langer van hem! Hier moet een eind aan komen. Dit kan zo niet doorgaan.'

'Je hebt gelijk, maar vanavond kun je er niets meer aan doen, Evan.'

'Dat kan ik wel, verdomme.'

Tara probeerde haar stem niet te verheffen. Beheerst en op verzoenende toon zei ze: 'Evan, toe nou. Zoals je er nu aan toe bent kun je helemaal niets beginnen. Dus doe niet zo gek. Je bent alleen maar kwaad...'

'Het is erger dan dat, Tara. Ik ga die klootzak afmaken.'

'Sst, sst, sst.' Ze liep dichter naar hem toe en legde een vinger tegen zijn lippen. 'Zo moet je niet praten. Dat is dronkenmanspraat. Laten we hier weggaan en...'

'Hé!' Hij trok haar hand ruw weg van zijn mond. 'Luister naar me!' Zijn stem klonk dreigend en vastberaden. 'Het moet stoppen. Het mag niet doorgaan! Het heeft er niets mee te maken of ik dronken ben of niet. Hoor je me? Dit is een erezaak. Dit gaat om mij. Om wat hij ons heeft aangedaan! Snap je dat dan niet?'

'Ja, dat snap ik heel goed. Je hebt gelijk. Je hebt helemaal gelijk. Maar dit is niet het goede moment om het op te lossen.' Ze ging vlak voor hem staan, met haar handen langs haar lichaam. 'Alsjeblieft, Evan. Ik vraag het je nóg een keer: kom alsjeblieft met me mee naar huis. Wat er ook gebeurt, we lossen het samen op. Ik beloof het je.'

Hij keek haar aan met een wazige blik en wankelde enigszins, zodat hij zich aan de leuning van zijn stoel moest vastgrijpen om zijn evenwicht te bewaren. 'Het is genoeg geweest,' zei hij.

Ze keek hem voor het laatst diep in de ogen. 'Ik smeek het je. Alsjeblieft.'

Als hij haar al had gehoord, liet hij het niet merken. Hij keek haar uitdrukkingsloos aan en schudde zijn hoofd. Vervolgens begon hij in de richting van de uitgang te lopen.

'Evan, toe nou,' riep ze hem achterna. 'Wacht.'

Hij bleef staan en even dacht ze dat ze hem had overtuigd. Hij draaide zich om. 'Laat me met rust,' zei hij. 'Ik weet wat me te doen staat en ik ga het doen.'

Hij wendde zich van haar af en liep met onzekere tred naar de deur.

Deel III

[2005]

18

Tara was nog nooit zo blij geweest met haar werk.

Het liep tegen het einde van het jaar. De kinderen leverden hun scripties in en legden de laatste hand aan de projecten over de oudheid die zouden worden gepresenteerd tijdens het open huis op vrijdagavond, wanneer alles in de klaslokalen zou worden uitgestald. In Tara's klas hadden ze de tafels tegen elkaar geschoven om plaats te maken voor de maquettes van piramiden, de presentatie van de cyclus van de Nijl, de aquaducten, hiërogliefen, de eerste huiskat, de bibliotheek van Alexandrië, Mozes en de Exodus.

Donderdag en vrijdag was Tara daarom niet alleen overdag, maar ook het grootste deel van de avond druk met de organisatie en het oplossen van grote en kleine problemen die zich op de valreep nog aandienden en haar leerlingen – en soms ook hun gezinsleden – bezighielden. Ze had geen tijd om contact op te nemen met Evan om erachter te komen wat er was gebeurd nadat hij woensdagavond de bar uit was gestormd. Als er al iets was gebeurd. En eerlijk gezegd vond ze het geen goed idee hem meteen al te bellen. Het leek haar beter hem eerst een paar dagen tijd te geven om weer bij zinnen te komen en zijn schaamte te verwerken over de manier waarop hij zich had gedragen. Als hij haar eenmaal had gebeld om zijn verontschuldigingen aan te bieden konden ze verder zien. Maar ondertussen had zij haar handen vol aan haar baan en haar leerlingen. Een paar dagen afstand nemen van alle emoties en alle heibel tussen Ron en Evan was voor iedereen het beste.

Zaterdag sliep ze uit tot bijna tien uur, waarna ze honderd baantjes zwom in het zwembad in de gemeenschappelijke tuin. Weer boven in haar appartement nam ze een douche, trok een korte broek en een T-shirt aan, maakte een salade voor de lunch en viel daarna op de bank voor de televisie in slaap tijdens een tenniswedstrijd. Toen ze wakker werd besteedde ze er ongeveer een uur aan om de laatste proefwerken na te kijken. Even na vier uur, toen ze er bijna mee klaar was, ging de deurbel. Ze keek door het kijkgaatje en zag het betraande gezicht van Eileen Scholler.

Aan de andere kant van de bezoekersruimte verscheen Evan in zijn oranje overall. Ze hadden hem vastgeketend aan twintig andere gevangenen. Hij liep moeilijk en zijn gezicht zat vol schrammen en blauwe plekken. Tara stond bij een groepje andere vrouwen in de krappe ruimte aan de andere kant van het plexiglas dat de bezoekers scheidde van de gevangenen. Over de gehele lengte van de scheidingsmuur bevonden zich praatcabines.

Tara moest haar tranen bedwingen toen ze zag hoe Evan werd losgemaakt van de rij mannen waaraan hij was vastgeketend. Hij zag haar en bewoog zijn hand omhoog alsof hij wilde zwaaien, maar zijn polsen waren nog vastgemaakt aan de ketting rond zijn middel. De bewaker leidde hem naar een van de cabines. Tara haastte zich – links en rechts excuses stamelend – door de opeengepakte groep vrouwen en ging tegenover hem zitten. In het plexiglas zat een gat waardoor ze konden praten.

Het was woensdag, zijn vierde dag in gevangenschap, en voor het eerst waren zijn verwondingen zodanig genezen dat hij zonder hulp weer een beetje kon lopen en bezoek kon ontvangen. Aanvankelijk wisten ze geen van beiden wat te zeggen. Ze keken elkaar aan, wendden hun blik af en keken elkaar opnieuw aan.

Hoe waren ze hier in 's hemelsnaam beland? Hoe kon het zover zijn gekomen?

Ten slotte boog Evan zich naar voren. Hij haalde zijn schouders op en probeerde niet al te wezenloos te kijken. 'Waarschijnlijk had ik toch beter met jou mee naar huis kunnen gaan.'

Tara wist niet wat ze erop moest antwoorden.

'Het spijt me vreselijk,' zei hij.

Tara opende haar mond, maar wist opnieuw niet wat ze moest zeggen. Plotseling begonnen de tranen over haar wangen te stromen. Ze probeerde niet om ze tegen te houden.

'O, lieverd,' zei hij. Daarna: 'Ik geloof niet...' Hij schudde zijn hoofd en keek haar aan. Zijn schouders gingen omhoog en zakten weer in. 'Ik geloof niet dat ik hem heb vermoord.'

Tara kon het feit dat Ron Nolan dood was nog nauwelijks bevatten. Ze kon het onmogelijk in verband brengen met Evan. Op geen enkele manier. Ze had de afgelopen dagen doorgebracht alsof ze in een nachtmerrie leefde waaruit ze maar niet kon ontwaken.

'Ik kan hem niet vermoord hebben,' zei hij. Hij wachtte op antwoord, totdat hij het niet meer uithield. 'Wil je alsjeblieft iets zeggen?'

'Wat moet ik dan zeggen? Wat wil je dat ik zeg? Ik ben hier. Dat zegt toch in ieder geval wat, of niet?'

'Ik hoop het.'

'Ik hoop het ook. Maar ik weet het niet zeker. Ben je gewond?'

'Het komt wel weer goed.'

'Echt waar? Wanneer dan? Wat wil je daarmee zeggen?'

Hij keek haar alleen maar zwijgend aan.

Er gingen tien weken voorbij voordat ze elkaar opnieuw zagen.

In die tijd werd Evan in staat van beschuldiging gesteld. Hij werd verdacht van de moord op Ron Nolan, maar openbaar aanklager Doug Falbrock had geconcludeerd dat er onvoldoende bewijsmateriaal was om Evan eveneens in verband te brengen met de gewelddadige dood van het echtpaar Khalil. Zoals gebruikelijk in een moordzaak bleef Evan in voorarrest.

Tara had haar klaslokaal opgeruimd en was de eerste paar weken van de zomervakantie thuisgebleven. Op 4 juli bezocht ze haar ouders in hun vakantiehuis in Homewood, bij Lake Tahoe. Daar nam ze het min of meer impulsieve besluit er gedurende de rest van de vakantie te blijven. Ze kon er niet tegen iedere dag weer iets anders in de krant te moeten lezen over Evan en wilde het hele gedoe ontvluchten: de journalisten die haar wilden interviewen, de gevangenis die zo vlakbij was, de roddels en beschuldigingen van mensen die ze niet eens kende. Tot eind augustus bleef ze in Homewood. Ze bracht haar tijd door met lezen, hardlopen en zwemmen in het koude meer. Ze maakte haar hoofd leeg.

Ten slotte was het tijd om haar klaslokaal weer klaar te maken voor het nieuwe schooljaar. Ze reed op een donderdagochtend terug, nam het stof af dat in haar appartement was neergedaald, bezocht de school en pakte het vertrouwde leven weer op. Ergens halverwege die dag nam ze een besluit. Toen ze even na drie uur klaar was reed ze rechtstreeks naar het huis waarin Evan was opgegroeid, parkeerde haar auto voor de deur en klopte aan.

Eileen begroette haar hartelijk als altijd, met een brede glimlach, een omhelzing en een kus op beide wangen. Samen liepen ze naar de ruime, lichte keuken, waar ze over koetjes en kalfjes praatten totdat Eileen ijsthee had ingeschonken en ze allebei hadden plaatsgenomen aan de tafel in de hoek van waaruit je het beste utzicht had over de paradijselijke tuin. Toen hield Eileen, op de voor haar kenmerkende wijze, haar hoofd schuin en vroeg: 'En wat kan ik voor je doen?'

'Ik wilde je vragen of Evan me nog wil zien.'

'Ik denk dat hij niets liever wil.'

'De vorige keer ging het niet zo goed, weet je dat? Heeft hij je daar iets over verteld?'

'Niet zoveel. Hij zei dat het een beetje ongemakkelijk was geweest, maar dat nam hij je helemaal niet kwalijk. Niemand neemt je iets kwalijk, wij in ieder geval niet. Dat weet je toch wel, hoop ik?'

Tara knikte. 'Ik had gewoon moeite het te verwerken. Alles ging zo snel. Eerst de ontdekking dat Ron me al die leugens had verteld. Toen de hoop dat het tussen Evan en mij misschien weer goed zou komen. Toen die laatste avond in die bar... toen ik bang was dat...' Ze zweeg, slikte en haalde haar schouders op.

Eileen boog zich naar voren en klopte haar bemoedigend op de hand. 'Het geeft niet. Maar je moet weten dat Evan zich niet kan herinneren wat er die avond is gebeurd. Hij gelooft niet dat hij Ron heeft gedood. Hij zegt dat hij zoiets nooit zou kunnen doen. Dat zit niet in zijn karakter.'

'Ik geloof hem.'

'Ik ook.'

'Maar dan moet iemand anders hem hebben vermoord.'

'Misschien iemand die iets te maken had met die Khalil. Everett zegt dat Evan dat gelooft.'

'Everett?'

'Everett Washburn, zijn advocaat.' Ze trok een grimas. 'Zijn dúre advocaat. 'Het geeft niet,' zei ze met een wegwuivend gebaar. 'We hebben gelukkig genoeg spaargeld en ik kan niets bedenken waaraan we het beter zouden kunnen uitgeven.'

Tara aarzelde en gooide het er toen uit. 'Ze willen dat ik ga getuigen over die laatste avond. Tegen hem.'

'Everett zei al zoiets. Volgens mij is het niet erg. Als je maar gewoon de waarheid spreekt.'

'De waarheid ziet er niet zo mooi uit voor Evan, Eileen.'

'Nee, dat begrijp ik. Maar daar kun jij niets aan doen.'

Tara schudde voorzichtig haar glas en maakte een klein draaikolkje in haar ijsthee. 'Ik zou met hem kunnen trouwen,' zei ze.

Eileeen ging rechtop zitten. Haar adem stokte even. 'En dit oude mens dacht nog wel dat niets haar meer zou kunnen verbazen. Maar ik denk niet dat je zo ver hoeft te gaan.'

'Niet alleen omdat ik dan niet hoef te getuigen, Eileen. ik heb de hele zomer de tijd gehad om na te denken. En het is me steeds duidelijker geworden. Wat er ook gebeurt, ik sta aan Evans kant. Als hij me tenminste nog wil. Als hij me nog wil zien.'

Opnieuw klopte Eileen moederlijk op Tara's hand. 'Daar zou ik me maar geen zorgen over maken, lieverd. Helemaal niet. Ik ga hem over een kwartiertje bezoeken. Ik vind het prima als je mee wilt.'

Toen Evan Tara samen met zijn moeder zag binnenkomen, keek hij omhoog en sloot zijn ogen. Het leek alsof er een enorme last van zijn schouders viel. Tara liep naar de wand van plexiglas en ging tegenover hem zitten. Eileen bleef achterin staan.

'Hé,' zei ze.

'Hé.'

'Je ziet er een stuk beter uit dan de vorige keer.'

'Ik voel me ook een stuk beter. Hoe gaat het met jou?'

'Goed. Ik ben op vakantie geweest. Het spijt me dat ik zo lang ben weggebleven.'

Hij haalde zijn schouders op.

'Ik had tijd nodig om na te denken,' zei ze.

'En ben je eruit?'

'Ik denk het wel. Ik realiseer me nu eindelijk wat ik al die tijd onbewust al moet hebben geweten.'

'En dat is?'

'Als ik in het begin, toen je naar Irak ging, niet zo koppig was geweest... Ik was alleen maar bang dat ik je zou verliezen. Dat je zou sneuvelen. Ik kon me gewoon niet voorstellen dat je alles wat we hadden wilde opofferen. Ik was zó kwaad...'

Hij stak een hand op. 'Hé, rustig maar. Daar hebben we het toch al over gehad?'

Ze knikte en slaagde er bijna in te glimlachen. 'Vaak genoeg. Je hebt gelijk.'

Hij drukte zijn handpalm tegen het plexiglas dat hen van elkaar scheidde. 'Ik vind het geweldig om je weer te zien, weet je dat?'

'Ik ook.' Ze boog zich dichter naar hem toe. 'Ik ben gekomen om je te vertellen dat ik van je hou, Evan Scholler. Ik heb altijd van je gehouden. Al dat andere, de niet-beantwoorde brieven, Ron Nolan, dat kwam doordat ik te jong was en te stom.'

'Nee, ik ben de domste van ons tweeën. Want ik ben die avond in de Traven niet met jou meegegaan.'

Nu glimlachte ze echt. 'Oké, dan staan we misschien quitte. Maar ik wil geen domme dingen meer doen.'

Hij leunde naar achteren en boog zich toen weer naar haar toe. Hij klonk geëmotioneerd. 'Realiseer je je wel dat iedereen zal zeggen dat dit het stomste is wat je kunt doen? Mij nu opzoeken, juist nu weer iets met me beginnen? Als je dat tenminste van plan bent.'

'Dat is precies wat ik van plan ben. En het is niet stom. Het is goed. Het is wat ik wil. Wij horen bij elkaar. Het spijt me alleen dat het me zoveel tijd heeft gekost erachter te komen.'

'Jij hoeft nergens spijt van te hebben,' zei hij.

Ze schudde haar hoofd. 'Nee, dat is niet waar. Ik heb spijt van alles wat er is gebeurd waardoor jij nu hier zit. Het spijt me, Evan. Het spijt me vreselijk.'

Hij keek haar aan. 'Mij ook, Tara,' zei hij ten slotte. 'Het spijt mij ook.'

19

Op de dinsdagochtend in de tweede week van september 2005 wierp een jonge, ambitieuze openbaar aanklager met de onmogelijke naam Mary Patricia Whelan-Miille in afdeling 21 van de rechtbank van het district San Mateo in Redwood City een blik op haar horloge. Het was twaalf minuten over halftien. De zitting had al minuten geleden moeten beginnen, maar de vertraging deerde haar niet.

Nog bijna voordat ze haar volledige naam had kunnen uitspreken, hadden haar vriendinnen op de rechtenfaculteit haar 'Mills' gedoopt en op dit moment kon Mills zich alleen maar verheugen op wat er komen zou. Ze keek om zich heen en realiseerde zich dat dit een gedenkwaardig moment was. Het proces van haar leven, het proces dat haar loopbaan als openbaar aanklager een nieuwe wending zou geven, stond op het punt te beginnen.

Natuurlijk zou niet alles even gladjes verlopen. De eerste teleurstellingen had ze al moeten verwerken. Het besluit van haar baas Doug Falbrock om Evan Scholler niet te vervolgen voor de moord op Ibrahim en Shatha Khalil, bijvoorbeeld, was een bittere pil geweest. En het feit dat ze in deze zaak nu juist rechter Tollson moest treffen, een zwaar gedecoreerde Vietnam-veteraan die in die oorlog als gevolg van een landmijn een voet had verloren, was ook niet bepaald een prettige speling van het lot. Tollson, het prototype van de éminence grise, had van Mills' assistente Felice Brinkley de passende bijnaam 'de Vos' gekregen.

Buiten de rechtszaal hinkelde Tollson met een bijna jongensachtig enthousiasme in het gebouw rond en gaf de voorkeur aan vrijetijdskleding boven pak en stropdas. Hij droeg dan blauwgetinte contactlenzen en zijn grijze haar was net iets té netjes gekamd voor een man van zijn leeftijd. Maar in de rechtszaal keek hij, gekleed in zijn toga en vanachter zijn dikke brillenglazen, de wereld in met broeierige en onpeilbare ogen. En zijn haar zat in de rechtszaal altijd in de war, alsof hij er in zijn kamer voortdurend met zijn handen doorheen woelde, uit wanhoop over de deplorabele morele staat van de mensheid. Met de norse blik onder zijn zware wenkbrauwen, de prominente, agressieve neus en zijn dunne, zuinige lippen straalde de Vos een ontzagwekkende kracht uit, en wee de advocaat die het waagde die te trotseren.

Mills was trouwens ook niet echt blij met de advocaat van de verdachte, die op dit moment een meter of vijf links van haar achter zijn tafel stond. Everett Washburn, met zijn spierwitte haar, zijn gezicht dat eruitzag als een verschrompelde appel en zijn montuurloze bril, was de zeventig al ruim gepasseerd. Het lichtbruine kostuum dat hij droeg was minstens een maat te groot, zijn overhemd had het maximale aantal mogelijke wasbeurten ruimschoots overschreden en hij droeg een brede wollen stropdas van misschien wel tien centimeter breed in de kleuren oranje en bruin. Het timbre van zijn stem leek een combinatie van honing en whisky. Hij had de tanden van een paard, verkleurd door leeftijd, sigaren, sterke koffie en wijn.

Het gerucht ging dat Washburn ooit wel eens een moordzaak had verloren, al wist niemand meer wanneer dat was geweest. Mills was meerdere malen naar de rechtbank gekomen om hem in actie te zien en ze vond hem vasthoudend, briljant, meedogenloos en onvoorspelbaar. Een gevaarlijke combinatie.

Daar kwam nog bij dat hij notoir aardig was, geliefd bij alle rechters, gerechtsdienaren, griffiers en zelfs aanklagers zoals zijzelf. Hij kende de verjaardag van iedereen die in het gerechtsgebouw werkte uit zijn hoofd en ze had horen vertellen dat hij vijftigduizend dollar per jaar uitgaf aan de politiek, aan goede doelen en aan zakenlunches. En daar kwamen de rondjes die hij in bars en cafés gaf dan nog bij.

Maar ondanks dit alles schatte Mills haar kansen positief in. Er waren grotere machten in het spel, om te beginnen de voorzienigheid die had geregeld dat de zaak in het district San Mateo voorkwam. Haar eerste zeven jaar als aanklager had ze doorgebracht in San Francisco en ondanks het feit dat ze zich altijd grondig had voorbereid en alleen maar verdachten had aangeklaagd die het misdrijf waarvan ze werden beschuldigd ook daadwerkelijk hadden gepleegd, had ze maar vier zaken gehad die aan een jury waren voorgelegd. De rest was door haar superieuren afgewikkeld met de advocaten en had geresulteerd in veel te lage straffen. En van de juryzaken had de jury driemaal niet tot een rechtsgeldig oordeel kunnen komen en één keer de verdachte vrijgesproken. Van een jury in San Francisco kon je gewoon nooit een veroordeling krijgen. Dat geloofde ze omdat het nu eenmaal zo was.

Maar San Mateo, dat was een ander verhaal.

Ze hield van San Mateo. Het was een district dat zijn misdadigers haatte, of het nu bendeleden, winkeldieven of moordenaars waren. Men verwachtte van het juridisch apparaat dat het korte metten maakte met dit soort volk. Net als Mills, die veel van haar ouders had gehouden, ondanks de onmogelijke namen waarmee ze haar hadden opgezadeld. Ze waren bij een autoroof om het leven gekomen toen ze zestien was.

San Mateo stond aan haar kant. Goedbeschouwd was het een wonder dat ze haar hadden aangenomen. Het sollicitatiegesprek had plaatsgevonden op dezelfde middag waarop ze had gehoord dat ze haar vierde grote juryzaak had verloren en tijdens het gesprek met Falbrook kookte ze nog van woede daarover. Ze was in een nogal strijdlustige bui waarin niets haar meer kon schelen. Ook dat bleek later een gunstige speling van het lot. Ze kon zichzelf niet weerhouden een tirade af te steken tegen de veel te zachte aanpak van de misdaad en nadat ze de categorieën had opgesomd die volgens haar bij wijze van hoge uitzondering niet ter dood hoefden te worden gebracht, had Falbrook geglimlacht en gezegd: 'Ik ben er niet zo zeker van of winkeldieven de doodstraf niet verdienen. Uiteindelijk is winkeldiefstal een leerschool voor de zware criminaliteit.' En hij had haar ter plekke aangenomen.

Dan was er vervolgens haar slachtoffer, Ron Nolan, een jonge, vermogende, kortgeknipte, aantrekkelijke en charismatische marinier die was onderscheiden met onder meer drie Purple Hearts en medailles voor zijn heldendaden in Afghanistan, Irak en Koeweit en in de strijd tegen het wereldwijde terrorisme. Toen Mills zich had verdiept in zijn gewelddadige dood en het leven dat hij daarvoor had geleid, kreeg ze bijna spijt dat ze niet het geluk had gehad hem te ontmoeten voordat hij was vermoord. Ze was nog net niet verliefd op hem geworden, maar de man fascineerde haar en ze voelde zich onmiskenbaar aangetrokken tot zijn nagedachtenis. Ze beschouwde het als haar taak én als een grote eer om zijn zinloze dood te wreken.

En dan de verdachte.

Ze wierp een blik op Evan Scholler. Naar haar mening was hij de perfecte belichaming van een schooier en een mispunt, en het irriteerde haar te zien hoe ze hem in een net pak met een keurig gestreken wit overhemd met stropdas hadden gehesen. Maar als ze eenmaal klaar met hem was zou de jury weten dat achter de façade die Washburn zo goed kon optrekken – het verhaal van de gewonde oorlogsveteraan met zijn aantrekkelijke en toegewijde vriendin en de liefdevolle ouders – een dronkenlap en een vicodin-verslaafde schuilde, die in Irak door zijn incompetentie zijn strijdmakkers uit San Mateo in een dodelijke val had laten lopen. Haar hart klopte in haar keel terwijl ze op de entree van de rechter wachtte. Ze zat vooral in spanning over een paar belangrijke kwesties waarover een besluit moest vallen voordat het daadwerkelijke proces kon beginnen. De allerbelangrijkste stond als eerste op de rol en betrof haar verzoek om een voorbereidende hoorzitting, met als doel vast te stellen of bewijsstukken met betrekking tot een mogelijke invloed van een post-traumatische-stressstoornis zouden worden toegelaten.

Vanaf het begin was het duidelijk geweest dat Everett Washburn van plan was PTSS een belangrijke rol te laten spelen bij verdediging van Evan Scholler. De jongeman had tenslotte blootgestaan aan de klassieke traumatische oorlogservaringen die in talloze wetenschappelijke publicaties over de posttraumatische-stressstoornis uitvoerig waren beschreven.

Vandaar dat Mills zich er aanvankelijk met tegenzin bij had neergelegd dat PTSS onvermijdelijk een onderdeel zou gaan vormen van deze rechtszaak. Dat betekende verklaringen van getuigen-deskundigen, media-aandacht en emotionele beladenheid. En dat allemaal tegen de achtergrond van een oorlog die in toenemende mate impopulair begon te worden.

Maar op zekere dag was het haar plotseling te binnen geschoten dat Washburn niet van twee walletjes kon eten. Ofwel hij kon aanvoeren dat Scholler Ron Nolan weliswaar had vermoord, maar dat PTSS daarbij een verzachtende of zelfs vrijpleitende factor was; ofwel hij kon volhouden dat Scholler Ron Nolan helemaal niet had vermoord. En in dat laatste geval had hij strikt genomen geen andere verdediging nodig. Als Scholler het helemaal niet had gedaan, dan was PTSS of noodweer of wat dan ook domweg niet aan de orde. En op die basis had ze haar verzoek opgesteld. Het leek haar een logisch verhaal, al wist ze heel goed dat logica ook in de rechtszaal niet altijd de doorslaggevende factor was. Maar ze zou een hartstochtelijk pleidooi houden voor een voorbereidende hoorzitting over dit punt.

De bode maande iedereen op te staan en kondigde aan dat de zitting van het gerechtshof van de staat Californië, in en voor het district San Mateo, was begonnen onder leiding van rechter Theodore Tollson.

Ze stond op en keek toe terwijl Tollson plaats nam. De bode kondigde aan dat iedereen weer kon gaan zitten. Na vijftien maanden voorbereidend werk, waarin ze talloze betrokkenen had gesproken, zevenendertig ordners had gevuld met stukken, twaalf verzoeken aan de rechtbank had opgesteld, twee vriendjes had versleten en signalen had ontvangen dat een uitgever haar misschien wel een bedrag met vijf nullen wilde bieden als ze na afloop een boek over de zaak wilde schrijven, was het nu eindelijk echt begonnen.

Tollson richtte zijn blik op de tafels waarachter de aanklager en de advocaat zaten en keek vervolgens naar de volgepakte publieke tribune achter de afscheiding. Hij was zo te zien niet in een bijzonder goede bui. Hij rechtte zijn rug en duwde zijn bril wat omhoog. 'Meneer Washburn en mevrouw Miille, bent u klaar?'

'Ja, edelachtbare,' antwoordden ze in koor.

'Goed, laten we voordat we beginnen even een paar zaken doornemen in de raadkamer.' Vervolgens stond hij op en verdween door een zijdeur. Mills vond het nogal absurd dat de rechter, na zijn entree te hebben gemaakt, onmiddellijk weer terugliep naar zijn kamer, maar dit soort absurde ogenblikken had ze in menig gerechtsgebouw al vaker meegemaakt.

In de tijd die ze nodig had om haar papieren bijeen te rapen was Everett Washburn naar haar tafel gelopen en geheel volgens de etiquette wachtte hij om haar voor te laten gaan. Even dacht ze dat hij haar een arm zou aanbieden, maar hij maakte alleen een lichte buiging en liep toen achter haar aan naar de achterdeur, waar de bode wachtte.

Achter het eikenhouten bureau van Tollson nam het enigszins vervaagde goudgroene vaandel van de Universiteit van San Francisco een prominente plaats in. In een vitrinekast stonden meer dan tien honkbal- en rugbybekers. Tegen de boekenkast die een van de muren in beslag nam stond een golftas. Op een dressoir prijkten foto's waarop de rechter met gezins- en familieleden stond afgebeeld. Op een tafel voor de andere lege muur waren zijn diploma's, officiële foto's en andere eerbewijzen in slagorde opgesteld.

De bode bleef totdat ze alle drie zaten, waarna hij de raadkamer verliet. Tollson zat achter zijn bureau in zijn toga en met zijn bril op. Zijn stem klonk informeel, zoals altijd wanneer hij zich buiten de rechtszaal ophield. 'Dus ik neem aan dat jullie niet nog op de valreep tot een deal zijn gekomen, meneer Washburn?'

De oude advocaat leunde naar achteren en sloeg zijn benen over elkaar. Geduldig, minzaam en beminnelijk als altijd. 'Dat is juist, edelachtbare.'

'Hoeveel tijd hebben we nodig?'

De vraag was gericht aan hen beiden, maar Mills antwoordde als eerste. 'Voor de staat denk ik aan ongeveer vier weken, edelachtbare, afhankelijk van de tijd die de verdediging nodig heeft met mijn getuigen. Ik heb nooit eerder met de heer Wasburn gewerkt, dus dat kan ik niet goed inschatten. Misschien kan hij dat zelf aangeven.' Ze zweeg en besloot zich nog wat verder in te dekken. 'Veel hangt af van wat u zult toelaten.'

'Daar komen we straks nog wel op,' antwoordde Tollson. 'De selectie van de jury?'

'Misschien een paar weken, edelachtbare. Ik zou willen voorstellen een week te nemen voor de ontheffingen.' Daarmee stelde ze voor eerst uit te zoeken welke kandidaten voor de jury in staat waren de paar maanden die het proces vermoedelijk zou gaan duren vrij te maken voor deze vorm van onbetaalde sociale dienstplicht. Als ze eerst de meerderheid van mensen met werkgevers die hen niet voor zo'n lange periode konden doorbetalen eruit haalden, konden ze vervolgens beginnen aan het meer complexe en tijdrovende proces van de daadwerkelijke juryselectie.

'We hebben elk twintig doorslaggevende criteria en wat speciale aandachtspunten, zoals de oorlog in Irak en misschien wat kwesties met betrekking tot psychische aspecten, afhankelijk van wat u besluit toe te laten. Als we vragenlijsten gebruiken kunnen we de ontheffingen in een dag of drie afhandelen en dan hebben we nog een paar dagen nodig voor het samenstellen van de definitieve jury.'

Tollson knikte. 'Meneer Washburn, kunt u zich daarin vinden?'

'Grotendeels wel,' zei hij. 'Ik ben het ermee eens dat we de ontheffingsverzoeken eerst moeten behandelen en dat we met vragenlijsten moeten werken.' Hij haalde wat in de lengte doormidden gevouwen papieren uit zijn binnenzak tevoorschijn. 'Ik heb de vrijheid genomen alvast een conceptvragenlijst op te stellen.' Hij gaf een exemplaar aan Mills en de rechter en vervolgde: 'Ik heb ongeveer een week nodig voor de verdediging, edelachtbare.'

Tollson bestudeerde de vragenlijst en zei zonder op te kijken: 'Verzoeken?'

Nu antwoordde Washburn als eerste. 'Een beperking van het gebruik van autopsiefoto's, edelachtbare. Ze hoeven niet al die gruwelijke foto's te zien om te weten dat die kerel dood is.'

'Edelachtbare,' protesteerde Mills, 'die "kerel", het slachtoffer, verkeerde in blakende gezondheid. Iemand heeft hem tot moes geslagen. Het ging niet om beroving of inbraak. Het misdrijf is gepleegd door iemand die hem haatte. De jury moet zien hoe gruwelijk de moordenaar te werk is gegaan om te kunnen vaststellen dat er persoonlijke motieven in het spel waren.'

Washburn reageerde onmiddellijk. 'Te veel autopsiefoto's maken een jury bevooroordeeld.'

Tollson stak zijn hand op. 'Laat straks maar zien welke foto's je wilt gebruiken, dan hoor je voor de juryselectie wel van me welke ik toelaat. Verder nog iets?'

Nu kwam het erop aan. Mills gaf Wasburn en Tollson een uitdraai van haar verzoek en zei: 'Meneer Washburn heeft het een en ander gevonden dat zou kunnen wijzen op PTSS, edelachtbare, en op zijn lijst staan getuigen-deskundigen. Wij willen graag een volledige voorbereidende hoorzitting over wat u gaat toelaten voordat we de jury daaraan blootstellen.'

Ze wilde de rechter ertoe bewegen Washburn zijn getuigen-deskundigen onder ede te ondervragen zonder dat de jury daar al bij aanwezig was. In zo'n voorbereidende hoorzitting konden beide partijen argumenteren over de toelaatbaarheid van de verklaringen en kon de rechter daar een oordeel over vellen. Als het bewijsmateriaal werd toegelaten, moesten dezelfde getuigen later – onder aanwezigheid van de jury – exact dezelfde verklaring afleggen.

Als de rechtbank zou weigeren een voorbereidende hoorzitting te houden, zouden de verklaringen voor het eerst worden afgelegd in aanwezigheid van de jury. Als de rechtbank dan oordeelde dat een bepaald deel van de getuigenis niet-toelaatbaar was, was de enige remedie de juryleden te instrueren net te doen alsof ze het niet gehoord hadden. Dit zogenoemde 'ongedaan maken van het aansteken van het vuurwerk' werd algemeen beschouwd als een vrijwel onwerkbare oplossing van het probleem.

Mills begon haar verzoek te beargumenteren. 'De verdachte voert PTSS aan, edelachtbare, maar de verdediging beweert dat de verdachte het niet heeft gedaan. En als hij het niet heeft gedaan, is zijn gemoedstoestand irrelevant. Op die manier wordt zijn oorlogsverleden uitsluitend gebruikt om sympathie voor hem te wekken.'

Washburn, die ontspannen in zijn stoel naar achteren leunde en zijn benen over elkaar had geslagen, draaide een wijsvinger rond in zijn oor. 'Mijn cliënt heeft een black-out gehad gedurende de periode waarin de heer Nolan kennelijk is vermoord, edelachtbare. Als er sprake is van PTSS ondersteunt dat zijn verklaring dat hij zich niets van die periode kan herinneren. En als hij toch iemand heeft vermoord en er twijfel bestaat aan zijn mentale vermogens omdat hij op het moment wellicht in een PTSS-fase verkeerde, dan heeft hij er recht op dat die twijfel naar voren wordt gebracht. Want dan zou er beslist geen sprake meer zijn van moord met voorbedachten rade, misschien hoogstens van doodslag, hoogstwaarschijnlijk met verzachtende omstandigheden.'

Tollson reageerde op de scherpe toon die hij vaak gebruikte in de rechts-zaal. 'U kunt ervan uitgaan dat ik de juridische implicaties begrijp.' Hij nam nog wat tijd om het verzoek van Mills te bestuderen, vouwde het mapje toen dicht en legde het naast de vragenlijst van Washburn. 'Ik trek twee weken uit voor de verzoeken. Pas als we weten wat we aan de jury gaan voorleggen, kunnen we ze vertellen hoe lang de zaak zal gaan duren. Dat betekent dat we over twee weken beginnen met de juryselectie. Mee eens?'

Mills had er niets tegen in te brengen. Ze kreeg haar voorbereidende hoorzitting. Dat was een goed teken.

'Ik zal de voorbereidingen voor de juryselectie in gang zetten en groe-pen laten samenstellen. We nemen zes dagen voor de juryselectie, inclu-sief drie dagen voor de ontheffingen. Een week of zes voor het proces als we de PTSS erbij betrekken, een week of vier zonder de PTSS. Laten we nu maar aan de slag gaan.'

20

Everett Washburn stond in het midden van de rechtszaal en ondervroeg zijn eerste getuige in de voorbereidende hoorzitting over de relevantie van de posttraumatisch-stressstoornis. Doctor Sandra Overton was een integer ogende psychiater van een jaar of vijfenveertig met krullend haar. Ze droeg een blauw broekpak en schoenen met lage hakken. Ze had haar beroep en medische achtergrond toegelicht en verklaard dat ze werkzaam was als psychiater, gespecialiseerd in de behandeling van oorlogsveteranen. 'Bent u in uw werk met deze veteranen wel eens geconfronteerd geweest met een aandoening die posttraumatische-stressstoornis heet, ook wel PTSS genaamd?'

Ze schoot bijna in de lach. 'Het neemt vrijwel al mijn werktijd in beslag.'

'Wilt u de rechtbank misschien vertellen wat het is?'

'Zeker.' Ze keek naar de tafel waarachter Mills met gevouwen handen aandachtig zat te luisteren en vervolgens omhoog naar de rechter. 'Het is wat de naam al zegt. Een psychiatrische stoornis die voorkomt na een periode van traumatische stress.'

'Een psychiatrische stoornis? U bedoelt een geestesziekte?'

Ze schudde haar hoofd. 'Geestesziekte is een onwetenschappelijke uitdrukking. Wettelijk gezien kun je het beschouwen als een ziekte, een stoornis of een afwijking. Medisch gezien is het meer een serie van voortdurende symptomen en reacties die worden ervaren door iemand die een traumatische gebeurtenis heeft meegemaakt. Met de nadruk op "voortdurend".'

'Kunt u dat toelichten?'

'Zeker, vrijwel iedereen die een traumatische ervaring meemaakt, vertoont daar een reactie op, zoals shock, depressie of slapeloosheid. Maar in het geval van PTSS is de reactie allereerst serieuzer en bovendien langduriger. Soms houdt iemand er de rest van zijn leven last van. Dan wordt het een ziekte in plaats van een reactie.'

'En wat is een traumatische ervaring, doctor?'

Opnieuw schudde Overton haar hoofd. 'Daar is geen uitputtende definitie van te geven. Wat traumatisch is voor de een hoeft dat niet te zijn voor een ander. Maar als we spreken over traumatische gebeurtenissen hebben we het meestal over oorlogshandelingen, ernstige ongelukken, misdrijven, verkrachting, natuurrampen, terroristische aanslagen en dergelijke.'

'Oorlogshandelingen?'

'Ja, dat is een veelvoorkomende oorzaak, al is de stoornis pas echt goed bestudeerd na de Vietnam-oorlog. Voor die tijd sprak men van het Da Costa-syndroom. Maar sinds Vietnam schatten we dat misschien wel dertig procent van alle soldaten met gevechtservaring te maken krijgen met PTSS.'

'En welke symptomen worden doorgaans in verband gebracht met PTSS?'

'Een van de belangrijkste symptomen is het herbeleven van de oorspronkelijke traumatische ervaring door middel van flashbacks of in nachtmerries. Daarnaast is er natuurlijk sprake van slaapproblemen en het gevoel buiten het normale leven te staan. Verder depressie, problemen met het geheugen en het concentratievermogen, agressief gedrag en neiging tot zelfdestructie. Een enorm scala van sociale en persoonlijkheidsproblemen, in feite.'

'Doctor, u refereerde zojuist aan agressief gedrag en neiging tot zelfdestructie. Valt alcoholmisbruik daaronder?'

'Ja, natuurlijk.'

'En problemen met het geheugen, bedoelt u daar black-outs mee?'

'Ja, black-outs zijn niet ongewoon, zeker niet als er ook sprake is van overvloedig gebruik van drank, drugs of een combinatie daarvan.'

'Juist.' Washburn deed alsof hij dit allemaal voor het eerst van zijn leven hoorde. Nu liep hij dichter naar zijn getuige toe. 'Doctor, is er ook een lichamelijke kant aan PTSS? Of zit het alleen maar tussen de oren, zoals men dat in het populaire spraakgebruik wel eens hoort beweren?'

Zoals Washburn had verwacht verstoorde deze vraag de professionele routine waarmee Overton de vragen tot nu toe had beantwoord. Deze hoorzitting was niet zijn idee, maar nu hij toch werd gehouden, moest hij haar ertoe bewegen dingen te zeggen die straks de juiste indruk op de jury zouden maken. Ze ging wat meer rechtop zitten en antwoordde verontwaardigd: 'Absoluut niet! Om beginnen is ook een mentaal probleem wel degelijk een probleem. Net zo'n echt probleem als een gebroken been. En bovendien is er bij PTSS een meetbare verandering van de hersenactiviteit,

220

een afname van het volume van de hippocampus en zien we abnormale activiteit van de amygdala. De twee laatstgenoemde verschijnselen hebben beide invloed op het geheugen. De schildklier wordt beïnvloed, net als de aanmaak van adrenaline en cortisol. Zo zou ik nog even door kunnen gaan, maar het mag duidelijk zijn dat er erg veel lichamelijke en neurologische veranderingen en reacties zijn die worden geassocieerd met PTSS.'

'Juist. Dank u, doctor,' zei Washburn. 'En hebt u de gelegenheid gehad mijn cliënt Evan Scholler te onderzoeken om te zien of hij last heeft van PTSS?'

'Inderdaad.'

'En wat zijn uw bevindingen?'

'Ik ben tot de conclusie gekomen dat de heer Scholler duidelijk aan de ziekte lijdt. Met name zijn geheugen lijkt te zijn aangetast, en dit symptoom is nog verergerd door het hersenletsel dat hij in augustus 2003 heeft opgelopen in Irak. Hij geeft regelmatig last van migraine. Bovendien heeft hij aangegeven regelmatig last te hebben van black-outs en momenten van hevige woede, schaamte, schuldgevoel en depressie. Hij heeft chronische slaapproblemen. En hij heeft me verteld dat hij de neiging heeft te veel te drinken en te veel pijnstillers zoals vicodin te slikken. Dat zijn allemaal onmiskenbare symptomen van PTSS.'

'En de lichamelijke veranderingen die u zojuist hebt beschreven, aan de amygdala en de hippocampus en dergelijke? Hebt u die bij de heer Scholler onderzocht?'

'Jazeker.'

'Wat waren uw bevindingen?'

'Ik heb een verlaagd cortisolgehalte gevonden en de adrenaline en norepinefrine waren verhoogd. Deze hormonen hebben invloed op de reacties van het lichaam op bedreigende en onverwachte gebeurtenissen en de niveaus die ik bij de heer Scholler heb aangetroffen zijn absoluut abnormaal.'

'En wat is uw conclusie als medicus? Lijdt de heer Scholler aan PTSS?'

Doctor Overton keek naar Evan, die achter de tafel van de verdediging zat. 'Ja, ernstige en chronische PTSS. Zonder twijfel. Dat is mijn stellige conclusie als in deze materie gespecialiseerd arts.'

'Zonder twijfel. Dank u, doctor.' Washburn knikte galant. Hij keek Mills aan, stak zijn arm uit met de handpalm omhoog. 'Uw getuige.'

'Doctor Overton,' begon de aanklager, 'u hebt zojuist verklaard dat black-outs niet ongewoon zijn bij mensen die aan PTSS lijden. Wilde u daarmee zeggen dat PTSS black-outs veroorzaakt?'

'Niet precies. Ik meen dat ik heb gezegd dat we ze vaak bij deze groep zien, vooral als er ook drugs of alcohol in het spel zijn.'

'O, dus PTSS op zich veroorzaakt deze black-outs niet, is dat juist?'

'Nou, in zekere zin kun je zeggen dat...'

'Het spijt me, doctor, maar wilt u antwoorden met ja of nee? Veroorzaakt PTSS black-outs?'

Washburn schraapte zijn keel en protesteerde vanachter zijn tafel: 'Protest. Ongeoorloofde druk.'

Het kostte Tollson nog geen twee seconden om zijn beslissing te nemen. 'Afgewezen.' Hij wendde zich tot de getuige. 'Wilt u de vraag beantwoorden, doctor?'

Mills deed er nog een schepje bovenop. 'Wilt u dat ik hem even herhaal?'

Tollson keek haar afkeurend aan. 'Geen sarcastische opmerkingen. Wilt u de vraag beantwoorden, doctor? Veroorzaakt PTSS black-outs?'

'Ja, er zijn een paar onderzoeken die daar melding van maken.'

'Een paar? Hoeveel van die gevallen kent u persoonlijk?'

'Dat weet ik niet precies. Een paar, als ik het me goed herinner.'

'Een paar. Juist. En is er in die weinige onderzoeksgegevens die u uit eigen ervaring kent ook sprake van de duur van deze zeldzame PTSS-black-outs?'

Achter haar donderde de stem van Everett Washburn opnieuw. 'Protest. Onjuiste conclusie. Het feit dat de doctor slechts een paar black-outs uit eigen waarneming kent betekent niet dat ze op zichzelf zeldzaam zijn.'

'Toegewezen.'

Maar Mills gaf haar punt niet prijs. 'Doctor,' vervolgde ze, 'is er in een van de rapporten waarvan u op de hoogte bent sprake van de duur van deze black-outs?'

'Ja.'

Mills had haar eigen getuige-deskundige voor dit onderwerp, al wist ze nog niet zeker of ze hem ook zou gebruiken. Hoe dan ook, ze had haar huiswerk gedaan en kende haar feiten. 'Doctor,' zei ze, 'is het niet zo dat deze black-outs van heel korte duur zijn?'

'Ja.'

'Zoiets als vergeten waar je je sleutels hebt neergelegd, bijvoorbeeld?'

'Ik weet niet zeker of ik begrijp wat u bedoelt.'

'Stel, je legt je sleutels op de keukentafel en je wordt plotseling getroffen door een posttraumatische flashback. Als het voorbij is kun je je niet meer herinneren waar je je sleutels hebt gelaten. Dat is toch het soort black-out dat in de literatuur wordt behandeld? Met andere woorden, het gaat dan toch om een zeer kortdurend geheugenverlies?'

'Dat denk ik wel, ja.'

Mills liep terug naar haar tafel en nam een slok water. Ze draaide zich om naar de getuige en vroeg: 'Doctor, bent u bekend met black-outs die langer dan een dag duren?'

'Nee, daar heb ik nog nooit van gehoord.'

'En een uur?'

'Nee, dat denk ik niet.'

'Tien minuten?'

'Ergens in die buurt, denk ik. De flashback is doorgaans intens, maar duurt tamelijk kort.'

Al had de publieke tribune misschien niet meteen begrepen waar Mills naartoe wilde met haar vragen, het antwoord van de doctor dat de black-out hoogstens tien minuten duurde veroorzaakte gemompel. De aanklager, die ook gefascineerd leek door dit antwoord, bewoog zich dichter naar de getuige toe. 'Doctor, u hebt ook verklaard dat black-outs vaak samengaan met overvloedig gebruik van alcohol en drugs of een combinatie daarvan. Zou u deze black-outs karakteriseren als een gevolg van PTSS of als een gevolg van alcohol en/of drugsgebruik?'

'Nou, het heeft met elkaar te maken. De PTSS versterkt het extreme gedrag.'

'Maar is het niet zo dat de black-outs dan eigenlijk worden veroorzaakt door het drinken of het drugsgebruik?'

'Ik denk niet dat je dat kunt zeggen.'

'Maar het is toch wel zo dat het misbruik van alcohol en drugs op zich een black-out kan veroorzaken?'

'Ja.'

'En dit is in feite een veelvoorkomend en goed gedocumenteerd verschijnsel, nietwaar?'

'Ja.'

'Maar black-outs die zijn terug te voeren op PTSS zijn zowel zeldzaam als kortdurend, nietwaar?'

Washburn wist dat dit een suggestieve vraag was en dat hij kon protesteren, maar hij had niet het gevoel dat hij daar iets mee zou winnen.

'Ja.'

'Dus,' vervolgde Mills, 'als je een black-out hebt die langer duurt – een paar dagen bijvoorbeeld –, dan zou je kunnen zeggen dat er wel weten-schappelijke aanwijzingen zijn dat die is veroorzaakt door alcohol, en dat er geen wetenschappelijke aanwijzingen zijn dat die uitsluitend door PTSS zou kunnen zijn veroorzaakt, nietwaar?'

'Dat is juist.'

'Dank u, doctor . U zei dus dat de heer Scholler u had verteld dat hij neigde tot zowel alcohol- als drugsmisbruik, klopt dat?'

Overton zat nu voorovergebogen met haar handen om de balustrade van het getuigenbankje, duidelijk gefrustreerd. 'Dat klopt.'

'En heeft hij u niet bovendien verteld dat hij ook in Irak al last had van alcoholmisbruik, nog voordat hij deze zogenaamd traumatische gebeurte-nissen had meegemaakt?'

'Edelachtbare!' Washburn was woedend opgestaan. 'Ik protesteer tegen deze voorstelling van zaken. De meeste mensen van vlees en bloed zullen begrijpen dat het oplopen van een ernstige hoofdwond, als gevolg van geweervuur en een granaataanval op buitenlandse bodem ter verdediging van het vaderland, wel een traumatische gebeurtenis kan worden ge-noemd. Er is niets onbenulligs of zogenaamds aan.'

De publieke tribune reageerde luid en voor het eerst liet Tollson zijn hamer neerkomen. Zonder een woord te zeggen keek hij rond in zijn rechtszaal totdat het lawaai was verstomd.

Mills verbrak de stilte. 'Ik neem het woord "zogenaamd" terug, edel-achtbare.' Maar de draad van haar betoog liet ze niet los. 'Misschien kan de griffier mijn vraag teruglezen zonder het gewraakte woord.'

Tollson keek omlaag naar de griffier en knikte.

Mills las hardop: 'Heeft hij u niet bovendien verteld dat hij ook in Irak al last had van alcoholmisbruik, nog voordat hij deze' – er viel even een stilte – 'traumatische gebeurtenissen had meegemaakt?'

Overton keek Washburn met opeengeperste lippen aan en richtte zich toen tot haar kwelgeest. 'Ja, dat heeft hij me verteld.'

'Met andere woorden, het alcoholmisbruik van de heer Scholler was er al voordat hij PTSS opliep, en dat alcoholmisbruik op zichzelf had kunnen resulteren in langere perioden van geheugenverlies, nietwaar?'

'Kennelijk,' beet Overton haar toe.

'Moet ik dat interpreteren als een "ja"?'

Het kostte Overton moeite het over haar lippen te krijgen. 'Ja.'

'En is het juist dat de heer Scholler u heeft verteld dat zijn black-out na de dood van het slachtoffer, Ron Nolan, ongeveer vier dagen heeft geduurd?'

'Ja.'

'Dank u, doctor,' zei Mills. 'Ik heb geen vragen meer.'

Tijdens het lunchreces zaten de advocaat en zijn cliënt naast elkaar in de krappe cel achter de rechtszaal. Aan de andere kant van de kleine, gepantserde ramen was het een heldere en zonnige dag. Buiten op het parkeerterrein hadden de media hun kamp opgeslagen. Washburn had zijn mond vol met brood en leverworst, wat niet betekende dat hij ophield met praten. 'Het maakt niet uit,' zei hij. 'Het belangrijkste is dat ze vastgesteld heeft dat je PTSS hebt. Nu moeten we alleen nog zorgen dat Tollson het toelaat. Eet jij die augurk nog op?'

'Nee, ik kan niets binnenhouden. Neem jij hem maar.'

Washburn stopte met kauwen. 'Zenuwachtig?'

'Hoezo zou ik zenuwachtig zijn? Ik sta toch alleen maar terecht voor moord?'

'Je moet wel zorgen dat je op krachten blijft.' Washburn pakte de augurk en nam er een hap van. Nadat hij de inhoud van zijn mond eindelijk had doorgeslikt, nam hij een slok van zijn mineraalwater en schraapte zijn keel. 'Maar we moeten even overleggen wat we gaan doen als hij het niet toelaat.'

'Je bedoelt Tollson.'

Washburn knikte. 'En de PTSS. Als we dat erdoor krijgen hebben we de jury aan onze kant. Dan zullen ze te weten komen wat er in Irak is gebeurd, wat je allemaal hebt meegemaakt... Dan is er een goede kans dat ze je niet zullen veroordelen. Aan de andere kant... Vanochtend hoopte ik nog dat Ted de PTSS zou toelaten zonder voorbereidende hoorzitting, maar dat heeft hij niet gedaan. Wat betekent dat hij er nog over nadenkt. Het is mogelijk dat hij het onzin vindt.'

'Waarom zou hij dat vinden? Hij heeft zelf een voet verloren.'

'Ja. Maar wat er verder ook met hem is gebeurd, PTSS heeft hij er niet van gekregen. Dus misschien denkt hij wel dat het allemaal slap gewauwel is van watjes, of van gewiekste advocaten zoals ik.'

'Was dit bedoeld om me op te beuren?'

Washburn haalde zijn schouders op en nam opnieuw een flinke hap van zijn broodje. 'Ik loop alleen alle mogelijkheden maar even na. Luister,' vervolgde hij, 'ik wil je niet de put in praten. De halve wereld staat achter je.'

'Dus de andere helft niet.'

'Maar we hebben de helft niet eens nodig. Wat we nodig hebben is maar één van de twaalf. Dus maak je niet druk. Je bent gewoon een gewonde oorlogsveteraan die het slachtoffer is geworden van wat inmiddels een extreem impopulaire oorlog is geworden. Hoe meer we erin slagen de oorlog in het proces te betrekken als de grote boosdoener, hoe meer ook Nolan zal worden gezien als het slachtoffer van de oorlog. Zonder die oorlog zou er niemand dood zijn. De jongens in Irak niet. Nolan niet. Niemand niet. En bovendien zal jouw getuigenis voor een grote verrassing zorgen en veel harten en zielen winnen, waardoor ze de zaken in een ander licht zullen zien. Dan hebben ze op slag een andere theorie in beeld, die ze te denken zal geven. Maar dat is allemaal onder het voorbehoud dat we de PTSS mogen inbrengen. Zonder dat wordt het een ander verhaal.' Washburn nam nog een slok water en kwam met het slechte nieuws. 'Dus de vraag is: als Tollson het niet toelaat, kunnen we dan een deal sluiten?'

Evan sloot een moment zijn ogen en schudde toen zijn hoofd. 'Absoluut niet.'

'Wacht even, voordat je...'

'Everett, luister. Het laatste aanbod van Mills was minimaal veertig jaar tot levenslang. Ik kan niet veertig jaar gaan zitten.'

Washburn keek zijn cliënt aan. Hij had dit gesprek al met talloze cliënten gevoerd, maar het werd er nooit gemakkelijker op. De beslissing van Tollson een voorbereidende hoorzitting te houden over het PTSS-bewijs was onverwacht en potentieel rampzalig. Washburn was er zeker van geweest dat zijn argumentatie in de raadkamer – hoe terloops hij die dan ook had gebracht – Tollson ervan zou overtuigen dat hij het PTSS-bewijs in de rechtszaal moest toelaten.

Nu moest hij echter de mogelijkheid onder ogen zien dat dit niet zou gebeuren.

Washburn gaf het niet op. Dat lag niet in zijn aard. Maar hij moest Evan duidelijk maken dat de mogelijkheid bestond dat ze dit uiteindelijk toch zouden verliezen. 'Ik weet zeker dat ik Doug Falbrock zover kan krijgen dat hij het pistool buiten beschouwing laat,' zei hij. Als er bij een moord in Californië een vuurwapen was gebruikt, werd er automatisch vijfentwintig jaar bij de straf opgeteld. 'Dan ga je voor doodslag. Dan wordt het laten we zeggen twaalf tot levenslang.'

Evan leunde naar achteren en sloeg zijn armen over elkaar. 'Heb ik jou niet zelf onlangs de onsterfelijke woorden horen uitspreken: "Alles tot levenslang is levenslang"?'

'Dat was bij wijze van spreken,' zei Washburn. 'Jij zult een modelgevangene zijn, je komt vrij na het minimum.'

'Maar dan nog,' zei Evan. 'Twaalf jaar.'

Washburn stak het restant van zijn broodje in zijn mond. 'Ik zeg alleen maar...' Hij kauwde een paar maal flink. 'Ik zeg alleen maar dat je er misschien even over na moet denken.'

21

Washburns plan om de oorlog zo veel mogelijk in het proces te betrekken was de reden dat hij Anthony Onofrio als volgende getuige opriep. Onofrio was zes maanden geleden naar huis gekomen en had onmiddellijk contact opgenomen met het kantoor van Washburn om te informeren of en hoe hij behulpzaam kon zijn bij Evans verdediging. Als oudere veteraan, vader van drie kinderen die zijn baan bij Caltrans en zijn huis in Half Moon Bay had verlaten om zijn burgerplicht te doen, en afgezien van Evan de enige overlevende van het vuurgevecht in Bagdad, was hij de getuige bij uitstek om licht te werpen op de traumatische gebeurtenis die centraal stond in deze hoorzitting.

Zodra de bode de stevig gebouwde en vriendelijk ogende Caltransmedewerker de eed had laten afleggen, stond Mills echter op om te protesteren. 'Edelachtbare, de vorige getuige heeft al verklaard en wat mij betreft overtuigend vastgesteld dat de heer Scholler aan een posttraumatische-stressstoornis lijdt. Dat bestrijden we niet, al houden we staande dat het irrelevant is. De staat ziet niet in wat de toegevoegde waarde kan zijn van deze volgende getuige. Hij was ten tijde van de moord niet eens in de Verenigde Staten en dus kan zijn getuigenis geenszins betrekking hebben op de schuld of onschuld van de verdachte.'

Rechter Tollson leunde naar achteren en kneep zijn ogen half dicht. Hij draaide zijn hoofd een paar centimeter. 'Meneer Washburn?'

'Edelachtbare, deze getuige is essentieel voor de zaak. Er kan geen posttraumatische-stressstoornis bestaan zonder het daadwerkelijke trauma, en de heer Onofrio is ooggetuige geweest van het trauma dat de heer Scholler heeft ondergaan en waarover doctor Overton zojuist heeft getuigd. We hebben hier niet zomaar een psychiater ingehuurd om een aandoening te bespreken die het gevolg is van een gebeurtenis die nooit heeft plaatsgevonden. Zonder de gebeurtenis kan er ook geen sprake zijn van de aandoening.'

Hoewel hij het ontegenzeggelijk bij het juiste eind had hield Washburn een ogenblik rekening met de angstaanjagende mogelijkheid dat Tollson de getuige inderdaad zou afwijzen en een eind zou maken aan zijn hele verdedigingsstrategie op dit punt.

Hij realiseerde zich vervolgens tevens dat het protest ook vanuit het standpunt van Mills niet erg logisch leek. In theorie had Tollson haar een voordeel verschaft door deze hoorzitting toe te staan, omdat ze al het bewijs op een presenteerblaadje kreeg aangereikt voordat hij het aan de jury kon voorleggen. Het was in haar eigen belang iedereen die hij opvoerde te horen, zodat ze niet één maar twee kansen kreeg hen te ontleden en te ontkrachten: nu, tijdens deze hoorzitting én nadat de jury was geïnstalleerd.

Het was duidelijk dat ook Mills onder grote druk stond en waarschijnlijk had ze last van zenuwen. Maar als Tollson met haar meeging en Onofrio zou verhinderen te getuigen, kon hij in een later stadium vanuit een soortgelijke redenering ook andere getuigenissen blokkeren, en dat zou pas echt problematisch zijn.

Tollson maakte een eind aan de spanning. 'Mevrouw Whelan-Miille,' zei hij, 'dit is een hoorzitting. Dat betekent dat we horen wat mensen te zeggen hebben voordat we aan het eigenlijke proces beginnen. De heer Washburn heeft gelijk. Het lijkt erop dat deze getuigenis essentieel is met betrekking tot de vaststelling van het trauma. Uw protest is afgewezen. Meneer Washburn, gaat u verder.'

Washburn maakte een subtiel buiginkje en hoopte dat zijn zucht van opluchting Mills en Tollson ontging. 'Dank u, edelachtbare.' Hij wendde zich tot de getuige. 'Goed. Meneer Onofrio, wilt u de rechtbank vertellen wat uw relatie was met de heer Scholler?'

'Totdat hij gewond is geraakt was hij mijn pelotonscommandant in Irak, in de zomer van 2003.'

Gedurende de volgende minuten nam Washburn met hem de samenstelling van het peloton door en de algemene aard van hun taken als bewakers van konvooien, waarna hij tot de kern van de zaak kwam. 'Meneer Onofrio, u hebt gezegd dat de heer Scholler uw pelotonscommandant was totdat hij gewond raakte. Kunt u ons misschien vertellen hoe dat is gebeurd?'

'Jazeker. We escorteerden Ron Nolan naar een bijeenkomst met...'

'Sorry,' onderbrak Washburn hem. 'U escorteerde de Ron Nolan die het slachtoffer is in deze zaak?'

'Ja.'

'Hij was bij jullie in Irak?'

'Jazeker, al was hij wel eens een paar dagen weg. Hij werkte voor

Allstrong Security. Dat bedrijf verzorgde de beveiliging van het vliegveld van Bagdad en voerde andere opdrachten uit in Irak. Een van onze taken was hem naar zijn diverse afspraken te brengen.'

'Goed, dus hij was bij jullie in het konvooi op de dag waarop de heer Scholler gewond is geraakt?'

'Inderdaad.' Onofrio leunde in de getuigenbank naar achteren en vertelde alles zoals hij het zich herinnerde: de spanning in de straten van Bagdad, Nolan die op de auto had geschoten omdat hij dacht het een autobom was, de ontdekking wat het echt was geweest en wie erin hadden gezeten, de mensen die met stenen waren gaan gooien en vervolgens de aanhoudende aanval met automatische wapens en granaatwerpers vanaf de omliggende daken. 'Toen het net was begonnen, het geweervuur en de eerste granaataanval, hadden we misschien nog weg kunnen komen, maar de luitenant wilde niet het bevel geven ons terug te trekken voordat we de mannen die waren getroffen uit hun Humvee hadden gehaald om ze mee te nemen.'

'Dus hij wilde zijn gewonde mannen daar niet achterlaten?' Dit was een belangrijk, zorgvuldig gerepeteerd onderdeel. Washburn wilde dat de jury straks goed begreep dat Evan zich eervol had gedragen, ondanks het grote gevaar waaraan hij zelf had blootgestaan.

'Nee. Hij rende naar de eerste Humvee, die nog smeulde, en probeerde de mannen die getroffen waren eruit te halen.'

'Dat deed hij ondanks het feit dat jullie zwaar onder vuur lagen?'

'Ja. Maar toen werd de tweede Humvee geraakt en verloren we nog een paar mannen. Toen was het duidelijk dat we er geen van allen levend vandaan zouden komen als we niet snel waren. Dus Nolan bleef de daken onder vuur houden en liet mij naar Evan rijden. Hij wilde nog steeds proberen een paar gewonde mannen mee te nemen, maar toen werd er achter ons opnieuw een granaat afgeschoten en zodra ik opkeek zag ik dat hij op de grond lag.'

'Wat was er gebeurd?'

'Hij was geraakt door granaatscherven of zoiets. In zijn hoofd. Er lag overal bloed. Ik dacht dat hij dood was. Ik dacht dat we er allemaal aan zouden gaan.'

'Goed, meneer Onofrio. Ik ben blij dat u heelhuids thuis bent gekomen.' Hij draaide zich half om naar Mills. 'Uw getuige.'

Mills ging het kruisverhoor met weinig verwachtingen aan. Ze had zelfs even overwogen ervan af te zien, maar uiteindelijk besloten de goede raad van de rechter op te volgen en te luisteren naar wat de man te zeggen had. Er luisterde nu geen jury mee en misschien stuitte ze nog op een belangrijke bron die ze tijdens het proces kon aanboren. Als Washburn deze in haar perceptie onbelangrijke getuige per se wilde laten opdraven, kon zij net zo goed van de gelegenheid gebruikmaken en onderzoeken of hij ook voor haar van enig nut kon zijn.

'Meneer Onofrio,' begon ze. 'Laat ik beginnen met te zeggen dat ook ik dankbaar ben dat u weer levend bent thuisgekomen. En dat zeg ik denk ik namens iedereen in deze rechtszaal. Bedankt voor de diensten die u het vaderland hebt bewezen.'

Onofrio, enigszins in verlegenheid gebracht, haalde zijn schouders op en mompelde: 'Geen dank.'

'Een van de dingen die me zijn opgevallen in uw verklaring is dat u niet naar Irak was gestuurd om konvooien te beveiligen, heb ik dat goed begrepen?'

Onofrio knikte. 'Dat klopt. Het was de bedoeling dat we onderhoudswerk aan zware transportvoertuigen gingen verrichten, maar toen we in Koeweit aankwamen waren die er nog niet, dus hebben ze een aantal van ons ingezet voor konvooibewaking.'

De vraagstelling had weinig te maken met het onderwerp, maar ook Washburn volgde het advies van de rechter en liet het gaan. Als er ergens in het verhaal van deze getuige een gevaar schuilde kon hij daar beter nu achter komen dan later, wanneer er een jury bij zat.

'Wat vond u daarvan?' vroeg Mills.

Hij glimlachte. Misschien om de vraag zelf, of misschien om haar naïviteit. 'Ze hebben het ons niet gevraagd. Het was niet vrijwillig of zoiets.'

'Nee, dat begrijp ik. Maar dat beveiligingswerk aan het front, was dat niet gevaarlijker dan het werk dat jullie oorspronkelijk zouden gaan doen?'

'Hooguit met een vermenigvuldigingsfactor tien. Of twintig.'

'Met andere woorden, het was een stuk gevaarlijker?'

'Absoluut. Veel gevaarlijker.'

Mills zweeg even en ging er toen op door. 'Hebben jullie daar dan niet tegen geprotesteerd?'

'Natuurlijk wel. Maar wat konden we doen?'

'Dat weet ik niet, meneer Onofrio. Wat hebben jullie gedaan?'

'Nou, we hebben erover geklaagd bij luitenant Scholler. We hebben hem gevraagd er de commandant van de basis op aan te spreken, om te kijken of die ons niet kon terugsturen naar onze reguliere eenheid.'

'En heeft hij dat gedaan?'

'Hij heeft het geprobeerd, maar hij kreeg hem niet te spreken. In ieder geval niet op tijd.' Toen, in een poging behulpzaam te zijn, voegde Onofrio eraan toe: 'Hij was van plan te vragen of Nolan misschien iets bij de legerleiding voor elkaar kon krijgen, maar ook dat is niet op tijd gelukt.'

'Dus meneer Scholler dacht dat de heer Nolan misschien iets voor hem kon regelen bij de leiding. Waarom dacht hij dat? Waren ze bevriend?'

'Dat zou je kunnen zeggen.'

'Waren ze boezemvrienden?'

'Nou, dat weet ik niet.' Hij haalde opnieuw zijn schouders op en liet toen zonder het zich te realiseren de bom barsten. 'Ze waren in ieder geval zuipmaatjes.'

Nog voordat ze zich had gerealiseerd wat de betekenis van deze ogenschijnlijk onschuldige uitlating was, hoorde Mills achter haar Washburn zowat ontploffen. 'Protest! Irrelevant!'

Maar dat was pure bluf. Er was niemand in de rechtszaal die dit ook maar in de verste verte irrelevant vond en Tollson bevestigde dit vrijwel onmiddellijk met een: 'Afgewezen.'

Mills hield haar lippen op elkaar en probeerde haar vreugde te verbergen. 'Dank u, edelachtbare,' zei ze. 'Meneer Onofrio,' vroeg ze de getuige, 'als u de relatie van de heer Nolan en de heer Scholler karakteriseert als die van zuipmaatjes, bedoelt u daarmee dan dat ze samen alcoholische dranken nuttigden?'

Onofrio, wie de toon van paniek in Washburns stem niet was ontgaan, wierp een snelle blik naar de tafel van de verdediging. 'Af en toe wel, geloof ik.'

'Gelooft u dat ze samen dronken, of hébt u ze samen zien drinken?'

'Ja, ze dronken samen.'

'Meneer Onofrio, is het in het leger niet tegen de regels om te drinken in een oorlogsgebied?'

'Ja.'

'Maar de heer Scholler overtrad deze regel?'

'Ik denk het wel.'

'En dat hebt u persoonlijk waargenomen?'

'Ja.'

'Hoeveel keer?'

'Dat weet ik niet precies. Een paar keer.'

'Meer dan vijf keer?'

'Edelachtbare,' interrumpeerde Washburn. 'Ongeoorloofde druk.'

'Afgewezen.'

Mills knikte. 'Meer dan vijf keer, meneer Onofrio?'

'Misschien.'

'Meer dan tien?'

'Ik heb het niet bijgehouden,' antwoordde Onofrio. 'Ik zou dat echt niet met zekerheid kunnen zeggen.'

'Eén keer per dag? Eén keer per week? Eén keer per maand?'

'Een paar keer per week.'

'Juist. Duidelijk. En dronk de heer Scholler overmatig veel?'

'Protest!' riep Washburn. 'Leidt tot een conclusie.'

'Afgewezen,' zei Tollson. 'Ook een leek kan een mening geven met betrekking tot overmatig drankgebruik.'

Mills vertraagde haar tempo. Ze had goed materiaal te pakken en wilde geen fouten maken. 'Had u wel eens de indruk dat de heer Scholler dronken was als hij dienst had?'

'Protest! Conclusie.'

'Toegewezen.'

Mills probeerde het opnieuw. 'Hebt u wel eens persoonlijk waargenomen dat de heer Scholler dronken was nadat hij sterkedrank had gebruikt met de heer Nolan?'

Onofrio wierp opnieuw een ongeruste blik in de richting van Washburn en Evan. 'Ja.'

'En met dronken bedoelt u dat hij onduidelijk sprak en moeite had met lopen?'

'Ja.'

'Meneer Onofrio, wanneer hebt u deze verschijnselen voor het laatst waargenomen? Ik bedoel dat de verdachte moeite had met spreken en lopen?'

Onofrio keek omlaag. 'Zijn laatste avond daar.'

'U bedoelt de avond voor het incident in Masbah?'

Hij zuchtte en knikte langzaam. 'Dat bedoel ik.'

'Meneer Onofrio, maakte de heer Scholler de indruk dronken te zijn op de dag waarop het schietincident plaatsvond? Toen de heer Scholler het konvooi leidde dat in een hinderlaag liep?'

'Nee,' antwoordde Onofrio resoluut.

Mills zweeg, en eindigde met de opmerking: 'Maar hij had natuurlijk wél een flinke kater, nietwaar?'

Stephan Ray, de logopedist en activiteitenbegeleider van het Walter Reed Army Medical Center, knikte vanuit de getuigenbank enthousiast naar

Washburn. 'Hij is absoluut een van onze succesverhalen. Hij heeft heel hard gewerkt en hij heeft bovendien veel geluk gehad. Maar dat succes doet niets af aan de ernst van zijn verwondingen. De eerste maanden was het niet zeker of hij het zou overleven en daarna was het nog de vraag in hoeverre hij zou kunnen herstellen.'

'Waar was de meeste schade aangericht?'

'Zijn spraakvermogen en zijn geheugen waren het duidelijkst aangetast. Er waren in het begin ook wat coördinatieproblemen, maar die zijn min of meer vanzelf verdwenen.'

'En hoe hebben die geheugenproblemen zich geopenbaard?'

'In het begin, na de operaties, is hij uiteraard een week of drie vrijwel voortdurend buiten bewustzijn geweest. Ik geloof zelfs dat ze hem expres in coma hebben gehouden totdat ze dachten dat hij het bewustzijn weer aan zou kunnen, al ben ik daar niet honderd procent zeker van. Ik zat niet in zijn medisch team en ik ben geen arts. Maar toen ik Evan voor het eerst ontmoette had hij last van wat ik ernstige cognitieve en geheugenproblemen zou willen noemen. Hij wist niet waar hij was, hij dacht dat ik voor de CIA werkte en hij wist niet precies wat er met hem was gebeurd. En bovendien was zijn hele woordenschat verdwenen.'

'Volledig?'

'In het begin kende hij nauwelijks nog woorden. Maar gaandeweg kreeg hij zijn meest alledaagse vocabulaire weer terug.'

'Is dat normaal?'

'Tot op zekere hoogte wel, ja. Maar veel was te danken aan een intensieve hersentraining met als doel alles opnieuw te leren. Daarvoor gebruiken we kaarten met afbeeldingen. Evan maakte enorme vorderingen, zeker vergeleken met veel van onze andere patiënten, die vaak nooit meer in staat zijn te praten of logisch te redeneren.'

Washburn knikte. 'Hoe lang heeft Evan, afgezien van deze intensieve begeleiding, in het Walter Reed gelegen?'

'Bijna zes maanden.'

'Zes maanden. En heeft hij gedurende die zes maanden, waarin hij zo goed herstelde, ook last gehad van black-outs?'

'Ik weet niet precies wat u bedoelt met black-outs.'

'Perioden waarvan hij zich niet kon herinneren wat hij had gedaan of waar hij was geweest. Zoals vlak na de operatie.'

'Ja, absoluut. Dat kwam niet zelden voor.'

'Niet zelden. Dus daar had hij regelmatig last van?'

'Ja, maar dat is te verwachten bij een patiënt die lijdt aan hersenletsel.'

'En hoe lang kon zo'n black-out duren?'

'Ook dat verschilde per keer. Ik herinner me dat Evan toen we al ongeveer drie of vier maanden met de therapie bezig waren op een ochtend wakker werd en ineens dacht dat hij in Bagdad was. Hij begreep niet waarom het buiten sneeuwde terwijl het zomer was in Bagdad. Ik vond het een dermate ernstige terugval dat ik het aan de artsen heb gemeld, maar drie ochtenden later was hij plotseling weer in orde.'

'Toen dacht hij niet meer dat hij in Bagdad was?'

'Nee. Toen wist hij weer dat hij in het Walter Reed lag. En daarna ging zijn herstel gewoon door.'

'Maar gedurende die drie dagen was hij anders?'

'Hij dacht dat hij in Bagdad was.'

'Juist. Laat ik u dan het volgende vragen, meneer Ray. Toen Evan wakker werd en zich realiseerde dat hij zich in het Walter Reed bevond en niet in Bagdad, hebt u hem toen gevraagd of hij zich iets herinnerde van de periode waarin hij dacht dat hij in Bagdad was? Vroeg u hem, met andere woorden, naar zijn herinnering van de afgelopen drie dagen?'

'Jazeker, daar heb ik hem naar gevraagd. Hij herinnerde zich er niets van.'

'Niets.'

'Helemaal niets. Hij dacht zelfs dat ik hem in de maling nam. Die dagen waren gewoon uit zijn geheugen verdwenen, alsof hij ze nooit had meegemaakt.'

'Dank u, meneer Ray. Uw getuige, mevrouw Whelan-Miille.'

'Meneer Ray, heeft Ron Nolan de heer Scholler bezocht in het Walter Reed-ziekenhuis?'

'Ja. Ik heb hem destijds ontmoet.'

'Bent u bij hun conversatie aanwezig geweest?'

'Niet echt, nee.'

Mills vervolgde: 'Kunt u Evans gemoedstoestand beschrijven nadat de heer Nolan was vertrokken?'

'Hij was heel erg overstuur en kwaad. Hij huilde bijna. Ik herinner me nog als de dag van gisteren dat hij later een migraineaanval kreeg die zo ernstig was dat we hem zware medicijnen moesten geven.'

Mills bleef even staan en dacht na hoe diep ze hierop in zou gaan. Er waren zeker mogelijkheden Evans woede en jaloezie hier verder aan de kaak te stellen, maar vandaag wilde ze die troef nog niet uitspelen. Ze wist dat die er tijdens het echte proces zou zijn als ze hem nodig had.

'Dank u, meneer Ray,' zei ze. 'Ik heb geen vragen meer.'

Omdat ze getuige à charge was mocht Tara niet in de rechtszaal aanwezig zijn. Nu, om kwart over vijf in de bezoekersruimte van de gevangenis, beet ze op haar onderlip en probeerde dapper te kijken toen ze Evan in de ogen keek.

Daarna zaten ze aan weerszijden van het plexiglas en staarden naar het gat waar ze door konden praten. Het was inmiddels vertrouwd, maar nog steeds afschuwelijk. Maar Tara had zich voorgenomen zich te concentreren op het positieve. Ze spiegelde zich aan Eileen, die opgewekt en optimistisch was als altijd. 'Ik heb je vandaag in je nette pak op de televisie gezien.'

'Ik dacht dat ik je dat al had verteld. In de rechtbank mag ik eruitzien als een normaal mens.'

'Zo zie je er nu ook uit.'

'Als je een enquête zou houden denk ik dat de meeste mensen zullen zeggen dat ik eruitzie als een gangster, met die overall en alles. Wat hebben ze op de televisie over de rechtszaak gezegd?'

'Dat het evenwichtig was. Wat denk jij?'

Hij haalde zijn schouders op. 'Er is nog geen jury, dus het telt allemaal nog niet, maar ik vond het niet zo evenwichtig. Die aanklager is een harde tante. Ze zet zwaar in op het alcoholgebruik.'

'Waarom doet ze dat?'

'Volgens Everett heeft het allemaal te maken met het bewerken van de jury. Een alcoholist zullen ze niet snel sympathiek vinden of geloven. Maar als ik aan PTSS en black-outs lijd, ben ik een gewonde oorlogsveteraan met een geestesziekte die min of meer buiten zijn schuld in een afschuwelijke situatie terecht is gekomen. Dan is de sympathie niet van de lucht. Natuurlijk is het cynisch, maar als de PTSS wordt toegelaten kan dat mijn alcoholgebruik voor een deel verklaren. Niet dat ik dat voor mezelf als excuus wil gebruiken. Voor het drinken, bedoel ik.' Hij keek omlaag. 'Ik weet nog steeds niet wat me die avond bezielde en waarom ik niet met je mee naar huis ben gegaan.'

'Is het ooit in je opgekomen dat de redenering van Washburn gewoon waar is en helemaal niet cynisch? Dat je hersenen inderdaad nog niet helemaal waren genezen, dat je cognitieve vermogens nog niet helemaal intact waren en dat je daarom niet volledig rationeel handelde? Als je daar de PTSS bij optelt kan ik me niet voorstellen hoe een jury je tot moord met voorbedachten rade zou kunnen veroordelen.'

'Nou, laten we hopen...' Hij viel stil, alsof hij iets had willen zeggen, maar zich had bedacht.

'Nou?' vroeg ze.

Hij hield zijn adem even in en zuchtte toen diep. 'Vanmiddag, tijdens de lunch, heeft Everett me voorgehouden dat ik erover na moet denken of ik misschien akkoord kan gaan met een deal, als de rechter het PTSS-bewijs niet toelaat. Dat ik strafvermindering kan krijgen als ik beken.'

'Maar waarom zou je dat doen? Hij heeft steeds gezegd dat we zouden winnen.'

'Kennelijk is dat zonder de PTSS helemaal niet zo zeker.'

'Ja, maar waarom zou de rechter het niet willen toelaten?'

'Dat weet ik niet. Everett dacht niet dat het een probleem zou zijn, totdat Tollson vanochtend opdracht gaf die hoorzitting te houden. Nu kan het kennelijk wél een probleem worden, en als we het verliezen...' Hij haalde zijn schouders op.

'Wat moet je dan bekennen?'

'Doodslag. Everett gelooft dat hij ze zover kan krijgen dat ze de extra straf vanwege het vuurwapen laten vallen.'

'En hoe lang is dat dan?'

Hij zeeg even en antwoordde toen: 'Twaalf jaar tot levenslang.'

Tara's kin zakte omlaag alsof iemand haar had geslagen. Even later keek ze hem weer aan, met tranen in haar ogen. 'Als je zo'n deal sluit betekent dat dan niet dat je toegeeft dat je het hebt gedaan?'

'Ja.'

'Dat kun je niet doen.'

'Nee, dat denk ik ook niet.'

'En kun je je echt niets van die vier dagen herinneren?'

'Tara, daar hebben we het al negenhonderdnegenennegentig keer over gehad.'

'Nou, misschien lukt het de duizendste keer...'

Hij schudde zijn hoofd. 'Echt niet. Ik herinner me dat ik naar Ron ben gegaan nadat ik jou in het café heb achtergelaten. Ik herinner me dat ik hem heb geslagen en dat hij mij heeft geslagen, dat we hebben gevochten. Daarna niets meer, totdat ik wakker werd in de gevangenis. Die dagen zijn gewoon verdwenen in het niets.'

Tara beet op haar lip. 'Je kunt niet gaan bekennen voor strafvermindering, Evan. We moeten niet toegeven aan de gedachte dat we dit zullen verliezen.'

'Dat dacht ik ook. Maar als het wél gebeurt, als we wél verliezen bedoel ik, dan moet ik veel langer zitten dan twaalf jaar.'

'Dan wacht ik op je Evan. Echt waar.'

'Dat zou ik nooit van je kunnen vragen.'

Ze wreef met haar hand over haar voorhoofd. 'O god, o god, o god.'

'Ik geloof niet dat Hij luistert,' zei Evan.

De drie volgende dagen werden grotendeels in beslag genomen door lang-dradige technische getuigenverklaringen. Everett Washburn had twee psychologen opgeroepen om een heel arsenaal aan testen toe te lichten waaraan ze Evan de afgelopen maanden hadden onderworpen. Persoon-lijkheidstesten, neuropsychologische testen, intelligentietesten, percep-tietesten, concentratietesten, geheugentesten. Allebei deelden ze de con-clusie van doctor Overton dat Evan duidelijk aan symptomen leed die overeenkwamen met een posttraumatische-stressstoornis. Washburn riep diverse politieambtenaren van het korps in Redwood op die met Evan hadden samengewerkt en iets konden vertellen over de keren dat Evan in hun aanwezigheid symptomen van PTSS had vertoond, zoals lachbuien zonder aanleiding en vooral afasie, ofwel spraakproblemen veroorzaakt door hersenletsel. Inspecteur Lochland vertelde het een en ander over Evans irrationele woedeaanvallen en weidde uit over enkele klachten die hij had binnengekregen over het gedrag van Evan tijdens diens activitei-ten in het kader van het drugsbestrijdingsprogramma op scholen.

Nu was het vrijdag, de lunch was achter de rug en dat gold ook voor de voorbereidende hoorzitting. Rechter Tollson had de advocaat en de open-baar aanklager bij zich in de raadkamer geroepen. Misschien kwam het door vermoeidheid na het aanhoren van de diepgravende verhoren van de getuigen-deskundigen, of door de ernst van zijn beslissing die hij op het punt stond te nemen, maar in tegenstelling tot de jovialiteit die hij door-gaans buiten de rechtszaal tentoonspreidde zat hij nu helemaal naar ach-teren in zijn stoel, met de armen over elkaar en de handen rustend op zijn toga. Zwijgend en uitdrukkingsloos wachtte hij totdat zowel Washburn als Mills was gaan zitten en de griffier klaar was om te beginnen met no-tuleren.

Hij keek op, kreeg een knikje van de griffier en schraapte zijn keel. 'Meneer Washburn,' zei hij, 'ik moet u nu formeel vragen of u alle getui-gen met betrekking tot het PTSS-bewijs dat u aan de jury beoogt te pre-senteren hebt gehoord.'

'Ja, edelachtbare.'

'Mevrouw Miille, heeft de staat nog bewijs over deze kwestie dat moet worden ingebracht?'

'Nee, edelachtbare.'

'Goed. Heeft een van u nog iets op te merken voordat ik mijn beslissing over het verzoek van de aanklager neem?'

'Alleen wat ik aanvankelijk ook al heb aangevoerd, edelachtbare. Dat mijn getuigen overtuigend hebben aangetoond dat de heer Scholler lijdt aan PTSS en dat dit zijn bewering ondersteunt dat hij zich over de betreffende tijdspanne niets kan herinneren.'

Tollson wendde zich tot de aanklager. 'Mevrouw Whelan-Miille?'

'Na alle getuigen te hebben gehoord, edelachtbare, is de staat nog steeds van mening dat de hele kwestie van de PTSS irrelevant is en tot een bevooroordeelde jury zal leiden. De verdachte beweert dat hij de moord niet heeft gepleegd. Hij voert niet aan dat hij ruzie heeft gehad met het slachtoffer, dat er sprake was van woede of jaloezie, zelfs niet van zelfverdediging. In dat geval kan toelating van het PTSS-bewijs er alleen maar toe dienen sympathie voor de verdachte te wekken.'

Tollson keek een paar seconden zwijgend voor zich uit, boog zich toen naar voren, plantte zijn ellebogen op het blad van zijn bureau en vouwde zijn handen. 'Meneer Washburn, ik ben het in grote trekken eens met mevrouw Whelan-Miille. Ik heb grondig over deze materie nagedacht en de mogelijk bevooroordelende invloed op de jury afgewogen tegen de mogelijke bewijskracht. En mijn beslissing is dat ik het PTSS-bewijsmateriaal niet toelaat.'

Washburn, ontzet door deze beslissing, bracht zijn handen naar zijn slapen, en plaatste ze daarna weer op de leuning van de stoel terwijl hij probeerde zijn emoties in bedwang te houden. 'Edelachtbare,' zei hij, 'met alle respect, dit bewijsmateriaal moet worden toegelaten.'

'Misschien vanuit uw optiek, maar ik zie er geen rechtsgrond voor. Het is ontoelaatbaar omdat het niet relevant is met betrekking tot de moord op de heer Nolan. Bovendien is het risico groot dat het de jury in verwarring zal brengen en onnodig veel tijd zal kosten. Als ik uw getuigendeskundigen laat verklaren over allerlei psychologische kwesties, krijgt de jury ongetwijfeld een stroom van beweringen uit de tweede en derde hand te verwerken die anders niet zouden worden toegelaten, waar geen kruisverhoor op mogelijk is en die waarschijnlijk als effect hebben dat ze sympathie wekken voor de verdediging en afkeer van het slachtoffer. Als je dat afzet tegen de volstrekt speculatieve mogelijkheid dat de verdachte wellicht net toevallig een aanval van PTSS zou hebben gehad terwijl hij het slachtoffer vermoordde, wat hij trouwens ontkent te hebben gedaan, leidt het er alleen maar toe dat dit proces in een circus ontaardt. Tenzij u me op de valreep nog kunt melden dat uw cliënt of iemand anders zich beroept op noodweer, laat ik dit bewijsmateriaal niet toe.'

'Edelachtbare.' Washburn zette zijn voeten op de grond, ging rechtop zitten in zijn stoel en boog zich naar voren. De oude advocaat, die normaal gesproken altijd de rust zelve was, was tijdens de monoloog van de rechter rood aangelopen en er parelden zweetdruppeltjes op zijn voorhoofd. Hij haalde een papieren zakdoekje tevoorschijn uit de zak van zijn colbert en veegde er zijn nek mee af. Hij keek de griffier aan met een blik vol pure wanhoop. 'Dit is de doodsteek voor de verdediging, edelachtbare, en ik hoop dat de rechtbank de openheid van geest zal willen behouden om misschien voor aanvang van de rechtszitting nog tot heroverweging te komen.'

'Zeker,' antwoordde Tollson op bijtende toon. 'De openheid van geest in deze rechtbank is legendarisch.'

22

'Dames en heren van de jury.' Die woensdag – twee weken na de beslissing over het PTSS-bewijsmateriaal – droeg Mills een sober blauw broekpak met een witte blouse. Geen sieraden en geen schoenen met hoge hakken. De juryleden wisten dat ze met belastinggeld werd betaald en daarom moest ze zich netjes kleden. Als een dame, maar niet extravagant. Ze moest zich professioneel presenteren. Elk teken van overdaad zou kunnen worden uitgelegd als een gebrek aan respect, of zelfs als arrogantie. Als vertegenwoordiger van de staat Californië wilde ze deze jury van zeven mannen en vijf vrouwen absoluut geen aanstoot geven. Haar toon was niet agressief of vijandelijk; op neutrale wijze belichaamde ze waarheid en redelijkheid, en legde ze de jury de zaak voor zoals de staat die zag.

Vanaf het midden van de rechtszaal legde Mills de paar meter af naar de voorste bank, waar de juryvoorzitter zat, waarna ze langs de balustrade wandelde en vervolgens terugliep naar haar tafel om een aantekening in haar ordner te bekijken, om vervolgens de draad weer op te pakken. Ze gebruikte deze route als een soort metronoom, een middel om ervoor te zorgen dat ze zich niet ging haasten. Bovendien was het belangrijk oogcontact te maken met de juryleden. De boodschap was duidelijk: ze speelde open kaart, keek de juryleden recht in de ogen en vertelde hun de onverbloemde waarheid.

'Goedemorgen. Zoals u al hebt kunnen afleiden uit de vragen die u tijdens het selectieproces zijn gesteld, zullen we hier allemaal enkele weken doorbrengen om kennis te nemen van bewijsmateriaal waaruit zal blijken dat deze verdachte' – hierbij draaide ze zich om en wees naar Evan – 'een man met de naam Ron Nolan heeft vermoord. De verdachte haatte Ron Nolan. Daar bestaat geen twijfel over. Hij dacht dat Ron Nolan zijn vriendin van hem had afgepakt. Hij haatte hem vanwege zijn zakelijke successen in Irak, waar verdachte gewond is geraakt terwijl hij in het leger diende. Hij weet de verwondingen die hij had opgelopen aan Ron Nolan. Maar in werkelijkheid zijn die verwondingen ontstaan doordat verdachte, na een avond excessief te hebben gedronken, zijn mannen in Irak in een hinderlaag van vijandelijke strijders heeft laten lopen. Evan Scholler haatte Ron Nolan.

Hij maakte daar geen geheim van. Hij vertelde het zijn ouders en zijn vriendin. Hij liet er het een en ander over los tegenover collega's bij de politie. Hij achterhaalde het adres van Ron Nolan door wederrechtelijk gebruik te maken van politie-informatie. Hij drong Ron Nolans huis binnen en probeerde hem de schuld in de schoenen te schuiven van de moord op twee in Amerika wonende Irakezen.

Ten slotte zal worden aangetoond dat verdachte deze moord zorgvuldig heeft beraamd en gepleegd. Enkele dagen voor zijn aanval op de heer Nolan heeft verdachte, tijdens zijn dienst als geüniformeerd politieambtenaar van de stad Redwood, contact opgenomen met een slotenmaker, die hij er onder valse voorwendselen toe heeft overgehaald hem het huis van de heer Nolan binnen te laten. De FBI heeft later ontdekt dat er bewijsmateriaal in deze woning was verstopt dat betrekking had op de moorden op Ibrahim en Shatha Khalil. Helaas voor verdachte viel zijn plan in duigen, doordat Ron Nolan het opzettelijk in zijn huis achtergelaten bewijsmateriaal vond en de FBI belde, die vervolgens vingerafdrukken van verdachte in het huis van de heer Nolan aantrof.

Verdachte haatte Ron Nolan en toen zijn plan hem moord in de schoenen te schuiven was mislukt, heeft hij hem in beschonken en agressieve toestand thuis opgezocht en vermoord. De daadwerkelijke doodsoorzaak was een enkel pistoolschot gericht op het hoofd. Niet zomaar gericht op het hoofd, moet ik u zeggen, maar afgevuurd op een afstand van slechts millimeters van de schedel.

Maar verdachte heeft Ron Nolan echter niet alleen vermoord. Eerst heeft hij hem zwaar mishandeld. Hij heeft zijn kaak gebroken. Hij heeft zijn pols gebroken. Hij heeft minstens twee van zijn ribben gebroken. Hij heeft op een groot deel van het lichaam van Ron Nolan tal van schrammen, snijwonden en kneuzingen achtergelaten. Het bewijsmateriaal zal aantonen dat deze verdachte Ron Nolan haatte en dat hij hem heeft vermoord.

Maar als dit inderdaad is gebeurd, hoe weten we dat dan eigenlijk? Nu, om te beginnen heeft hij het aan zijn vriendin verteld. Hij heeft zijn vingerafdruk achtergelaten op het moordwapen dat naast het lichaam is gevonden. En slechts enkele uren nadat het lichaam van Nolan was gevonden, heeft verdachte de politie in zijn appartement aangetroffen, waar hij zich had verstopt. Met het bloed van Ron Nolan nog op zijn handen en kleren, met verwondingen die hij duidelijk had opgelopen tijdens de worsteling met het slachtoffer, en met het bloed van het vermoorde slachtoffer nog op de boksbeugel die hij had gebruikt bij de mishandelingen zoals ik die zojuist heb omschreven.

Deze verdachte haatte Ron Nolan en hij heeft hem vermoord. Hij heeft hem vermoord op een wijze die er geen twijfel aan doet bestaan dat het gaat om moord met voorbedachten rade. Aan het eind van deze rechtszitting zal ik hier opnieuw voor u staan en u vragen hem schuldig te verklaren aan dat feit. Moord met voorbedachten rade.'

Mills' optreden was geheel volgens het boekje. Volmaakt objectief had ze de elementen van de argumentatie van de staat uiteengezet. Zoals alle aanklagers duidde ze de overledene steeds aan als 'de heer Nolan', en later soms zelfs met 'Ron', om hem bij de jury tot leven te brengen. Om hem neer te zetten als een mens van vlees en bloed wiens leven hem voortijdig was afgenomen. Evan Scholler zou daarentegen gedurende het gehele proces worden aangeduid als 'de verdachte' of, nog onpersoonlijker, eenvoudigweg met 'verdachte', een klinische term die paste bij iemand die zich aan de morele onderkant van de samenleving bevond. Een naamloze, gedepersonaliseerde verkrachter van de maatschappelijke orde. Menselijk afval dat geen enkele sympathie verdiende.

Weer aangekomen in het midden van de rechtszaal zweeg ze even. Ze realiseerde zich dat Washburn niet één keer had geprotesteerd tijdens haar lange betoog. Ze wist echter ook dat dit een uitgekiende tactiek was, bedoeld om de jury duidelijk te maken dat de verdediging zich door deze vernietigende opeenstapeling van beschuldigingen in het geheel niet van de wijs liet brengen.

Mills zuchtte theatraal en keek even naar de tafel van de verdediging. Haar gelaatsuitdrukking was gereserveerd en enigszins bedroefd. Wie zou er immers genoegen kunnen putten uit de opsomming die zij zojuist gedwongen was geweest te geven? De slechtheid van de mens was soms een bijna ondraaglijke last. Mills had welhaast met tegenzin een zware taak vervuld die iemand tenslotte op zich moest nemen, in de hoop dat daarmee een kwaadaardige misdadiger zijn straf niet zou ontlopen en het slachtoffer en degenen die van hem hadden gehouden recht zou worden gedaan.

Washburn kon ervoor kiezen nu meteen de verdediging in te zetten, of hij kon wachten totdat de aanklager de zaak in zijn geheel had gepresenteerd. Nadat Mills was gaan zitten, vroeg Tollson hem wat hij wilde doen en hij antwoordde dat hij onmiddellijk met zijn openingsverklaring wilde beginnen. Hij wilde voorkomen dat de jury te lang achtereen slechts één versie van de waarheid zou horen zonder erop te worden geattendeerd dat er nog een andere waarheid was, of op z'n minst een andere versie van diezelfde waarheid. Zijn ervaring was dat je te veel in de verdediging werd gedrongen als je een openingsaanklacht zonder protest liet opvolgen door een week met getuigen à charge. En met zo'n passieve opstelling won je niet al te veel zaken.

In aansluiting op zijn strategie om interrupties en protesten te vermijden bracht hij, na zijn antwoord dat hij meteen wilde beginnen – waarmee hij aangaf dat hij stond te popelen om zijn onschuldige cliënt te verdedigen – de publieke tribune aan het grinniken door de rechter op informele toon te vragen om een sanitaire stop: 'Maar na deze uitgebreide en welsprekende opening door mevrouw Whelan-Miille is de blaas van deze arme oude plattelandsadvocaat wel even aan een plaspauze toe.' Daarmee gaf hij indirect de boodschap af dat de opening van de aanklager zijn cliënt op geen enkele manier kon deren, of dat zijn onschuld daarmee ook maar enigszins in twijfel was getrokken. Washburn zou dat zo meteen in zijn eigen openingsverklaring nog wel even verduidelijken en wilde best een paar puntjes met betrekking tot Evans vermeende schuld ophelderen.

Maar eerst moest hij even plassen.

Wat uiteraard een smoesje was.

De rechter gaf hun vijftien minuten en Washburn en Evan maakten van de gelegenheid gebruik via de achterdeur van de rechtszaal naar het kleine arrestantenverblijf te lopen, waar ze op de koude betonblokken die als banken dienstdeden tegenover elkaar gingen zitten. Washburn had zich zorgvuldig geschoren, maar één bepaalde plek in de buurt van zijn kaak al drie dagen overgeslagen. Geheel volgens zijn gewoonte zag hij er niet uit alsof hij bijzonder veel aandacht aan zijn kleding besteedde. Hij droeg een te groot geelbruin pak met een belachelijke oranje stropdas en zijn uiterlijk was ronduit slordig. Een gewoonte die hij iedere dag van het proces zorgvuldig zou bewaken. De veters van zijn brogues waren gerafeld en in de zool van zowel zijn linker- als zijn rechterschoen zat een gat, zodat de jury kon zien dat hij ook maar een doodgewone vent was, of hij nu zijn rechterbeen over het linker of zijn linkerbeen over het rechterbeen sloeg. Jury's hielden niet van advocaten die er te gelikt uitzagen, meende hij. Ze hielden van authentieke mensen die zeiden wat ze dachten en de intelligentie van de juryleden niet onderschatten. En het kon ook geen kwaad als je een persoonlijkheid had.

Op dit moment was de toestand van zijn cliënt echter zijn eerste zorg. Evan had zichzelf tamelijk goed opgekalefaterd. In tegenstelling tot wat ze graag zagen in een advocaat, hadden de meeste juryleden een voorkeur voor aantrekkelijke verdachten die netjes waren gekleed. Niet té aantrekkelijk en niet té knap, maar aangenaam en respectabel. In de lichaamstaal van Evan was nu al een spoor van verslagenheid en moedeloosheid geslopen, hetgeen na het effectieve openingsrequisitoir van Mills niet verrassend was. Maar het was niet minder verontrustend.

Allebei steunden ze met hun handen op hun knieën, zodat hun hoofden elkaar bijna raakten. 'Je ziet er niet zo goed uit,' zei Washburn. 'Ben je erdoor van streek geraakt?'

Evan keek op. 'Ik kan gewoon niet geloven dat ik zoveel stomme dingen heb gedaan.'

'Je was gewond,' zei Washburn. Het klonk alsof hij meende. 'Je was jezelf nog niet. Dat ben je nu wel.'

'Geloof je dat?'

'Zeker.'

Stilte. 'Geloof je míj?'

'Anders zat ik hier niet.'

'Is dat zo?'

Washburn liet een lange stilte vallen. 'Bij God, dat is de waarheid, jongen. Het lijkt erop dat je niet weet wat je hebt gedaan, en weet je waar dat op lijkt?'

'Onschuld. Als je daar niet bent geweest, dan weet je ook niet wat er is gebeurd, waar of niet?'

Evan zuchtte. 'Everett, ik heb bij hem ingebroken.'

'Je hebt niet bij hem ingebroken, je hebt jezelf toegang tot zijn huis verschaft.'

'Hoe dan ook, dat was gewoon stom.'

'Klopt. Dat is juist wat ik zo fascinerend vind in deze zaak: al die stomme dingen.' Hij stak zijn hand op. 'Nee, dat meen ik. Je hebt toegegeven een heleboel stomme dingen te hebben gedaan, en daar komt bij dat je te veel hebt gedronken, wat nooit helpt, maar je hebt nooit toegegeven dat je dat bewijsmateriaal in het huis van Nolan hebt neergelegd, waar of niet?'

'Omdat ik dat niet heb gedaan.'

'Dat weet jij. En dat weet ik. En dat zou opnieuw een stommiteit zijn geweest. Dus het is níét zo dat je er niet mee op de proppen komt omdat het stom was. Snap je wat ik bedoel? Het was stom om nadat je met Nolan had gevochten vier dagen dronken te zijn. Stom dat je al die tijd niet naar je werk bent geweest. Maar je bent niet zomaar in een dronken bui onaangekondigd naar Nolans huis gereden om daar zomaar zijn pistool te pakken en hem te vermoorden. Dat kon je niet hebben gedaan. Sorry dat ik het zeg, maar daar was je kop op dat moment gewoon te stom voor.'

Evan moest er bijna om glimlachen. 'Wordt dat je verdediging?'

'Als ik het op de goede manier kan brengen, wie weet. Maar luister, het belangrijkste...'

'Ik luister.'

'Ik wil dat je daar binnen een beetje meer pit toont. Je hoeft er niet verontwaardigd uit te zien of zoiets. Maar je moet rechtop zitten en je door al die bagger die ze over je uitstort niet laten neerdrukken. Want dan zie je er zielig en schuldig uit.'

'Moet ik dan kijken alsof ik er blij mee ben?'

'Nee! God, natuurlijk niet. Je wordt ten onrechte beschuldigd. Daar is niemand blij mee. Maar je bent militair. Je vecht voor de goede zaak. Je hebt oorlogshandelingen, hersenletsel en een drankprobleem doorstaan, en nu nog deze shit. Je hebt al die andere problemen overwonnen en dat ga je hiermee ook doen. Dat moet de boodschap zijn. Natuurlijk, die juryleden zullen best proberen objectief te zijn, maar het blijven onvoorspelbare mensen. Vergeet dat niet. En het is beter dat ze je aardig vinden. Iedere stem telt even zwaar. Als je er één aan je kant krijgt, dan is het voorbij.'

Evan ging rechtop zitten, met zijn rug tegen de muur. 'Geloof je echt dat we dit nog kunnen winnen?'

'We zijn hier niet om het te verliezen, Evan. Dus als ik straks naar binnen ga om mijn show op te voeren, dan hoop ik wel dat er op z'n minst één enthousiaste fan in de zaal zit. Wat ik bedoel is: probeer de moed erin te houden daar en denk eraan dat de jury de hele tijd naar je kijkt. Je zult zien dat we het gaan redden.'

'Als jij het zegt, Everett, als jij het zegt...'

De bode klopte en opende de deur naar de rechtszaal, om aan te geven dat de tijd om was. Washburn liet Evan voorgaan en bleef toen plotseling in de deuropening staan. Zijn hart sloeg over. En nog een keer. Ongeveer vijf jaar geleden had hij een hartaanval gehad, maar dit voelde anders. Geen pijn, zoals toen. Door de onregelmatige hartslag stokte de adem in zijn keel, meer niet. Even plotseling was het weer voorbij. Maar opeens voelde het alsof het enthousiasme dat hij aan Evan had geprobeerd over te brengen in hemzelf was verdwenen. De harde werkelijkheid was dat hij oud begon te worden, daar had zijn lichaam hem zojuist even aan herinnerd. Iedere dag leefde hij in de illusie dat hij nog steeds op zijn hoogtepunt was en dat het leven altijd door zou gaan. Maar hij begon de slijtage te voelen. Nu had hij het gevecht om het PTSS-bewijsmateriaal verloren van een veel jongere opponent en, wat hij Evan ook had verteld, hij zag op tegen de gevechten die hij de komende weken met Mills moest leveren. Plotseling overviel hem de gedachte dat hij dit keer misschien niet meer in het voordeel was, dat zijn leeftijd en de gemene trucjes van de oude Vos het dit keer misschien niet zouden winnen van jeugd en talent.

Terwijl hij achter zijn cliënt aan de rechtszaal binnenliep realiseerde hij zich dat hij zijn schouders liet hangen en dat hij zijn hand nog tegen de borst hield, ter hoogte van zijn hart. Hij dwong zijn hand zijn hart met rust te laten, ontmoette de blik van de jonge en zelfbewuste Mary Patricia Whelan-Miille, die achter haar tafel zat, en liet haar een glimlach zien waar een paard jaloers op zou zijn geweest.

'Beste mensen, ik ga u de komende minuten het een en ander vertellen over de rest van het bewijsmateriaal in deze zaak. Over de dingen die mevrouw Miille niet heeft vermeld, omdat ze niet passen in haar versie van de waarheid, en over de dingen die ook aan het eind van deze rechtszaak niet zullen zijn opgehelderd. Dit bewijsmateriaal zal u ertoe brengen u af te vragen of het wel waar is dat Evan Scholler Ron Nolan heeft vermoord. Het zal twijfel bij u oproepen, waardoor u zult moeten concluderen dat Evan Scholler onschuldig is, als u zich tenminste aan de eed houdt die u als juryleden hebt afgelegd.'

Washburn stond met zijn handen in zijn zakken en zag er ontspannen en joviaal uit. Hij had in de raadkamer nog het een en ander bij Tollson gedaan gekregen, al voelde het niet echt alsof hij van Mills had gewonnen. Maar de kwestie-Irak, had hij betoogd, moest wel degelijk op de een of andere manier aan de orde kunnen worden gebracht. Het was cruciaal om iets te kunnen begrijpen van de complexiteit van de levens van zowel de verdachte als het slachtoffer. En daar had Tollson zich in kunnen vinden. Tot op zekere hoogte.

Hij was van plan uit te zoeken waar de grens precies lag.

'Deze zaak en veel van wat ermee te maken heeft, is begonnen in Irak,' vervolgde hij. 'Het is belangrijk te weten welke rol Irak speelt in het geheel, want veel van de bewijzen die de staat tegen de heer Scholler aanvoert krijgen een heel andere betekenis in het licht van hun ware context van de gebeurtenissen in Irak.

U zult getuigen horen verklaren dat de overledene een zeer goed getrainde huursoldaat was met een lange geschiedenis van betrokkenheid bij zowel reguliere als geheime operaties in enkele van de meest gewelddadige plaatsen op aarde, zoals Afghanistan, Koeweit, El Salvador en Irak. In de periode voorafgaand aan zijn dood was hij in dienst bij Allstrong Security, een private onderneming die voor de Amerikaanse overheid werkt, met vestigingen in Irak en hier in Californië. De man heeft zijn hele volwassen leven nauwelijks iets anders gekend dan dood en geweld. Daar verdiende hij zijn geld mee. Daar was hij goed in.

Evan Scholler daarentegen was werkzaam bij de politie van Redwood City, totdat hij in de eerste maanden na de invasie werd opgeroepen voor militaire dienst in Irak. Nadat hij daar ongeveer drie maanden had gediend, raakte hij betrokken bij een vuurgevecht met islamitische vijandelijke strijders in Bagdad, waarbij hij een hoofdwond en herselletsel opliep. In een comateuze toestand, die elf dagen duurde, werd hij eerst naar een veldhospitaal in Irak vervoerd, vervolgens naar Duitsland gevlogen om ten slotte terecht te komen in het Walter Reed Army Medical Center. In maart 2004 kwam hij terug en hervatte zijn werk bij de politie hier in deze stad.'

Hij zweeg even en probeerde wat meer oogcontact te maken met de juryleden. Daar zag hij het, dacht hij met een mengeling van tevredenheid en opluchting. Met een korte introductie had hij zijn punt al gemaakt. Hij had gehoopt dat hij hiermee Mills op achterstand kon zetten en dat was hem gelukt.

Wauw! Wat hield hij van het levensechte theater in de rechtszaal.

Hij dacht niet meer aan zijn onregelmatige hartslag, haalde diep adem en ging over tot de meer concrete aspecten van het bewijs. 'Mevrouw Miille heeft uitvoerig gesproken over bewijsmateriaal waarvan ze beweert dat het voldoende voor u moet zijn om Evan te beschuldigen van moord met voorbedachten rade. Dat bewijsmateriaal is echter lang niet zo overtuigend en onomstotelijk als ze u wilde doen geloven. Ze heeft herhaalde malen gesproken over de dag waarop het slachtoffer is vermoord. Maar om te beginnen weten we helemaal niet welke dag dat is geweest. De heer Nolan is voor het laatst gezien op woensdag 3 juni. Hij is dood aangetroffen op zondag 6 juni.

De openbaar aanklager beweert dat hij op woensdag de derde is vermoord. Dat zou de openbaar aanklager inderdaad goed uitkomen, aangezien dat de dag is waarop mijn cliënt zich in zeer negatieve termen over de heer Nolan heeft uitgelaten. Uit het bewijsmateriaal zal blijken dat Evan die avond te veel had gedronken in een bar hier niet ver vandaan, de Old Town Traven. Dat feit wordt door mijn cliënt niet ontkend. In de Old Town Traven hoorde hij dat de overledene had geprobeerd hem te laten opdraaien voor de moord op twee in de Verenigde Staten verblijvende Irakezen. Tara Wheatley, Evans vriendin, zal u vertellen dat Evan haar in een dronken en woedende bui vertelde dat hij naar het huis van de heer Nolan ging om hem te vermoorden. En het is waar dat Evan nooit heeft ontkend dat hij die avond naar het huis van de heer Nolan is gegaan en dat de twee mannen hebben gevochten. De aanklager wil graag dat u concludeert dat dit de avond is waarop de heer Nolan is vermoord. De wens is de vader van de gedachte. Er is echter geen bewijs dat de heer Nolan op woensdag is vermoord, in plaats van op donderdag of vrijdag. En laten we vervolgens de twee motieven eens doornemen die de aanklager heeft aangevoerd. Ten eerste: jaloezie. Mevrouw Wheatley zal verklaren dat ze, op de avond van 3 juni, Evan in de Old Town Traven is gaan opzoeken. Ze nodige hem uit met haar mee te gaan naar haar appartement om daar de nacht door te brengen. Ze vertelde hem dat ze het had uitgemaakt met de heer Nolan en dat ze van hem hield.'

Alsof hem plotseling iets te binnen was geschoten, zweeg Washburn plotseling en liet de jury zijn handpalmen zien. 'Het is weliswaar een paar jaar geleden dat ikzelf de gevoelens heb mogen ervaren die met een opbloeiende liefde gepaard gaan, maar als mijn geheugen me niet in de steek laat werkt het als volgt: als een vrouw je vertelt dat ze een andere minnaar voor jou heeft laten schieten, is het waarschijnlijker dat je minder jaloers wordt dan dat je als reactie naar je rivaal snelt om die eens flink zijn vet te geven.'

Deze laatste opmerking zorgde voor enige hilariteit op de publieke tribune. Ook sommige juryleden konden een glimlach niet onderdrukken. Moed puttend uit deze atmosfeer vervolgde Washburn: 'Goed, dan de woede. Het bewijsmateriaal zal inderdaad ondersteunen dat Evan kwaad was. Kwaad genoeg om naar het huis van de heer Nolan te rijden en een vuistgevecht met hem aan te gaan. Het bewijsmateriaal zal aantonen dat hij woedend was, omdat hij geloofde dat hij de schuld in de schoenen kreeg geschoven voor een moord die hij niet had gepleegd. Dat is een goede reden om woedend te worden.' Washburn voegde eraan toe: 'Daar zou elk van u misschien ook wel woedend van worden.'

'Protest, edelachtbare!'

Washburn draaide zich om en maakte van de gelegenheid gebruik een blik te werpen op de publieke tribune, altijd een goede graadmeter voor de kwaliteit van zijn optreden. In ieder geval was er nog niemand in slaap gevallen. Hij maakte zijn kenmerkende subtiele buiginkje en accepteerde het protest zonder het oordeel van de rechter af te wachten. 'Ik zal die laatste opmerking terugtrekken, edelachtbare,' zei hij.

Hij vervolgde: 'Waarom heeft mijn cliënt zich onrechtmatig toegang verschaft tot het huis van zijn rivaal, zult u zich misschien afvragen. Hij was tot de overtuiging gekomen dat de heer Nolan de moordenaar van Ibrahim en Shatha Khalil was. Hij zal getuigen dat hij aanwezig is geweest bij een aanval in Irak waarbij hetzelfde soort granaten is gebruikt als die bij de moord op de heer en mevrouw Khalil. Misschien was dit een onverstandige daad, maar het was geen voorbereiding voor een moord. Als hij van plan was geweest de heer Nolan te vermoorden had hij hem eenvoudigweg in diens huis kunnen opwachten om hem vervolgens te doden in plaats van bewijsmateriaal tegen hem te verzamelen en dat op te sturen aan de autoriteiten.

Dit zijn allemaal punten die de aanklager aan u heeft gepresenteerd als feiten, maar dat zijn het domweg niet. Haatte mijn cliënt Ron Nolan? Reken maar. Worstelde Evan Scholler met het herstel van de fysieke en mentale verwondingen die hij had opgelopen als gevolg van het feit dat hij in Irak voor zijn vaderland heeft gevochten? Jazeker. Heeft hij gedurende de maanden van zijn herstel nu en dan te veel gedronken als een reactie op zijn lichamelijke en geestelijke pijn? Ja, dat heeft hij gedaan. En heeft hij, als gevolg van de combinatie van al deze factoren, soms verkeerde beslissingen genomen? Zonder enige twijfel.

Hij heeft zijn positie als politieman misbruikt om de verblijfplaats van Ron Nolan te achterhalen. Hij is het huis van Ron Nolan binnengedrongen omdat hij dacht dat deze de hand had gehad in de dood van de heer en mevrouw Khalil. Hij heeft zich overgegeven aan wanhoop en sterkedrank en vervolgens dreigementen geuit aan het adres van Ron Nolan. Hij is op 3 juni 's avonds naar het huis van Ron Nolan gegaan en heeft daar met hem gevochten. Dat heeft hij allemaal gedaan en dat heeft hij ook allemaal ruiterlijk toegegeven.

Maar dit zijn niet de feiten waarvoor hij hier terechtstaat. Dames en heren juryleden, aan het eind van dit proces zult u kunnen vaststellen dat Evan Scholler Ron Nolan niet heeft vermoord. Het bewijsmateriaal laat dat niet zien. En als u ten slotte tot het inzicht bent gekomen dat niet is bewezen dat mijn cliënt dit heeft gedaan, bent u door uw geweten en door de wetten van deze staat gebonden hem niet-schuldig te verklaren.'

23

Na de openingsverklaringen ging het van start met Mills' eerste getuige.
Dokter Lloyd Barnsdale, de patholoog-anatoom, zat al vijftien jaar in
het vak. De bebrilde lijkschouwer had een weinig wilskrachtige uitstraling en was vrijwel even droog en bleek als de lijken in zijn laboratorium.
Wat er over was van zijn ooit blonde maar inmiddels grijzende haardos
had hij dwars over zijn kalende schedel gekamd. Ondanks de warmte op
deze nazomerse septemberdag droeg hij over zijn witte overhemd met
elastieken strikdasje een wollen vest.

Mills wachtte ongeduldig totdat de patholoog was ingezworen. Het
zelfvertrouwen dat ze die ochtend nog had gevoeld, was als sneeuw voor
de zon verdwenen na de minzame slachting die Washburn met zijn korte
monoloog had aangericht. Ze wist nu wat haar te wachten stond. Zelfge-
noegzaamheid was geen optie. Washburn zou gehakt van haar maken als
ze hem ook maar de geringste ruimte bood.

'Dokter Barnsdale, u hebt de sectie op het lichaam van Ron Nolan verricht, nietwaar?'

'Inderdaad.'

'Wilt u de rechtbank vertellen wat volgens u de doodsoorzaak was?'

'Zeker. De dood is ingetreden door een wond aan het hoofd die is veroorzaakt door een kogel die op korte afstand uit een pistool is afgevuurd.'

Barnsdale had uiteraard al zowat honderd keer eerder opgetreden als
getuige-deskundige. Dat betekende echter nog niet dat hij een goede getuige was. Hij sprak even muizig als hij eruitzag. Mills, die midden in de
rechtszaal stond, moest moeite doen hem te verstaan.

Ze zag dat de jury zich als één man naar voren had gebogen. Het feit
dat buiten de wegwerkzaamheden in het kader van de verfraaiing van het
stadscentrum van Redwood – een project waar maar geen eind aan leek
te komen – gewoon doorgingen, droeg niet bij aan de verstaanbaarheid.
De herrie van de zware machines was bijna even doordringend als het geluid van de airconditioning.

Mills deed een paar stappen naar achteren, totdat ze net zo ver van de getuige was verwijderd als het verst van hem af zittende jurylid. Als zij de getuige kon verstaan, konden de juryleden het ook. Ze praatte met enige stemverheffing, in de hoop dat haar getuige het voorbeeld zou volgen. 'Dokter,' vroeg ze, 'waren er nog andere verwondingen aan het lichaam zichtbaar?'

'Ja. Er waren diverse tekenen van trauma, veroorzaakt door een stomp voorwerp en een scherp voorwerp: kneuzingen, blauwe plekken en schrammen. Op het bovenlichaam, het gezicht en in de buurt van het geslachtsorgaan.'

'Kunt u bij benadering zeggen hoeveel afzonderlijke verwondingen aan het slachtoffer zijn toegebracht?'

'Ik heb achtentwintig afzonderlijke verwondingen geteld.'

'En was elk van die verwondingen het gevolg van een afzonderlijke geweldpleging?'

'Er waren er een paar die het gevolg zouden kunnen zijn van één enkele klap. De dader had hem bijvoorbeeld bij een uithaal met hetzelfde voorwerp zowel tegen de onderarm als tegen het hoofd kunnen raken. Maar uit de ernst en de aard van sommige van de verwondingen zou ook kunnen worden afgeleid dat ze zijn veroorzaakt door herhaalde klappen op ongeveer hetzelfde gedeelte van het lichaam. Ik geloof dat ik wel kan zeggen dat de man minstens vijfentwintig keer is geslagen.'

Mills liep terug naar de tafel en produceerde een stuk karton waarop ze een paar kleurenfoto's van achttien bij vierentwintig van de sectie had geplakt en bracht dit in als het tweede bewijsstuk van de staat, aangezien het sectierapport bewijsstuk nummer 1 was.

In een eerder stadium had rechter Tollson de zes autopsiefoto's uitgekozen die aan de jury mochten worden getoond. Mills beschouwde zijn selectie als een gedeeltelijke persoonlijke overwinning. Wie een ander mens zoiets had aangedaan, verdiende het nauwelijks zelf nog als mens te worden beschouwd. Nog afgezien van de hoofdwond was het lichaam van Nolan afschuwelijk toegetakeld.

'Dokter,' vervolgde Mills, 'kunt u aan de hand van deze foto's wat gedetailleerder ingaan op de verwondingen?'

'Dat lijkt me wel,' mompelde Barnsdale. 'Zoals we kunnen zien op foto A zijn er tamelijk veel verwondingen die hebben geresulteerd in kneuzingen, schrammen of beide. Hoewel er door de schotwond, vooral de wond op de plaats waar de kogel het hoofd heeft verlaten, hoogstwaarschijnlijk een aantal niet meer zichtbaar zijn, zijn er erg veel te zien, met name op het hoofd.'

Wijzend met een laserlampje nam ze de andere foto's met hem door.

'Kunt u zeggen waar al deze blauwe plekken door zijn ontstaan?'

'Niet precies. Ik heb geconcludeerd dat er meerdere soorten kneuzingen waren die door verschillende voorwerpen moeten zijn veroorzaakt. Botte en wat minder botte voorwerpen.'

'Dokter, hebt u een voorwerp of meerdere voorwerpen gekregen om te onderzoeken of die de verwondingen die u hebt vastgesteld misschien hebben veroorzaakt?'

'Ja, ik heb de kachelpook en de boksbeugel gekregen die de politie van Redwood als bewijsmateriaal in bewaring had.'

Deze twee voorwerpen, die werden toegevoegd als bewijsstuk 3 en bewijsstuk 4, werden aan de patholoog-anatoom getoond.

'Ja,' bevestigde hij. 'Dit zijn de betreffende voorwerpen.'

'Wat was uw conclusie, dokter?'

'Diverse verwondingen, vooral die ter hoogte van de kaak, lijken te zijn veroorzaakt door de boksbeugel. Aan deze boksbeugel lijkt aan een van de zijkanten een stukje te ontbreken. Je kunt aan diverse verwondingen duidelijk een patroon zien dat daarmee overeenkomt. Ook in het algemeen lijken de verwondingen in het betreffende gebied op het soort wonden dat dit soort voorwerpen veroorzaakt.'

'En wat voor soort wonden zijn dat?'

'Ze veroorzaken zowel schrammen en snijwonden als kneuzingen en laten een duidelijk spoor achter.'

'Waren er veel van dergelijke verwondingen?'

'Drie waren er duidelijk als zodanig te onderscheiden. Misschien wel vijf. Ik kon van een paar niet met zekerheid uitsluiten dat ze niet ook op een andere wijze zouden kunnen zijn ontstaan. Die waren niet zo specifiek dat ik met zekerheid kon zeggen dat ze met de boksbeugel waren veroorzaakt.'

'En de pook?'

'Ik kon maar één verwonding aan de onderarm vinden die met de pook of met een vrijwel identiek voorwerp moest zijn veroorzaakt. Maar alle verwondingen aan de bovenkant en de zijkant van het hoofd zijn ontstaan als gevolg van klappen met een hard, cilindervormig voorwerp dat heel goed deze pook geweest kan zijn. Verder heb ik van het laboratorium begrepen dat er bloed en weefsel van het slachtoffer van de pook is afgeveegd. Het lijkt er dus op dat dit voorwerp ook als wapen is gebruikt.'

'Wijzen de verwondingen waarover u zojuist hebt gesproken op het gebruik van een mannenvuist?'

'Nee, dat geloof ik niet. De verwondingen die ik heb toegeschreven aan de pook en de boksbeugel waren niet typisch voor een gewone vuistslag.'

'Daarnaast waren er nog veel meer kneuzingen op het lichaam van de heer Nolan, nietwaar?'

'Zeker.'

'Konden die het gevolg zijn van vuistslagen?'

'Dat zou kunnen, al waren ze nogal onspecifiek en zouden ze door elk willekeurig stomp voorwerp kunnen zijn veroorzaakt, inclusief een schampslag met een pook of een boksbeugel. Ze zouden zelfs kunnen zijn ontstaan doordat de heer Nolan op de grond of tegen een tafel of een ander meubelstuk was gevallen, als gevolg van de aanval.'

'Dokter, kunt u wat meer vertellen over de schotwond?'

'Jazeker. Het was een schot van dichtbij; het wapen is afgegaan terwijl het tegen het voorhoofd werd gedrukt.'

'Dokter, kunt u ons iets vertellen over de volgorde van de verwondingen zoals ze zijn aangebracht?'

'Dat is lastig. Het zou logisch zijn te veronderstellen dat de schotwond het laatst is toegebracht, omdat die onmiddellijk de dood tot gevolg moet hebben gehad. Wat betreft de verwondingen die zijn ontstaan als gevolg van een stomp voorwerp kan ik zeggen dat het erop lijkt dat sommige al begonnen te genezen, terwijl dat bij andere minder het geval was. De mate waarin het lichaam geneest is afhankelijk van het tijdstip en de plek waar de wond is ontstaan. Zodoende kan de volgorde van de verwondingen moeilijk in kaart worden gebracht. Het enige wat ik kan zeggen is dat al deze verwondingen peri-mortem zijn, wat betekent dat ze zijn toegebracht rond het tijdstip waarop de dood is ingetreden.'

'Dank u, dokter. Ik heb geen vragen meer.' Ze draaide zich om naar de tafel van de verdediging. 'Uw getuige.'

Washburn had de indruk dat Mills haar ondervraging vroegtijdig had beëindigd omdat ze misselijk was geworden. Afgezien daarvan had hij de verklaringen van de getuige-deskundige nauwelijks kunnen verstaan op de plek waar hij zat en hij vroeg zich af of de juryleden er wel iets van hadden meegekregen. Het leek erop dat ze meer aandacht hadden voor de foto's. Doorgaans hield hij er niet van te veel tijd te besteden aan de patholoog-anatoom, een min of meer pro-formagetuige wiens verklaring doorgaans alleen maar tot doel had te bewijzen dat er een moord was gepleegd, iets waar het hier niet echt om ging. Maar dit keer besloot hij deze ader maar eens aan te boren in de hoop op iets waardevols te stuiten.

Als hij die moeite al nam wilde hij dat de jury kon horen wat de man te zeggen had. Dus toen hij naar het midden van de rechtszaal was gelopen, bracht hij zijn eigen stemvolume omlaag tot een bijna onhoorbaar niveau. 'Dokter,' vroeg hij, 'kunt u vaststellen hoe oud een kneuzing is?'

'Het spijt me,' antwoordde de getuige, terwijl hij zijn hand rond zijn oor kromde. 'Ik heb de vraag niet verstaan.'

Washburn hoorde het antwoord nauwelijks, maar hij herhaalde zijn vraag, slechts een paar decibellen luider dan de eerste keer.

Barnsdale boog zich naar voren, met zijn gezichtsspieren vertrokken van concentratie. 'Kan ik wat?' vroeg hij. 'Het spijt me...'

Achter Washburn begon het op de publieke tribune rumoerig te worden. Tollson sloeg één keer stevig met zijn hamer. 'Mag ik stilte in de rechtszaal!' Hij richtte zijn blik weer op het gedeelte van de rechtszaal dat zich aan de andere kant van de reling bevond, de plek waar de actie zich voltrok. 'En ik wil dat jullie allebei wat harder gaan praten, begrepen?'

'Ja, edelachtbare.' Washburn schreeuwde bijna.

Tollson schudde zijn hoofd uit irritatie over deze theatervoorstelling. Op deze manier werd het een circus. Hij keek naar de getuige. 'Dokter?'

Barnsdale keek omhoog naar de rechter. 'Edelachtbare?' Het was niet meer dan een gefluister.

'Harder, alstublieft. De jury moet u kunnen horen.'

En tegen Washburn: 'Gaat u verder.'

'Dank u, edelachtbare. Dokter.' Een glimlach betekende dat ze vrienden waren. 'U sprak zojuist over die kneuzingen op het lichaam van het slachtoffer, die we hier op de foto's zien. Mijn vraag is of u kunt vaststellen hoe oud zo'n kneuzing is.'

'Zoals ik al zei kan dat alleen maar heel globaal.'

'Doet u eens een poging, dokter. Probeert u me eens uit te leggen hoe u kunt vaststellen of de ene kneuzing er al langer was dan de andere.'

Barnsdale schraapte zijn keel en deed wat Washburn vroeg. 'Zoals u wilt. De genezing van een kneuzing begint vrijwel onmiddellijk nadat hij is opgetreden. De mate waarin het genezingsproces is gevorderd: de afname van de zwelling, de dikte en de stevigheid van de korsten, de kleur van de huid – uit de combinatie van die dingen kun je bij grove benadering vaststellen hoe lang geleden de kneuzing is opgelopen. We weten allemaal dat sommige mensen gemakkelijker blauwe plekken krijgen dan andere. En bovendien kan dezelfde persoon op het ene deel van zijn lichaam gevoeliger zijn voor kneuzingen dan op een ander lichaamsdeel. Ook kunnen er verschillen optreden per levensfase en afhankelijk van de gezondheidstoestand. Als je dat even buiten beschouwing laat, kunnen we uit de kneuzingen wel het een en ander afleiden.'

Tollson verhief zijn stem vanachter de balie. 'Harder, alstublieft.'

Washburn vervolgde: 'En die kneuzingen van het slachtoffer, die waren allemaal ongeveer even oud?'

'Nee.'

'Nee? Wat was het grootste tijdsverschil dat u tussen de verschillende kneuzingen hebt kunnen vaststellen?'

'Dat is onmogelijk te zeggen.'

'Dat is onmogelijk te zeggen? Bedoelt u dat u ons daarover geen enkele informatie kunt verschaffen, dokter? Wilt u daarmee beweren dat het mogelijk is dat een van de kneuzingen die u bij de heer Nolan hebt vastgesteld al is ontstaan toen hij vijf jaar oud was en een andere een paar minuten voor zijn dood? Dat dat geen verschil zou uitmaken?'

Er klonk gelach op de publieke tribune.

'Nee, dat niet. Natuurlijk niet.'

'Zouden sommige van deze verwondingen van de heer Nolan dan een maand voor zijn dood kunnen zijn toegebracht?'

'Nee.'

'Een week voor zijn dood?'

Enige aarzeling. 'Dat betwijfel ik sterk.'

'Maar het zou in principe wél mogelijk zijn?'

'Het lijkt me onwaarschijnlijk.'

'Maar sommige van de verwondingen zouden hem dus wél bijvoorbeeld drie of vier dagen voor zijn dood kunnen zijn toegebracht? Dat is zo, nietwaar, dokter?'

Washburn wist dat hij de patholoog had waar hij hem hebben wilde en hij wist wat het antwoord moest zijn.

'Die vraag zou ik met ja moeten beantwoorden.'

'En hebt u tijdens de sectie nog geprobeerd de ouderdom van de verschillende kneuzingen vast te stellen?'

'Ik heb geen specifieke analyse gemaakt van iedere afzonderlijke kneuzing.'

'Waarom niet?'

'Dat leek me irrelevant. In ieder geval met betrekking tot de doodsoorzaak.'

'Omdat hij door geen van die slagen op het lichaam om het leven is gekomen, nietwaar dokter? De heer Nolan is overleden als gevolg van de schotwond, wanneer die dan ook is toegebracht. Is dat juist?'

'Ja.'

'Dank u, dokter. Geen vragen meer.'

De volgende was Shondra Delahassau, een brigadier en forensisch expert bij de politie. Ze was begin dertig en had een mokkabruine huid en dikke vlechten. Ze straalde competentie en zelfverzekerdheid uit, een aanzienlijk verschil met dokter Barnsdale.

'We kregen de melding binnen op zaterdagmiddag, nadat de terreinopzichter, die de bladeren in de achtertuin aan het wegblazen was, in de woonkamer tekenen had gezien van een worsteling en iets waarvan hij vermoedde dat het bloed was.'

'En wat gebeurde er vervolgens?' vroeg Mills.

'Een surveillanceteam is als eerste op de plaats delict gearriveerd. Ze zijn het huis binnengegaan om te kijken of er nog gewonden of verdachten in het pand aanwezig waren. Ze vonden alleen maar een lijk en gingen weer weg zonder iets aan te raken. Ze wachtten buiten op versterking. Mijn eenheid, de technische recherche, arriveerde ongeveer op dezelfde tijd ter plaatse als inspecteur Spinoza, die een huiszoekingsbevel bij zich had. Dat was ongeveer halfvijf.'

'En wat trof u binnen aan?'

'Om te beginnen bloed, uiteraard. Veel bloed. Op het tapijt, op de muren en noem maar op.'

'Heeft uw eenheid bloedmonsters genomen om die te analyseren, brigadier?'

'Ja. We hebben van iedere plek bloedmonsters genomen om die te analyseren in het laboratorium.'

Mills richtte zich tot de rechter. 'Edelachtbare, ik geloof dat de verdediging bereid is te erkennen dat het DNA dat in het bloed is gevonden overeenkomt met het DNA van ofwel de verdachte, ofwel Ron Nolan.'

Dit was slecht nieuws en er klonk gemompel op de publieke tribune, maar Washburn had deze ondersteuning maar al te graag gegeven toen Mills hem had verteld dat de laborante die het DNA-onderzoek had uitgevoerd op dit moment met zwangerschapsverlof was. Het was niet in zijn belang dat er een halve dag zou worden uitgeweid over wetenschappelijk bewijsmateriaal over het bloed van Evan en Nolan dat in Nolans huis was aangetroffen.

'Dank u, brigadier,' zei Mills. 'En wat trof u nog meer aan in de woning?'

'In de woonkamer en de werkkamer lag meubilair omver. Op de vloer in de werkkamer vonden we een kachelpook met bloed van het slachtoffer. Daarna vonden we het lichaam van het slachtoffer in de slaapkamer en op het bed lag een 9-mm semi-automatische Berretta.'

'Wat deed u vervolgens?'

'Terwijl inspecteur Spinoza het kantoor van de patholoog belde hield ik toezicht terwijl mijn mensen foto's van de plaats delict maakten en op zoek gingen naar sporen zoals bloed, haar, vezels en vingerafdrukken. De gebruikelijke gang van zaken op de plaats delict van een moord.'

Mills bracht ongeveer vijfentwintig in het huis van Nolan gevonden sporen in als bewijsstukken en liet de brigadier ze identificeren. Toen ze klaar waren haalde Mills het pistool tevoorschijn uit een speciale doos die voldeed aan de veiligheidsvoorschriften, en nadat ze had laten zien dat het wapen ongeladen was en zonder risico kon worden gehanteerd, gaf ze het aan de bode. 'Brigadier, hebt u dit wapen persoonlijk onderzocht op vingerafdrukken?'

'Ja.'

'Hebt u bruikbare afdrukken gevonden?'

'Jazeker.'

'En hebt u kunnen vaststellen wiens vingerafdrukken er op het wapen zaten?'

'Dat hebben we inderdaad kunnen vaststellen. Het waren vingerafdrukken van de heer Nolan en van de verdachte, de heer Scholler.'

Opnieuw klonk er geroezemoes op de publieke tribune. Mills zweeg even, draaide zich toen triomfantelijk om naar Washburn en droeg de getuige aan hem over.

Washburn was altijd van mening geweest dat er twee verschillende manieren waren om de verdachte van een moord te verdedigen. De eerste was een eigenstandige verdediging waarin de nadruk lag op ofwel verzachtende omstandigheden, ofwel gerede twijfel aan de validiteit van het bewijs. Deze aanpak was in de loop der jaren het handelsmerk van Washburn geworden en hij had er veel succes mee gehad. Hij luisterde naar de feiten en theorieën die de aanklager aanvoerde en presenteerde vervolgens zijn eigen verdediging, die zich kon richten op zelfverdediging, verminderde verstandelijke vermogens, verminderde toerekeningsvatbaarheid of een van de vele denkbare psychiatrische syndromen, waaronder PTSS. In San Francisco was dat gaandeweg een vrijwel onoverwinnelijke aanpak gebleken, maar zelfs in San Mateo kon je met een dergelijke aanpak de jury er vaak toe bewegen de verdachte te veroordelen voor een minder zwaar delict. De reden was volgens Washburn dat mensen in principe altijd geloofden in de intrinsieke goedheid van de mens. En als ze iets afschuwelijks hadden gedaan, dan moest dat toch in zekere zin komen doordat ze door oorzaken waarop ze geen invloed konden uitoefenen tot hun daad waren gedreven, zodat de jury geneigd was hen niet te hard aan te pakken. De tweede manier waarop je kon winnen was, zo had Washburn ervaren, niet alleen veel moeilijker, maar door de bank genomen ook veel minder effectief. Dat was de reactieve verdediging, waarbij je ieder feit en iedere aanname van de aanklager consequent bestreed. Goede strafadvocaten hadden de natuurlijke neiging dit automatisch te doen, zelfs als ze een sterke eigenstandige verdedigingsstrategie hadden, maar het ontkrachten van een zorgvuldig opgebouwde aanklacht was nooit een gemakkelijke opgave. Meestal kwam dat natuurlijk doordat de verdachte schuldig was. Maar los daarvan was het voor de meeste juryleden een enorme stap om het waarheidsgehalte van gegevens en argumentaties die de overheid presenteerde in twijfel te trekken en kritisch kanttekeningen te plaatsen bij verklaringen van getuigen-deskundigen zoals artsen, forensisch experts en politiemensen.

Toen Tollson hem had verhinderd PTSS aan te voeren, wist Washburn dat hij ditmaal was aangewezen op een reactieve verdedigingsstrategie en dat had hem behoorlijk ongerust gemaakt. Nu stond hij hier tegenover zijn tweede getuige van die dag – een vrouw wie hij normaal gesproken niet eens een kruisverhoor zou hebben afgenomen, omdat ze niets had in te brengen wat hem bij de verdediging zou kunnen helpen – en hij stond op om haar te ondervragen. Het voelde alsof hij zich vastklampte aan een strohalm, maar desondanks moest hij de schijn ophouden dat hij een enthousiaste, ja zelfs gepassioneerde verdediging aan het voeren was.

'Brigadier Delahassau,' begon hij, 'u hebt verklaard dat u in het huis van de heer Nolan naar vingerafdrukken, bloed, haren en vezels hebt gezocht, klopt dat?'

'Ja, dat klopt.'

'En u hebt bloedsporen en vingerafdrukken van de heer Scholler gevonden?'

'Ja.'

'En zijn haar?'

'Wat is er met zijn haar?'

Het leek alsof iedereen op de publieke tribune hierom moest grinniken.

'Ja, we hebben ook een paar van zijn haren gevonden.'

'Hebt u nog andere haren gevonden, behalve die van de heer Nolan en de heer Scholler?'

'Ja. We hebben haarresten gevonden van minstens drie andere individuen.'

'Kunt u me vertellen of dat haar was van vrouwen of van mannen?'

'In sommige gevallen kan dat met DNA-onderzoek worden vastgesteld. Je hebt dan een haarzakje nodig.'

'En is het u bekend of iemand DNA-onderzoek heeft gedaan aan deze haarmonsters?'

Voor het eerst betrok het gezicht van Delahassau. Ze wierp een ongeruste blik in de richting van Mills en keek toen Washburn weer aan. 'Eh, nee.'

'Waarom niet?'

Ze aarzelde opnieuw. 'Nou, we hadden geen andere verdachten waar we ze mee konden matchen.'

'Maar deze haarmonsters wijzen er toch duidelijk op dat er nog iemand anders in het huis van de heer Nolan is geweest?'

'Nou, jawel, maar die haren hadden er al jaren kunnen liggen, of...'

'Hoe dan ook, brigadier, u weet dus niet of de haren van de drie andere personen die in het huis zijn aangetroffen afkomstig zijn van mannen of vrouwen, is dat juist?'

'Dat is juist.'

Onzeker over wat hij nu zojuist had bewezen – áls het al iets was – besloot Washburn zijn kleine overwinning te laten passeren en naar zijn andere ogenschijnlijk onbeduidende puntje over te stappen. 'Brigadier,' vroeg hij, 'bent u erin geslaagd de kogel te vinden die de heer Nolan om het leven heeft gebracht?'

Delahassau slaakte een zucht van verlichting omdat hij haar niet verder ondervroeg over die haren. Ze leek haar zelfvertrouwen te hervinden. 'Ja. Die was terechtgekomen in de vloer, direct onder de uitgangswond in zijn hoofd.'

'Dus er is op hem geschoten terwijl hij al op de grond lag?'

'Dat lijkt het geval te zijn geweest, ja.'

'En hebt u ballistisch onderzoek gedaan aan de Beretta?'

'Nee. Daarvoor was de kogel te veel vervormd.'

Washburn bracht zijn hand naar zijn mond om aan te geven dat hij even uit het lood geslagen was door dit antwoord. 'Brigadier,' vervolgde hij, demonstratief traag sprekend. 'U gaat me toch niet vertellen dat u niet eens zeker weet dat de kogel die de heer Nolan heeft gedood afkomstig is geweest van het wapen waarop de vingerafdrukken van mijn cliënt zijn gevonden?'

'Nee, maar...'

'Dank u, brigadier, dat is alles.'

Hij had de woorden nauwelijks gesproken of Mills was opgesprongen en vroeg de rechter aanvullende vragen te mogen stellen.

Tollson maakte een bevestigend gebaar. 'Brigadier,' begon ze, nog voordat ze op haar plaats stond, 'wat was het kaliber van de kogel die de heer Nolan om het leven is gebracht?'

'Negen millimeter.'

'En wat was het kaliber van het gevonden wapen?'

'Negen millimeter.'

'En was het gevonden wapen een revolver of een semi-automatisch pistool?'

'Het was een semi-automatisch pistool.'

'Als een 9mm semi-automatisch pistool wordt afgeschoten, brigadier, wat gebeurt er dan met de huls, het koperen omhulsel van de eigenlijke kogel waarin het kruit zit en waaruit de kogel wordt afgeschoten?'

'Die wordt uitgeworpen.'

'U bedoelt dat die uit het pistool valt?'

'Ja.'

'En hebt u in de slaapkamer van de heer Nolan een huls gevonden van een 9mm-kogel?'

'Ja. Tussen het beddengoed.'

'Hebt u kunnen vaststellen dat die huls overeenkwam met de gevonden Beretta?'

'Ja.'

'Dus behalve die negenmillimeterkogel zijn er geen andere kogels gevonden op de plaats delict, en hoewel de kogel zelf niet meer kon worden teruggevoerd op de 9mm-Beretta was dat wél het geval voor de enige huls die op de plaats delict is aangetroffen.'

'Ja.'

'Dank u.'

24

Toen ze na een kort lunchreces weer in de rechtszaal achter hun tafels zaten viel het Washburn op dat Mills haar gevoel voor humor leek te verliezen naarmate de dag vorderde. Maar of Mills zich nu amuseerde of niet, ze presenteerde haar zaak op de chronologische en overzichtelijke wijze die bij een jury doorgaans in de smaak viel. Haar volgende getuige was Evans directe leidinggevende bij de politie, inspecteur Lochland. Ongerust geworden door Evans afwezigheid op het werk had hij hem dronken en bebloed aangetroffen in zijn appartement en hem uiteindelijk gearresteerd.

'Inspecteur,' begon ze, 'verdachte stond onder uw directie supervisie toen hij bij de politie werkte, nietwaar?'

Maar Washburn en Lochland hadden in de lunchpauze over zijn aanstaande verklaring gesproken en de oude advocaat stond al op voordat ze de vraag had afgemaakt. 'Protest! Niet relevant, edelachtbare.'

Tollson keek Mills vragend aan.

'Het is essentieel voor de bewijsvoering, edelachtbare,' zei ze.

'Dat is nogal algemeen. Kunt u iets specifieker zijn?'

'Dit leidt tot de geestesgesteldheid van de verdachte in de aanloop naar het misdrijf. Het is ook cruciaal met betrekking tot de inbraak bij de heer Nolan.'

De rechter zette zijn bril af en dacht even na, een ritueel dat Washburn inmiddels als een vast patroon herkende.

Nog voordat hij zijn bril weer op kon zetten en zijn beslissing bekend kon maken vroeg Washburn: 'Edelachtbare, mag ik verzoeken om een overleg?' Als Mills moe was geworden of last had van een laag bloedsuikergehalte en als dat haar gebruikelijke middagtoestand was – iets wat haar lichaamstaal deed vermoeden – was Washburn niet te beroerd om daar misbruik van te maken.

Tollson dacht hier kort over na, knikte en zei: 'Goed. Komt u maar.' Toen de twee juristen de balie hadden bereikt keek Tollson omlaag en vroeg: 'Wat is het probleem, Everett?'

'Edelachtbare, de relatie tussen inspecteur Lochland en mijn cliënt heeft niets met de zaak te maken. Het enige wat de staat ermee wil bereiken is mijn cliënt in een kwaad daglicht te stellen. Dat Evan woedend was, dat hij zijn superieuren heeft voorgelogen toen hij is gaan inbreken in het huis van Nolan, dat hij dienstbevelen niet heeft opgevolgd en misschien dronken is geweest in diensttijd – dat is beslist niet relevant, en als het dat al zou zijn, is de subjectieve waarde vele malen groter dan de bewijskracht. Het doel is alleen maar allerlei vuiligheid boven water te halen.'

'Mevrouw Whelan-Miille?' Washburns protest op dit punt had haar zichtbaar overvallen. Maar ze leek vastbesloten niets zonder slag of stoot in te leveren. 'De inspecteur is een vijandige getuige à charge, edelachtbare. Gelooft u echt dat hij het leuk vindt hier te moeten getuigen tegen een andere politieman, en nog wel een die voor hem heeft gewerkt? Hij zal zeker niets negatiefs over Evans karakter willen zeggen. In het slechtste geval zal hij misschien verklaren dat hij in de war was en nog aan het herstellen van de wonden die hij in Irak had opgelopen. Dat is nota bene helemaal in het straatje van de heer Washburn. Hoe kan het dat hij dergelijke zaken via zijn eigen getuigen juist aan de orde wil stellen terwijl hij het mij wil verbieden?'

'Als het allemaal zo sympathiek was,' antwoordde Tollson, 'waarom zou de heer Washburn dan protesteren? En waarom wilt u het dan zo graag aan de jury presenteren?' vroeg de rechter. Toen Mills na tien seconden nog geen antwoord had kunnen bedenken, nam Tollson opnieuw het woord. 'Dan stel ik voor dat we verdergaan. Lijkt dat u geen goed idee?'

Washburn knikte. 'Dank u, edelachtbare.'

Toen hij weer achter de tafel zat trok hij zijn gele schrijfblok naar zich toe en tekende er een smiley op, die hij aan zijn cliënt liet zien terwijl hij er een hand voor hield zodat niet iedereen kon meegenieten. Tegelijkertijd pakte Mills de draad weer op. 'Inspecteur, u bent degene geweest die verdachte heeft gearresteerd, nietwaar?'

'Ja, dat was ik, inderdaad.'

'Kunt u de jury wat meer vertellen over de bijzonderheden?'

'Jazeker.' Hij draaide zich om zodat hij de jury kon aankijken en begon op informele toon te vertellen. 'Inspecteur Spinoza, de inspecteur die belast is met het moordonderzoek, belde me die zaterdag thuis op om me te laten weten dat hij zich zorgen maakte over agent Scholler. Hij was opgeroepen om de moord op Ron Nolan te gaan onderzoeken en herinnerde zich dat agent Scholler die naam een paar dagen eerder op de computer op het politiebureau had opgezocht. Spinoza vroeg zich af of ik iets van hem had gehoord, wat niet zo was. Agent Scholler was donderdag en vrijdag niet op het werk verschenen, dus toen ik dat telefoontje van Spinoza kreeg werd ik een beetje ongerust.

Het leek me het beste zelf poolshoogte te gaan nemen bij hem thuis, dus reed ik naar hem toe. Hij heeft een woning aan Edgewood Road. Alle gordijnen waren dicht, dus ik kon niet naar binnen kijken. Ik klopte aan en riep hem meerdere malen, maar er werd niet opengedaan. Binnen hoorde ik wel een geluid, alsof iets of iemand omviel.

Toen begon ik echt ongerust te worden. Er moest iets aan de hand zijn. Dus ik pakte mijn mobiele telefoon en belde zijn nummer, waarop binnen de telefoon begon te rinkelen. Tegelijkertijd bleef ik op de deur bonzen en zijn naam roepen.'

Washburn had kunnen protesteren tegen deze verklaring, maar hij wist al wat er zou komen en het leek hem maar het beste het zo snel mogelijk achter de rug te hebben.

'Eindelijk hoorde ik hem zeggen: "Ja, momentje", en een paar seconden later deed hij de deur open. Toen zag ik dat hij helemaal was toegetakeld, dus vroeg ik wat er was gebeurd. Maar het leek wel alsof hij mijn vraag niet begreep. Toen vroeg ik hem of hij iets af wist van een zekere Ron Nolan, die was vermoord.' Lochland zweeg, leunde naar achteren en legde zijn handen in zijn schoot.

Maar Mills zou hem niet hebben opgeroepen als hij niets had wat ze kon gebruiken. Dus vroeg ze: 'En reageerde hij daarop, inspecteur?'

'Inderdaad, mevrouw. Hij vloekte.'

'Hij vloekte. Wat zei hij dan precies, inspecteur?'

Washburn kende het antwoord op deze vraag en kwam half overeind uit zijn stoel terwijl hij protesteerde en opnieuw om een onderonsje met de rechter verzocht, tot zichtbare ergernis van zowel Mills als Tollson.

Toen de beide juristen weer voor de rechter stonden, zette Mills meteen de aanval in. 'Edelachtbare, dit is het meest onterechte protest dat ik ooit heb gehoord. De heer Washburn weet heel goed wat de verdachte heeft gezegd toen hij hoorde dat de heer Nolan dood was, en ik vind dat de jury dat ook behoort te weten.'

'Het is niet nodig de jury bloot te stellen aan vulgariteiten, edelachtbare,' kaatste Washburn terug. De verdediging is bereid te erkennen dat Evan woorden heeft gebruikt die sommigen als kwetsend zouden kunnen ervaren, ondanks het feit dat dit hem bij sommige leden van de jury in een kwaad daglicht zou kunnen stellen.'

'Hou toch op.' Mills sloeg haar ogen ten hemel. 'De man staat terecht voor moord, edelachtbare. Hij heeft ingebroken in het huis van het slacht-offer. Hij geeft toe dat hij hem met een boksbeugel heeft aangevallen...'

'Dat hij met hem heeft gevóchten met een boksbeugel,' corrigeerde Washburn haar kalm. 'Het bewijsmateriaal ondersteunt dat er sprake is geweest van een gevecht tussen twee soldaten, niet dat de een de ander een aframmeling heeft gegeven.'

'Dit is haarkloverij van het ergste soort, edelachtbare. En nu ik er goed over nadenk moet ik u zeggen dat het me niet zou verbazen als de heer Washburn de heer Lochland zou hebben ingefluisterd hoe hij dit protest kon uitlokken, in plaats van meteen de woorden van verdachte te herha-len, wat hij tot nu toe tegenover mij steeds wél heeft gedaan.'

'Edelachtbare.' Het gezicht van Washburn drukte verdriet uit over het feit dat zijn opponent zo diep was gezonken dat ze hem ervan beschul-digde haar verdachte te hebben geïnstrueerd, wat overigens precies was wat hij had gedaan. Als hij de onfortuinlijke woordkeus van Evan er op de een of andere buiten kon houden, betekende dat een belangrijke over-winning. 'Ik protesteer krachtig tegen de suggestie van de aanklager dat ik onethisch zou hebben gehandeld.'

'Dat wil ik niet zeggen, edelachtbare. Wat ik bedoel is dat de jury al weet dat verdachte al deze nogal dubieuze dingen heeft gedaan en dat hij heeft gelogen tegen zijn baas en tegen de slotenmaker. Het feit dat hij een krachtterm heeft gebruikt, zal in deze fase zijn reputatie nauwelijks nog verder kunnen aantasten.'

Tollson zette zijn bril weer op en keek het tweetal nors aan. 'Daar ben ik het mee eens. De getuige kan de vraag beantwoorden.'

'Edelachtbare,' zei Washburn, 'als we toestaan dat een getuige allerlei vulgariteiten debiteert komen we op een hellend vlak en dat is...'

'Ik geloof niet dat we hier praten over het f-woord, het k-woord of het t-woord. Of wel soms?'

'Nee, edelachtbare,' antwoordde Mills.

'Dat kunnen we toch niet weten, edelachtbare? De getuige heeft nog niet eens geantwoord.'

Deze laatste opmerking irriteerde Tollson. 'Speel geen spelletjes met me, Washburn. Je hebt mijn beslissing gehoord. Verspil de tijd van deze rechtbank niet langer.'

'Natuurlijk, edelachtbare. Mijn excuses.'

Tollson negeerde hem. 'Mevrouw Whelan-Miille,' zei hij, 'gaat u door.'

Waarop Mills haar positie weer innam, een meter of drie tegenover de getuige. 'Inspecteur, vertelt u de jury alstublieft wat Evan Scholler letterlijk zei nadat u hem had gevraagd of hij een zekere Ron Nolan kende en wist dat hij dood was.'

'Natuurlijk.' Gefrustreerd dat hij het nu toch moest prijsgeven, probeerde Lochland zo vriendelijk mogelijk te kijken. Hij richtte zich rechtstreeks tot de juryleden. 'Hij zei: "Ik heb hem voor zijn kloten getrapt." En ik zei: "Jezus, Evan, hij is dood." En toen zei hij: "Zeker weten, godverdomme."'

Mills wierp Washburn een triomfantelijke blik toe en herhaalde de laatste woorden, zowel voor de jury als om ze Washburn in te wrijven, waarmee ze bewust de woede van Tollson riskeerde. 'Zeker weten, godverdomme,' zei ze. 'Dank u, inspecteur. Ik heb geen vragen meer voor u. Uw getuige, meneer Washburn.'

Washburn sprong op en beende met de energie van een jonge kerel naar voren om aan zijn kruisverhoor te beginnen. 'Inspecteur Lochland, wat deed agent Scholler na zijn reactie op het nieuws dat u hem vertelde?' Het vermelden van Evans beroep was uiteraard een bewuste keuze.

'Hij liet zich op de grond zakken en ging languit liggen.'

'Op de grond?'

'Ja.'

'Verzette hij zich tegen zijn arrestatie?'

'Nee. Hij had zijn ogen dicht. Ik rolde hem om en deed hem de handboeien om en nog werd hij niet wakker.'

'Sliep hij dan?'

'Misschien sliep hij, maar hij was in ieder geval dronken. Toen we hem op het bureau een bloedtest afnamen bleek hij een promillage te hebben van twee komma vier.'

'En wat is de wettelijke grens in Californië?'

'Nul komma acht.'

'Dus agent Scholler had driemaal de hoeveelheid alcohol in zijn bloed waarboven je niet mag rijden?'

'Ik heb zelf het rekensommetje niet gemaakt, maar hij was inderdaad behoorlijk aangeschoten.'

'Was hij incoherent?'

Mills dook erbovenop. 'Protest! Conclusie!'

'Toegewezen.'

Washburn nam een kleine pauze en pakte het toen op een andere manier aan. 'Reageerde Evan onmiddellijk op uw vraag wat er met hem was gebeurd?'

'Nee.'

'Heeft hij u destijds in zijn appartement ooit bij uw naam genoemd?'

'Nee.'

'Had hij moeite met spreken?'

'Ja.'

'En moest u uw vragen herhaalde malen stellen voordat hij erop antwoordde?'

'Ja.'

'Juist. Inspecteur Lochland, hij heeft nooit gezegd dat hij Ron Nolan heeft vermoord, nietwaar?'

'Nee, dat heeft hij niet gezegd.'

'Het enige wat hij zei was dat hij hem voor zijn kloten had getrapt, toch?'

'Klopt.'

'En, om die bloemrijke uitdrukking nog een keer te herhalen, het zag ernaar uit dat Evan Scholler zelf ook voor zijn kloten was getrapt, klopt dat?'

'Ja. Hij was behoorlijk toegetakeld.'

'Nu heeft hij, nadat hij had gezegd dat hij de heer Nolan ervan langs had gegeven, ook nog iets anders gezegd, nietwaar?'

'Hij zei: "Zeker weten, godverdomme."'

'Voordat hij dat zei had u hem verteld dat Ron Nolan dood was, maar u had geen idee of hij dat werkelijk verstond of begreep, is dat zo?'

'Nee, dat kon ik niet zeker weten.'

'Hij was dus dronken, in elkaar geslagen en behoorlijk incoherent?'

'Ja.'

'Dus om mijn vraag te herhalen: weet u of hij het werkelijk heeft gehoord of begrepen toen u hem vertelde dat Ron Nolan dood was?'

'Hij was behoorlijk ver heen. Ik kan niet zeggen dat het erop leek dat hij ook maar iets begreep van wat er op dat moment gebeurde.'

'Heeft agent Scholler nog iets anders gezegd toen u hem naar het politiebureau bracht?'

'Hij was incoherent. Hij sloeg alleen maar wartaal uit.'

'Edelachtbare!' Nu was Mills woedend opgesprongen. 'Overleg, alstublieft.'

Het was duidelijk dat iedereen inmiddels behoorlijk geïrriteerd was geraakt. Tollson dacht er maar liefst dertig seconden over na en gebaarde de twee kemphanen toen binnensmonds mopperend naar zich toe voor het derde onderonsje van die middag.

Toen ze naar voren liepen wachtte Tollson op hen met een uitgestoken vinger, als een schoolmeester die hun de les las. 'Ik word hier een beetje moe van,' zei hij. 'Dit is geen manier om een proces te voeren.'

Maar Mills keek hem woedend aan en beet hem toe: 'Ik wil dit ook helemaal niet, maar meneer Washburn hier is gewoon gewetenloos bezig! U hebt zojuist mijn protest tegen het gebruik van het woord "incoherent" toegewezen en nu brengt de getuige dit via een omweg tóch weer in.'

'Op een zodanige manier dat er geen ongeoorloofde conclusies worden getrokken over de mentale toestand van mijn cliënt, edelachtbare. Dat was naar ik meen de strekking van het protest. Inspecteur Lochland mag toch zeker wel in staat worden geacht om wartaal te kwalificeren als incoherent?'

Maar Mills gaf niet op. Met ingehouden woede vervolgde ze: 'Edelachtbare, als verdachte incoherent was, hadden zijn eerder geciteerde woorden nauwelijks dezelfde kracht.'

Washburn had veel ervaring met situaties zoals deze. Het was verleidelijk je rechtstreeks tot je opponent te richten, maar dat was altijd een van de beste manieren om een rechter te irriteren. Dus bleef hij Tollson aankijken en zorgde hij ervoor dat zijn antwoord bedaard en weloverwogen klonk. 'Dat is natuurlijk ook het oogmerk van mijn vraagstelling, edelachtbare. Het onderscheid tussen het gebruik van het woord "incoherent" als ongefundeerde opmerking en het gebruik van het woord "incoherent" als een op feiten gestoelde kwalificatie is misschien te subtiel voor mijn opponente, maar wel van doorslaggevende betekenis.'

'Inderdaad. Maar ik heb nu genoeg van het gedrag van jullie beiden. Ik sta de vraag en het antwoord toe. Mevrouw Whelan-Miille, u mag natuurlijk vervolgvragen stellen.' Hij stak zijn vinger naar hen uit. 'Ik sta vandaag geen overleg meer toe. Deze getuige zit hier nu al bijna een uur, en tweederde van die tijd zijn we hier alleen maar bezig geweest met gedelibereer over vier of vijf woorden. Dat kan zo niet. Als u bezwaren hebt protesteert u maar op de gebruikelijke manier, dan zal ik ze naar eer en geweten beoordelen. Maar het gekibbel moet afgelopen zijn. Begrepen allebei?'

Washburn knikte minzaam. 'Ja, edelachtbare.'

Mills leek uit het veld geslagen en was te kwaad om iets uit te kunnen brengen. 'Mevrouw de aanklager? Duidelijk?'

Met moeite perste ze eruit: 'Ja, edelachtbare.'

Lochland, die had verklaard dat Evan op de zaterdag van zijn arrestatie alleen maar wartaal had uitgeslagen, zat nog steeds in de getuigenbank. Het was Washburn te vergeven dat hij het gevoel had dat het proces voorspoedig verliep. Nadat hij de foto die ze op het politiebureau van Evan hadden gemaakt na diens arrestatie, en waarop hij eruitzag als een verwarde zwerver, had ingebracht als bewijsstuk A van de verdediging en aan de jury had getoond, wendde Washburn zich tot Mills en vroeg op zijn meest galante toon: 'Hebt u nog aanvullende vragen?'

Mills keek naar de klok. Het was kwart voor vijf. Ze kon waarschijnlijk nog wel een of twee vragen stellen om na te gaan of de woorden 'Zeker weten, godverdomme' de inspecteur wel of niet samenhangend in de oren hadden geklonken. Maar het lag voor de hand dat zo'n actie het punt van Washburn – dat niets van wat Evan die dag had gezegd ook maar enige betekenis had – alleen maar zou versterken. Zelfs niet 'Zeker weten, godverdomme', terwijl ze zó had gevochten om die toegelaten te krijgen. Dát had hij gezegd, en ze twijfelde geen moment aan wat die woorden betekenden. Het was zo goed als een bekentenis dat hij Nolan had vermoord en dat moest Washburn ook donders goed weten. Maar of de juryleden dat ook zo zouden zien was iets anders. Ze moest erop vertrouwen dat ze hun gezonde verstand zouden gebruiken.

Ze wilde deze dag zo spoedig mogelijk vergeten. Morgen zou ze Washburn opnieuw aanpakken. Ze had de juiste troeven in handen. Evan Scholler was schuldig en de jury zou dat vroeg of laat inzien. Zo simpel was het. Terwijl ze opkeek naar de rechter vormden haar lippen het begin van een glimlach. Ze richtte haar blik op de jury, keek Washburn aan en concentreerde zich toen weer op de rechter. 'Geen vragen,' zei ze.

Tollson liet zijn hamer neerkomen. 'De zitting is verdaagd tot morgenochtend halftien.'

25

Fred Spinoza was niet bepaald een getuige die met tegenzin verklaringen voor de aanklager kwam afleggen.

Sterker nog: hij voelde zich persoonlijk aangetast. Iemand die hij als een collega had beschouwd, die in zijn bowlingteam zat, die verrader had hij geholpen het adres te vinden van iemand bij wie hij was gaan inbreken en die hij vervolgens had vermoord. En hij had zelfs het lef gehad naar zijn huis te komen om daar tegenover zijn kinderen de oorlogsheld uit te hangen.

Elke keer als Spinoza eraan dacht werd hij weer kwaad. Hij geloofde dat er in de hel een speciale afdeling was voor mensen die zijn kinderen zoiets hadden aangedaan.

Nog daargelaten wat Evan Scholler Ron Nolan had geflikt.

Spinoza, die er onberispelijk uitzag in zijn donkerblauwe uniform, nam plaats op de getuigenbank, naast de balie waarachter de rechter zat. Hij had in zijn loopbaan al talloze malen in de getuigenbank gezeten, maar hij had zich er nog nooit zo op verheugd als nu. Mary Patricia Whelan-Miille stond op vanachter haar tafel in de stampvolle rechtszaal en liep naar een positie ongeveer halverwege hem en de jury.

Sinds ze elkaar vanwege deze rechtszaak hadden ontmoet, waren Mills en hij diverse malen wat gaan drinken. In de eerste weken had hij een paar keer de indruk gekregen dat ze hem probeerde te versieren, maar hoewel hij haar heel aantrekkelijk vond hield hij van zijn Leesa, en dat had hij Mills in een vroeg stadium duidelijk gemaakt, om mogelijke toenaderingspogingen bij voorbaat de kop in te drukken.

Maar hij wist dat er nog steeds een bijzondere chemie tussen hen beiden bestond.

Hij wist ook dat zoiets goed overkwam bij een jury; het was een van de vele moeilijk voorspelbare factoren die soms beslissend kunnen zijn voor het verloop van een proces. Een belangrijke getuige à charge en een assistent-aanklager die in volledige harmonie samenwerken kon bij de jury het

271

gevoel versterken dat een veroordeling onontkoombaar was, als je tenminste op gerechtigheid uit was.

Mills leek ontspannen en vol zelfvertrouwen terwijl ze de juryleden toeknikte en naar haar getuige glimlachte alsof ze het meende. 'Inspecteur Spinoza, wat is uw functie bij de politie?'

'Ik ben hoofd afdeling Moordzaken.'

Nadat ze op zijn achtergrond en taakinhoud was ingegaan kwam ze ter zake. 'Verdachte was agent, nietwaar inspecteur?'

'Ja. Voordat hij naar het buitenland ging was hij agent bij de uniformdienst en toen hij terugkwam is hij weer in diezelfde functie in dienst gekomen.'

'Hoe hebt u hem dan leren kennen?'

Spinoza grijnsde naar de jury en haalde zijn schouders op. Wat kon hij anders zeggen? Het was de waarheid. 'Hij zat in mijn bowlingteam.'

'Inspecteur, wilt u de jury alstublieft vertellen hoe u voor het eerst iets hebt gemerkt van een verband tussen verdachte en het slachtoffer in deze zaak, de heer Ron Nolan?'

'Ja. Ik was tijdens een weekend op het bureau. Het was vlak na de moord op het echtpaar Khalil en ik moest overwerken. Ik kwam verdachte tegen terwijl hij achter een van de computers zat en ik vroeg hem wat hij daar deed. Hij vertelde me dat hij het adres van een drugshandelaar probeerde te achterhalen.'

'Hebt u hem naar de naam van die drugshandelaar gevraagd?'

'Ja. Hij vertelde me dat het Ron Nolan was.'

'Is dat niet tegen de richtlijnen van het korps?'

'Nou, het is een grijs gebied. Natuurlijk mogen politieambtenaren computers niet om persoonlijke redenen gebruiken. Hij kon de computer gebruiken voor het opvolgen van een tip met betrekking tot een mogelijke narcoticazaak, maar strikt genomen had hij het moeten overdragen aan de desbetreffende afdeling.'

'En als je zo'n computer gebruikt om de verblijfplaats van een rivaal in de liefde te achterhalen?'

'Dan is dat niet alleen tegen de richtlijnen, maar ook domweg verboden. Als hij daarop betrapt was, was hij waarschijnlijk op staande voet ontslagen en had hij bovendien strafrechtelijk kunnen worden vervolgd.'

'Dus het gebruik dat verdachte van de computer maakte was in dit geval verboden?'

'Naar achteraf is gebleken was dat inderdaad verboden.'

'En u hebt hem erbij geholpen?'

Tijdens de voorbereidingen met Mills hadden ze zich allebei gerealiseerd dat dit een ongemakkelijk feit was dat ze maar beter meteen konden aansnijden.

'Inderdaad. Ik wist op dat moment natuurlijk niet waarom hij de computer in werkelijkheid gebruikte. Hij vertelde me dat hij een drugshandelaar wilde opsporen en ik geloofde hem.'

'En waar bestond uw hulp precies uit?'

Spinoza keek naar de juryleden en sprak hen rechtstreeks toe. 'Nou, ik wist dat hij met het systeem moest leren omgaan voor het geval hij een keer een adres zou moeten achterhalen aan de hand van een kenteken. Ik zag het eigenlijk als een soort leermoment. Niets bijzonders verder.'

'Vertelde verdachte u waarom hij het adres van de heer Nolan zocht?'

'Ja. Maar ik dacht dat de reden die hij gaf... Ik dacht dat hij een geintje maakte.'

Dit was een belangrijk onderdeel van de verklaring en Mills wilde dat die goed voor het voetlicht zou komen, omdat de arrogantie en vooropgezette bedoelingen van Evan Scholler ermee werden onderstreept.

'Hoe dan ook, wat was de reden die hij u gaf?'

'Hij zei dat hij de heer Nolan wilde traceren om hem af te maken.'

Onmiddellijk ontstond er geroezemoes in de zaal en Tollson zag zich genoodzaakt zijn hamer een paar keer te gebruiken.

Mills wachtte tot het weer stil was en hervatte haar verhoor. 'Heeft verdachte dit voornemen om zijn rivaal te vermoorden ook nog op andere momenten geuit?'

'Ja.'

'En waar was dat?'

Spinoza draaide zich opnieuw om naar de jury. 'Bij mij thuis. Buiten werktijd.'

'Is dat gebruikelijk: dat een agent u thuis komt opzoeken na het werk?'

'Nee, dat is bijzonder ongebruikelijk.'

'En wat gebeurde er?'

'Nou, we namen koffie en gingen buiten zitten. Omdat we daar vroeger al eens grapjes over hadden gemaakt vroeg ik hem of hij zijn drugshandelaar al had afgemaakt.'

'En hoe antwoordde hij daarop?'

'Hij zei dat hij dat nog niet had gedaan omdat de heer Nolan de stad uit was.'

'En toch dacht u nog steeds dat het een grap was?'

'Misschien niet een erg geslaagde grap, maar wij agenten praten vaak zo tegen elkaar. Ik had me natuurlijk nooit kunnen voorstellen dat hij werkelijk van plan was om...'

Washburn schoot overeind en voorkwam dat hij de zin afmaakte. 'Protest!'

Tollson, die goed bij de les was, knikte en zei: 'Toegewezen. Beperk uw antwoorden alstublieft tot datgene wat u wordt gevraagd, inspecteur. Gaat u verder, mevrouw Whelan-Miille.'

Mills knikte tevreden en leek klaar om verder te gaan met het volgende onderdeel van het verhoor, dat ze goed met de inspecteur had ingestudeerd en dat betrekking had op de nasleep van de moord, de betrokkenheid van de FBI en de arrestatie van Scholler. Maar plotseling zweeg ze, wierp een blik op de jury en moest iets hebben gezien wat haar beviel, want haar laatste woorden waren: 'Dank u, inspecteur.' En tegen Washburn: 'Uw getuige.'

Spinoza kende Washburn goed. Als hoofd van de afdeling Moordzaken in Redwood City had hij al vaak met de ervaren strafpleiter in de clinch gelegen en hij verheugde zich er bijzonder op vandaag opnieuw de degens met hem te kruisen. Hij was ervan overtuigd dat zelfs een oude rot als Washburn, die een meester was in het vak, er niet in zou slagen de gebeurtenissen waarover hij zojuist had verklaard te kunnen verdraaien in het voordeel van de verdachte. Spinoza ging er eens goed voor zitten en pompte zich mentaal op voor een kruisverhoor waarvan hij dacht dat hij er veel plezier aan zou beleven. Maar Washburn keek alleen maar op, schudde zijn hoofd en zei tegen Tollson: 'Ik heb geen vragen voor deze getuige.'

'Agent Riggio,' vroeg Mills haar volgende getuige, 'hoe is de FBI bij de zaak-Khalil betrokken geraakt?'

Marcia Riggio, speciaal agent van de FBI, had kort, donker haar. Ze droeg een marineblauw pak dat een man niet had misstaan. Maar haar strenge uiterlijk werd verzacht door haar bruine blouse van zachte, glimmende stof en door een eenvoudige gouden ketting. Ze zat rechtop in de getuigenbank, de handen gevouwen in de schoot, en ze sprak duidelijk en neutraal. 'Veel getuigen verklaarden dat ze een explosie hadden gehoord, iets wat volgens de deskundigen van de brandweer overeenkomt met de schade aan de slaapkamer en de brand die op de aanslag is gevolgd. De heer Khalil en zijn vrouw zijn beiden afkomstig uit Irak en genaturaliseerd Amerikaan. Vanwege de mogelijke terroristische invalshoek vonden de plaatselijke autoriteiten het verstandig Homeland Security, het bureau voor alcohol, tabak en vuurwapens en de FBI in te schakelen. Onderzoek van granaatscherven die op de plaats delict zijn gevonden, heeft vervolgens uitgewezen dat de explosie is veroorzaakt door een zogenoemde fragmentatiegranaat, waarschijnlijk van Amerikaanse makelij, waarvan het bezit volgens de federale wetgeving verboden is. De FBI heeft toen de leiding van het onderzoek overgenomen, waarbij we de plaatselijke politie natuurlijk van onze bevindingen op de hoogte hebben gehouden.'

'En wat waren uw bevindingen?'

'De eerste paar dagen kwamen we niet veel verder. Afgezien van de fragmentatiegranaat ontdekten we dat beide slachtoffers voorafgaand aan de explosie waren neergeschoten met 9mm-kogels. Toen we die vonden bleken ze echter te gedeformeerd om ze met een vuurwapen te kunnen matchen. Natuurlijk hebben we na de aanslag verschillende familieleden verhoord en toen we bezig waren de resultaten van die verhoren te verwerken kregen mijn collega Jacob Freed en ik per post een envelop toegestuurd die een cd-rom met fotobestanden bevatte. Dat zette ons op een nieuw spoor. Het waren foto's van het huis van de familie Khalil die vanuit verschillende standpunten waren genomen. In de handgeschreven brief bij de cd-rom stond dat de foto's waren gekopieerd van een computer die het eigendom was van een zekere heer Ron Nolan. De heer Freed achterhaalde vervolgens het telefoonnummer van de heer Nolan en sprak een boodschap in op diens antwoordapparaat met het verzoek om een gesprek met ons te hebben over een kwestie aangaande de nationale veiligheid. Er werd geen melding gemaakt van de heer en mevrouw Khalil of van de foto's.'

'En hebt u met de heer Nolan gesproken?'

'Ja.'

'En wat heeft hij u verteld?'

Washburn stond op. 'Protest, edelachtbare. Uit de tweede hand.'

Tollson keek naar Mills. 'Mevrouw de aanklager?'

'U hebt hier al over beslist, edelachtbare,' zei Mills. 'Als de beschuldigingen van de heer Nolan tegenover de FBI worden herhaald tegenover de heer Scholler, dan geeft dat de heer Scholler een extra motief de heer Nolan te doden.'

Tollson keek naar Washburn. ' Ze heeft gelijk, we hebben dit al behandeld en ik sta het toe. Protest afgewezen.'

Ze spitte het verder uit, grondig en tot op het laatste detail. Nolans telefoongesprek met de FBI, zijn theorie dat zijn liefdesrivaal – de verdachte – waarschijnlijk bij hem had ingebroken, zijn ontdekking van de fragmentatiegranaten en de 9mm-Beretta in zijn klerenkast, de aanwijzingen dat iemand tijdens zijn afwezigheid aan zijn computer had gezeten; vervolgens de FBI die de theorie van Nolan had nagetrokken en een dag later vingerafdrukken van de verdachte op de cd-rom had aangetroffen. Ten slotte kwam ze tot een afronding.

'Kunt u zich, voor een goed begrip van het tijdsverloop, de dag of datum herinneren waarop u de vingerafdrukken van verdachte op de cd-rom hebt gevonden?'

'Ja. Allebei. Dat was dinsdag 4 juni.'

Mills wachtte op meer, totdat ze zich realiseerde dat agent Riggio haar vraag had beantwoord en het niet nodig vond er nog een reeks nutteloze woorden aan toe te voegen. 'En hebt u, toen u die informatie had, geprobeerd contact te krijgen met de verdachte?'

'Ja. We hebben geprobeerd hem in zijn functie als agent van de politie in Redwood te bereiken, maar hij was die ochtend niet op zijn werk verschenen.'

'Had hij zich ziek gemeld?'

'Nee.'

'Juist. Waar probeerde u hem toen te vinden?'

'We belden hem thuis op, maar daar werd niet opgenomen, dus lieten we een boodschap achter op zijn antwoordapparaat.'

'Heeft hij daar ooit op gereageerd?'

'Nee, dat heeft hij niet gedaan.'

'Was u destijds van plan verdachte in hechtenis te nemen?'

'Nee. Op dat moment wilden we hem alleen wat vragen stellen.'

'Hebt u zijn appartement onder observatie genomen?'

'Nee. We hadden geen reden om aan te nemen dat hij ons probeerde te ontwijken. Het leek ons aannemelijk dat hij ons zou bellen, of anders zouden we hem een dag of wat later wel vinden.'

'En wat deed u vervolgens?'

'We hebben de vingerafdrukken onderzocht die we in de woning van de heer Nolan hebben gevonden en vastgesteld dat hij gelijk had. De verdachte was in zijn woning geweest. Bovendien zaten er vingerafdrukken van de verdachte op de Beretta in de rugzak van de heer Nolan.'

'Hebt u ook zijn vingerafdrukken op de fragmentatiegranaten gevonden?'

'Nee. Die hebben een ruw oppervlak en bevatten geen bruikbare vingerafdrukken.'

'Maar de Beretta met de vingerafdrukken van verdachte bevond zich in dezelfde rugzak als de fragmentatiegranaten, nietwaar?'

'Ja.'

'En kon u vaststellen of er recent met het wapen was geschoten?'

'We konden alleen maar zeggen dat er niet mee was geschoten nadat het voor het laatst was schoongemaakt. Wanneer het voor het laatst is schoongemaakt kunnen we niet vaststellen.'

Mills, die goed op dreef was, ging door: 'Was het wapen geladen?'

'Ja. Het magazijn was vol en er zat een kogel in de kamer.'

Mills wist dat ze nog een flink eind te gaan had met Riggio. Ze was in veel opzichten de ideale getuige, een vrouw die met beide benen op de grond stond en gewoon de feiten vertelde zoals ze waren. Nuchter en ter zake. Maar er was nog veel te bespreken. 'Agent Riggio, hoe kwam u te weten dat de heer Nolan was vermoord?'

Het verhoor van Spinoza en Riggio nam de hele ochtend in beslag en de zitting werd pas tegen twee uur 's middags hervat.

Washburn, die tijdens het lange verhoor had gezwegen, leek minder enthousiast dan de vorige dag toen hij langzaam opstond en naar voren liep om met zijn kruisverhoor te beginnen. 'Agent Riggio,' begon hij met sonore stem, 'u hebt verklaard dat u kort nadat de heer en mevrouw Khalil werden doodgeschoten diverse familieleden hebt ondervraagd. Waar hebt u met hen over gesproken?'

'Dat was het soort ondervragingen die we altijd afnemen na een dergelijke gebeurtenis.'

'En waar gaan die verhoren dan over?'

'Ze zijn bedoeld om ons een beeld te kunnen vormen van de relaties tussen de familieleden en de overledenen en om relevante gegevens in de zakelijke en persoonlijke sfeer boven water te krijgen, en al het andere dat behulpzaam kan zijn bij het verdere onderzoek.'

'Hoeveel van die gesprekken hebt u gevoerd?'

Achter hem trok Mills aan de bel. 'Protest. Niet relevant.'

'Toegewezen.'

Washburn kon een teleurgestelde grimas niet onderdrukken. 'De Khalils hebben veel zakelijke belangen, nietwaar?'

Opnieuw: 'Protest. Irrelevant.'

Nu reageerde Washburn wel. 'Dat is wel degelijk relevant, edelachtbare. De staat probeert voortdurend te insinueren dat de heer Scholler iets met de dood van het echtpaar te maken heeft, hoewel hij daarvoor niet in staat van beschuldiging is gesteld en zonder dat er bewijs voor is. Ik wil graag weten of speciaal agent Riggio misschien ook zakelijke contacten van de heer Khalil heeft ondervraagd die een relatie hadden met de heer Scholler.'

'Goed. Afgewezen. U mag die vraag beantwoorden.'

Riggio maakte het allemaal niet uit. Niet in het minst uit het veld geslagen knikte ze. 'Ja, de Khalils hadden uitgebreide zakelijke belangen.'

'Alleen hier in de Verenigde Staten?'

'Nee, ook in het buitenland.'

'In Irak?'

'Volgens de kinderen wel, ja.'

'Maar hebt u dat zelf nog nagetrokken?'

'We wilden alle informatie die we hadden verzameld gaan verifiëren, toen de heer Nolan werd vermoord.'

'Juist,' zei Washburn, 'dus het antwoord is nee, u hebt de informatie over de zakelijke belangen van Khalil in Irak niet nagetrokken, is dat juist?

'Edelachtbare!' probeerde Mills opnieuw. 'Relevantie.'

'Het zal straks duidelijk worden, edelachtbare.'

'Goed, als dat dan ook maar zo is. Afgewezen.'

'Agent Riggio, de heer Nolan werkte voor een Amerikaans beveiligingsbedrijf dat in Irak opdrachten voor de regering uitvoerde, toch? Allstrong Security.'

Mills stond weer op. 'Alstublieft, edelachtbare! We hebben het hier al eerder over gehad. Dit gehengel leidt tot niets en heeft als enig doel een relatie te suggereren tussen Khalil en de heer Nolan, waarvoor helemaal geen aanwijzingen bestaan.'

Washburn wist dat hij zich door de bank genomen minstens één uitbarsting per proces kon permitteren. Dit leek hem een geschikt moment, dus draaide hij zich om een keek Mills strak aan. 'Voor een betrokkenheid van de heer Nolan bij de moord op het echtpaar Khalil bestaan veel meer aanwijzingen dan voor een betrokkenheid van mijn cliënt bij dat misdrijf. U wilt gewoon niet dat de jury iets hoort wat niet in uw eigen theorie past.'

Bam! Bam! Bam!

'Washburn!' Tollson explodeerde. 'Genoeg allebei! Als dit zo doorgaat zal ik dat behandelen als minachting. U dient uw opmerkingen aan mij te richten en niet aan elkaar.' Tollson keek hen beiden nors aan, waarbij hij zijn aandacht gelijkelijk verdeelde over Washburn en Mills. Daarna keek hij op de klok en zei: 'We nemen tien minuten reces, zodat iedereen een beetje kan afkoelen.'

Toen Washburn de draad met de getuige weer oppakte was hij een en al minzaamheid. Hij haalde een stapel documenten tevoorschijn die afkomstig waren van de FBI en overhandigde ze aan speciaal agent Riggio. 'Agent Riggio, bent u aan de hand van deze bedrijfsgegevens iets te weten gekomen over de fragmentatiegranaten die u hebt ontdekt in het appartement van de heer Nolan?'

'Ja.'

'En wat hebt u ontdekt?'

'Deze granaten zijn eind 2002 geproduceerd. Als u wilt kan ik u de productielocatie en de serienummers geven. Die heb ik ergens, maar...'

'Dat is niet nodig. Gaat u verder.'

'Ze zijn in de eerste weken na de invasie verscheept naar Irak.'

'Weet u of ze aan de eenheid van de heer Scholler zijn afgeleverd?'

'Nee.'

'Bedoelt u dat u dat niet weet of dat ze daar niet zijn afgeleverd?'

'Ze zijn afgeleverd als onderdeel van een zending naar Allstrong Security in Irak.'

'Is er enig bewijs dat de heer Scholler deze granaten op enig moment in bezit heeft gehad of dat hij ze op enigerlei wijze naar de Verenigde Staten heeft verstuurd?'

'Nee.'

'Agent Riggio, hebt u misschien getuigen die hebben gemeld dat ze de heer Scholler met deze granaten hebben gezien?'

'Nee.'

Hoewel hij op de laatste paar vragen de antwoorden had gekregen die hij wilde, realiseerde Washburn zich dat het niet veel was. Maar het was hoogstwaarschijnlijk alles wat erin zat. Hij glimlachte naar de getuige. 'Dank u,' zei hij. 'Ik heb geen vragen meer.'

26

De volgende dinsdagmiddag was het weer verslechterd. Een hevige storm raasde vroeg in het seizoen door de bomen en zorgde voor wateroverlast in veel van de laag gelegen straten rondom het gerechtsgebouw. Daardoor raakte het verkeer ontregeld en kon de rechtszaak pas tegen elf uur worden hervat, waarna er al vrij snel weer werd gestopt voor een vroege lunch.

In de voorafgaande twee procesdagen had Washburn niet veel kunnen beginnen met de getuigen die Mills had opgeroepen. Jacob Freed, de andere FBI-agent, vertelde ongeveer hetzelfde als zijn collega Marcia Riggio. Washburn ging nogmaals in op de herkomst van de fragmentatiegranaten en op het gebrek aan onderzoek – nadat ze hun favoriete verdachte eenmaal hadden gevonden – naar de levens en motieven van andere mogelijke verdachten in zowel de moord op het echtpaar Khalil als de moord op Nolan. Maar hij wist dat hij weinig of geen schade aan de argumentatie van de aanklager had aangebracht. Washburn moest tot zijn spijt toegeven dat de FBI en Spinoza hun verklaringen uitstekend hadden gecoördineerd en een bewijsketen hadden geconstrueerd die verdomd overtuigend was. Uiteindelijk was een spoedig einde aan de getuigenis van Freed, die een paar uur in beslag nam, het enige wat Washburn nog wilde.

Ook de getuigenis van de slotenmaker, David Saldar, de meest nerveuze getuige die ze tot dan toe hadden gehad, verliep zonder verrassingen. Aan zijn verklaring was ook nauwelijks te tornen. Evan Scholler had precies gedaan wat de man beweerde. Hij had een vriend voorgelogen, zijn politie-uniform gebruikt om zijn geloofwaardigheid te vergroten en zich toegang verschaft tot een huis dat niet van hem was. Niet bepaald een hoogtepunt voor de verdediging, maar Washburn kon er niets aan veranderen.

Mills' laatste getuige, die het grootste deel van de vorige dag – maandag – in beslag had genomen, was Tara geweest. Ondanks het feit dat ze de jury duidelijk had laten weten dat ze een liefdesrelatie met Evan had,

had ze niet alleen bevestigd dat Nolan haar had verteld over Evans inbraak, maar ook de cruciale bevestiging gegeven dat Evan in de Old Town Traven een doodsbedreiging had geuit aan Nolans adres.

De getuigenis van een vrouw als Tara, die zo overduidelijk niets slechts over de verdachte wilde vertellen, maakte juist daardoor een enorme indruk op de jury. En Washburn had geen idee wat hij in een kruisverhoor aan de orde moest stellen. Dat ze Nolans mening niet deelde toen hij beweerde dat Evan de wapens in zijn huis had verstopt? Dat Evan het niet meende toen hij zei dat hij zijn liefdesrivaal wilde vermoorden? Bovendien was geen van die verklaringen toelaatbaar, omdat ze niet meer waren dan uitspraken van een vrouw die zeker zou liegen als ze daarmee haar geliefde kon helpen. Zo zou de jury er in ieder geval over denken.

De aanklager had haar zaak voorgelegd en Washburn had nu de gelegenheid een eigenstandige verdediging te presenteren. Maar zonder cliënt die kon beweren dat hij het niet had gedaan, zonder een alternatieve verdachte en met de overvloed aan motief en gelegenheid die tegen Evan kon worden ingebracht, wist hij dat dit wel eens dé professionele uitdaging van zijn hele carrière kon worden. Hij had niet veel om mee te werken, en wat hij had was op z'n best twijfelachtig.

Zijn eerste taak was de jury aan Evans kant te krijgen, voor zover dat mogelijk was. Hij herinnerde zichzelf eraan dat hij slechts één jurylid hoefde te overtuigen en hij koos een vrouw achterin die Maggie Ellersby heette. Ze was ongeveer even oud als Evans moeder en had dezelfde uitstraling van liefhebbende huismoeder. Sterker nog: tijdens de juryselectie had ze gezegd dat ze twee zoons had en dat ze tegen de oorlog in Irak was, hoewel ze de troepen daar wél steunde. Misschien had ze linkse trekjes en was ze daarom geneigd Evan als een slachtoffer van het een of ander te zien, en daardoor niet volledig schuldig. Bovendien was ze al dertig jaar getrouwd met dezelfde man, zodat ze misschien wel hoopte dat Tara en Evan dit probleem achter zich konden laten en samen een nieuw leven konden opbouwen. Dit alles was natuurlijk niet bijzonder solide, maar het gaf Washburn hoop een 'lakmoesgetuige' te hebben op wie hij zijn verdediging kon richten. 'Edelachtbare,' zei Washburn, terwijl een nieuwe regenbui de ramen van de rechtszaal geselde, 'de verdediging roept Anthony Onofrio op als getuige.'

'Meneer Onofrio, u kent de verdachte Evan Scholler uit Irak, nietwaar?'

Washburn wilde Onofrio om verschillende redenen laten getuigen, niet in de laatste plaats omdat hij eruitzag als een gewone kerel. Hier zat een doodgoeie vent die met zijn mannen aan de wegen in Californië werkte.

Hij had wel een opleiding gehad, maar was niet bijzonder hooggeschoold. Hij zag er goed uit zonder te knap of te glad te zijn. Misschien slaagde iemand als hij erin zijn sympathie voor Evan Scholler over te dragen op bijvoorbeeld mevrouw Ellersby.

'Ja, dat klopt. Hij was mijn pelotonscommandant.'

In het uur dat volgde nam Washburn met Onofrio dezelfde zaken door die ze ook tijdens de voorbereidende hoorzitting over het PTSS-bewijs hadden besproken, nog voordat de jury was benoemd. Mills protesteerde tegen dezelfde dingen als waar ze toen ook tegen had geprotesteerd – dat Onofrio niet eens in de Verenigde Staten was geweest ten tijde van de moord en dat zijn verklaring dus onmogelijk relevant kon zijn –, maar Washburn bracht daartegen in dat zijn getuigenis cruciaal was in verband met de hoofdwond die Evan had opgelopen en die tot dusver nog helemaal niet aan de orde was gekomen. Zelfs zonder het onderwerp PTSS aan te roeren was er zeker een verband tussen zijn verwondingen en zijn black-outs, die, argumenteerde Washburn, de kern zouden kunnen vormen van zijn verdediging. Daar was Tollson het mee eens.

De publieke tribune werd muisstil toen Onofrio begon aan zijn relaas over het vuurgevecht in Masbah, dat hij besloot met: 'We hadden weg kunnen komen, maar twee van onze mannen waren al geraakt en Evan wilde niet zonder hen vertrekken.'

'En wat deed hij toen?'

'Hij ging samen met een paar andere jongens naar de eerste Humvee, haalde de bestuurder eruit en droeg hem naar onze wagen. Toen gingen ze terug om de schutter te halen.'

'En lag luitenant Scholler daarbij onder vuur?'

'Er werd voortdurend geschoten. Het was een heksenketel, ze schoten van alle kanten op hem.'

'Juist.' Nu hij Evans moed en zijn betrokkenheid bij het wel en wee van zijn mannen had aangetoond, liet Washburn hem de rest van het Masbah-verhaal vertellen zonder hem te onderbreken. Het deed Washburn deugd dat mevrouw Ellersby tijdens dit relaas diverse malen met een papieren zakdoekje haar ogen depte. Toen Onofrio besloot met Evan die met een zwaar bloedende hoofdwond tussen zijn dode kameraden lag vertoonden diverse andere juryleden soortgelijke reacties.

Washburn bleef een paar seconden doodstil staan, net als de juryleden geroerd door het verhaal. Toen draaide hij zich om en droeg de getuige over aan de aanklager.

De laatste keer dat Mills Onofrio aan een kruisverhoor had onderworpen, tijdens de hoorzitting over de posttraumatische-stressstoornis, had ze succes gehad met haar vragen over Evans alcoholgebruik in het oorlogsgebied. Dus verspilde ze geen tijd en bracht het onderwerp ter sprake zodra ze de getuige dicht genoeg was genaderd.

'Meneer Onofrio, hebt u verdachte in Irak wel eens alcohol zien drinken?'

Maar deze keer was Wasburn voorbereid. 'Protest. Irrelevant.'

'Toegewezen.'

Mills wilde de vraag bijna opnieuw stellen toen de beslissing van de rechter als een schok tot haar doordrong. 'Edelachtbare,' zei ze, 'met alle respect, maar toen de heer Washburn tijdens de voorbereidende hoorzitting een identiek protest aantekende hebt u dat afgewezen.'

Tollson zette zijn bril af en boog zich naar voren. 'Ja, dat klopt. Destijds was de vraag of verdachte wel of geen alcohol gebruikte relevant voor de kwestie die in de hoorzitting moest worden opgehelderd. Maar tenzij u me ervan kunt overtuigen dat eventueel alcoholgebruik door verdachte de verklaring van de heer Onofrio in een ander daglicht stelt, of rechtstreeks te maken heeft met het misdrijf waarvoor verdachte terechtstaat, sta ik het nu niet toe. Het is irrelevant, zoals de heer Washburn terecht heeft opgemerkt.'

Mills leek hierdoor even uit het lood geslagen. Ze liep terug naar haar tafel, bladerde in haar ordner, sloeg een bladzij of twee om en keek weer op. 'Goed, dan.' Vastbesloten de jury niet te laten merken dat de beslissing van de rechter haar van slag had gebracht, produceerde Mills een gemaakt glimlachje. 'Dank u wel, edelachtbare,' zei ze. 'Ik kom er later nog wel op terug.'

Ook nu hij het onderwerp posttraumatische-stressstoornis niet aan de orde mocht stellen, was Washburn van mening dat een verdediging op medische gronden nog steeds de beste kansen bood. Als de jury niet geloofde dat Evan een ernstige en langdurige black-out had gehad, dan had hij helemaal geen verdediging. Dan bleef alleen over dat Evan had gelogen. Daarom had Washburn het afgelopen weekend verschillende uren besteed aan de voorbereiding van het volgende getuigenverhoor. Hij kon alleen maar hopen dat het voldoende zou zijn.

'Dokter Bromley,' begon hij, 'wat is uw medisch specialisme?'

'Ik ben neuroloog, verbonden aan het medisch centrum in Stanford en het zorgcentrum voor veteranen in Palo Alto.'

'Een hersendokter dus?'

Bromley, die de vijftig al ruim was gepasseerd maar er tien jaar jonger uitzag, was onberispelijk gekleed. Met zijn krachtige kaaklijn, zijn rechte neus, ondoorgrondelijke blik en korte, zwarte kroeshaar straalde hij kracht en zelfvertrouwen uit. 'Dat is de lekenterm, inderdaad.'

'Dokter, kende u de heer Scholler al voor zijn arrestatie?'

'Ja, hij was een patiënt van me in het centrum voor veteranen, nadat hij was ontslagen uit het Walter Reed Army Medical Center.'

'Wat was voor zover u bekend is zijn situatie in het Walter Reed?'

'Hij is daar september vorig jaar opgenomen. Toen hij er aankwam was hij nog steeds buiten bewustzijn als gevolg van de verwondingen die hij in Irak had opgelopen. De artsen hadden al een craniectomie verricht – het verwijderen van een deel van de schedel om de zwelling van de hersenen ruimte te geven – en hij was er slecht aan toe. Ze achtten het waarschijnlijk dat hij zou overlijden. Het alternatief was dat hij het zou overleven, maar als een plant.'

Washburn zag dat verscheidene juryleden moeite hadden met deze nogal bruuske voorstelling van zaken. Hij vervolgde zijn verhoor. 'En toen u hem voor het eerst zag in Californië? Wanneer was dat trouwens?'

'Halverwege maart, negen maanden nadat hij gewond was geraakt. Eerlijk gezegd was hij bijna wonderbaarlijk goed genezen.'

'In welk opzicht?'

'In bijna ieder denkbaar opzicht. Ze hadden het stuk van zijn schedel dat was verwijderd drie maanden daarvoor teruggeplaatst en zijn spraakvermogen was bijna weer normaal. Hij had nog wel problemen met zijn kortetermijngeheugen en sommige woorden wilden hem af en toe niet te binnen schieten, maar elke keer als we hem onderzochten was hij weer een flink eind vooruitgegaan. Zijn lichamelijke coördinatie was alweer zo goed dat ik er geen probleem in zag hem te adviseren weer bij de politie te gaan werken, op voorwaarde dat hij geen werk zou doen dat lichamelijk of psychisch te belastend was. Het was, kortom, het meest bijzondere herstel van hersenletsel dat ik gedurende mijn twintigjarige praktijk als neuroloog ooit heb waargenomen.'

Washburn knikte. Hij was blij dat hij met Bromley in zee was gegaan. Hij had hem natuurlijk altijd wel in het achterhoofd gehad, maar de scenario's waarin PTSS de hoofdrol speelde hadden altijd aantrekkelijker en overtuigender geleken. Nu hij zag hoe dit verhoor verliep kreeg hij een sprankje hoop dat een doodgewone medische benadering misschien wel bijna hetzelfde effect zou kunnen sorteren als de PTSS-invalshoek. Als hij erin slaagde zijn cliënt af te schilderen als slachtoffer was alles nog niet verloren, wist hij.

'Dokter, hebt u de kans gehad de heer Scholler te onderzoeken nadat hij is gearresteerd?'

'Ja.'

'Hoe snel daarna?'

'Een paar dagen erna.'

'En hoe was zijn toestand op dat moment?'

'Hij had veel last van hoofdpijn. Maar ook van ernstige desoriëntatie en wat afasie. Dat alles is uiteraard het gevolg van zijn hersentrauma.'

'Maar u hebt zojuist toch verklaard dat de symptomen van zijn hersenletsel een paar maanden geleden al grotendeels waren verdwenen?'

'Ja.'

'En nu lijken deze symptomen te zijn teruggekomen?'

'Dat is correct.'

'Waarom?'

'Vanwege nieuw hersentrauma. Toen ik de heer Scholler na zijn arrestatie onderzocht bleek hij diverse nieuwe hoofdwonden te hebben opgelopen.'

'Hoe had hij die opgelopen?'

'Hij vertelde me dat hij met de heer Nolan had gevochten.'

'Hij had met de heer Nolan gevochten.' Washburn draaide zich half om en wierp een blik op de juryleden. Het viel hem op dat mevrouw Ellersby in vervoering op het puntje van de bank zat. 'Dokter, kan een doodgewone vechtpartij dergelijke invaliderende wonden veroorzaken?'

'Natuurlijk. Een klap op het hoofd kan allerlei ernstige gevolgen hebben, tot de dood aan toe. En toen ik het hoofd van de heer Scholler onderzocht vond ik tekenen – zoals kneuzingen en schaafwonden – die erop wezen dat hij diverse klappen op zijn hoofd had gehad. Hij had ook een nieuwe hersenschudding opgelopen.'

'Waren die verwondingen ernstig genoeg om iemand het bewustzijn te laten verliezen?'

'Zeker.'

'Zodra ze waren toegebracht?'

'Dat zou kunnen.'

'Zou het ook later kunnen gebeuren?'

'Ja.'

'Dank u.' Washburn keek opnieuw even naar de jury. Iedereen was nog steeds een en al aandacht. 'Dokter,' vervolgde hij, 'als iemand al eerder een hersentrauma heeft opgelopen, zoals de heer Scholler, is het dan mogelijk dat de gevolgen van klappen zoals de heer Scholler die heeft gekregen ernstiger zijn dan zonder een dergelijke medische voorgeschiedenis?'

'Dat is geen mogelijkheid, maar een zekerheid.'

'Dus dan zouden de symptomen vervolgens ernstiger zijn dan bij iemand die niet eerder zo'n trauma had opgelopen?'

'Onder normale omstandigheden kan één enkele klap op het hoofd al ernstige, zelfs dodelijke gevolgen hebben. Maar het staat vast dat een voorgeschiedenis van recent trauma de symptomen die toch al zouden optreden in zo'n geval zouden verergeren.'

'En hoe komt dat?'

'Het brein is een bijzonder complex orgaan, dat maar langzaam geneest.' Tot zijn grote genoegen zag Washburn dat Bromley zijn antwoorden rechtstreeks tot de jury richtte. 'Een hersenletsel betekent in de regel dat iemand zijn leven lang neurologische en lichamelijke problemen houdt. In andere gevallen, bijvoorbeeld als er sprake is geweest van bloedingen en stolsels, kan het twee jaar duren voordat zoiets helemaal is genezen. En dan blijven er nog altijd littekens en allerlei complicaties over.'

'Black-outs bijvoorbeeld?'

'Inderdaad, ook black-outs. Al is dat een term die wij medici niet gebruiken. Het is meer een generieke lekenterm.'

'Is er een specifieke benaming, dokter?'

'Nou, je hebt de syncope, dat komt min of meer overeen met flauwvallen. Dan heb je attaques, die kunnen epileptisch en psychogeen zijn, niet-epileptisch met andere woorden. En ten slotte heb je anterograde amnesie tijdens of na overvloedig alcoholgebruik. Al deze verschijnselen worden door leken black-out genoemd en hersenletsel kan er invloed op hebben.'

'En wat gebeurt er tijdens zo'n black-out?'

'Tijdelijk geheugenverlies en/of bewusteloosheid.'

'En hoe lang kan een black-out duren?'

'Dat hangt ervan af. Sommige leken zullen een coma een black-out noemen, en daarvan weten we dat die meer dan tien jaar kunnen duren. Maar meestal, als het gaat om een flauwvallen of een epileptische aanval, duren ze niet langer dan een minuut of tien.'

Plotseling, na dit laatste antwoord van dokter Bromley, voelde Washburn een schrijnende pijn in zijn maag, zo erg dat hij even bang was dat hij zelf een syncope kreeg. Al bijna een jaar wist hij dat de informatie over black-outs nogal vaag was en hij had dit gedeelte van het verhoor het afgelopen weekend grondig met dokter Bromley doorgenomen, in de hoop dat het medisch relevante bewijsmateriaal goed zou overkomen.

Maar terwijl hij moeite deed zich op zijn volgende onderwerp te concentreren, zag hij plotseling dat deze getuigenverklaring niet meer was dan een rookgordijn. Hij voelde dat het zinloos was. Hij was van plan geweest vast te laten stellen dat het bewustzijnsverlies van Evan een waarschijnlijk en zelfs veel voorkomend gevolg was van zijn hersenletsel, zodat het allemaal terug zou zijn te voeren op Irak en iemand als mevrouw Ellersby medelijden zou krijgen met de moedige soldaat. Washburn was ervan uitgegaan dat hij toch op z'n minst één min of meer overtuigende verklaring moest kunnen presenteren waaruit bleek dat Evans aanstaande getuigenis – gezien de klappen die hij die bewuste avond had opgelopen – steekhoudend was.

Plotseling was hij er echter zeker van dat het niet zou werken. Het feit dat Evan op een gegeven moment een black-out kon hebben gehad, wilde nog niet zeggen dat hij de gehele periode in een toestand van bewusteloosheid had verkeerd. Gegeven het alcoholpercentage in zijn bloed op het moment van zijn arrestatie was het onbetwistbaar dat hij, nadat hij zichzelf een stuk in de kraag had gedronken, op z'n minst bij vlagen bij zijn positieven moest zijn geweest. De hoop dat hij de jury zodanig zou kunnen bewerken dat ze die conclusie niet zouden trekken was domweg ijdel geweest. Hij had erin geloofd omdat hij wel moest. Omdat er geen andere manier was om de zaak te winnen.

Natuurlijk was er Bromleys verklaring over veel van het leed dat Evan als gevolg van zijn hersenletsel had moeten doormaken. Het was goed mogelijk dat hij er zijn hele verdere leven last van zou blijven ondervinden. En een paar juryleden zouden Evan misschien wel het voordeel van de twijfel willen gunnen omdat ze medelijden met hem hadden. Maar wat Bromley te zeggen had, bewees op geen enkele manier dat Evan niet in staat was geweest de moord op Ron Nolan te plegen. En uiteindelijk zou dit simpele feit hoogstwaarschijnlijk leiden tot de veroordeling van zijn cliënt. Hij had zichzelf voor de gek gehouden door te geloven dat er nog hoop was.

Hij liep naar de tafel en nam een slok water. Vervolgens draaide hij zich om en liep terug naar zijn positie in het midden van de rechtszaal. Maar nog steeds aarzelde hij.

'Meneer Washburn,' vroeg Tollson enigszins ongerust. 'Voelt u zich niet goed? Wilt u misschien een reces?'

'Nee, edelachtbare. Dank u.' Daarna maakte hij zijn gebruikelijke buiginkje, bedankte Bromley en droeg hem over aan Mills.

De aanklager stond op en liep dermate enthousiast naar voren dat Washburn zich realiseerde dat ook zij aanvoelde waar het schortte. En met haar eerste vraag ging ze recht op het doel af. 'Dokter, die black-outs waarover u het had. U zei dat die meestal een paar minuten duren, nietwaar?'

'In de regel wel, ja, al zijn er uitzonderingen mogelijk.'

'Dat hebt u inderdaad duidelijk gemaakt. Dus wat u wilt zeggen is dat een black-out een paar dagen kan duren?'

'Ik heb het al eerder gezegd, maar de term "black-out" is geen medisch begrip. Als we het hebben over flauwvallen of een attaque, dan zou ik zeggen van niet. Die duren doorgaans niet langer dan tien minuten. Echte bewusteloosheid daarentegen kan natuurlijk eindeloos duren, al zou ik dat niet snel een black-out noemen.'

'Kunt u met enige mate van zekerheid verklaren dat verdachte op de avond van die vechtpartij een black-out heeft gehad?'

'Nee, dat kan ik niet.'

Mills wierp de jury een onverholen triomfantelijke blik toe en keek Bromley toen weer aan. 'Dank u, dokter. Dat is alles.'

'Ligt dat nu aan mij,' zei Evan, 'of ging het daarnet niet zo best?'

Tijdens het reces zaten ze in het arrestantenverblijf achter de rechtszaal. De bode had twee bekertjes met verse hete koffie gebracht voor Washburn en zijn cliënt. Een vriendelijk gebaar. Normaal gesproken was dit niet toegestaan, omdat een verdachte met een kop hete koffie werd gezien als een verdachte die wel eens iemand met die hete vloeistof zou kunnen aanvallen. Om de een of andere reden had de bode vandaag een uitzondering gemaakt. Misschien kwam het door de plotselinge weersverandering of het niet al te best verlopen verhoor van Bromley. Hoe dan ook, de beide mannen maakten er dankbaar gebruik van.

Washburn bagatelliseerde het probleem vanzelfsprekend. Hij haalde zijn schouders op en zei: 'Onofrio en Bromley hebben samen voldoende naar voren gebracht om een beeld te schetsen van wat je hebt doorgemaakt. Iemand in de jury zal zich dat aantrekken, let maar op.' Hij nipte van zijn koffie. Hij probeerde niet alleen zichzelf moed in te praten. Straks was Evan aan de beurt en het was belangrijk dat hij ontspannen en zelfverzekerd zou overkomen. Eindelijk was het moment aangebroken dat hij zijn relaas aan de juryleden kwijt kon. Sterker nog: vandaag moest hij zijn verhaal aan hen verkopen.

Maar een erg overtuigend verhaal was het niet en beide mannen leken zich daarvan bewust te zijn.

'Vat dit niet verkeerd op,' zei Washburn, terwijl hij tegen de muur leunde en zijn benen over elkaar sloeg. 'Ik geloof nog steeds dat we een redelijke kans maken, maar ik denk ook dat de rechtbank er prijs op zou stellen als je een gedeeltelijke bekentenis aflegt en laat weten dat je bereid bent een deal te sluiten met de aanklager.'

Evan draaide zijn hoofd opzij en staarde Washburn aan. 'Daar hebben we het al over gehad.'

'Dat is zo, ja. Maar nu sta je op het punt de jury te vertellen dat je Nolan niet hebt vermoord.'

'Inderdaad.'

'Enig idee wie het wél gedaan heeft? Want ik heb geen idee.'

'Ik niet in elk geval.'

'Omdat je je niet kunt herinneren dat je het hebt gedaan?'

'Everett, luister. Ik kan niet geloven dat ik het niet meer zou weten als ik hem eerst met een kachelpook had geslagen en hem daarna in het hoofd had geschoten. Dat zou ik me beslist herinneren.'

Washburn zuchtte. 'Het is waar, we hebben het er al over gehad. Maar we zouden kunnen zeggen dat je na de vechtpartij opnieuw naar hem toe bent gegaan om met hem te praten en dat hij je toen heeft aangevallen. Je was verzwakt door het eerdere gevecht en je had geen andere keus dan de pook te pakken en...'

Evan stak zijn hand op. '... en hem vervolgens te liquideren met een enkel schot in het hoofd? Dat heb ik niet gedaan. Zo ben ik niet.'

'Nee, maar de vraag is of dat nu wel zo belangrijk is.' Hij bracht het bekertje naar zijn mond en nam een slok. 'Kun je je echt helemaal niets herinneren van die dagen?'

'Denk je dat ik het niet heb geprobeerd? Dat ik me niet alles tot in de kleinste details zou willen herinneren?'

'Misschien ben je de hele tijd dronken geweest.' Washburn wreef met zijn handpalmen langs zijn broekspijpen. 'Ik wil dat je hier goed over nadenkt, Evan. Want als dat het geval is hebben de juryleden in ieder geval nóg iets om over na te denken.'

'Als ik mijn verhaal nú verander, betekent het toch dat ik al die tijd heb gelogen?'

'Niet als je je het zojuist hebt herinnerd, als het door de stress van de rechtszitting plotseling weer naar boven is gekomen.'

'Dat zou me dan wel erg goed uitkomen. Daar kijken ze toch onmiddellijk doorheen?'

'Oké. Stel dat je de hele tijd bent thuisgebleven. Je hebt zitten drinken om de pijn na de vechtpartij te verdrijven. Je hebt je appartement nooit verlaten.'

'Wat schiet ik daar nou mee op? Dan zouden ze me nog steeds moeten geloven.'

'Nee.' Washburn schudde zijn hoofd. '*Ze* hoeven je niet te geloven. *Eén van hen* hoeft je maar te geloven. Het is beter te zeggen "ik heb het niet gedaan" dan "ik kan het me niet herinneren, maar ik heb het waarschijnlijk niet gedaan". Dat is een groot verschil.'

Evan haalde een paar keer diep adem. 'Ik dacht dat het om bewijs ging. Niet om wat ik zeg, maar om wat er uit het bewijsmateriaal blijkt.'

'Dat is nu juist het probleem,' zei Washburn. 'Het bewijsmateriaal is sterk in je nadeel, beste jongen.' Op dat moment verscheen de bode. Washburn stond op en gaf zijn cliënt een vriendschappelijke stomp op zijn been. 'Drink je koffie op,' zei hij. 'Je bent aan de beurt.'

27

Na de maanden van voorbereiding, het coachen van de getuigen, de strategiebesprekingen, de deliberaties en meningsverschillen, de koehandeltjes en de voorspellingen, leek het optreden van Evan Scholler in de getuigenbank van korte duur. Washburn vond het niet zinvol zijn cliënt nog eens te laten herhalen welke redenen hij had om het slachtoffer te haten. Dat hadden de vorige getuigen al voldoende duidelijk toegelicht. Er waren eigenlijk maar een paar argumenten waarvan Washburn dacht dat de jury er gevoelig voor zouden kunnen zijn, al was het maar omdat ze hun de zaak vanuit een andere gezichtshoek lieten zien. Hij stak meteen van wal.

'Evan,' vroeg hij, 'waarom heb je in het huis van de heer Nolan ingebroken?'

'Laat ik eerst zeggen dat dat verkeerd van me was. Het was onvergeeflijk. Ik had dat niet moeten doen. Ik had de afdeling Moordzaken op de hoogte moeten stellen van mijn verdenkingen tegenover de heer Nolan.'

Mills was opgestaan. 'Dat is geen antwoord, edelachtbare.'

'Toegewezen.' Tollston verplaatste zijn blik van Washburn naar Evan. Hij richtte zich tot de verdachte. 'Meneer Scholler, wilt u uitsluitend antwoord geven op de vragen die u worden gesteld? U staat hier niet op een zeepkist.'

'Ja, edelachtbare. Het spijt me.'

'Goed. Meneer Washburn, gaat u door en probeer u aan de regels te houden.'

Washburn stelde de vraag opnieuw en Evan antwoordde: 'Omdat ik in de krant iets had gelezen over de moord op het echtpaar Khalil en inspecteur Spinoza me daar het een en ander over had verteld. Toen we samen in Badgad waren ben ik een keer met Nolan mee geweest tijdens een missie waarbij hij fragmentatiegranaten gebruikte. Toen ik hoorde dat de heer Khalil afkomstig was uit Irak, en gezien het werk van de heer Nolan, kreeg ik het vermoeden dat hij er wel eens iets mee te maken kon hebben.'

'En waarom heb je niet gewoon de afdeling Moordzaken op de hoogte gesteld?'

'Ik had me kunnen vergissen en dan had ik zowel bij de inspecteur als bij Tara een slechte indruk gemaakt. En dat wilde ik op dat moment absoluut niet.'

'Waarom niet?'

'Omdat ik zelf bij de politie werk. En omdat ik de draad met Tara weer hoopte te kunnen oppakken.'

'Goed. Dus heb je ingebroken in het huis van Nolan?'

'Ik heb mezelf binnengelaten, ja.'

'In de hoop dat je bewijs zou vinden waaruit kon blijken dat Nolan betrokken was bij de moord op het echtpaar Khalil?'

'Dat klopt.'

'Vond je dat niet een beetje vergezocht?'

'Helemaal niet. Ik heb Nolan met eigen ogen mensen zien doden.'

Mills reageerde. 'Protest.'

'Edelachtbare,' antwoordde Washburn. 'De heer Nolan was werkzaam in de beveiliging. Soms was het doden van mensen zijn taak. De heer Scholler heeft hem leren kennen in Irak. Er is niets mis met deze vraag.'

Tollson zette zijn bril weer op. 'Protest afgewezen.'

'Goed,' vervolgde Washburn. 'Toen je het huis van Nolan was binnengegaan, Evan, heb je toen iets gevonden dat volgens jou verband kon houden met de moord op het echtpaar Khalil?'

'Ja.'

Evan gaf een nuchter en feitelijk relaas van zijn vermoedens en zijn daden. Hij vertelde over de fragmentatiegranaten, dat hij zowel het pistool in de rugzak als het exemplaar achter het hoofdbord van het bed had aangeraakt en verdachte fotobestanden op de computer had gevonden. Hij volgde de instructies van Washburn op en richtte zich rechtstreeks tot de jury. Zonder dat het té opvallend werd keek hij daarbij vooral mevrouw Ellersby vaak aan, het derde jurylid van links op de tweede rij.

'Dus je hebt de foto's gekopieerd?'

'Ja.'

'Nu je dit mogelijke bewijs van betrokkenheid van de heer Nolan bij de moord op het echtpaar Khalil had gevonden, wat deed je toen?'

'Ik wilde het bewijsmateriaal niet weghalen, zodat het er nog zou liggen als de FBI het huis zou doorzoeken...'

Mills duwde haar stoel naar achteren. zodat er een doordringend gepiep in de rechtszaal klonk. 'Maak dat de kat wijs.'

292

Tollson liet zijn hamer krachtig neerkomen. 'Als ik dacht dat u dit expres deed, mevrouw Miille, zou ik dit beschouwen als minachting. Ik wil geen theater in de rechtszaal. Als u zich nog een keer op een dergelijke manier uitlaat zult u daar spijt van krijgen. Ik beveel de jury uw onprofessionele commentaar te negeren.' Hij keek Evan aan en zei: 'Gaat u door, meneer Scholler.'

Evan zuchtte diep. Hij kon zich even niet herinneren waar hij was gebleven.

Washburn besloot er gebruik van te maken. 'Het spijt me, edelachtbare, het lijkt erop dat mijn cliënt even een black-out heeft.'

'Godallemachtig!' fluisterde Mills.

Bam! Bam!

'U hebt uw zin, mevrouw Mills, dit is minachting van de rechtbank. Ik zal u straks, buiten aanwezigheid van de jury, laten weten welke straf ik u opleg.' Tollson toverde zijn meest norse blik tevoorschijn en wees naar Washburn en Mills. 'Het moet nu afgelopen zijn. Ik waarschuw jullie. Meneer Washburn, heeft uw cliënt misschien tijd nodig om te herstellen?'

'Evan?' vroeg Washburn. 'Gaat het?'

'Het gaat prima.'

'Mooi,' zei Tollson, 'dan mag de griffier de laatste vraag nog een keer voorlezen.'

Zo kwamen ze weer bij het punt dat Evan het bewijsmateriaal niet weg had willen halen, zodat de FBI het zou vinden als ze het huis doorzochten. 'Dus besloot ik een kopie te maken van een bestand op de computer dat volgens mij een foto bevatte van het huis van het echtpaar Khalil. Ik pakte een cd-rom, zette het bestand erop en nam die mee naar huis.'

'Maar wacht even. Je was politieman en je had naar jouw eigen mening overtuigend bewijs in handen met betrekking tot een moord. En toch schakelde je de afdeling Moordzaken niet in?'

'Nee, dat heb ik niet gedaan.'

'En waarom niet?'

'Omdat ik ze niet kon vertellen waar ik het had gevonden zonder te moeten toegeven dat ik het op illegale wijze had verkregen. Dan zou het niet meer in een rechtszaak gebruikt kunnen worden.'

'Dus wat deed je toen?'

'Ik heb de cd naar de FBI gestuurd omdat ik had gehoord dat ze bezig waren met een onderzoek naar de moord op het echtpaar Khalil.'

'En wat gebeurde er vervolgens?'

'Nolan kwam thuis en moet hebben gemerkt dat er iemand in zijn huis was geweest.'

'Sterker nog: hij heeft zich waarschijnlijk gerealiseerd dat jij dat moest zijn geweest, nietwaar Evan?'

'Ja, daar lijkt het wel op, achteraf gezien. Dus hij probeerde de boel zodanig te verdraaien dat het leek alsof ík het bewijsmateriaal in zijn huis had verstopt en alsof ík degene was die het echtpaar Khalil had vermoord.'

Washburn wist dat dit allemaal ontoelaatbare speculaties waren, maar hij gokte erop dat Mills, die zojuist was berispt wegens minachting en voor het oog van de jury een uitbrander van de rechter had gekregen, zich wel even gedeisd zou houden. Hij ging erop door. 'En héb jij de Khalils vermoord?'

'Nee, dat heb ik niet gedaan.'

'Ben je ooit van die moord beschuldigd?'

'Nee.'

'Heb je ooit fragmentatiegranaten of welke andere munitie dan ook van Irak naar de Verenigde Staten verstuurd?'

'Nee, dat heb ik niet gedaan.'

'Heeft iemand jou ooit geconfronteerd met bewijs dat jij zulke dingen van Irak naar de Verenigde Staten hebt geprobeerd te sturen?'

'Nee.'

'Hoe reageerde je toen je hoorde dat Nolan had geprobeerd de boel te verdraaien en je had aangegeven bij de FBI?'

'Ik was woedend. Ik wilde hem opzoeken en hem ervan langs geven.'

'Je wilde hem niet vermoorden?'

'Dat is nooit in me opgekomen. Ik was kwaad. Ik wilde hem zijn vet geven.'

'Met een boksbeugel?'

'Die had ik toevallig bij me die avond, en toen ik bij het huis van Nolan aankwam realiseerde ik me dat ik het ding misschien wel nodig had. Nolan had veel meer ervaring in man-tegen-mangevechten dan ik en ik wilde niet in het nadeel zijn.'

'Kon je door met hem te gaan vechten nog voorkomen dat hij zijn verhaal aan de FBI zou vertellen?'

'Nee, daar was het al te laat voor. Dat had hij al gedaan.' Dit punt was belangrijk met betrekking tot het mogelijke motief dat Evan kon hebben om Nolan te vermoorden.

'Laat me eens kijken of ik het goed heb begrepen, Evan. De avond van

3 juni 2004 heeft Tara Wheatley je verteld dat ze haar relatie met de heer Nolan had beëindigd en met jou weer een relatie wilde beginnen. Klopt dat?'

'Ja.'

'En diezelfde avond kwam je erachter dat de heer Nolan op dat moment al bewijsmateriaal naar de FBI had gestuurd met de bedoeling jou de moord op het echtpaar Khalil in de schoenen te schuiven, nietwaar?'

'Ja.'

Washburn wierp een openhartige en veelbetekenende blik in de richting van de juryleden. Kon het duidelijker? Maar uiteraard moest hij dit punt tot in de kleinste details benadrukken, zodat er absoluut geen ruimte was voor misverstand. 'Met andere woorden, Evan,' zei hij, 'had jij een motief om Ron Nolan te vermoorden met betrekking tot je relatie met mevrouw Wheatley?'

'Nee.'

'En had je het motief de heer Nolan te vermoorden om te voorkomen dat hij met de FBI zou gaan praten?'

'Nee, want dat had hij al gedaan.'

'Dus je had geen enkel motief om de heer Nolan van het leven te beroven. Is dat juist?'

'Ik had geen enkele reden om hem te vermoorden.'

Washburn keek voor het laatst naar de juryleden, waarbij hij zijn blik een seconde langer op mevrouw Ellersby liet rusten, die tot zijn voldoening ernstig knikte, alsof ze zojuist een belangrijk besluit had genomen. Hij was ervan overtuigd dat Evans getuigenis indruk op haar had gemaakt. En misschien ook wel op nog een paar andere juryleden.

Mills stond langzaam op vanachter haar tafel, met gefronste wenkbrauwen en een uitdrukking op haar gezicht alsof ze zich ergens ernstig zorgen over maakte. Ze liep traag naar voren, bracht haar hand naar haar voorhoofd en liet hem toen weer zakken. 'Meneer Scholler, zoals u zojuist hebt verklaard bent u in de avond van 3 juni 2004 naar de woning van de heer Nolan gereden met de bedoeling hem fysiek aan te vallen en vervolgens hebt u daadwerkelijk met hem gevochten. Heb ik dat tot zover goed begrepen?'

'Ja.'

'Wat deed u toen het gevecht voorbij was?'

'Dat herinner ik me niet.'

'Dat herinnert u zich niet. Had u een black-out?'

'Dat herinner ik me niet.'

'Dus het is bij nader inzien niet zo dat u beweert een black-out te hebben gehad. Correct?'

'Nee. Of dat wel of niet het geval is geweest kan ik me niet herinneren.'

'U hebt er zelf ook behoorlijk van langs gekregen tijdens deze confrontatie, nietwaar?'

'Ja.'

'En toch, ondanks alle problemen die u eerder al had ondervonden, vooral met dat hersenletsel, hebt u zich niet onder medische behandeling gesteld?'

'Blijkbaar niet, maar ik kan het me niet herinneren.'

Washburn bleef zitten, maar stak een hand omhoog. 'Ongeoorloofde dwang, edelachtbare. Als hij zich iets niet kan herinneren, kan hij zich de bijzonderheden daarvan uiteraard ook niet herinneren.'

Tollson kon zich erin vinden en knikte. 'Toegewezen.'

Mills tuitte haar lippen en zweeg even om de vraag zodanig te formuleren dat ze via een omweg haar doel bereikte. 'Meneer Scholler,' vervolgde ze ten slotte, 'wat is uw eerste herinnering nadat u die woensdagavond tijdens het gevecht met de heer Nolan verwondingen had opgelopen?'

'Ik herinner me dat ik wakker werd in een ziekenhuisbed. Volgens mij was dat zaterdagavond.'

'Dus de hele periode van woensdagavond tot zaterdagavond is voor u één groot zwart gat?'

'Dat klopt.'

'Goed.' Mills zweeg een seconde of twee. Daarna, heel plotseling, veranderde haar houding. Ze rechtte haar rug en het begin van een droevige glimlach werd zichtbaar bij haar mondhoeken. Het was duidelijk dat ze tot een beslissing was gekomen, alsof ze alles had gedaan wat in haar vermogen lag om dit punt te bereiken en nu het moment was aangebroken dat ze zich onvoorwaardelijk aan haar strategie moest overgeven. 'Dus nu, meneer Scholler, zoals u hier nu zit, tegenover mij en tegenover de leden van de jury, is het zo dat u de heer Nolan best kunt hebben vermoord, maar misschien ook niet. U kunt het zich gewoon niet meer herinneren. Moeten we het zo zien?'

Evan liet de vraag lang tot zich doordringen.

'Meneer Scholler,' drong ze aan. 'Het is een vraag waarop u met ja of nee moet antwoorden. Kunt u me vertellen dat u de heer Nolan niet hebt vermoord?'

Evan keek Washburn aan, maar diens blik verraadde geen emotie. Evan concentreerde zich weer op de aanklager. Hij keek Mills recht in de ogen. 'Ik kan het me niet herinneren,' antwoordde hij ten slotte.

28

Om halfnegen de volgende ochtend zat Mary Patricia Whelan-Miille in haar kleine kantoor op de rand van haar bureau. Achter haar, aan de andere kant van het raam, ging de storm zijn tweede dag in en het zag er niet naar uit dat er snel een eind aan kwam. Buiten leek het of de koude en hevige regen vrijwel horizontaal door de felle windvlagen werd aangevoerd. Tegenover Mills zat Felice Brinkley, haar secretaresse en juridisch medewerker, op een klapstoel bij de deur, met een schrijfblok op haar schoot.

Felice was een nuchtere vrouw. Ze droeg nauwelijks make-up en was bijna helemaal grijs. Mills vermoedde dat ze haar haar met opzet niet verfde om de mannen van zich af te houden, want met haar zachte huid, haar fraai gebeeldhouwde gezicht en haar zwoele ogen was ze ondanks het grijze haar een aantrekkelijke vrouw. Om nog maar niet te spreken van haar perfecte figuur. Mills vond bovendien dat Felice een van de intelligentste vrouwen was die ze kende en ze probeerde haar er voortdurend toe over te halen advocaat te worden, maar daar wilde Felice niets van weten. Wat op zichzelf misschien een bewijs was van haar intelligentie, moest Mills toegeven. Zoals de zaken er nu voor stonden, legde Felice voor de vijftigste keer uit, kon ze vroeg op het werk komen en de lunchpauze overslaan zodat ze weer thuis was als haar kinderen van school kwamen. Haar echtgenoot John had een baan als onderhoudstechnicus bij de gemeente. Hij werkte in ploegendienst en als tweeverdieners konden ze prima rondkomen, terwijl er ook altijd iemand was voor de kinderen. 'Dat vinden we gewoon belangrijk.'

Mills antwoordde: 'Maar met het extra geld – en reken maar dat je een hoop zou verdienen – zou John helemaal niet hoeven werken. Zeker niet als je een baan bij een van de betere kantoren vindt, wat volgens mij voor jou geen enkel probleem zou zijn.'

'Dat zal best, maar dan zou ik werkdagen van twintig uur moeten maken. En hoe zou John zich dan voelen, als hij niet meer hoefde te werken? Dat wil hij juist graag. Of als ik meer zou verdienen dan hij? Dat lijkt me geen recept voor een gelukkig huwelijk.'

'Maar als hij meer dan jij verdient is het wél goed?'

'Hij verdient niet meer dan ik.'

'Maar als dat wel zo zou zijn, zou je dat dan geen probleem vinden?'

'Nee hoor. En als ik meer verdien is dat ook geen punt; het gaat erom dat we het fijn vinden zoals het nu loopt. Waarom zou ik iets gaan doen wat ik minder leuk vind en dat me weghoudt van mijn kinderen, alleen om meer geld te verdienen?'

'Omdat je met geld zekerheid koopt, Felice.' Ze stak belerend een vinger in de lucht. 'Goed, ik weet best dat je daar niet aan wilt denken, maar stel nou eens dat hij je verlaat?'

'Wie? John?' Ze lachte. 'John zal nooit bij me weggaan.'

'Hoe kun je daar zo zeker van zijn? Hij is en blijft toch een man, waar of niet?'

Felice had dit allemaal al eerder gehoord en ze vond het nogal amusant. Haar arme beklagenswaardige, gedreven baas die een krankzinnige werkweek maakte en nog nooit een vaste relatie had gehad, wilde Felice vertellen hoe ze een gelukkiger leven zou kunnen leiden. Het was grappig, maar tegelijkertijd ook een beetje triest. 'Niet alle mannen gaan weg,' zei Felice. 'De beide opa's zijn er bijvoorbeeld ook nog en ze zijn nog steeds getrouwd met dezelfde oma's. Dat komt gewoon voor. Het is zelfs een traditie in mijn familie en die van John.' Ze streek het haar van haar voorhoofd, opende het schrijfblok op haar schoot, klikte haar balpen een paar keer aan en uit en keek op haar horloge. 'Zou je me dat slotrequisitoir niet eens laten horen?'

Mills sperde geschrokken haar ogen open en sprong van het bureau. 'O god, is het al halfnegen? We moeten...'

Felice stak haar hand op. 'Doe nou maar rustig, MP, en vertel je verhaal. Dat is alles wat je hoeft te doen. Rustig aan.'

'Je hebt gelijk.' Mills blies een streng haar weg van haar mond. 'Je hebt gelijk.'

'Zeker weten.' Felice klikte opnieuw met haar balpen. 'Kom maar op.'

'Dames en heren van de jury.' Mills hield haar schrijfblok met aantekeningen vast alsof het een rekwisiet was, hoewel ze vrij precies wist wat ze ging zeggen. 'Aan het begin van dit proces heb ik u gezegd dat het bewijsmateriaal onomstotelijk zou aantonen dat verdachte Ron Nolan heeft vermoord, met voorbedachten rade. Misschien mag ik u eerst nog een paar minuten toelichten hoe de wet dit precies heeft geregeld en waaraan het bewijsmateriaal moet voldoen.'

Daarop weidde ze uit over de wetsartikelen en de soms archaïsch aandoende instructies die de rechter de jury aan het eind van het proces zou geven. Ten slotte kwam ze tot de kern.

'Nu weet u dus wat de wetgever onder moord verstaat. We hebben de definitie van voorbedachte rade al doorgenomen en ik hoop dat ik u duidelijk heb kunnen maken wanneer een verdachte volgens de wet schuldig mag worden verklaard. Nu zou ik het graag met u willen hebben over het bewijsmateriaal, de specifieke verklaringen die de getuigen in deze zaak hebben afgelegd, de voorwerpen die zijn gepresenteerd, en hoe u uit dat alles slechts de conclusie zult kunnen trekken dat verdachte schuldig is aan moord met voorbedachten rade.

Hoe ziet dat bewijs eruit? Om te beginnen waren de beide mannen liefdesrivalen. Ze hielden allebei van dezelfde vrouw, Tara Wheatley. De verdediging wil u laten geloven dat mevrouw Wheatley, dezelfde avond waarop verdachte de heer Nolan aanviel, na een zes maanden durende relatie met de heer Nolan plotseling zou hebben besloten te kiezen voor verdachte, zodat deze niet langer een motief had om de heer Nolan te doden. Ik zeg u dat dit domweg onwaar is.'

'Wacht even,' onderbrak Felice haar. Niet "onwaar". Zeg het aardser. Waarom niet: "Kunt ú dat volgen?"'

Mills knikte. 'Ja, dat is beter.' Ze maakte een notitie en begon toen weer te ijsberen en te argumenteren. 'De verdediging probeert u wijs te maken dat een man die zijn vriendin aan een andere man is kwijtgeraakt, die gelooft dat die man hem heeft belogen en bedrogen en verraden, die weet dat die man een intieme relatie met zijn vriendin heeft onderhouden terwijl hij zelf in het ziekenhuis lag, dat die man plotseling van zijn vriendin te horen heeft gekregen dat ze bij hem terug wil komen en dat dan alles plotseling weer in orde is. Geen jaloezie meer, geen wraakgevoelens meer en geen haat. Dat is wat de verdediging u probeert te verkopen. Ik hoop niet dat u erin trapt.

Als u uw gezonde verstand raadpleegt weet u dat dit onzin is. Bloedvetes zijn niet van de ene op de andere minuut ineens voorbij. Een lang gekoesterde haat verdwijnt niet zomaar en de verdachte moet hebben geweten dat mevrouw Wheatley, die zich al eens eerder had bedacht, net zo goed de volgende dag weer voor Nolan zou kunnen kiezen. Maar nog meer ter zake is het simpele feit dat verdachte Ron Nolan nog steeds haatte.

'Nadat hij met Tara had gesproken, stak hij een dodelijk wapen bij zich – zoals u hier in deze rechtszaal hebt gehoord, kunnen boksbeugels als dodelijk worden beschouwd –, waarna hij zich naar de woning van Ron

Nolan begaf met de vooropgezette bedoeling hem te doden. Klinkt dat als iemand die het verleden had vergeten, als iemand die zijn vijand zou vergeven of als iemand die niet uit was op wraak of het toebrengen van zwaar letsel? Natuurlijk niet. Dat is gewoon onzin.' Ze bleef stilstaan bij het raam. 'Moet ik daar nog op doorgaan of is dat voldoende?'

Felice knikte. 'Volgens mij het genoeg. Je moet het er niet te hard in stampen. Ga maar door.'

Mills begon weer te ijsberen en vervolgde: 'Ik heb het nu nog over het motief, maar dat betekent niet dat het hebben van een motief de enige...'

'Nee,' zei Felice. 'Het belang dat aan het motief moet worden gehecht, staat in de instructies aan de juryleden. Daar hoef je het niet over te hebben.'

Mills knikte en ging verder. 'De verdediging wil u ook doen geloven dat het tweede motief – dat verdachte wilde voorkomen dat de heer Nolan nog meer bewijzen zou produceren om hem in verband te brengen met de moord op het echtpaar Khalil – niet opgaat, omdat de heer Nolan dergelijk bewijs al had verstrekt. Dat is een fictief argument.' Ze zweeg en vroeg: 'Is fictief goed?'

Felice dacht er even over na. 'Misschien een beetje te gewichtig.'

'Wat dacht je van irrelevant?'

'Nog gewichtiger.' De assistente sloeg haar ogen ten hemel. 'Waarom ga je niet meteen voor de intellectuele variant: "Dat argument gaat mank"?'

'Verkeerd dan.'

'Vals.'

Mills knikte met haar vingers. 'Dát is het. Vals.' Ze zette haar rechtbankstem weer op. 'Dat is een vals argument, want verdachte kan heel goed het idee hebben gehad dat de heer Nolan over nog meer bewijzen beschikte. En wat belangrijker is: niets wat de heer Nolan over de moord op het echtpaar Khalil aan de FBI had verteld zou nog tegen de heer Scholler gebruikt kunnen worden als de heer Nolan dood was. Als er één ding is dat u van dit proces hebt geleerd, is het wel dat je levende getuigen nodig hebt om verklaringen af te leggen. Ik geef u in overweging dat de verdachte een nog sterker motief had om de heer Nolan te vermoorden toen het hem eenmaal duidelijk was geworden dat Nolan hem had aangegeven en bereid was tegen hem te getuigen. Als verdachte de Khalils had vermoord, zou een extra moord om daar niet voor te worden gepakt maar een kleine stap voor hem zijn geweest.'

'Wacht even, zeg,' zei Felice, 'je kunt erop rekenen dat Washburn hier gaat ontploffen.'

'Dat weet ik. Maar ik mag de grenzen opzoeken en ik wil gewoon dat de jury het hoort.'

'De rechter zal het niet toelaten.'

'Nee, waarschijnlijk niet. Maar als ik hier een beetje sneller praat, krijg ik de zin misschien af voordat hij me het zwijgen oplegt.'

'Als je het maar weet.'

'Ik weet het. Oké, ik ga door.' Mills wierp even een blik op haar aantekeningen. 'Dus laten we ons concentreren op wat er daadwerkelijk is gebeurd, op wat onomstotelijk is bewezen. Nadat hij zich met een boksbeugel had bewapend en tegenover Tara Wheatley had verklaard dat er – aanhalingstekens openen – een eind aan moest komen – aanhalingstekens sluiten –, reed verdachte naar het huis van de heer Nolan, waar hij hem aanviel. Er ontstond een gevecht en beide mannen raakten gewond. Drie dagen later werd op het bed in de slaapkamer van de heer Nolan een pistool gevonden met de vingerafdrukken van verdachte erop. Vlakbij lag de heer Nolan op de grond met een fatale schotwond in het hoofd, veroorzaakt door een wapen met hetzelfde kaliber.

Wat is er precies gebeurd in de avond en nacht na dat gevecht? De enige persoon in deze rechtszaal die ons dat kan vertellen, beweert dat hij zich van die episode niets meer kan herinneren. Helemaal niets. En dit ondanks de verklaring van zijn eigen getuige-deskundige, een arts die beweert dat black-outs nooit langer duren dan een minuut of tien. Dan blijft er heel wat tijd over waarin verdachte bij kennis moet zijn geweest, maar waarover verdachte niets zegt te kunnen verklaren en waaraan hij geen herinnering beweert te hebben. Het bewijsmateriaal, inclusief de verklaring van zijn eigen getuige, ondersteunt dit verhaal niet.

Dus bij gebrek aan absolute zekerheid moeten we ons afvragen wat de waarschijnlijkste uitleg is van de feiten die we kennen. Is het waarschijnlijk dat verdachte na het gevecht met de heer Nolan in benevelde toestand en met een hersenschudding naar zijn eigen appartement is gereden, waar hij de twee opvolgende dagen is gaan zitten drinken, en dat er ondertussen een ongeïdentificeerde derde persoon, om een of andere vage reden...'

'Misschien "onduidelijke reden".'

'... om een of andere onduidelijke reden het huis van de heer Nolan is binnengedrongen, hem met een kachelpook heeft bewerkt en hem vervolgens heeft doodgeschoten? Of is het redelijker om aan te nemen dat verdachte, met zijn boksbeugel, de overhand heeft gekregen in zijn gevecht met de heer Nolan en dat hij hem, toen hij klaar was met zijn wraakoefening, gewoon in het hoofd heeft geschoten met een pistool dat hij ter plekke heeft aangetroffen? Pas daarna, dames en heren, pas nadat hij de heer Nolan koelbloedig had vermoord, is hij naar huis gereden om zich opnieuw een stuk in de kraag te drinken.' Mills zweeg, keek Felice aan en schudde haar hoofd. 'Wat háát ik die gozer,' zei ze.

'Het is dat je het zegt,' antwoordde haar assistente. 'Niet bepaald onderkoeld en objectief. Ik zou er zó intrappen.'

'Niet te kort?'

'Volgens mij niet.'

Mills keek naar de klok aan de muur. 'Het is bijna zover. Stel je voor dat ik er écht in slaag Washburn te kloppen.'

'Loop nou maar niet op de zaken vooruit. En niet gaan jagen straks, hoor.' Felice stond op en omhelsde haar baas. 'Ben je er klaar voor?'

'Reken maar.'

'Mooi,' zei Felice. 'Geef hem ervan langs.'

29

Die vrijdag, laat in de middag, was de spanning te snijden in de jurykamer. Ryan Cannoe, de voorzitter, had juist het resultaat van de vijftiende stemming bekendgemaakt en het resultaat was uiteindelijk opgeschoven van de oorspronkelijke acht tegen vier vóór een veroordeling naar elf tegen één.

'Maggie,' zei hij tegen mevrouw Ellersby, 'we hebben nog drie kwartier en dan begint er een lang weekend, waarna we allemaal terug zullen moeten komen als we nu niet kunnen besluiten. Ik wil geen druk op je uitoefenen om tot een ander oordeel te komen, maar als je zeker weet dat je bij je standpunt blijft en dat je absoluut niet meer van gedachten zult veranderen, misschien moeten we er dan maar een punt achter zetten en laten weten dat we onbeslist zijn.'

Dit wekte wrevel bij enkele andere juryleden. 'Na al die tijd die we hierin hebben gestoken!' 'Geen sprake van!' 'Wat een onzin!' 'Die gozer is zo schuldig als wat, en dat weten we allemaal.'

'Misschien weten we het toch niet allemaal,' antwoordde Ellersby. Deze dag – eigenlijk deze hele ervaring als jurylid – was voor haar ook een soort proces geweest. Een beproeving zelfs, vooral sinds vanmorgen, toen haar laatste twee medestanders het andere kamp hadden gekozen, waardoor zij nog de enige was die de verdachte wilde vrijspreken.

'Dus is dit jouw definitieve besluit, Maggie?' vroeg Cannoe opnieuw. 'Geloof je echt dat hij het niet heeft gedaan?'

'Dat is het niet precies,' antwoordde ze. 'Volgens mij kan hij het best hebben gedaan, dat heb ik de hele tijd ook al gezegd. Alleen kan ik diep in mijn hart niet geloven dat het moord met voorbedachten rade was. Als hij daarheen is gegaan om met Nolan te gaan vechten en als die per ongeluk is overleden, dan is het doodslag.'

Cannoe bleef geduldig. 'Alleen is hij niet als gevolg van die vechtpartij overleden.'

'Nee, dat weet ik. Het is uit de hand gelopen.'

Een ander jurylid dat aanvankelijk ook voor vrijspraak was geweest

– Sue Whitson, een vrouw van dezelfde leeftijd als mevrouw Ellersby –
mengde zich in de discussie. 'Maggie, ik zou met je mee kunnen gaan als
het uiteindelijk niet zo was dat hij dat pistool tegen de man zijn hoofd
heeft gezet en hem heeft neergeschoten. Hoe is dat te verklaren, anders
dan dat Scholler op een zeker moment moet hebben besloten dat hij hem
ging vermoorden? En dan is het moord met voorbedachten rade.'

'Waar het om gaat,' voegde Cannoe eraan toe, 'is dat jij ook gelooft dat
Scholler het heeft gedaan, ja toch? Even afgezien van alle juridische haarkloverij. Hij heeft de trekker overgehaald. Waar of niet?'

Ellersby zuchtte en fluisterde: 'Ik kan me moeilijk voorstellen dat hij
dat niet heeft gedaan, maar ik geloof niet dat ze dat hebben bewezen.'

'Het gaat niet om absoluut bewijs, Maggie,' zei Sue. 'Het gaat om bewijs waaraan je redelijkerwijs niet hoeft te twijfelen. En dat hebben ze
wél geleverd.'

'Je gaf het zelf net al toe,' zei Cannoe. 'Je zei net dat je je niet kon voorstellen dat hij het niet had gedaan.'

'Ik weet het.'

'Nou dan.'

'Ja, maar ik kom steeds weer uit op wat meneer Washburn in zijn slot-
pleidooi heeft gezegd: dat ze een heleboel andere zaken hadden kunnen
aanvoeren die ogenschijnlijk meer voor de hand hadden gelegen. Zelfverdediging, bijvoorbeeld. Of een crime passionel. Of hij had gewoon kunnen ontkennen dat hij het had gedaan. Maar in plaats daarvan hebben ze
de waarheid gesproken, terwijl hij toegaf dat dat misschien minder geloofwaardig zou kunnen overkomen...'

Sue strekte zich uit en legde een hand op Maggies arm. In haar stem
klonk alleen maar sympathie en begrip. 'Misschien was dat niet helemaal
waar, Maggie. Misschien probeerde Washburn alleen maar in te spelen op
onze goedgelovigheid en wilde hij ons er hoe dan ook van overtuigen dat
het allemaal komt doordat die Evan zoveel vreselijke dingen heeft meegemaakt in Irak. Dat de verwondingen die hij daar heeft opgelopen er de
schuld van zijn dat hij niet kan zeggen of hij Nolan wel of niet heeft vermoord. Als al die verhalen over Irak er niet bij waren gekomen, zou je dan
ook nog hebben getwijfeld aan wat er was gebeurd? Zou zijn verhaal voor
jou dan ook maar enige geloofwaardigheid hebben gehad? Dat heeft mij
uiteindelijk de ogen geopend. Het is domweg niet geloofwaardig. Ik wou
dat het anders was, maar zo is het gewoon.'

'Hij is erheen gegaan om hem in elkaar te slaan,' zei Cannoe, 'en uiteindelijk is het geëscaleerd en heeft hij besloten hem te vermoorden. Als

jij dat anders ziet, Maggie, dan roep ik nu de bode om te zeggen dat we onbeslist zijn. Wil je dat ik dat doe?'

Ellersby keek naar al haar intelligente, goedbedoelende medeburgers die rond de tafel zaten. Geen van hen koelbloedig. Geen van hen vervuld van wraakgevoelens. Allemaal hadden ze bijna een maand van hun leven gegeven om ervoor te zorgen dat er recht werd gesproken, om eraan mee te werken dat het systeem functioneerde. En zelf wist ze dat ze op gevoelsmatige gronden was meegegaan met het openhartige slotargument van Washburn dat hij te intelligent en te ervaren was om ooit zo'n belachelijke verdediging als Evans 'ik kan het me niet herinneren' tot kern van zijn strategie te maken als het de waarheid niet was.

Daarom hadden ze ervoor gekozen. Omdat het de waarheid was.

En in gedachten zag Maggie Ellersby voor zich hoe Evan bewusteloos in zijn appartement lag, niet door de alcohol maar door zijn hersenletsel; niet in een black-out maar echt bewusteloos, als gevolg van de klappen die hij had gekregen.

Er was echter geen bewijs dat het zo was gegaan. Geen enkel bewijs. En stel dat Washburn inderdaad zo'n advocaat was die voor geld bereid was leugens te verkopen als dat het beste was voor zijn cliënten. Zo waren alle advocaten toch? Ze dacht aan O.J. Simpson, en aan de legendarische uitspraak in de zaak tegen de moordenaar van de burgemeester van San Francisco in 1946 die bekendstond als de 'Twinkie Defense case', omdat in die zaak overmatige suiker- en colaconsumptie door de verdediging met succes als verzachtende omstandigheid was aangevoerd, omdat dit een depressie bij de verdachte zou hebben veroorzaakt. Allebei uitspraken waarover achteraf veel twijfels waren gerezen. Als zij hier de enige was die haar poot stijf hield zonder dat ze zich op enig bewijs kon beroepen, hoe kon ze dat dan verantwoorden tegenover haar echtgenoot en de anderen die haar lief waren?

En tegenover zichzelf?

'Maggie?' Sue kneep haar zachtjes in de arm.

'Wil je dat ik de bode laat komen?' vroeg Cannoe.

Ellersby keek naar het plafond, deed een schietgebedje voor de ziel van Evan Scholler en keek haar medejuryleden aan. 'Nee,' zei ze. 'Ik denk dat we nog een laatste stemming nodig hebben.'

Deel IV

[2007]

30

Dismas Hardy had weinig aan zijn ruitenwissers. Ze zwiepten op de snelste stand driftig heen en weer, maar in de zoveelste maartse stortbui bleef het zicht vrijwel nihil. Hij kon de eerste poort nauwelijks zien. Hij hield van zijn kleine Honda cabriolet, waarin hij in de zomer en de herfst met open dak kon rijden, maar voor dit soort weer was de auto niet geschikt. Door de kunststof achterruit zag hij allang niets meer en ondanks de blowers die warme lucht langs de zijruiten bliezen waren ook die beslagen. Hij drukte op het knopje om het raam een stukje te laten zakken, zodat hij zijn legitimatie aan de portier kon laten zien, en onmiddellijk sloegen er regendruppels in zijn gezicht.

Achter hem toeterde iemand. En nog een keer. Aan zijn binnenspiegel had hij niets en doordat de zijruiten beslagen waren kon hij ook niet in zijn buitenspiegels kijken. De regen roffelde op het canvas dak. Hij zat in een trommel. Zo goed als blind en opgesloten, moest hij het raampje nog wat verder laten zakken om de portier te kunnen zien. En omgekeerd. Daardoor kwam er meer regen naar binnen en na enkele seconden was de zijkant van zijn pak doorweekt.

Opnieuw drukte de ongeduldige gek achter hem op zijn claxon. Omdat Hardy toch al nat was had hij de neiging om uit te stappen, de man uit zijn auto te sleuren, te vloeren en langs de berm van de weg te deponeren, waar het regenwater een bruin, wild riviertje vormde.

In plaats daarvan kneep hij zijn ogen half dicht om de portier beter te kunnen zien, hield zijn rijbewijs omhoog en riep: 'Dismas Hardy, ik kom een van jullie gevangenen bezoeken. Evan Scholler.'

Ook de portier, door de stortregen nauwelijks zichtbaar in zijn deels afgesloten ruimte, moest zijn stem verheffen om het natuurgeweld te overstemmen. 'Zo kan ik uw legitimatie niet bekijken, meneer. Sorry.'

Woedend stak Hardy zijn arm uit het raam. En wachtte. Lang genoeg om te bedenken dat hij echt zou uitstappen als de klootzak achter hem nog één keer toeterde. Maar hij kreeg zijn portefeuille op tijd terug en de portier zei beleefd: 'Dank u wel, meneer. Verderop, bij het volgende hek, rechtsaf.'

Hij sloot het raampje en liet tegelijkertijd de koppeling opkomen.

Toen hij de stad een paar uur geleden had verlaten, was het weliswaar bewolkt geweest, maar had het zelfs niet eens gemotregend. Dus had hij geen paraplu of regenjas meegenomen.

Nadat hij een plekje op de parkeerplaats had gevonden, zette hij de motor uit. Hij wachtte tot de regen wat minder werd en probeerde een beetje tot rust te komen. Degene die achter hem had gereden, waarschijnlijk een of andere leverancier, moest ergens ander zijn. En dat was maar goed ook, dacht hij.

Vreemd dat hij zo opgefokt was. Al voordat het was gaan regenen, had Hardy gemerkt dat zijn bezoek aan de gevangenis hem lichamelijke stress bezorgde. Het was een tijd geleden dat hij voor het laatst een cliënt in de gevangenis had bezocht en hij was het niet meer gewend. Hij was buiten adem, zijn handen voelden klam aan en het leek alsof iemand aan de onderkant van zijn ribbenkast een gat had gegraven dat hem een leeg, schrijnend gevoel in zijn maag bezorgde. Hij bewoog zijn hoofd naar achteren, opende zijn mond en ademde langzaam diep in en weer uit. Opnieuw. En nog een keer.

Toen de regen niet langer op het canvas dak beukte deed hij zijn ogen weer open. Het miezerde alleen nog maar. Hij opende het portier en zette zijn voeten op het asfalt.

Destijds, tijdens het proces, had Hardy foto's van Evan Scholler in de kranten gezien en ook af en toe een glimp van hem opgevangen op de televisie, dus hij dacht dat hij hem meteen zou herkennen. Maar toen de gevangenbewaarder de deur naar het piepkleine kamertje opende om de gedetineerde binnen te laten, besloot Hardy, na een oppervlakkige blik op hem te hebben geworpen, dat dit iemand anders moest zijn. De gevangenbewaarder had zich vergist en deze geboeide man hoorde waarschijnlijk in een ander kamertje, bij een andere advocaat.

Om te beginnen was Evan veel jonger, pas eenendertig. Maar deze gedetineerde zag eruit alsof hij minstens veertig was. Op de krantenfoto's en op de televisie had Evan er bovendien knapper uitgezien, met een krachtiger kin, mooier haar, een gezondere huid, smaller in de heupen en met bredere schouders. Deze man was fors, zag er fit en lichamelijk intimiderend uit, met een onverschillige uitdrukking, waardoor zijn dunne mond er gemeen uitzag, wreed zelfs. Op het eerste gezicht het prototype van de koelbloedige moordenaar.

De gevangenbewaarder keek op zijn formulier en vroeg: 'Dismas Hardy?' Hardy knikte. 'Deze chagrijn is voor jou.'

Evan leek onaangedaan door de schoffering. Hij stond netjes rechtop, maar wel op een ontspannen manier, kennelijk ongeïnteresseerd in wat er verder zou gebeuren. Hij bekeek Hardy alsof de advocaat een halve koe was die aan een vleeshaak in een vriescel hing.

'Doe hem die handboeien maar af,' zei Hardy.

Om voor de hand liggende redenen droegen de bewakers geen vuurwapens, wat betekende dat gevangenen altijd geboeid waren als er een-op-eencontact was, zoals nu. Hardy kende meerdere advocaten die hun cliënten hier bezochten en de meesten hadden het liefst dat ze hun handboeien omhielden. Een geboeide gedetineerde was een controleerbare gedetineerde en met veel van die types kon je niet voorzichtig genoeg zijn.

De bewaker aarzelde een ogenblik en haalde zijn schouders op. 'Je moet het zelf weten.' Met een handigheid die van veel oefening getuigde maakte hij de handboeien los van de ketting die door de lussen van de Levi's rond Evans middel was getrokken. De boeien bleven geopend langs zijn zij hangen.

Nu hij zijn handen vrij had wreef Evan over zijn polsen.

Het vertrek was niet groter dan een krappe anderhalve meter breed en een meter of twee lang. Rechts van Hardy bevond zich een zware metalen tafel die tweederde van de ruimte in beslag nam en kon fungeren als eerste verdedigingslinie in geval van een verrassingsaanval. Aan beide kanten van de tafel stond een klapstoel. Achter Hardy was een deur met een ruit van gewapend glas. Eenzelfde deur bevond zich aan de andere kant. De bewaker die hem had binnengelaten, had hem geadviseerd aan zijn kant van de tafel te blijven, omdat dat beter was voor zijn eigen veiligheid. Hij had hem ook geattendeerd op de kleine noodknop die aan Hardy's kant op zithoogte aan de muur zat.

Evans bewaker zei: 'Ik blijf bij de deur', waarna hij verdween en de daad bij het woord voegde.

'Wil je niet gaan zitten?' vroeg Hardy.

Evan bedankte hem en ging zitten. Hij legde zijn handen op tafel. Het leek nog steeds alsof hij door Hardy heen keek, totdat hij zich plotseling op zijn bezoeker leek te concentreren. 'Heb je een sigaret?'

'Sorry, ik rook niet.'

'Ik rookte ook niet, vroeger,' zei Evan, 'Wat een grap.'

'Hoe bedoel je?'

'Niet roken. Letten op wat je eet. Zorgen dat je in conditie blijft. Al die dingen die je doet als je niet vastzit. En dan kom je hier terecht.' Hij zweeg, misschien omdat hij het gevoel had dat hij te veel van zichzelf had

311

prijsgegeven. Als politieman, als soldaat en als gevangene had hij waarschijnlijk voldoende kunnen oefenen op zijn blik in het luchtledige, waarin hij zich nu weer terugtrok. Na een moment van introspectie concentreerde hij zich weer op Hardy. 'En wie ben jij?' vroeg hij.

'Dismas Hardy, je nieuwe advocaat.'

'Niet om het een of ander,' merkte Evan op, 'maar daar heb je lang over gedaan.'

'Sorry, maar het was nogal ingewikkeld.'

Evan zweeg even en vroeg toen: 'Wat is je voornaam ook alweer?'

'Dismas. De goede dief. Op Golgotha. Je weet wel. Naast Jezus.'

Evan schudde zijn hoofd. 'Die ken ik niet. Dismas, bedoel ik. Van Jezus heb ik wel eens gehoord.'

Hardy keek hem aan. Als dit humor was, hoe subtiel dan ook, was dat een positief teken. Maar hij kon het niet goed inschatten. Hij zag wel dat zijn oorspronkelijke veronderstelling fout was geweest: van dichtbij zag de man er inderdaad uit als eenendertig. Tropenjaren.

'Wat is er met Charlie Bowen gebeurd?' vroeg Evan.

'Die is afgelopen zomer verdwenen. Vermist. Wat de rechtbank betreft is hij zo goed als dood. Mijn kantoor heeft zijn zaken overgenomen, inclusief de jouwe. Ik heb ze ongeveer vier maanden geleden gekregen.'

'Langzame lezer zeker?'

Hardy keek zijn nieuwe cliënt nogmaals onderzoekend aan. De man ging efficiënt om met woorden; hij deelde ze uit als korte stoten. Eerst een humoristische uithaal, dan een rechtse of linkse directe. Er ging veel schuil achter die nietszeggende blik. Hardy bedacht dat de terechtwijzing niet helemaal onredelijk was. De vier maanden die hij had genomen om te bedenken of hij het beroep wel of niet zelf zou doen, had hij waarschijnlijk anders ervaren dan Evan. Aan de verkeerde kant van de gevangenismuren had tijd een dramatisch andere uitwerking.

Maar Hardy was er nu, daar ging het om. Evans proces had zich zo'n twee jaar geleden voltrokken. Charlie Bowen was er in de ongeveer veertien maanden waarin hij eraan had gewerkt kennelijk niet veel mee opgeschoten. En nadat Bowen plotseling was verdwenen, was er zes maanden helemaal niets meer mee gebeurd.

Dus Hardy negeerde de opmerking. Het was mosterd na de maaltijd. Hij schoof zijn stoel naar achteren, sloeg zijn benen over elkaar en stak op informele toon van wal met: 'Ik heb vroeger bij de politie gewerkt. Daarvoor zat ik bij de marine en ik heb in Vietnam gediend. Klinkt dat je bekend in de oren?'

'Had je daar zelf voor gekozen?'

'Ik was marinier,' herhaalde Hardy. 'Daar word je niet voor opgeroepen.'

'Hoe oud was je toen?'

'Twintig.'

'Ja, ik was ook twintig toen ik bij de Nationale Garde ging. Ik studeerde nog.'

'Dat was nog vóór 11 september?'

'Dat was vóór wat dan ook,' zei Evan. 'Een andere wereld. Destijds leek de Nationale Garde gewoon een gemakkelijke manier om wat extra geld te verdienen en in conditie te blijven. Wist ik veel.'

'Ben je na school meteen naar de politieacademie gegaan?'

'Vrijwel meteen, misschien na een paar maanden. Te veel bier drinken en verder je tijd verdoen heb je gauw genoeg gezien.'

'Dat weet ik niet. Ik heb dat tien jaar gedaan. Ik had een zoontje, maar hij stierf.'

Hardy was niet uit op medelijden, maar hij wilde dat Evan iets meer van hem te weten kwam, hem duidelijk maken waarom hij overwoog deze zaak zelf op te pakken. Het verhaal van deze jongeman had hem geraakt. Hoewel Evan zeven jaar jonger was dan Hardy toen deze ontwaakte uit zijn langdurige alcoholische sluimerperiode na de dood van de kleine Michael, zag het ernaar uit dat Evans leven voorbij was. Hardy daarentegen was op zijn achtendertigste uit het dal gekropen en had zijn leven weer op de rit gekregen. Hoewel hij dat ooit voor onmogelijk had gehouden, had hij nu succes, een vrouw en kinderen. Hij durfde zelfs te beweren dat hij gelukkig was. Dus hij wist dat het kon. Je kon er maar beter niets om verwedden, maar er bestond in ieder geval een kleine mogelijkheid dat het weer goed kwam. Misschien kon deze jongen, die net als Hardy bij de politie had gezeten en in het leger had gediend, ook een nieuwe kans krijgen. 'Hoe lang heb je bij de politie gewerkt voordat ze je opriepen?' vroeg hij.

'Ongeveer drie jaar. Staat dat niet in mijn dossier?'

'Wat heeft het met je zaak te maken?'

Misschien onbewust krabde Evan met zijn rechterwijsvinger over het oppervlak van de tafel. 'Niets, denk ik.'

'Daarom staat het niet in je dossier,' zei Hardy. 'In ieder geval niet in de stukken die ik van Bowen heb gekregen.'

'En in de stukken van Everett Washburn?'

'Misschien. Dat weet ik niet. Ik heb hem nog niet gesproken. Ik wilde eerst jou ontmoeten, om je het een en ander te vragen.'

'Zoals?'

'Bijvoorbeeld of de verklaring die je tijdens de rechtszitting hebt afgelegd je eigen idee was of dat van Washburn.'

'Dat weet ik niet meer precies. Ik denk dat we er samen toe hebben besloten.'

'Ik snap niet dat je de jury niet hebt verteld dat je Nolan niet hebt vermoord, als je het inderdaad niet hebt gedaan.'

Evan hield op met krabben en keek Hardy aan. 'Misschien heb ik het wél gedaan.'

'Oké. Dat is een goede reden. Maar héb je het gedaan?'

'Wil je dat echt weten?'

'Daarom ben ik hier.'

'Washburn zei dat het hem niet kon schelen. Of ik het wel of niet gedaan had, bedoel ik. Hij zei dat het niet uitmaakte.'

'Zo kijken de meeste advocaten ertegenaan. Maar voor mij maakt het wél iets uit. Dus: heb je hem vermoord?'

'Dat weet ik niet,' antwoordde Evan.

Het andere kantoor van waaruit Everett Washburn zijn rechtspraktijk uitoefende was een appartement op een van de onderste verdiepingen van een victoriaans gebouw aan Union Street in San Francisco. Iedereen in Redwood City kende Washburn, niet alleen als managing partner van zijn eigen advocatenkantoor, maar ook als stamgast van de Broadway Tobacconists beneden, en soms werd de druk om zich altijd van zijn beste kant te laten zien de oude man wel eens te veel. In San Francisco had hij een secretaresse die tien uur per week aanwezig was. Haar belangrijkste taak was ervoor te zorgen dat de planten voldoende water kregen. En er waren heel veel planten.

Zijn favoriete ruimte in het appartement bevond zich aan de achterkant. Het was een achthoekige ruimte met een doorsnee van ongeveer drieënhalve meter, met ramen in vier van de muren en boekenkasten vol met fictie – geen vakliteratuur – tegen de andere vier. Een intieme en comfortabele kamer. Hij had er een bureau staan met een stoel met houten spijlen, twee banken en een sofa, een grote, vierkante salontafel van kunstmatig verouderd hout en een paar oorfauteuils. Alle meubels stonden op een crèmekleurig Perzisch tapijt dat hem vijf jaar eerder twaalfduizend dollar had gekost.

'Dit is een geweldige kamer,' zei Dismas Hardy toen hij achter Washburn aan liep en stilstond om hem te bewonderen. 'In zo'n kamer zou ik best willen wonen.'

'Hij heeft een zekere feng shui, dat geef ik toe. Ik ben hier ook graag. Ga zitten, waar je maar wilt.' Washburn plofte op de middelste bank neer en keek Hardy onderzoekend aan. 'Ik heb uw naam de afgelopen jaren regelmatig gehoord, meneer Hardy, maar nu ik u zie krijg ik de indruk dat we elkaar al eens eerder hebben ontmoet, klopt dat?'

Hardy installeerde zich in een van de oorfauteuils. 'Ja, dat klopt. En zeg maar Diz. Het was ongeveer vijf jaar geleden in Redwood City. Je hebt me toen in contact gebracht met een ex-cliënte van je en die heeft een van mijn kantoorgenoten het leven gered.'

'Letterlijk?'

'Ze heeft me informatie gegeven waardoor een moorzaak is opgelost. Ongeveer tien minuten voordat hij er opnieuw een wilde plegen.'

Washburn keek gemaakt opgetogen. 'Dat soort dingen hoor ik niet iedere dag. Een moord die daadwerkelijk is voorkomen? Dat maak ik nooit mee.'

'Ik dus wel, die ene keer. Ik had het je destijds waarschijnlijk moeten vertellen.'

'Maar je vertelt het me nu. Het is altijd prettig te horen dat een zaak goed is afgelopen. Heb ik jullie toen een rekening gestuurd vanwege die verwijzing naar mijn ex-cliënte?'

'Nee.'

Washburn wreef zich tevreden in de handen. 'Gelukkig maar. Al blijft uiteindelijk geen enkele goede daad onbestraft.'

'Dat weet ik,' antwoordde Hardy. 'Ik probeer ze ook altijd te vermijden.'

'Maar toch heb je nu de moeite genomen me te komen opzoeken.'

'Dat is geen goede daad. Ik moest je spreken en ik had de keus tussen jouw kantoor of het mijne. Op deze manier krijg ik nog wat frisse lucht halverwege de werkdag.'

'Hoe dan ook, ik waardeer je flexibele opstelling.' Toen, alsof hij plotseling een knop had omgezet, kwam Washburn ter zake. Hij schoof naar voren totdat hij op de rand van de bank zat en plaatste zijn ellebogen op zijn knieën. 'Je zei dat het over Evan Scholler ging.'

'Klopt. Ik ben bezig met het hoger beroep.'

'Aha, dus jij bent degene die na de veldslag de gewonden uit hun lijden komt verlossen?'

'Ik hoop het niet. Ik heb de verslagen gelezen. Tot dusver heb ik geen aanleiding gevonden me op een incompetente verdediging te baseren.'

'Dat is erg grootmoedig van je. Maar ik moet je helaas bekennen dat deze zaak niet bepaald het hoogtepunt van mijn loopbaan was. Maar wat kun je doen als je cliënt geen deal met de aanklager wil sluiten? Ik weet zeker dat ik de aanklacht terug had kunnen brengen tot doodslag en dan zou hij op zijn veertigste weer vrijkomen. Maar nu...' Hij schudde zijn hoofd. 'Hoe dan ook, toen ik hoorde dat het om Scholler ging dacht ik dat je me uit beleefdheid persoonlijk wilde komen vertellen dat je vond dat ik die zaak heb verknald en dat je op basis daarvan in beroep gaat.'

'Nee.'

'Waar denk je dan aan? De PTSS?'

Hardy knikte. 'De rechter had het moeten toelaten. Ik weet zeker dat de beroepsrechters helemaal uit hun dak gaan als ze deze zaak onder ogen krijgen. Scholler had een legitieme beperking en die mocht de jury niet eens horen? Want die had hij toch?'

'Geen twijfel aan. We hadden de beste getuigen-deskundigen. De diagnose was keihard.'

'Meen je dat nou? En toch liet de rechter het niet toe? Hoe kon hij dat niet-relevant en niet-toelaatbaar vinden?'

'Wat je zegt.'

Enigszins gekscherend refereerden ze aan de neiging van de notoir linkse rechters van het Ninth Circuit Court of Appeals – het gerechtshof dat zaken in hoger beroep behandelde – die al talloze malen uitspraken hadden gedaan in moordzaken waarin een of andere verzachtende omstandigheid kon worden aangevoerd. Daders die als kind seksueel waren misbruikt, slecht waren opgevoed of aan geweld op televisie waren blootgesteld konden bij deze rechters een potje breken. Als het niet-toelaten van PTSS-bewijs hun aandacht niet zou trekken, was Hardy bereid zijn lidmaatschapskaart van de Orde van Advocaten op te eten.

'Nou,' zei Hardy, terwijl hij zijn handen uitstak met de palmen omhoog. 'Moet ik nog doorgaan?'

'Mij hoef je niet meer te overtuigen,' antwoordde Washburn. 'Ik ben het met je eens dat je met PTSS de beste kans maakt, al is dat misschien ook uit eigenbelang. Ik heb me achteraf wel honderd keer voor de kop geslagen dat ik sommige dingen in die zaak niet anders heb aangepakt. Als ík die beroepszaak deed zou ik het misschien wél op een incompetente verdediging gooien.'

'Wat zou je dan anders hebben gedaan?'

'Om te beginnen had ik er sterker bij Evan op aangedrongen een bekentenis te doen in ruil voor strafvermindering. Dat is het belangrijkste.' Washburn leek in gedachten verzonken. 'En misschien had ik meer moeten doen met die moord op het echtpaar Khalil, al zou ik niet weten wat. Ik heb er destijds mijn privédetective op gezet en dat heeft me vijftigduizend dollar gekost, maar hij heeft niets kunnen vinden wat ook maar enigszins bruikbaar was. En – dat was eigenlijk nog het ergste – halverwege het verhoor van mijn belangrijkste getuige-deskundige kwam ik erachter dat zijn verklaring vooral de aanklager in de kaart speelde. Maar, zoals ik al zei het belangrijkste was dat hij een deal had moeten sluiten.'

'Maar dat wilde hij niet.'

'Dat was onbespreekbaar. Hij kon zich niet herinneren dat hij het had gedaan en hij wilde dus absoluut geen enkele bekentenis afleggen. Punt uit.'

Hardy schudde zijn hoofd. 'Dom.'

Washburn haalde zijn schouders op. 'Ik weet niet... Misschien denkt hij dat hij het waarschijnlijk niet heeft gedaan.'

'Wat denk jij?'

De oude man wuifde het weg. 'Daar waag ik me nooit aan.'

Hardy, die het luchtig wilde houden, produceerde een grijns. 'Ook niet voor de lol?'

'O nee, absoluut niet. Nooit.'

'Ik vind mensen die hun mening altijd voor zich houden onuitstaanbaar.'

'Ik ook.' Washburn leunde naar achteren. 'Maar die arme kerel... Heb je hem al gesproken?'

Hardy knikte. 'Ik ben vorige week bij hem op bezoek geweest.' Hij zweeg even. 'Ik denk dat hij die deal nu wel zou sluiten.'

'Ja, dat zal best.' Washburn had al twintig minuten van zijn tijd aan Hardy besteed, wat grofweg neerkwam op tweehonderd dollar, al was hij niet van plan hem voor dit bezoek iets in rekening te brengen. Maar hoe dan ook, tijd was geld en als er verder geen zaken meer te doen waren, was het welletjes zo. 'Goed. Kan ik anders nog wat voor je doen?'

'Ik hoopte dat ik een beetje met je over de zaak zou kunnen praten.'

'Hoe lang duurt een beetje?'

'Zes tot acht uur, gedurende de komende maand.'

Washburn schoof weer naar de rand van de bank. 'Mijn collegiale tarief is tweehonderd.'

'Klinkt redelijk,' zei Hardy. 'Ik weet niet hoeveel tijd je nu hebt en ik wil je niet storen...'

Washburn stak een hand op en keek naar de antieke klok die de wacht hield naast een van de boekenkasten. Het was kwart voor vier. 'Ik heb tot vijf uur,' zei hij. 'Ga je gang. Vraag maar raak.'

* * *

Inspecteur Abe Glitsky liep alleen door de gang op de vijfde verdieping naar de receptie van zijn afdeling, een kleine ruimte met een balie. Hij was alweer een maand actief in zijn nieuwe baan als hoofd Moordzaken bij de politie van San Francisco, een functie die hij in het verleden al eens eerder had bekleed. Het was tien voor halfzes en de twee administratief medewerkers waren weg, waarschijnlijk al naar huis. Na zijn aanvankelijke afkeuring was Glitsky gewend geraakt aan het feit dat deze mensen gewoon hun uren maakten en daarna naar huis gingen. De afgelopen paar jaar, toen hij lid was geweest van de korpsleiding en hoofd van de recherche was, had het hem altijd verbaasd dat zelfs de administratief medewerkers zo toegewijd waren. Je kwam vroeg en ging niet haar huis voordat je leidinggevende was vertrokken, want als je dat wel deed kon een ander wel eens een vertrouwensband met hem of haar opbouwen en dan kon je het vergeten dat hij of zij je op sleeptouw nam bij het beklimmen van de carrièreladder.

Nog een paar stappen en hij was in zijn kamer, een klein vertrek met archiefkasten, een groot bureau en ramen die hoog genoeg waren om wat daglicht door te laten, maar waardoorheen je Bryant Street beneden nauwelijks kon zien. Glitsky liep om zijn bureau heen en keek naar het prikbord met de lopende moordzaken. Vandaag waren het er negen, wat ongeveer het gemiddelde was. Moorden die in de voorafgaande weken waren gepleegd en waaraan zijn rechercheurs nog werkten. Hij ging achter zijn bureau zitten, leunde naar achteren en vroeg zich voor de zoveelste keer af of zijn verzoek om wat neerkwam op een vrijwillige demotie geen vergissing was geweest. Hij was nu al langer dan een maand in functie en behalve wat kwesties met zijn personeel die hem nog steeds een beetje verontrustten, realiseerde hij zich tot zijn verbazing dat hij zijn grote, officieel aandoende werkkamer met de vele boekenplanken, leren stoelen voor belangrijke bezoekers en andere versiersels miste, net als de indrukwekkende receptie die sommigen ervan weerhield even binnen te lopen om een praatje te maken als ze in de buurt waren. De kamer van de baas van de recherche was de kamer van een Belangrijk Persoon en toen het zijn kamer was had hij zich er nooit echt helemaal thuis gevoeld. Nu, als hoofd Moordzaken, had hij nog steeds een baan die hij belangrijk vond, maar was hij veel minder zichtbaar. Zou het kunnen zijn, vroeg hij zich af, dat hij eraan gewend was geraakt in het middelpunt van de publieke belangstelling te staan, dat mensen het belangrijk vonden wat hij ergens van vond en dat de hoofdcommissaris en zelfs de burgemeester hem naar zijn mening vroegen over belangrijke maatschappelijke kwesties?

Hij bleef zichzelf geruststellen met de verklaring dat hij gewoon aan zijn nieuwe omgeving moest wennen, meer niet. Veranderen was altijd lastig. Toch had nu al twee of drie keer de gedachte hem beslopen dat hij misschien de zoveelste vergissing had begaan in een recente opeenstapeling van slechte loopbaanbeslissingen.

En hij kon er niet omheen dat het door de nieuwe werkruimte allemaal anders aanvoelde. Anders en minder vertrouwd. Om te beginnen was zijn kamer afgescheiden van de recherchekamer. Op de vierde verdieping, waar ze vroeger hadden gezeten, had je ramen in je kamer zodat je uitzicht had op de ruimte waar de bureaus van de rechercheurs stonden. Zijn nieuwe kamer had niet zulke ramen en als die er wel waren geweest, had hij de rechercheurs nog niet kunnen zien, want zijn kamer grensde aan de computerkamer. De rechercheurs konden komen en gaan zonder dat hij iets in de gaten had; ze hoefden zijn deur niet te passeren, zodat Glitsky niet eens zou merken of ze wel of niet op het bureau waren geweest.

Het goede nieuws was dat hij, tenzij er calamiteiten waren, minder lange dagen maakte. Als lid van de korpsleiding vond hij dat hij een voorbeeld moest geven en was hij altijd stipt om halfacht 's ochtends op het werk verschenen. En vaak had hij 's avonds nog vergaderingen, persconferenties en andere verplichtingen gehad, waardoor hij vaak pas na negen uur 's avonds weer thuis was. Ook in de weekenden had hij meestal wel het een en ander te doen. Lid van de korpsleiding, dat was geen baan, dat was een roeping.

En voor Glitsky was op het op dit moment in zijn leven het allerbelangrijkste dat hij bij zijn vrouw Treya en hun twee jonge kinderen Rachel en Zachary kon zijn. De laatste jaren, nadat Zack was geboren, waren moeilijk geweest. Treya werkte als secretaresse van Clarence Jackman, de hoofdofficier van justitie van San Francisco. Ze begon om negen uur 's ochtends en ging om vijf uur naar huis. Toen Glitsky nog in de korpsleiding zat waren er weken geweest waarin ze elkaar alleen maar spraken in het Paleis van Justitie, het gebouw waar ze werkten.

Nu, nadat hij zich ervan had vergewist dat hij zijn bureau had opgeruimd, stond Glitsky op het punt naar huis te gaan. Hij liep de kamer uit en deed de deur achter zich op slot. Via de lege computerkamer kwam hij in de recherchekamer, waar maar liefst acht van de veertien rechercheurs aanwezig waren. Dat was ongebruikelijk, omdat ze meestal bezig waren met getuigen ondervragen, plaatsen delict bestuderen, het gebruikelijke onderzoekswerk buiten de deur verrichtten of samen met de openbaar aanklagers aanklachten opstelden.

Darrel Bracco stak bij wijze van groet zijn hand op; er was er dus ten minste één die vrede had met de nieuwe situatie. Toen de aanwezigen merkten dat de baas was binnengekomen, keken er een paar op. Enkele oudgedienden knikten en gingen daarna verder met praten en koffiedrinken. Een paar anderen negeerden hem.

Zo ging het al sinds hij was gekomen. Kennelijk begrepen ze zijn herbenoeming als hoofd Moordzaken verkeerd en vroegen ze zich af of hij hier soms als een soort spion van de korpsleiding was neergeplant om de boel te reorganiseren en hun werk overhoop te gooien.

Glitsky hoopte dat dit een tijdelijke reactie was op de verandering en dat het spoedig over zou gaan. Maar totdat het zover was had hij er weinig plezier in. Hij liep naar het bureau van Bracco en probeerde niet overdreven nieuwsgierig of bazig te klinken. 'Ik ben weg, Darrel. Speelt er nog iets wat ik moet weten voordat ik ga?'

Bracco dacht even na en schudde zijn hoofd. 'Geen nieuwe ontwikkelingen, inspecteur,' antwoordde hij. 'Het is rustig vandaag.'

'Daar lijkt het op, ja.' Glitsky keek rond in de recherchekamer. Hij deed zijn best niet de indruk te wekken dat hij zijn mensen controleerde. Dat was ook niet zo, maar dat betekende nog niet dat ze dat niet zouden denken. 'Tot morgen, Darrel.'

'Tot morgen, inspecteur,' antwoordde Bracco. 'Fijne avond.' Maar toen Glitsky twee stappen had gezet, zei Bracco opnieuw iets. 'Wacht even, Abe, er schiet me nog iets te binnen. Misschien is er iets wat terug moet op het bord.' Hij bedoelde het prikbord met de lopende moordonderzoeken in de kamer van Glitsky. Doorgaans kwam een naam daar nooit meer op terug als hij er eenmaal af was gehaald, bijvoorbeeld omdat er in de zaak een verdachte was gearresteerd, omdat er te weinig aanwijzingen waren om er nog recherchetijd in te steken, omdat de enige getuige plotseling was overleden als gevolg van acute loodvergiftiging, of om een van de vele andere redenen waarom een zaak niet langer werd onderzocht.

'Terug op het bord?'

'Ja. Een van mijn oude zaken, Bowen. Die is al voor jouw tijd gesloten. Maar dat kunnen we morgenochtend ook wel bespreken. Ik schrijf het wel op zodat ik het niet vergeet.'

'Ik kan nu ook wel even teruglopen om hem er weer op te zetten.'

Bracco knikte schaapachtig en stond op. 'Dat zou natuurlijk ook kunnen. Maar ik wil je niet ophouden als je weg moet.'

'Zoveel tijd zal het toch niet kosten?' vroeg Glitsky. 'B-O-W-E-N, klopt dat? Vijf letters. Dat kost me niet meer dan vijf minuten.' Hij stond alweer voor zijn deur, met de sleutel in zijn hand. 'En welke zaak is het?'

'Hanna Bowen. Die is afgedaan als zelfmoord. Ze had zichzelf opgeknoopt.'

Glitsky draaide zich om en keek zijn rechercheur aan. 'Wat? Heeft ze zichzelf dan weer losgemaakt?'

'Het zit zo: ik heb haar dochter beloofd dat ik er nog eens naar zou kijken. Ze schijnt er niet mee uit de voeten te kunnen. Dat haar moeder zelfmoord heeft gepleegd, bedoel ik.'

'Goed. Maar als het volgens de lijkschouwer zelfmoord was, hoe wil je die dochter dan gaan helpen?'

'Ik weet dat het waarschijnlijk nergens toe leidt, Abe, maar dat kind is er kapot van. We krijgen op cursus altijd te horen dat we ons moeten inleven in de pijn van het slachtoffer en zo. Dus ik dacht: het kan geen kwaad. En ze is er misschien mee geholpen.'

'Maar wat wil je dan precies gaan doen?'

'Nou, kennelijk hield haar moeder een dagboek bij. In ieder geval gelooft Jenna – zo heet ze – dat haar moeder een dagboek heeft bijgehouden, en ze heeft mij gevraagd of ik wilde proberen het op te sporen.'

'En wat ga je er dan mee doen?'

'Kijken of er aanwijzingen in staan waaruit zou kunnen blijken dat het moord is geweest.'

Glitsky ging op de rand van zijn bureau zitten. 'Was dit oorspronkelijk ook jouw zaak?'

'Ja.'

'Waren er toen aanwijzingen dat het misschien een moord was? En wanneer was het eigenlijk?'

'Begin februari, geloof ik. En er was niets wat op moord wees. Behalve dat Jenna het toen ook al nauwelijks kon geloven. Ze had het er heel moeilijk mee.'

'Dat kan best zijn, maar jij weet net zo goed als ik dat zoiets vaker voorkomt, Darrel. Niet dat ik het haar kwalijk neem. Als je moeder op zo'n manier uit het leven stapt is het niet zo gek dat je dat niet kunt geloven. Maar al ben je er dan van overtuigd dat het niet waar is, dat betekent nog niet dat het niet tóch zo is gegaan.'

'Dat weet ik. Ik heb haar gewoon beloofd dat ik mijn best zou doen. Verder niets.'

'Alleen om dat dagboek te vinden?'

'Dat weet ik niet, Abe. Misschien is er nog wel meer. Ik ben indertijd grondig met die zaak bezig geweest. Er speelde nog meer mee. Eén ding eigenlijk met name, hoewel ik er toen niet veel mee kon.'

'Wat dan?'

'De vader, Charlie. Hij is de afgelopen zomer verdwenen. Misschien is dat de reden waarom zijn echtgenote zich heeft verhangen.'

'Wat bedoel je met verdwenen?'

'Weg, van de ene op de andere dag. Nergens meer te vinden. Vermist. Jenna denkt dat hij niet uit eigen beweging zomaar zou verdwijnen. Dus dacht ze dat hij misschien was vermoord.'

'Door wie? En waarom?'

'Geen idee.'

'Dat zit niet bepaald gedegen in elkaar, Darrel. Dus ze gelooft dat ook haar vader is vermoord en dat die moord weer iets te maken heeft met de zelfmoord van haar moeder?'

'Geen zelfmoord. Daar gelooft ze niet in. Ze gelooft dat haar moeder is vermoord.'

'Twee moorden.' Glitsky liet het even tot zich doordringen.

Bracco keek hem veelbetekenend aan. 'Ze heeft in een jaar tijd haar beide ouders verloren. Als het dagboek boven water komt...' Hij haalde zijn schouders op. 'Wie weet. Misschien komt er wat uit.'

'En hoe ga je het aanpakken?'

'Ik denk dat ik haar ga opzoeken om het allemaal nog eens door te nemen. Misschien moet ik eens in de dossiers van haar vader duiken, daar ben ik de vorige keer niet echt aan toegekomen.'

'Wat voor dossiers?'

'Van zijn werk. Hij was advocaat. Misschien is er een verband met een zaak waaraan hij werkte.'

'Een verband waarmee?'

'De reden waarom hij is vermoord.'

Glitsky krabde even aan zijn mondhoek. Bracco was een enthousiaste rechercheur, maar hij was destijds alleen maar naar de afdeling Moord-zaken gepromoveerd omdat zijn vader de chauffeur was geweest van de vorige burgemeester. En soms kwam zijn gebrek aan ervaring pijnlijk duidelijk naar voren. 'Ik hoop wel dat je je realiseert hoe het zit met veel van die mannen van middelbare leeftijd die verdwijnen,' zei hij. 'Ik neem tenminste aan dat die Charlie Bowen van middelbare leeftijd was?'

'Vijftig.'

'Kijk eens aan. Soms besluiten ze gewoon de boel de boel te laten, omdat ze het in hun hoofd hebben gehaald dat ze ergens anders het ware geluk kunnen vinden. Dat is geen moord.'

'Natuurlijk, Abe. Dat weet ik.'

'En je snapt dat hun vrouwen, die na een huwelijk van zeg maar een jaar of dertig plotseling door hun man zijn verlaten, gedurende de maanden na de verdwijning depressief worden? Misschien wel zo depressief dat ze er een eind aan willen maken?'

'Natuurlijk.'

'Hebben we die verdwijning van Bowen als een moordzaak behandeld?'

'Nee.'

'Waarom niet?'

'Omdat hij als vermist was opgegeven.'

'Geen moord.'

'Geen moord. Nee, inspecteur.'

'Goed dan. Dat wou ik alleen maar even gezegd hebben.'

'Duidelijk.' Bracco haalde zijn schouders op. 'Hoe dan ook, ik ga er wat tijd aan besteden en ik vond dat je dat moest weten.'

'Is goed.' Glitsky liet zich van het bureau af glijden en schreef de naam BOWEN op het bord, en BRACCO in de kolom voor de rechercheur die de zaak in onderzoek had. 'Maar, Darrel?'

'Ja, inspecteur?'

'Besteed er niet te veel tijd aan, oké?'

In de afgelopen jaren hadden Isaac, Jacob en Orel, Glitsky's oudere zonen, en Raney, Treya's oudere dochter, hun eigen diaspora gecreëerd door uit te vliegen naar verafgelegen plaatsen als Seattle, Milaan en Washington en dichterbij gelegen locaties zoals San Jose, waar Orel woonde. Nu huisden ze met hun twee nieuwe peuters in dezelfde woning waarin ze ook hun andere kinderen hadden grootgebracht; een twee-onder-een-kapwoning in een doodlopende zijstraat van Lake Street.

Nadat Glitsky naar huis was gereden – met zijn eigen auto in plaats van een door de gemeente verstrekte auto met chauffeur – hadden Treya, de vijf jaar oude Rachel en hij de kinderwagen van Zack een paar kilometer voortgeduwd over het pad voor fietsers en voetgangers dat achter hun huis liep, langs het bos rond het Presidio. Het was nog warm in hun achtertuin die avond en hun beide kinderen speelden beurtelings op de schommel die Glitsky drie jaar geleden samen met Dismas Hardy en diens zoon Vincent in elkaar had geknutseld. Ze aten gegrilde, ontvelde kip van de supermarkt met verse gestoomde spinazie en pasta met kaassaus. Dat laatste alleen voor de kinderen, want na Glitsky's hartaanval zes jaar geleden liet Treya hem niets meer eten waar cholesterol in zat.

Tegen acht uur sliepen de kinderen in hun eigen kamers die uitkwamen op de gang achter de keuken. Abe en Treya zaten op de tweezitter in hun kleine woonkamer en dronken thee in het schemerdonker. Voorafgaand aan de geboorte van Rachel hadden ze de kamer opnieuw ingericht. Het versleten en donkere interieur was vervangen door een lichte houten vloer met kleurige tapijten, Toscaans geel geschilderde muren, koloniale meubels en luiken met spijltjes voor de ramen.

Glitsky was zoals meestal zwijgzaam en blij dat Treya de stilte opvulde door honderduit te vertellen over haar dag, de intriges die zich afspeelden op het kantoor van de hoofdofficier van justitie en wat Clarence Jackman allemaal te stellen had met de Raad van Toezicht, de burgemeester en de hoofdcommissaris. Het was altijd amusant omdat ze de hoofdrolspelers allebei goed kenden. De stad leek in veel opzichten op een soort instelling voor prettig en minder prettig gestoorden. Krankzinnig maar tegelijkertijd fascinerend.

Het hoogtepunt van vandaag was de manier waarop de baas van Treya zich staande probeerde te houden tussen burgemeester Kathy West, die San Francisco tot een soort toevluchtsoord voor illegale immigranten had verklaard, en de procureur-generaal van de Verenigde Staten, die in een reactie daarop te kennen had gegeven dat San Francisco geen cent meer uit de federale ruif kreeg als ze justitie ook maar een haar in de weg legde bij het opsporen en uitzetten van deze mensen.

'Benieuwd hoe dat afloopt,' zei Glitsky. 'Wat gaat hij doen? Kathy arresteren?'

'Misschien wel, als ze haar woorden echt gaat omzetten in daden.'

'Denk je dat ze dat zal doen?'

'Ik weet het niet. Ze heeft het erover.' Treya lachte uitbundig. 'Ze praat erover dat ze meer wil doen dan er alleen maar over praten.'

'Levensgevaarlijk.'

'Nou en of. Maar wie weet gaat ze inderdaad echt wat ondernemen.'

'En wat gaat Clarence dan doen?'

Treya lachte opnieuw. Soms dacht Glitsky dat haar talent om altijd te kunnen blijven lachen de eigenschap was die hem het meeste in haar had aangetrokken. Nadat zijn eerste vrouw Flo was gestorven, had hij lange tijd gedacht dat hij nooit meer zou lachen. 'Clarence,' zei Treya, 'heeft acht juristen in dienst die door de federale overheid worden betaald. De rest van zijn budget komt van de gemeente. Hij wacht af hoe het zich ontwikkelt.'

'Afwachten hoe het zich ontwikkelt, daar is hij goed in,' zei Glitsky.

'Kampioen.' Ze legde een hand op zijn knie. 'Maar dit gaat allemaal alleen maar over mij. Ik wil je niet ongerust maken, maar je ziet er een klein beetje vrolijker uit dan de laatste tijd normaal is.'

Glitsky haalde zijn schouders op. 'Ik begin misschien een beetje te wennen aan de nieuwe situatie. Ik had vandaag zelfs een mogelijk productief gesprek met Darrel Bracco.'

'Bracco vind ik een aardige vent. En mogelijk productief? Toe maar. Ik sta perplex.'

Glitsky nam een slokje van zijn thee en keek haar aan. 'Misschien heb ik hem ervan kunnen weerhouden zijn tijd ergens aan te verspillen, dat is alles.'

'Oké. "Perplex" neem ik terug.' Ze gaf hem een kneepje in zijn bovenbeen. 'Straks ga je me nog vertellen waar jullie het over hebben gehad. Als je dat wilt, bedoel ik. Niet dat het hoeft, hoor. Ik wil je niet op een onredelijke manier onder druk zetten.'

Nu kon hij niet anders meer dan breed glimlachen. 'Hij was van plan zijn tijd te verspillen door zich in de dossiers te verdiepen van die advocaat die de afgelopen zomer is verdwenen, omdat diens dochter niet kan geloven dat hij is weggelopen en haar en haar moeder echt in de steek wilde laten. Ze denkt dat hij is vermoord.'

'Heeft ze daar een reden voor?'

'Niet echt, volgens Darrel. Maar wat het zo triest maakt is dat haar moeder zich hierdoor een paar maanden geleden van het leven heeft beroofd. Ze kan het gewoon niet accepteren.'

Treya zweeg even en nam een slokje thee. 'Hoe is het toch mogelijk dat sommige mensen jou geen gezellig gezelschap vinden?' Ze keek hem aan. 'Is dat opbeurende verhaal de reden dat je vandaag een iets beter gevoel hebt over je werk?'

'Nee. Alleen het feit dat ik een praatje heb gemaakt met Darrel.'

'Ja. Zoiets is natuurlijk wel een hoogtepunt.'

'Ik bedoel, als je niet gelooft dat Charlie Bowen is vermoord, waar ook geen enkele aanwijzing voor is, hoe moet je dat dan gaan onderzoeken?'

'Charlie Bowen?' vroeg Treya. 'Waar ken ik die naam ook alweer van?'

'Hij is de vader. De man die wordt vermist.'

'De advocaat? Die ken ik, Abe. Diz heeft al zijn dossiers gekregen.'

'Onze eigen Diz?'

'Onze eigen Diz.' Treya gaf hem opnieuw een kneepje in zijn boven-been. 'Misschien moet Darrel eens met hem praten.'

31

De volgende ochtend, vrijdag 4 mei, reden Glitsky en Treya samen naar het werk. In een gulle bui had Clarence Jackman ervoor gezorgd dat Treya een eigen parkeerplaats had achter de gevangenis. Dat beschouwde ze als misschien wel het belangrijkste pluspunt van haar baan.

Het hogedrukgebied van gisteren had de lucht schoongespoeld en het wolkendek verdreven naar de Farallones, zodat de zon volop scheen en het ongebruikelijk warm was. Hoewel er geen zuchtje wind stond, hing er door een of andere vreemde speling van de natuur een doordringende bloemengeur in de lucht, die afkomstig moest zijn van de markt om de hoek. Nadat Treya was uitgestapt, keek ze naar haar echtgenoot en zei: 'Ruik je dat? Deze dag is té mooi. Als we echt goed ontwikkelde zielen waren, zouden we nu absoluut niet moeten gaan werken.'

'Nee? En wat zouden we in plaats daarvan dan doen?'

'Waar we maar zin in hebben. Dansen, zingen, de veerboot nemen naar Sausalito.'

Ze liepen beiden naar de voorkant van de auto. Glitsky pakte haar hand vast terwijl ze naar de Paleis van Justitie liepen. 'Als we goed ontwikkelde zielen waren zaten we hoogstwaarschijnlijk zonder werk. Dus gelukkig zijn we spiritueel nog niet helemaal volmaakt.'

'Spreek jij maar voor jezelf.' Ze bleef staan, hield hem ook tegen en snoof demonstratief de geur op. 'Maar ik neem nog minstens één minuut de tijd om hiervan te genieten.'

'Je ruikt even aan de rozen, zeg maar.'

'Dat zou jij ook moeten proberen. Doe je ogen nou eens dicht en snuif de geur op.'

Glitsky volgde de instructies en opende daarna zijn ogen weer. 'Klopt. Rozen,' zei hij. 'En al dat andere spul.'

* * *

Toen Glitsky de deur opende naar de receptie van de afdeling Moordzaken zag hij daar Dismas Hardy zitten. Hij droeg zijn werkkleding – pak en overhemd met stropdas – en keek op zijn horloge. 'Twee minuten te laat,' zei Hardy. 'Moet je niet het goede voorbeeld geven aan je team?'

'Het is de schuld van Treya,' zei hij. 'Die wilde dat we op de parkeerplaats de bloemenlucht gingen opsnuiven.'

'En hoe was dat?'

'Fantastisch. Het rook naar bloemen.' Glitsky groette de twee administratief medewerkers aan de balie, liep naar zijn kamer en gebaarde Hardy hem te volgen. Terwijl hij de deur openmaakte vroeg hij: 'Hadden we een afspraak?'

'Nee.'

'Dat dacht ik al.'

'Maar je hebt me gisteravond gebeld, als je je dat nog herinnert, en daar ga ik wél van uit. Iets over Charlie Bowen.' Hardy pakte een van de bezoekersstoelen die tegen de muur stonden, trok die naar voren en ging zitten.

Glitsky nam plaats achter zijn bureau. 'Ik laat zijn naam vallen en de volgende ochtend zit je meteen bij mij op kantoor?'

'Nee, zo ligt het niet. Ik heb straks om tien uur beneden een hoorzitting.' Hardy sloeg zijn benen over elkaar. 'En ga je me nu vertellen dat jullie zijn lichaam hebben gevonden?'

'Waarom vraag je dat?'

'Laat eens kijken. Jij bent van de afdeling Moordzaken. En je belt me over een vent die tien maanden geleden als vermist is opgegeven. Misschien is het gek, maar daardoor kwam ik zomaar op de gedachte dat hij is vermoord.'

'Nee, niet echt. Maar het was een goeie gok.'

'Dank je. Zal ik nog een gok doen?'

'Dat zou natuurlijk kunnen, maar waarom vertel ik je de rest niet gewoon?'

'Oké, dan doen we het zo.'

Glitsky vertelde hem de hele geschiedenis in ongeveer tien zinnen, waarna Hardy zijn wenkbrauwen fronste. 'Maar wat wil die Bracco van jou dan precies gaan doen?'

'Hij wil het dagboek opsporen.'

'Terwijl het helemaal niet zeker is dat er een dagboek is?'

'Klopt.'

'En als het er al is, zijn er nu in ieder geval nog geen aanwijzingen dat het iets te maken heeft met de dood van Charlies vrouw?'

Glitsky haalde zijn schouders op. 'Dit was niet mijn idee, Diz, maar Treya dacht dat je hem misschien wat zinloos speurwerk zou kunnen besparen.'

'Als ik kon zou ik je graag helpen. Maar we praten over zestig grote archiefdozen, waarvan eenderde alweer is uitbesteed of teruggestuurd naar cliënten.'

'Ik snap het.'

'Bovendien,' vervolgde Hardy, 'klopt het tijdspad niet. Die vrouw is overleden in februari, maar ik heb die dozen medio december gekregen. Dus al had ze het gewild, dan had ze dat dagboek nóg niet in een van die dozen kunnen doen. Maar als je wilt vraag ik iemand op kantoor wel om ze allemaal te doorzoeken. Alleen zou ik er niet op rekenen dat het iets oplevert.'

'Dat had ik Darrel ook al gezegd.'

'Twee briljante zielen, één gedachte,' zei Hardy, terwijl hij opstond.

'Nou ja, vergeet dat "briljant" maar.'

Glitsky nam zijn telefoon op. 'Doe je de deur achter je dicht?'

Naar het voorbeeld van zijn inmiddels overleden mentor David Freeman legde Hardy de afstand van veertien huizenblokken tussen zijn kantoor aan Sutter Street en het Paleis van Justitie als het maar enigszins kon te voet af. Zijn hoorzitting was die ochtend iets vroeger afgelopen dan hij had verwacht en hij schoot lekker op, al zag hij het niet als een wedstrijd en ook niet als sportbeoefening. Toen hij Mission Street had bereikt, trok hij kennelijk plotseling de aandacht van een goedgeklede, oudere vrouw. Ze liep resoluut op hem af en keek hem recht in het gezicht. Haar blik was gelukzalig. Ze zei: 'Neem me niet kwalijk.'

'Ja?'

'Gaat het wel goed met u?'

'Ik geloof van wel.' Ze zag er niet zo uit, maar Hardy vermoedde dat ze waarschijnlijk bij de ruime collectie gekken hoorde die de stad rijk was.

'Dan zou u wat vrolijker moeten kijken.'

'Pardon?'

'Op een dag als vandaag zou een knappe man als u toch wat meer moeten glimlachen?'

'Doe ik dat dan niet?'

'Nee, niet echt. U ziet er nogal somber uit. Net alsof u al het leed van de wereld met u meedraagt.'

'Het spijt me,' stamelde hij, terwijl hij probeerde vrolijk te kijken. 'Zo beter?'

'Véél beter,' zei de vrouw. 'Het helpt, u zult het zien. Nog een fijne dag.'

Nadat ze in de menigte was verdwenen, bleef Hardy nog geruime tijd bewegingsloos staan. Hij keek in een etalageruit naar zijn gezicht en zag dat de glimlach die hij tevoorschijn had getoverd alweer helemaal was verdwenen. Hij deed een paar passen opzij om de andere voetgangers niet in de weg te staan. In een impuls liep hij de portiek van een winkel binnen, haalde zijn mobiele telefoon tevoorschijn en toetste een nummer in. 'Hoi,' zei hij.

'Hé, dat is een verrassing. Gaat het wel goed met je?'

'Prima. Het gaat prima. Ik vroeg me af wat je aan het doen bent.'

'Wanneer?'

'Nu.'

Ze schaterde door zijn telefoon. 'Ik wilde juist in de auto stappen om ergens een salade te gaan eten. Hoezo?'

'En ik vroeg me af waarom je voor de verandering niet eens zou gaan lunchen met je man.'

Het werd even stil aan de andere kant. Hardy wachtte totdat ze antwoordde: 'Lunchen met mijn man, dat lijkt me heerlijk. Ik vind het een prima idee.'

'Heb je het niet te druk?'

'Ik heb ruim twee uur. Waar wil je afspreken?'

Ze kozen voor Tommy's Joynt, want dat was ongeveer halverwege het kantoor van Frannie aan Arguello Boulevard en dat van Hardy in het centrum. Hardy nam een taxi en Frannie de auto. Een kwartier nadat Hardy haar had gebeld, zaten ze aan tafel, Hardy met een stoofpot met bisonvlees en een biertje en Frannie met een broodje vlees met frites en saus en een cola light.

'Je moet bij Tommy's Joynt geen salade eten, zei ze, terwijl ze een augurk in haar mond stak. 'Niet dat het bij wet is verboden, maar het kan gewoon niet.'

'Misschien is dat wel zo,' zei Hardy. 'Maar als je echt een salade wilde, hadden we dan niet beter naar...'

'Hé!' Ze legde een hand op de zijne. 'We zijn nu hier,' zei ze. 'Dit is de perfecte plek. Een betere plek bestaat niet.'

Hardy keek om zich heen en knikte. 'Nee.' Hij zuchtte. 'Wat je zegt. Het is perfect.'

Frannie hield haar hoofd schuin en keek hem aan. 'Dismas, is er iets?'

'Jij bent al de tweede die me dat vraagt in het afgelopen uur, dus er zal wel iets zijn.'

'De tweede? Wie dan nog meer?'

Hij vertelde haar over de vrouw op de hoek van Mission Street.

'Dus van iedereen die op straat liep koos ze jou uit om te vertellen dat je vrolijk moest kijken?'

'Ja. Maar eerst vroeg ze of ik iets mankeerde. Ze zei dat ik eruitzag alsof ik het leed van de hele wereld met me meedroeg. Toen ze vertrokken was, realiseerde ik me dat ik me inderdaad zo voelde. Ik heb geen idee waarom. Niet dat ik bewust depressief was of zoiets. Het is tenslotte een schitterende dag...' Hij legde zijn vork neer en keek haar aan. 'Maar het heeft me behoorlijk aan het denken gezet, bijna alsof het een soort teken is.'

'Wat voor teken?'

'Dat ik jou moest bellen, om te beginnen.'

'Ik ben blij dat je dat hebt gedaan.'

'Ik ook.' Hij pakte zijn vork weer op en roerde in zijn stoofpot. 'Ik dacht dat ik zoiets nooit zou zeggen, maar ik geloof dat ik er moeite mee heb dat de kinderen het huis uit zijn.'

Ze stopte met eten en legde opnieuw haar hand op de zijne. 'Ja.'

'En ik ben ook vaak kwaad op jou als je er niet bent als ik thuiskom, dus daarom probeer ik er niet te zijn als jij er bent. Misschien ben ik me er niet altijd van bewust, maar ik geloof dat het zo werkt. Ik word er naar van.'

'Ik weet het. Ik word er ook naar van.' Ze bracht het servet naar haar ogen en depte ze. 'Niet dat ik ze zo vreselijk mis, eerlijk gezegd. Ik bedoel, ik zou niet willen dat ze weer bij ons woonden. Wat dat betreft hebben we onze portie wel gehad. Maar ik weet gewoon niet wat ik met mezelf aan moet, dus stort ik me maar op mijn werk, en als ik dan thuiskom en jij er dan ook niet bent...'

Hardy nam eindelijk een hap van het uitstekende stoofvlees en nam daarna een slok Anchor Steam. 'Misschien moeten we onze vaste uitgaansavond weer in ere herstellen.'

'Dat vind ik een uitstekend idee. Waarom doen we niet gek en maken we er twee van?'

'Als jij daarvoor voelt, dan wil ik het ook.'

'Afgesproken.'

Ze reikte over de tafel en Hardy schudde haar hand.

Een uur later liep Hardy de trap op naar de ruime marmeren hal met de receptie van Freeman, Farrel, Hardy & Roake, het advocatenkantoor waarvan hij de managing partner was. Hij liep naar het borsthoge fort waarachter zijn receptioniste troonde. Ze stak een vinger in de lucht en hij wachtte gehoorzaam totdat ze een gesprek had doorverbonden.

Toen ze klaar was keek ze op en trakteerde hem op een geslaagd exemplaar uit haar assortiment kregelige blikken. 'Ik heb een zekere rechercheur Bracco beloofd dat je hier om één uur zou zijn,' zei ze. 'Want dat had je aan mij doorgegeven, als je je dat nog herinnert.'

'Ik weet het, Phyllis. Het spijt me. Er is iets tussen gekomen.'

'En je mobiele telefoon heeft het zeker ook begeven?'

'Nu je het zegt,' zei hij, terwijl hij zich ervan verzekerde dat zijn jas het hoesje van de mobiele telefoon aan zijn broekriem bedekte, 'die zoek ik al de hele tijd. Heb jij hem misschien gezien? Misschien heb ik hem in mijn kamer laten liggen. Of in de auto. Ja, ik geloof dat ik hem in de auto heb laten liggen om op te laden.'

Met een ijzig lachje schudde ze afkeurend haar hoofd. 'Hij heeft hier veertig minuten zitten wachten.'

'Ja, dat wil ik graag geloven. Heeft hij een nummer achtergelaten? Dan kunnen we hem terugbellen.'

'Natuurlijk, maar ik wilde eerst zeker weten wanneer je er bent.'

'Je hebt helemaal gelijk, Phyllis. Absoluut.'

'Zal ik hem nu even bellen? Misschien is hij nog in de buurt. Hij is tenslotte pas twintig minuten geleden weggegaan.'

Hardy dacht er even over na. Hij had overwogen naar het zuiden te rijden om Mary Patricia Whelan-Miille op een onbewaakt ogenblik wat vragen te stellen met betrekking tot zijn beroep in de zaak-Scholler. Maar als Bracco nog in de buurt was kon hij dat misschien maar beter eerst afhandelen. Want dat zou een kort onderhoud worden. 'Goed,' antwoordde hij. 'Bel hem maar en vraag of hij zo meteen tijd heeft.'

Phyllis begon een nummer in te toetsen. Toen Hardy voor de deur van zijn kamer stond ging de mobiele telefoon die aan zijn broekriem hing. Hij pakte hem en keek naar het schermpje. Het algemene nummer van zijn kantoor. Hij liet zijn schouders zakken en keek om.

Phyllis keek hem vernietigend aan. 'Misschien heb je hem in de auto laten liggen om op te laden. Maar misschien ook niet.'

Op heterdaad betrapt.

'Ik zal nu meneer Bracco even bellen,' zei ze.

Bracco was het prototype van de degelijke en betrouwbare rechercheur. Hij was een meter achtenzeventig lang, woog tachtig kilo en zag er stevig en gespierd uit. Hij droeg een sportieve kameelharen jas, een lichtbruine pantalon en een lichtbruin overhemd met een eenvoudige, bruine stropdas. Hij had kort, strokleurig haar en een vierkant, blozend hoofd van waaruit grijze ogen nieuwsgierig de wereld in keken.

Op dit moment zat Bracco in een comfortabele leren fauteuil met een kopje verse koffie bij een van de ramen die uitzicht boden op Sutter Street. Dit was de informele zithoek in Hardy's werkkamer. Tegenover zijn grote, kersenhouten bureau was nog een andere zithoek. Met een Perzisch tapijt, Queen Anne-stoelen en een tafel met poten in de vorm van leeuwenklauwen, compleet met onderzettertjes, oogde deze opstelling een stuk intimiderender.

Hardy ging in de fauteuil tegenover die van Bracco zitten en begon op verzoenende toon: 'Het spijt me dat je zojuist hebt moeten wachten. Er was een misverstand met betrekking tot mijn agenda.'

Bracco maakte een afwerend gebaar. 'Je bewijst me een dienst door even tijd voor me vrij te maken, dat stel ik op prijs.'

'Oké. Maar ik heb Abe al gezegd dat ik niet denk dat het veel zal opleveren.'

'Dat heeft hij mij ook verteld. Hij heeft me ook gezegd dat je een van je mensen de dossiers van Bowen zult laten doornemen, al verwacht je niet dat het dagboek van mevrouw Bowen ertussen zal zitten.'

'Dat komt doordat ze er waarschijnlijk nog in aan het schrijven was toen we die dossiers hier binnenkregen. Glitsky vertelde me overigens dat je niet eens zeker weet of het dagboek wel bestaat.'

'Klopt. Maar Jenna, Bowens dochter, is daarvan overtuigd. Ik ben vanochtend opnieuw naar het huis gegaan en ik heb het grondig doorzocht, maar niets gevonden.'

'Tsja.' Hardy begreep niet precies wat hij ermee te maken had, maar hij wilde Bracco – die eerder al zo lang op hem had zitten wachten – niet meteen weer de deur uit werken. Hij kon de man beter eerst zijn koffie laten opdrinken. 'Ik kan het niet beloven voor de dossiers die we al hebben afgehandeld, maar als je er haast mee hebt kunnen we de rest waarschijnlijk wel binnen een paar dagen doorspitten. Ik ben net terug op kantoor, anders had ik het al in gang gezet. Maar wat is de reden dat er zoveel druk achter staat?'

Bracco schudde zijn hoofd. 'Alleen maar Jenna, eerlijk gezegd. De eerste weken na de dood van haar vader was ze er kapot van. Nu probeert ze het te verwerken, het op een of andere manier een plaats te geven. Als er een dagboek is of iets anders wat aanwijzingen bevat...' Hij haalde zijn schouders op. 'Ik vond gewoon dat ik het aan haar verplicht was er nog eens goed naar te kijken als het zo belangrijk voor haar is. En dat is het.'

Hardy leunde naar achteren en sloeg zijn benen over elkaar. 'Dus ik neem aan dat jij destijds de dood van haar moeder hebt onderzocht?'

'Klopt.'

'En je had geen problemen met het oordeel van de lijkschouwer?'

'Niet echt.'

'Heb je iets gezien of gehoord waardoor je denkt dat het wel eens geen zelfmoord zou kunnen zijn?'

'Dat kan ik zo in het algemeen niet zeggen. Ik bedoel, haar echtgenoot was een aantal maanden eerder verdwenen. Ze had plannen gemaakt om van de zomer naar Italië te gaan, maar iedereen was het erover eens dat dat was om haar verdriet te verwerken en niet om een leuke vakantie te vieren. De meeste van haar vrienden en kennissen vonden dat ze behoorlijk in de put zat en zwaar depressief was.'

'En hoe kijkt de dochter ertegenaan?'

'Zoals je kunt verwachten. Zoiets zou haar moeder nooit doen. En zeker niet als ze al een reis naar Europa had geboekt. Volgens Jenna was Hanna, haar moeder, erg op de penning. Ze zou nooit tickets naar Italië hebben gekocht zonder daar gebruik van te maken. Dan had ze zichzelf erná van het leven beroofd.'

Hardy moest even grinniken. 'Zulke mensen ken ik ook. Al lijkt je zelfmoord uitstellen omdat je eerst nog waar voor je vakantiegeld wilt hebben me nogal vergezocht. Maar is dat alles? Dat de dochter niet kan geloven dat het zelfmoord is?'

'Daar lijkt wel het op. Tenminste, in principe.' Bracco nam nog een slokje koffie, staarde uit het raam en zweeg.

Hardy kreeg de indruk dat hij nog iets op zijn lever had, maar niet zeker wist of hij erover moest beginnen. Hij besloot hem een handje te helpen. 'Je klinkt niet erg overtuigd: "Daar lijkt het wel op." "Tenminste." "In principe." Dat zijn nogal wat voorbehouden. Heb je zélf twijfels? Is dat de reden waarom je hierheen bent gekomen?'

Bracco tuitte zijn lippen alsof hij op het punt stond een besluit te nemen. 'Het was het touw. Ze had het over een balk in de garage geslingerd, was op een kleine ladder gaan staan en eraf gesprongen.'

'En...?'

Bracco, die zich realiseerde dat zijn koffie op was, boog zich naar voren

334

en zette de kop en schotel op de lage tafel voor hem. Vervolgens keek hij Hardy recht in het gezicht. 'Ik heb er destijds niet zo bij stilgestaan, want ik had nog drie andere zaken. Pas toen Jenna me een paar dagen geleden belde, ben ik er nog eens in gedoken.'

'En?'

'Ze had een gebroken nek.' Hij zweeg even en verduidelijkte vervolgens zijn punt. 'Een gewone schuifknoop. Geen strakke lus. Een val van achtendertig centimeter.'

'Volgens jou had dat haar moeten wurgen.'

'Bij de meeste mensen en onder vergelijkbare omstandigheden is dat wel wat er gebeurt.'

'Maar er zijn toch uitzonderingen? Heb je het Strout gevraagd?'

Strout was de lijkschouwer van San Francisco. Hij had geconcludeerd dat het zelfmoord was.

'Hij zegt dat hij wel een paar gevallen is tegengekomen waarbij de nek is gebroken als gevolg van de val en door het gewicht van het lichaam.'

'Zie je nou wel.'

'Maar nog nooit bij iemand die zo weinig woog. Achtenveertig kilo.'

Hardy antwoordde niet. Op zich was dit een interessant gegeven, maar het was nog steeds niet overtuigend.

'En dan was er nog iets wat ze me toen niet heeft verteld, maar nu wel.'

'Wat dan?'

'Dat haar moeder ervan overtuigd was geraakt dat Charlie niet zomaar was verdwenen, maar dat hij was vermoord.'

'Iemand in haar situatie kan zoiets gemakkelijk gaan denken. Dan had hij haar immers niet willens en wetens in de steek gelaten, maar was hij in plaats daarvan van haar afgenomen. Dat maakt psychologisch gezien nogal een verschil.'

'Ja,' zei Bracco, 'maar hoe dan ook, Jenna zegt dat haar moeder het als een plicht zag erachter te komen wie haar vader had vermoord. Dan had het niet voor de hand gelegen zelfmoord te plegen terwijl ze daar nog mee bezig was.'

'Misschien was haar onderzoek afgelopen omdat ze erachter was gekomen dat hij haar daadwerkelijk bewust in de steek had gelaten.'

'Die mogelijkheid heb ik Jenna ook voorgehouden. Maar daar was ze het totaal niet mee eens. Als haar moeder daarachter was gekomen zou ze, zelfs als ze van plan was geweest zichzelf om zeep te helpen, zeker een briefje voor Jenna hebben achtergelaten zodat haar dochter de waarheid zou weten.'

De beide mannen zwegen een tijdje. 'Dus jij acht het niet uitgesloten dat iemand mevrouw Bowen heeft vermoord?'

'Dat is niet iets wat ik aan Glitsky zou willen voorleggen. Zeker niet op basis van wat ik nu heb.'

'Kun je een motief bedenken?'

'Ja, maar ik weet niet of je er enthousiast over zult zijn.'

'Laat maar horen.'

'Iemand – dezelfde persoon – heeft haar echtgenoot ook vermoord en Hanna was te dicht bij de waarheid gekomen.'

Hardy schudde zijn hoofd en onderdrukte het begin van een glimlach. 'Ha! Een echte complottheorie. Je hebt gelijk, dat is niets voor Glitsky.'

'Daarom wil ik dat dagboek zo graag vinden. Dan heb ik tenminste iets concreets in handen.'

Hardy had niet het gevoel dat het veel zou betekenen, zelfs niet als het bestond. Hij wierp een snelle blik op zijn horloge en besloot dat hij Bracco genoeg van zijn tijd en luisterend oor had gegund. Bracco droeg geen trouwring en het zou Hardy helemaal niet verbazen als Jenna Bowen, de bewuste dochter, een lekker jong ding was. Het werd tijd om weer eens aan de slag te gaan. Hij maakte aanstalten op te staan.

Maar Bracco boog zich opnieuw naar voren. 'Hoe dan ook, daarom wilde ik je persoonlijk ontmoeten. Omdat ik geloof dat er wel eens iets interessants tussen al die dossiers zou kunnen schuilen.'

'Met betrekking tot de reden waarom Bowen mogelijkerwijs zou kunnen zijn vermoord, bedoel je?'

'Precies.'

Dit keer glimlachte Hardy ongeremd. 'Enig idee over hoeveel verhuisdozen we het hebben? Vijfenveertig of misschien wel vijftig. Toen Charlie verdween had hij tweehonderdtweeëndertig actieve dossiers, waarvan we er tot nu toe zo'n tachtig hebben verwerkt.' Hij vervolgde op meer verzoenende toon: 'Wat natuurlijk niet betekent dat we op een gegeven moment niet iets verdachts kunnen tegenkomen. En als dat gebeurt verzeker ik je dat je van ons hoort. Van mij persoonlijk. Maar volgens mij is het zoeken naar een speld in een hooiberg.'

Bracco leunde naar achteren en knikte teleurgesteld. 'Oké, ik begrijp het. Nou...' Hij stond op.

Hardy kwam ook overeind en zei: 'Als je concrete aanwijzingen hebt kun je de dossiers natuurlijk altijd in beslag laten nemen en grondig laten onderzoeken.'

'Dat weet ik, maar ik heb geen idee waarnaar ik zou moeten laten zoeken.'

'Nou,' zei Hardy opgewekt, 'dat dagboek bijvoorbeeld.'

'Inderdaad. Het dagboek.'

'Ik zorg dat er nu meteen iemand mee aan de slag gaat, nog voor je het pand hebt verlaten.'

'Bedankt,' zei Bracco, terwijl hij Hardy een hand gaf. 'Nogmaals bedankt voor je tijd.'

Hardy knikte. 'Als we iets vinden hoor je het meteen. Maar zoals ik al tegen Glitsky heb gezegd: ik zou niet te veel verwachten.'

Bracco glimlachte zuinig. 'Dat doe ik nooit.'

32

Hardy had een spion in Redwood City.

Een oude studievriend van hem, Sean Kelleher, die als openbaar aanklager in hetzelfde gebouw als Mary Patricia Whelan-Miille werkte, vertelde hem dat ze niet was ingeroosterd voor een rechtszaak en naar het zich liet aanzien het grootste deel van de dag op kantoor zou doorbrengen. Zodra Bracco was vertrokken, had Hardy Michael Cho, een van zijn assistenten, de opdracht in de maag gesplitst in alle dozen van Charlie Bowen naar het dagboek van een vrouw te zoeken. Daarna had hij de telefoon gepakt om zich er nogmaals van te vergewissen dat Mary Patricia er inderdaad was, waarna hij Kelleher bedankte en naar de garage snelde.

Tien minuten later reed Hardy in zijn Honda S2000 langs Candlestick Point naar het zuiden, met open dak en muziek van Hootie & the Blowfish uit de autoradio. Het weer in San Francisco was aangenaam. Maar toen hij twintig minuten later voor het gerechtsgebouw in Redwood City parkeerde was het fantastisch. Bijna dertig graden. Terwijl hij het dak omhoogdeed betrapte hij zichzelf erop dat hij luidkeels neuriede. Hij voelde zich niet langer de in zichzelf teruggetrokken sombermans die op de hoek van Seventh en Mission Street de aandacht had getrokken van een oudere vrouw die misschien helemaal niet zo gek was als hij aanvankelijk had gedacht. De lunch met Frannie, haar begrip voor wat hij te berde had gebracht en hun wederzijdse voornemen hun relatie een nieuwe impuls te geven leken hem nieuwe energie te hebben gegeven.

De omslachtige manier waarop hij Mary Patricia Whelan-Miille benaderde was waarschijnlijk niet overdreven. Hij was er vrijwel zeker van dat hij nul op het rekest had gekregen als hij haar had gebeld voor een afspraak. Per slot van rekening probeerde hij al het werk dat ze had verricht en dat had geresulteerd in een van de belangrijkste wapenfeiten uit haar loopbaan teniet te doen. Hij hield er zelfs rekening mee dat zijn onaangekondigde bezoek zou worden afgeweerd. Afgezien van collegiale beleefdheid had ze ook geen enkele reden hem te woord te staan. Het had geen zin dat hij zichzelf voor de gek hield. Hij wist wie hij was. Hij was de vijand.

Toen hij in Redwood City arriveerde belde hij Kelleher, die naar beneden was gekomen om hem langs de receptie naar de kantoren achterin te loodsen. Na een kop koffie te hebben geaccepteerd en even over koetjes en kalfjes te hebben gepraat, vroeg hij Kelleher hem aan te wijzen waar het hol van de leeuwin zich bevond.

Mary Patricia Whelan-Miille had haar deur open en Hardy bestudeerde haar even vanuit de gang. Ze zag er jonger uit dan hij had verwacht. Ze had een aantrekkelijk profiel en zat voorovergebogen aan haar bureau, spelend met een blonde lok en kennelijk verdiept in een dossier of vakliteratuur. Ze had haar voeten onder haar stoel over elkaar geslagen. Ze droeg geen schoenen en geen sokken. Het was een in de juristenwereld typisch vrijdagmiddagtafereel. Iedere goede advocaat zonderde zich regelmatig af om dossiers nog eens rustig door te nemen of zich op de hoogte te houden van de jurisprudentie en eventuele recente wetswijzigingen. Kortom, om de batterij op te laden.

Eigenlijk zou hij haar niet moeten storen.

Maar denkend aan zijn eigen belang liep hij naar voren en klopte zachtjes op haar deur. 'Neem me niet kwalijk.'

Ze draaide haar hoofd opzij en keek hem verstoord aan, nog net niet wrevelig. De blik gaf duidelijk te kennen dat hij ongelegen kwam. Maar ze liet zich niet kennen. De lichte wrevel veranderde in milde nieuwsgierigheid. 'Kan ik u helpen?'

'Dat hoop ik.' Hij wees naar het naamplaatje op haar deur. 'Als u tenminste Mary Patricia Whelan-Miille bent.'

'Helemaal.'

'Dat is een hele mond vol.'

'Dat weet ik. Soms vraag ik me af wat mijn ouders heeft bezield. Mississippi en ook nog New York.'

'Sorry?'

Ze ging rechtop zitten, drukte haar handen tegen de bovenkant van haar billen en kromde haar rug. Een rekoefening of een manier om de koopwaar uit te stallen. 'Negen lettergrepen,' legde ze uit. 'Mary Patricia Whelan-Miille. Mississippi en ook nog New York. Stel je voor dat iedereen "Mississippi en ook nog New York" moet zeggen als ze je bij je naam willen noemen. Dan zou niemand je ooit nog aanspreken.' Ze produceerde een charmante glimlach. 'De meeste mensen noemen me Mills. En wie bent u?'

Hardy liep naar haar toe en stelde zich voor.

'Dismas?' vroeg ze.

'Dismas.'

'Volgens mij ben ik nog niet eerder een Dismas tegengekomen.'

'Je bent niet de enige. Hij was de goede dief op Golgotha, naast Jezus. Bovendien is hij de beschermheilige van de dieven en moordenaars.'

'Da's mooi. Ik ben trots op hem. Ik heb altijd al beschermheilige van iets of iemand willen zijn, maar ik begrijp dat je dan eerst moet doodgaan en dat drukt de pret weer een beetje.' Mills draaide haar stoel, zodat ze hem recht kon aankijken. 'En, Dismas, wat kan ik voor je doen?'

'Over de pret drukken gesproken, ik wilde vragen of ik je een paar minuten kan spreken over de zaak-Evan Scholler. Ik ben bezig met het hoger beroep.'

Haar enigszins flirterige stemming verdween als sneeuw die van een gletsjer glijdt. Alleen de kille ijsmassa bleef over. 'Daar heb ik niets over te zeggen. Ik heb die zaak gewonnen en ik denk niet dat er veel gronden zijn voor hoger beroep.'

'Denk je niet dat de PTSS aan de orde had moeten komen?'

'Als je de verslagen hebt gelezen, weet je wat ik daartegen in heb gebracht en dat ik gelijk heb gekregen. Het was een juiste beslissing. Maar als je het niet erg vindt, ik zit midden in...'

'Je hebt ook met Charlie Bowen gepraat. Het enige wat ik vraag is dat je me op dezelfde manier behandelt als hem.'

'Charlie Bowen had me eerst gebeld en we hebben wat procedurele afspraken gemaakt.'

'Procedurele afspraken, daar kan ik goed mee leven,' antwoordde Hardy. 'Ik ga akkoord met dezelfde afspraken die je met Charlie hebt gemaakt.'

'Weet je wel wat we hebben afgesproken?'

'Maakt niet uit. Ik ga er ongezien mee akkoord.'

'Dat lijkt nogal op een aanbod dat uit wanhoop is geboren.' Ze sloeg haar armen over elkaar. 'Luister eens, meneer Hardy...'

'Dismas.'

'Ik hou het liever op "meneer Hardy". Ik wil niet onaardig overkomen, maar ik voel er niets voor met je over Evan Scholler te praten. Hij was schuldig. Ik heb ervoor gezorgd dat hij in de gevangenis terecht is gekomen en van mij mag hij daar wegrotten. Meer heb ik niet te zeggen, oké?'

Hardy wachtte vijf hartslagen. Natuurlijk was de mogelijkheid om procedurele afspraken te maken altijd voorhanden, maar hij had de ervaring dat dergelijke afspraken nooit iets opleverden waar je echt wat aan had. Als je wilde dat de champagnekurk van de fles plopte moest je eerst schudden.

Maar nu begon hij er serieus rekening mee te houden dat hij zo met-een onverrichter zake terug naar huis moest rijden en het hele weekend niets had om over na te denken en mee te werken. Het idee kwam in hem op en de woorden verlieten zijn mond nog voordat hij zich ervan bewust was dat zijn hersens ze hadden voortgebracht. 'En als het nu eens hele-maal niet over de zaak zelf ging?'

Ze keek hem verbaasd aan, maar was nog steeds op haar hoede. 'En waar gaan we het dan over hebben?'

'Charlie Bowen.'

'Wat is er met hem?'

'Ik wil graag weten of hij nog iets bijzonders tegen je heeft gezegd voor-dat hij verdween.'

Dat zette haar even op het verkeerde been. Ze streek met haar hand door haar haar, trok een grimas die van alles kon betekenen, bestudeerde haar bureau en keek hem toen weer aan. 'Waarom wil je dat weten?'

'Hij verdween toen hij aan de beroepszaak werkte. Voordat ik ermee begin wil ik weten of mij niet hetzelfde kan overkomen.'

Ze keek hem aan en grinnikte. 'Doe niet zo naar. Hij was nauwelijks met de voorbereiding begonnen. Volgens mij had hij nog niet eens alle stukken gelezen toen ik hem sprak.'

'Waar hebben jullie het dan over gehad?'

'Hij wilde het hebben over het bewijsmateriaal dat niet aan de orde is gekomen. Hij wilde weten of ik nog stukken had die niet in zijn dossier voorkwamen. Dat soort dingen. Hij wilde gewoon verifiëren of hij alles compleet had. Pure routine.'

'Heeft hij het niet over persoonlijke conflicten gehad?'

'Nee. Als ik het me goed herinner heeft ons overleg minder dan een uur geduurd. Dus zo intiem is het niet geworden.'

'Maar hij was wel van plan het beroep door te zetten?'

'Natuurlijk. Anders hadden we dat overleg niet hoeven hebben.'

'En je had niet de indruk dat hij zich zorgen over zijn eigen veiligheid maakte?'

'Waarom zou hij zich daar zorgen over maken? De boef was al opge-sloten.' Ze schudde haar hoofd alsof ze zich wilde ontdoen van een on-aangename herinnering. 'Ik haat die beroepsmogelijkheid, dat begrijp je waarschijnlijk wel. Wij zouden iedere keer dat we een zaak verliezen de mogelijkheid moeten hebben in beroep te gaan, net zo lang totdat we ze te pakken hebben en ze op kunnen ruimen.'

'Ja, dat is typisch Mills,' zei Washburn. 'Ze is behoorlijk fanatiek, maar ze is een van de twee aanklagers in dertig jaar tijd die erin zijn geslaagd me in de rechtbank te verslaan, dus verdient ze mijn respect.' Hardy had vermoed dat hij Washburn op dit late tijdstip wel bij de Broadway Tobacconists zou aantreffen, en hij had gelijk.

Nu zaten ze in een walm van sigarenrook aan een tafeltje achter in de pretentieloze zaak. Behalve Greta, de eigenares, was er niemand aanwezig. Maar daar zou, zo verzekerde Washburn hem, binnen een uur verandering in komen als zijn volgelingen en zijn vriendin vanuit hun werk hiernaartoe zouden komen om 'zich te laven aan mijn rijke bron van kennis en ervaring'.

Hardy, die er niet helemaal van zeker van was of hij dit nu wel of niet als een relativerende kwinkslag moest opvatten, antwoordde: 'Nou, hoe dan ook, wat mij betreft loopt nu de meter.'

'Uiteraard.' Washburn savoureerde zijn sigaar; hij nam er bedachtzaam een trek van en blies een verse rookpluim uit. Hij draaide de sigaar rond tussen zijn lippen en doopte hem vervolgens in een klein glas waarin zich een amberkleurige vloeistof bevond. Afgaand op de fles die ernaast stond concludeerde Hardy dat het armagnac was. 'Weet je zeker dat jij geen sigaar wilt?'

'Nee, dank je, want dan zou ik ook trek krijgen in die godendrank. En ik moet nog rijden.'

'Een verstandig besluit. Wat kan ik vandaag voor je doen?'

'Het is misschien een beetje gek, maar er schoot me plotseling iets te binnen toen ik Mills probeerde te bewerken. Ik heb geen concept gevonden van Bowens argumentatie voor een beroep, dus ik ging ervan uit dat hij daar nog niet aan toe was gekomen. Ik ging er ook van uit dat hij zich zou baseren op de PTSS. Maar nu vraag ik me af of hij jou daar nog iets over heeft verteld.'

'Waarover?'

'Zijn grondslag voor het hoger beroep. Vooral als het iets anders was dan PTSS.'

Washburn leunde naar achteren, nam een trek van zijn sigaar en liet de rook enige tijd zijn binnenste verwennen. 'Eerlijk gezegd,' antwoordde hij, 'is dat een goed punt.' Hij zweeg terwijl hij zijn sigaar opnieuw in de armagnac doopte. 'Ik zal je eens wat vertellen: het leek hem kansrijker zijn pijlen te richten op het gebrek aan competentie bij de plaatselijke politie en de FBI.'

'En waarom?'

'Het gaat om de moord op het echtpaar Khalil.' Washburn liet de sigaar bedachtzaam tussen zijn lippen draaien. 'Er was geen twijfel aan dat die moorden nauw verband hielden met de zaak-Scholler en men ging er blindelings van uit dat Evan ze had gepleegd met die fragmentatiegranaten. Maar hij is er niet voor in staat van beschuldiging gesteld. Snap je waar ik naartoe wil?'

Hardy snapte het heel goed en het leek hem een ijzersterke ingang. 'Dus zowel de politie als de FBI heeft nooit iemand anders ondervraagd?'

'Ach, waarom zouden ze ook?' zei Washburn. 'Tenminste, zo zou je er tegenaan kunnen kijken. Ze hadden een verdachte die ze veroordeeld konden krijgen en ze konden hem net zo goed voor één moord aanklagen als voor drie, zonder het risico dat de moord op de Khalils niet-bewezen zou worden verklaard.'

'Dus je wil zeggen dat ze nooit iemand anders hebben ondervraagd over die moord op de Khalils?'

'Ik neem aan dat ze wel een paar mensen hebben verhoord. Maar beslist niet iedereen die ze zouden hebben kunnen ondervragen.' Hij zoog zijn longen vol met de kruidige rook. 'Maar net als Bowen vergeet je dat je je verzoek om hoger beroep niet mag baseren op bewijsmateriaal dat niet in de rechtbankverslagen voorkomt.'

'Dat vergeet ik helemaal niet,' zei Hardy. 'Maar wie heeft de Khalils dan vermoord?'

'Nou, als je Evan moet geloven heeft Nolan dat gedaan.'

'En geloofde je Evan?'

Washburn leek er voor het eerst sinds lange tijd over na te denken. 'Nu je erover begint moet ik zeggen dat ik hem inderdaad geloof. Evan heeft geen vuurwapens of granaten uit Irak gesmokkeld alsof het souvenirs waren. Hij was er maar een paar weken. In die korte tijd kan hij onmogelijk een manier hebben gevonden om ze te bemachtigen en vervolgens naar huis te versturen. Zeker niet als je je realiseert dat hij volstrekt onverwachts en bewusteloos uit Irak is afgevoerd. Het zou me al verbazen als hij zijn eigen sokken mee had kunnen nemen, laat staan al dat wapentuig.' Hij bestudeerde de lange kegel as aan het eind van zijn sigaar. 'Nee,' herhaalde hij, 'dat verhaal is volkomen ongeloofwaardig. Het kan gewoon niet.'

'Waar kwam dat spul in Nolans kast dan vandaan?'

'Het moet van Nolan zelf zijn geweest, denk je niet? Hij kon zich in Irak veel vrijer bewegen dan Evan, en bovendien had hij veel meer tijd en veel meer contacten.'

Hardy ging achteroverzitten, met een elleboog op de leuning van zijn stoel en een hand voor zijn mond. Even leek hij diep in gedachten verzonken en toen zei hij enigszins afwezig: 'Goed, laten we er dan voorlopig eens even van uitgaan dat Nolan het echtpaar Khalil heeft vermoord. Kunnen we dat als feit aannemen?'

Washburn knikte na een korte aarzeling. 'Ik wel.'

'Oké, dan is vervolgens de vraag: waaróm heeft hij het gedaan?'

'Geen idee.'

'Heb je er ooit speculaties over opgevangen?'

Washburn schudde zijn hoofd. Plotseling leek dit hem ook te bevreemden. 'Om een of andere reden is dit inderdaad nooit onderwerp van discussie geweest.' Hij keek Hardy aan. 'Zelfs toen iedereen ervan uitging dat Evan ze had vermoord, kan ik me niet herinneren dat iemand zich druk heeft gemaakt over het mogelijke motief.' Hij nam een trek van zijn sigaar. Misschien was het iets persoonlijks of misschien haatte hij alle Irakezen om wat ze hem hadden aangedaan. En het was een mooie gelegenheid Nolan voor moord te laten opsluiten en zich zo te ontdoen van een liefdesrivaal. Een uitgelezen kans om twee vliegen in één kap te slaan voor een psychopaat als Evan, zullen sommige mensen zeker hebben gedacht.'

'Maar niemand stelde de juiste vragen?'

'Kennelijk niet.'

'Zelfs niet toen de FBI zich erover had ontfermd?' Dat laatste was geen vraag. 'Klinkt dat als onze geliefde FBI? De FBI zoals we die kennen?'

Washburn was kennelijk ook enthousiast geraakt. Ook hij zag de enorme mogelijkheden die hierachter schuil konden gaan. 'Als Nolan de Khalils inderdaad heeft vermoord,' zei hij langzaam, 'dan moet er in de familie van het echtpaar Khalil beslist iemand zijn geweest die niet alleen een motief had, maar krachtens de wetten van de Irakese tribale cultuur zelfs de plicht had hem te vermoorden.'

Hardy, ook volledig in de ban van de richting waarin hun analyse leek te gaan, boog zich naar voren en steunde met zijn ellebogen op zijn knieen. 'Hoe groot is volgens jou de kans dat de FBI ooit met familieleden van het echtpaar Khalil heeft gesproken?'

'Nihil. En nu je het toch ter sprake brengt: alle verhoorverslagen die we hebben gekregen, betroffen verklaringen die de politie van Redwood had opgenomen. Allemaal nogal aan de oppervlakkige kant.'

'Dus jij wilt zeggen dat de FBI zich in een mogelijke terrorismezaak zou hebben verlaten op de plaatselijke politie? Lijkt me niet.'

344

Washburn knikte diverse malen. 'Godallemachtig,' zei hij opgetogen. 'Jij denkt aan Brady!'

Hardy keek hem strak aan, maar kon zijn opgetogenheid nauwelijks verbergen. 'Reken maar.'

Ze doelden op een schending van wat in de wandelgangen het Brady-principe werd genoemd. In de zaak-Brady versus Maryland had het hooggerechtshof bepaald dat een verdachte al het mogelijkerwijs voor hem ontlastende bewijs waarover de openbaar aanklager beschikte onder ogen moest krijgen, ongeacht het feit of dat bewijs wel of niet tijdens het proces was behandeld. De aanklager was zonder meer verplicht alle achtergrondinformatie, bewijsstukken, getuigenverklaringen en andere stukken die de verdachte vrij zou kunnen pleiten over te dragen. Als de aanklager dergelijk bewijs achterhield en dit bewijs redelijkerwijs tot een voor de verdachte gunstiger vonnis had kunnen leiden, was dat reden om een veroordeling te herzien. Natuurlijk kon zelden worden bewezen dat een schending van het Brady-principe had plaatsgevonden, tenzij de verdediging er achteraf toevallig achter kwam.

Dit opende de mogelijkheid voor een geheel nieuwe strategie.

Hardy en Washburn waren zich allebei terdege bewust van de situatie. Als de FBI inderdaad getuigen in de zaak-Khalil had gehoord en als ze die getuigen of hun verklaringen niet had doorgegeven aan de aanklager, die ze vervolgens weer aan de verdediging had moeten verstrekken, was het zeer waarschijnlijk dat ze te maken hadden met een schending van het Brady-principe. Het mooie was dat Mills dan niet eens van het bestaan van het ontlastende bewijs had hoeven weten. De FBI maakte formeel deel uit van het team van de openbaar aanklager en Mills was verantwoordelijk voor de overdracht van al het relevante bewijsmateriaal, of de FBI haar daarvan nu op de hoogte had gesteld of niet.

Dan moesten ze niet alleen aantonen dat de FBI bewijsmateriaal had achtergehouden, maar bovendien dat het betreffende bewijsmateriaal in de zaak-Scholler hoogstwaarschijnlijk tot een milder vonnis zou hebben geleid.

Dat was echter van later zorg, vond Hardy.

Als hij de schending van het Brady-principe kon aantonen en een of twee FBI-getuigen kon vinden die buiten de processtukken waren gehouden, kon hij op vrij korte termijn een aanvraag indienen voor een behandeling in hoger beroep. De beroepsrechter zou de zaak dan terugverwijzen naar Redwood City, hoogstwaarschijnlijk weer naar de rechtszaal waar Tollson presideerde. Met het nieuwe bewijsmateriaal lag de hele zaak dan weer compleet open.

Washburn tikte Hardy, die in gedachten verzonken leek, op de knie. 'Het zal nog een hele toer zijn aan te tonen dat het bewijs dan ook daadwerkelijk ontlastend is,' zei hij. 'Het komt er gewoon op neer dat je hard moet maken dat iemand anders dan Evan heel goed Nolan zou kunnen hebben vermoord. En ik kan je uit eigen ervaring verzekeren dat zoiets behoorlijk lastig is.' Hij dempte zijn stem en voegde eraan toe: 'En misschien is het ook helemaal niet waar.'

'Misschien niet,' zei Hardy. 'Maar ik hoef alleen maar te bewijzen dat iemand anders een goede reden heeft gehad.'

De oude advocaat schudde zijn hoofd. 'Reken je nog maar niet rijk.'

'Maar als er een andere aannemelijke verdachte is van wie de jury nooit heeft gehoord...'

Washburn fronste zijn wenkbrauwen. 'En jij denkt dat de FBI, die een dergelijke getuige destijds kennelijk heeft achtergehouden, en die wat betreft niet-federale rechtsaangelegenheden volstrekte juridische immuniteit heeft, die getuige dan nu wél gaat presenteren? Hoe wil je ze zo gek krijgen dat ze dat doen?'

'Ik weet niet...' zei Hardy. 'Dat wordt de volgende uitdaging.'

33

Hardy reed via Freeway 280 terug naar de stad. Hij nam de afslag naar de oceaankant van 19th Avenue en liep een paar minuten voor het officiële begin van het borreluurtje de Little Shamrock binnen, een bar waarvan hij mede-eigenaar was. Moses McGuire, zijn zwager, die al ruim een jaar geen druppel meer had gedronken, stond achter de bar bij de biertap. Hardy vond dat hij er bijzonder fit uitzag, maar misschien kwam dat gewoon doordat hij ruim vijftien kilo was afgevallen en een stuk gezonder leefde.

Sinds zijn twintigste had McGuire het imago gekoesterd van een ruige motormuis of bergbeklimmer, wat betekende dat hij bijna veertig jaar uitsluitend gekleed was gegaan in vale T-shirts en versleten spijkerbroeken, zich zelden had geschoren en zichtbaar een hekel had aan de kapper. Daarnaast stond hij bekend om zijn opvliegende karakter, zijn afkeer van conventies en zijn voorliefde voor geestverruimende middelen.

Nu, daar aan het eind van de bar, in het gezelschap van een aantrekkelijke jonge vrouw, zag hij er eerder uit als een bankier van een jaar of vijfenveertig. Zijn peper-en-zoutkleurige haar was netjes geknipt en had een strakke scheiding, en de enige beharing op zijn voor het overige gladgeschoren gezicht was een keurig getrimde snor. Zijn blauwe overhemd droeg hij in een nette, bruine broek. Zijn neus was als gevolg van vechtpartijen in diverse kroegen zo vaak gebroken geweest dat Hardy vond dat hij er altijd een beetje gehavend uitzag. In elk geval keek hij nu helder uit zijn ogen en waren de rode adertjes die zijn gezicht hadden ontsierd toen hij nog aan de drank was vrijwel verdwenen. Het alcoholische tijdperk had het grootste deel van zijn volwassen leven in beslag genomen, maar leek nu te zijn afgesloten.

Als mede-eigenaar en voormalig barkeeper had Hardy voor zichzelf kunnen inschenken wat hij wilde, maar hij wist dat zoiets gemakkelijk uit de hand kon lopen. Voor je het wist stond je er dan de halve avond. En vanavond was zijn eerste uitgaansavond met Frannie volgens de nieuwe regeling. Dat wilde hij niet verknallen. Dus pakte hij een kruk en knikte naar McGuire, die meteen op hem af liep en vroeg: 'Wat mag het wezen, meneer de advocaat?'

'Een Hendrick's met ijs en ui.'

'Ik heb geen ui, maar wel komkommer.'

Hardy knikte. 'Dat is nog beter. En nu je toch aan het inschenken bent, wilde ik je meteen wat vragen.'

'Bruin,' antwoordde McGuire onmiddellijk. 'Sommige mensen denken dat ze groene ogen heeft. Maar volgens mij zijn ze bruin. Zeg maar slaapkamerbruin.' McGuire pakte een glas, deed er een paar ijsklontjes in, reikte omhoog en pakte de ronde fles Hendrick's-gin die tussen de andere flessen premium gin stond. Hij vulde het glas bijna tot aan de rand, sneed een vers schijfje van de komkommer en liet dat erbovenop vallen. 'Santé,' zei hij, terwijl hij het glas op een cocktailservet zette dat hij op de bar had neergelegd. 'Maar wat is je echte vraag?'

'Die neemt iets meer tijd in beslag.'

McGuire liet zijn blik langs alle hoeken van de bar dwalen, wat niet veel tijd kostte. De Shamrock was een kleine bar met veel stamgasten die al sinds 1893 op de hoek van Lincoln en 9th Avenue was gevestigd. De antieke klok aan de muur achter Hardy was tijdens de grote aardbeving van 1906 stil blijven staan en daarna had niemand hem ooit nog zien lopen. Het aantrekkelijke meisje was teruggegaan naar haar vriendenclubje bij de dartboards en de andere gasten die aan de bar zaten of op de banken achterin hadden allemaal hun natje en droogje. 'Is prima,' zei McGuire. 'De meute is voorlopig tevreden.'

Op de terugweg van Redwood City naar San Francisco had Hardy zich verder het hoofd gebroken over de vraagstukken die een mogelijke Bradyschending opriep. Hij stuitte op een vraag die Washburn en hij in hun enthousiasme waren vergeten te stellen. McGuire had een doctorsgraad in de filosofie behaald aan de Universiteit van Berkeley en zijn vermogen om feiten en concepten te begrijpen en te interpreteren was, zelfs toen hij aan de drank was, altijd al indrukwekkend geweest. Nu hij droogstond was het ronduit fenomenaal. Nadat hij zijn zwager iets over de achtergrond van de zaak had verteld, wierp Hardy het probleem opnieuw op: 'De vraag is dus waarom Nolan de Khalils zou vermoorden.'

'Makkelijk zat,' zei McGuire. 'Het is zijn werk. Hij deed het in opdracht.'

Hardy nam een slokje van de naar rozen ruikende gin, een drankje dat hij de laatste tijd lekker was gaan vinden. 'Dat is alles? Omdat het zijn werk is?'

'Natuurlijk. Hij is toch een SEAL? Waar of niet? Dat zijn dodelijke vecht-machines. Herinner je je die SEAL's in Vietnam niet? Killers. En nu werkt hij voor zo'n beveiligingsbedrijf in Irak?'

'Allstrong.'

'Precies. Allstrong.'

'Maar hij was hier voor personeelszaken, Moses. Hij moest nieuwe me-dewerkers werven. Hij was hier niet om speciale operaties uit te voeren.'

'Nee? Geloof je het zelf? Met zijn achtergrond? Ik zou niet weten waarom niet, als het nodig was.'

'En waarom zou het nodig zijn geweest de Khalils te elimineren?'

'Dat weet ik niet. Daar zou ik meer informatie voor moeten hebben. Maar het waren toch Irakezen?'

'Jawel.'

'Nou dan, daar heb je het al. Ik wil wedden dat ze daar familie hebben en dat ze Allstrong daar op een of andere manier zakelijk dwars hebben gezeten.'

'Dus daarom lieten ze de vader vermoorden, die hier in de Verenigde Staten woont?'

McGuire knikte. 'Om een signaal af te geven.'

'Maar waarom helemaal hier?'

'De vader stuurde zijn zaken waarschijnlijk van hieruit aan. Als je de kop eraf hakt sterft de rest van het lichaam vanzelf ook. Daar hoef je geen genie voor te zijn, Diz. Is dit niet allang op de rechtszitting aan de orde geweest?'

'Helemaal niet.'

'Waarom niet?'

'Nou, het gemakkelijkste antwoord is dat iedereen in het team van de openbaar aanklager ervan overtuigd was dat mijn cliënt het had gedaan en dat het motief persoonlijk was. Iets tussen hem en Nolan.'

'Maar jij denkt dat die Nolan het heeft gedaan?'

'Dat begin ik zo langzamerhand wel te geloven, ja.'

'En dan geloof je nu dus ook dat die feiten die je nu noemt tijdens het proces aan de orde hadden moeten komen?'

'Precies.'

'Hmm, laat me daar eens even over nadenken.' Hij liep naar de andere kant van de bar om wat bestellingen op te nemen. Even later kwam hij bij Hardy terug na voor zichzelf een clubsoda te hebben ingeschonken uit de frisdranktap. 'Oké,' zei hij. 'Ik ben eruit.'

'Laat maar horen.'

'Nolan heeft dat echtpaar Khalil gedood en daarna heeft de familie zich gewroken en hem afgemaakt.'

'Hoe wisten ze dan dat hij het had gedaan?'

'Ze wisten dat het van Allstrong moest komen vanwege de dingen die zich in Irak hadden afgespeeld, wat het dan ook was. Zodra ze dat wisten konden ze er ook achter komen dat Nolan Allstrongs man hier ter plaatse was. Zelfs als hij de moord niet zelf had gepleegd, hadden ze hem gepakt om wraak te nemen.'

'Maar hoe konden ze dan weten waar hij woonde?'

'Diz, doe me een lol. Het is vandaag de dag een eitje om aan iemands adres te komen. Heb je soms geen computer? Ze wisten waarschijnlijk al in welk huis hij woonde nog voor hij erin trok. Kom op, dit is toch allemaal zo logisch als wat?'

'Ja, dat is nou juist het probleem.'

'Waarom is dat een probleem?'

'Als het waar is wat jij zegt, dan is mijn cliënt onschuldig.'

'En dat is erg omdat...?'

'Omdat hij al drie jaar in de gevangenis zit.'

Moses pakte zijn clubsoda. 'Het kan erger.'

'Dat is waar,' zei Hardy. 'Maar het kan ook minder erg.'

'Maar waarom heeft de aanklager daar niet naar gekeken?' vroeg Frannie tussen twee happen van haar inktvis door. 'Ik bedoel, ik kan volgen dat ze uiteindelijk hebben besloten dat jouw cliënt Evan het moest hebben gedaan, maar je zou toch verwachten dat ze ook de familieleden van de slachtoffers hadden ondervraagd, waar of niet? Al was het maar om iets meer achtergrondinformatie te krijgen.'

'Meer dan achtergrondinformatie, Frannie. Dit was een dubbele moord. Alleen de verdenking dat Evan het wel eens kon hebben gedaan, was volstrekt onvoldoende. Het had in de lijn der verwachting gelegen dat ze hadden geprobeerd het te bewijzen, zodat hij ter dood veroordeeld had kunnen worden.'

Ze zaten bij Pane E Vino, aan Union Street, vlak bij het kantoor van Washburn. Het was wat koeler geworden, zodat ze hadden besloten binnen te eten en een tafeltje aan het raam hadden genomen. Het begon al te schemeren, maar het was nog niet helemaal donker. Frannies schouderlange rode haar accentueerde het groen van haar ogen, dat terugkwam in de kleur van de zijden blouse die ze droeg – een visueel effect dat Hardy na al die jaren nog steeds betoverde.

Hardy doopte een stukje warm vers brood in het kleine schaaltje olijf-olie, nam uit een ander schaaltje wat zout tussen duim en wijsvinger en strooide het op zijn aanstaande hapje. 'Maar het feit dat we geen stukken hebben waaruit blijkt dat de FBI met ze heeft gesproken, betekent nog niet dat ze dat niet hebben gedaan. Washburn en ik hebben daar een theorie over ontwikkeld.'

'En die is?'

'Dat de FBI ze wel heeft verhoord, maar dat ze die informatie niet hebben doorgespeeld aan de politie en de openbaar aanklager.'

'Waarom zouden ze dat niet hebben gedaan?'

'De eenvoudigste verklaring zou kunnen zijn omdat ze het niet hóéven te doen. Een andere verklaring is dat ze het niet wílden doen. Maar Washburns favoriete verklaring is dat ze opdracht hebben gekregen het niet te doen. En dat is trouwens ook mijn favoriete verklaring.'

'Wat zou daar de reden voor kunnen zijn?'

'Dat soort dingen is voor gewone stervelingen zoals jij en ik niet te vatten.'

Frannie kauwde bedachtzaam en nam een slokje van haar chardonnay. 'En wat ga je nu doen?'

'Eén ding heb ik al gedaan. Op de terugweg heb ik Wyatt gebeld.' Hij bedoelde Wyatt Hunt, zijn vaste privédetective. 'Ik heb hem gevraagd te onderzoeken welke mensen uit de omgeving van het echtpaar Khalil daadwerkelijk door de FBI zijn gehoord. En het mooie is dat het er eigenlijk nauwelijks toe doet wat ze hebben gezegd. Als de FBI wat dan ook met ze heeft besproken over de moord op het echtpaar Khalil zonder dat aan de aanklager te melden, is de verdediging daarmee op achterstand gezet omdat het dossier niet compleet was.' Hardy zette zijn wijnglas neer. 'Moses gelooft dat Evan onschuldig is, wist je dat?'

'En waarom gelooft mijn briljante broer dat?'

'Het mooie van Moses is zoals je weet dat hij een heel complexe theorie kan ontwikkelen zonder enige kennis van de feiten. Of op basis van slechts een piepklein feitje.'

'En welke theorie was dat?'

'In dit geval denkt hij dat Nolan het echtpaar Khalil heeft vermoord.'

'Geloof jij dat?'

Hardy dacht er even over na. 'Ik vind het aannemelijk. Ik geloof in ieder geval niet dat Evan, het heeft gedaan. En daarom gelooft hij dat Nolan niet door Evan, maar door iemand uit de kring van de Khalils is vermoord.'

Frannies gezicht betrok. Langzaam legde ze haar handen plat op tafel aan weerszijden van haar bord. 'En met die mensen probeer jij in contact te komen? Dezelfde mensen die je ervan verdenkt Nolan te hebben vermoord?'

'We weten niet zeker dat ze Nolan hebben vermoord. Dat is alleen maar een theorie van Moses.' Maar nog voordat hij de zin had afgemaakt, begreep Hardy wat zijn vrouw bedoelde en waarom ze plotseling zo ongerust was. Hij moest toegeven dat ook hij zich wat ongemakkelijk begon te voelen nu hij er goed over nadacht. Er was wel enige reden voor ongerustheid.

Frannie maakte zich nu al zorgen, maar ze wist nog niet dat er vraagtekens waren te zetten bij wat er met Charlie Bowen was gebeurd. Was hij werkelijk verdwenen of was er sprake van vuil spel? Misschien was hij wel op dezelfde gedachte gekomen als Hardy.

Hij haalde diep adem, pakte zijn wijnglas en nam een slok. Het had geen zin Frannie nog ongeruster te maken. 'Ik weet wat je bedoelt,' antwoordde hij, 'maar als er met deze mensen echt iets aan de hand was, denk ik toch dat de FBI wel in staat moet zijn geweest daarachter te komen, denk je ook niet?'

'Zeker. En dan?'

'Dan zouden ze ongetwijfeld iemand hebben gearresteerd. Dat is hun werk, Frannie. Ze sporen boeven op en zorgen dat die achter de tralies verdwijnen.'

'Maar misschien hebben ze dat deze keer niet gedaan.'

'Wat voor reden zouden ze daar nou voor kunnen hebben?'

'Dezelfde redenen die je me zelf zojuist hebt gegeven waarom ze de aanklager niet op de hoogte hebben gebracht van de verhoren die ze volgens jou moeten hebben afgenomen.' Ze telde ze af op haar vingers: 'Ze hoefden het niet te doen, ze wilden het niet doen of ze hebben opdracht gekregen het niet te doen.'

Hardy gaf met een hoofdknikje toe dat ze gelijk had. 'Oké,' zei hij, 'maar ik geloof toch wél dat er een wereld van verschil is tussen het achterhouden van een getuigenverklaring en het niet-arresteren van iemand van wie je weet dat het een moordenaar is.'

Frannie legde haar vork neer en keek hem aan. 'Ik had nooit gedacht dat ik dit nog eens een keer tegen je zou moeten zeggen, maar je kijkt niet genoeg naar de televisie. In *The Sopranos* zie je altijd dat de FBI gangsters jarenlang hun gang laat gaan omdat ze hopen op die manier de grotere vissen te pakken krijgen. En ondertussen worden er allerlei mensen door die gangsters in elkaar geslagen en vermoord. Dat gebeurt in werkelijkheid ook. Dat weet iedereen.'

Hij knikte opnieuw. 'Dat is waar. Maar volgens mij is zoiets in deze zaak helemaal niet aan de orde. Het is trouwens sowieso allemaal nog maar speculatie.'

'Maar doe me in ieder geval een plezier.'

'Wat je maar wilt, lieverd.'

'Als het niet langer speculatie is, wil ik dat je extra voorzichtig bent. Als deze mensen Nolan hebben vermoord, kunnen ze jou ook vermoorden.'

Hardy wist dat ze wel eens gelijk kon hebben, maar hij had ook gelijk: dit was allemaal nog steeds niet meer dan speculatie. 'Ik ben helemaal geen bedreiging voor de Khalils,' zei hij. 'Ik wil helemaal niet bewijzen dat ze iets wel of niet hebben gedaan. Ik wil alleen maar weten of de FBI met ze heeft gesproken zonder dat aan de politie van Redwood City te melden. Dus ik geloof niet dat je je zorgen hoeft te maken dat mij iets overkomt.'

'Nou, goed,' antwoordde ze enigszins geprikkeld. 'Dat zal ik dan niet doen.'

Een van de vele veranderingen in het leven van Frannie na het uitvliegen van haar eigen kinderen was dat ze een zwak had gekregen voor jonge kinderen. En omdat ze onderweg van het restaurant naar huis toch langs de woning van de Glitsky's kwamen stelde ze voor hun vrienden te bellen om te vragen of ze zin hadden in gezelschap. Een paar jaar geleden, toen hun vaste uitgaansavond nog heilig was, was dit bezoekje na het eten een wekelijks ritueel geworden, zeker in het jaar na de geboorte van Rachel.

Nu, terwijl Frannie, Treya en zelfs Rachel de kleine Zachary in de woonkamer om beurten enthousiast in de armen namen, zaten de twee mannen buiten op het trapje. Uitkijkend op de schommel die ze samen hadden gebouwd in de kleine tuin, spraken ze zachtjes met elkaar over Charlie Bowen.

'Denk je nou werkelijk dat hij is vermoord?' Glitsky reageerde minder defensief dan hij ongetwijfeld had gedaan als Bowen of diens vrouw iets was overkomen in de periode dat niet Marcel Lanier maar hijzelf hoofd Moordzaken was geweest. Hardy's theorieën mochten dan interessant zijn en misschien zelfs leuk om te bediscussiëren, maar hij had er – in ieder geval zoals de zaken er nu voor stonden – niets mee van doen.

'Niet precies,' zei Hardy. 'Ik ben alleen plotseling wat nieuwsgieriger geworden naar wat er eigenlijk met de man is gebeurd.'

'Je baseert je theorie op een heleboel onzekerheden. Dat zie je toch zelf ook wel in, of niet?'

'Nou, niet helemaal. Scholler heeft bijvoorbeeld de Khalils niet ver-moord. Dat is wel zeker.'

'Maar dat betekent nog niet dat Nolan het heeft gedaan.'

'Nee, dat is waar.' Hardy wreef in zijn handen. 'Maar stel nou eens dat een professional zoals jij het gevoel had dat er iemand was vermoord, zelfs al was er nog geen lijk en geen enkel bewijs. Hoe ga je dan te werk om erachter te komen of je gelijk hebt?'

Glitsky antwoordde zonder te aarzelen. 'Dan zou ik nagaan wat hij de laatste dagen en de laatste uren die nog te traceren zijn heeft gedaan.'

'En weet je iets over Bowen? Over zijn laatste dagen en zijn laatste uren?'

In het licht van de kale peer boven de tuindeur draaide Glitsky zijn gezicht opzij en keek zijn vriend aan. Zijn deels verlichte gelaat, met de haakneus en het witte litteken dat door zijn lippen liep, zag eruit als een tribaal oorlogsmasker, sterk en angstaanjagend. 'Ik weet helemaal niks van die Bowen af, Diz. Punt uit. Wat mij betreft is hij gewoon vermist.'

Hardy zweeg een beetje bedremmeld. Hij zat hier niet om ruzie te maken.

In de bossen rondom het Presidio hoorden ze een dier scharrelen.

'Die Bracco van jou is vandaag bij mij langsgekomen op kantoor,' zei Hardy. 'Over dat geval-Bowen.'

'Charlie?'

'Nee. Zijn vrouw.'

'O, ja,' zei Glitsky. 'Hij wil dat dagboek traceren waarvan hij niet zeker weet of het bestaat.'

'Klopt. Maar hij had nog een paar andere dingen op zijn lever.' Hardy vertelde over de dingen die Bracco had ontdekt, zoals het feit dat de nog geen vijftig kilo wegende Hanna Bowen haar nek had gebroken bij een relatief onbeduidende val zonder een strakke lus en dat ze tot de over-tuiging was gekomen dat haar man was vermoord. Het leek Bracco ken-nelijk niet onmogelijk dat Charlie Bowen vermoord was en dat zijn moord iets te maken had met een van de zaken waaraan hij werkte.

'Ik heb hem gezegd dat Charlie met een paar honderd zaken bezig was en dat het een hele klus zou zijn in die berg naar een bruikbare aanwij-zing te zoeken.'

'Maar nu,' zei Glitsky, 'begin je te geloven dat het gaat om de zaak-Scholler.'

'Ik weet niet of ik al zover wil gaan. Ik ben er nog niet echt zeker van, maar het roept wel vragen op, vind je ook niet?'

Glitsky dacht even na en knikte. 'Het klinkt interessant,' zei hij. 'Dat wil ik wel toegeven.' En daarna: 'Moet ik iets doen?'

Hardy schudde zijn hoofd. 'Ik zou niet weten wat, Abe. Bracco is er al mee bezig, nog los van dat dagboek. Jij hebt hem opgeleid, dus ik neem aan dat hij de laatste dagen en uren van mevrouw Bowen gaat uitpluizen, zoals je me net hebt uitgelegd. Misschien levert dat wel wat op.'

'Als Darrel iets vindt over Charlie dat de moeite waard is en dat op moord wijst, dan spring ik erbovenop, Diz.'

'Dat zou mooi zijn. Dat stel ik erg op prijs.'

'Wat zit je te denken?' vroeg Glitsky nadat Hardy een poosje had gezwegen.

'Niets...'

'Dat niets klinkt anders nogal ietserig.'

Hardy haalde diep adem. 'Ik vroeg me alleen maar af of het mogelijk is dat de FBI weet wie het echtpaar Khalil heeft vermoord, maar dat ze er niets over hebben gezegd omdat het onderdeel is van een belangrijkere zaak.'

Glitsky keek hem aan. 'Ik geloof dat me iets ontgaat. Ik dacht dat we het over de Bowens hadden.'

'Ja, en nu hebben we het over de FBI. Maar het gaat nog steeds over Scholler.'

'Die gast heeft heel wat connecties.'

Hardy haalde zijn schouders op. 'Het is een ingewikkelde zaak. Maar een van de aandachtspunten is hoeveel informatie de FBI de openbaar aanklager heeft onthouden. Misschien hebben ze zelfs achtergehouden dat ze nog een andere verdachte hadden.'

'Wat het ook is,' zei Glitsky, 'daar kom je nooit achter.'

'Maar denk jij dat het inderdaad mogelijk is dat ze dergelijk bewijsmateriaal bewust achterhouden?'

'Mijn vader zou zeggen: "Alles is mogelijk." Als het om de FBI gaat zou ik nog een stapje verdergaan: je kunt het zo gek niet bedenken of het gebeurt.'

'Dus ze zijn in staat met opzet een moordzaak te verzieken?'

'Niet altijd, niet als dagelijkse routine. Maar als er genoeg op het spel staat...'

'Zoals?'

'Ik weet niet... Misschien als het om een waardevolle informant gaat. Misschien een infiltrant in een terroristische cel.' Glitsky knipte met zijn vingers. 'Dat moet het zijn! Hij geeft de FBI bruikbare informatie over een terroristische cel. Ik durf te wedden dat ze een oogje toeknijpen als zo iemand zijn vriendin vermoordt. Als het om de "nationale veiligheid" gaat is volgens die lui alles geoorloofd.'

'Denk je dat?'

Glitsky beet op de binnenkant van zijn wang. 'Denk ik dat dat hier het geval is? Misschien niet. Denk ik dat het ooit is gebeurd? Zeker weten. Meerdere keren.'

Als dit ook speelde in het geval van de Khalils, dacht Hardy, dan was Charlie Bowen daar misschien niet op tijd achter gekomen bij het voorbereiden van zijn hoger beroep. Misschien hadden de Khalils hem gezien als een gevaar, een ongeleid projectiel. Iemand die niet zou aarzelen hen te beschuldigen van moord als hij daarmee zijn cliënt vrij kon krijgen. En dan hadden ze nog een punt ook. En als ze daadwerkelijk Ron Nolan hadden vermoord... Als een van hen dat had gedaan...

'Goed. En dan is er nog iets waarvan ik wil dat je erover nadenkt,' vervolgde Hardy ten slotte. 'Moses is van mening dat Nolan de Khalils in opdracht heeft vermoord. Het waren Irakezen en hij werkte voor een van die bedrijven die veel zakendoen in Irak, Allstrong Security. Nou kent Moses niet alle details, maar dom is hij zeker...'

Maar Glitsky legde een hand op zijn arm en onderbrak hem. 'Allstrong Security?'

'Ja. Ze hebben hier een hoofdkantoor en een in...'

'Ik weet waar ze zitten, Diz. Ik ken ze.' Zonder zich ervan bewust te zijn kneep hij harder in Hardy's arm. 'Werkte Nolan voor Allstrong? Hoe kan het dat ik dat nooit heb gehoord?'

'Misschien omdat het een klein detail is over een proces in een ander district dat drie jaar geleden heeft plaatsgevonden? Zou dat misschien de reden kunnen zijn? En wat maakt het trouwens uit?'

Maar Glitsky hield zijn kaken op elkaar en leek ergens diep over na te denken. Hij liet Hardy's arm los en staarde voor zich uit in het donker.

'Abe? Wat is er?'

Langzaam kwam het eruit, alsof hij tegen zichzelf praatte. 'Ik wil wedden dat het in precies die periode was, ongeveer drie jaar geleden. Dat zei je toch? Maar ik zal het nakijken.'

'Waar heb je het over?'

Glitsky aarzelde nog steeds. 'We hadden hier in de stad een moordslachtoffer. Een vent die in Irak voor Allstrong had gewerkt. Als ik het me goed herinner heette hij Arnold Zwick. Iemand had zijn nek gebroken in een steeg in de Mish. Zijn portefeuille zat nog in zijn zak.'

'Oké, maar wat betekent...'

'Nee, wacht even. Dat weekend, een dag of twee later, vonden we drie straatrovers, in de goot ergens in de Tenderloin, allemaal met een strafblad. Twee hadden een gebroken nek.'

'Drie gebroken nekken in zo'n korte tijd?'

'Dat is precies wat wij ook zeiden. Batiste was bang dat er een seriemoordenaar aan het werk was, maar daarna was het afgelopen. Geen aanwijzingen. Geen verdachten. Uiteindelijk vergat iedereen het weer.'

'En wat had Allstrong ermee te maken?'

'Niets, eigenlijk.' Glitsky probeerde nog steeds zijn geheugen op te frissen. 'We hebben in ieder geval nooit iets gevonden. Het onderzoek liep dood.'

'Maar?'

'Maar er waren getuigen die ons vertelden dat Zwick vlak voordat hij werd vermoord leek te zwemmen in het geld. Daar hebben we echter nooit iets van aangetroffen, afgezien van een paar honderd dollar in zijn portefeuille. Debra Schiff vermoedde dat hij het van Allstrong had gejat in Irak en vervolgens de benen had genomen. Ze kregen daar destijds meestal contant betaald. Haar theorie was dat Allstrong iemand deze kant op had gestuurd om Zwick op te sporen, hem ten voorbeeld te stellen en het geld terug te halen. Maar zoals ik al zei hebben we daar geen enkel bewijs voor kunnen vinden.'

'En nu denk je...'

'Ik denk nog helemaal niets. Behalve dan dat Moses wel eens gelijk zou kunnen hebben met zijn theorie over Nolan.'

Hardy zat voorovergebogen, met zijn ellebogen op zijn knieën. Hij dacht na over deze nieuwe informatie. 'Abe, ik wil je graag wat vragen. Jij hebt toch vrienden bij de FBI?'

Glitsky grinnikte. 'Dienders zoals ik hebben geen echte vrienden bij de FBI, Diz. Maar ik ken er inderdaad wel een paar mensen.'

'Zou je die niet eens een paar discrete vragen kunnen stellen?'

'Over de zaak-Khalil?'

Hardy haalde zijn schouders op.

'En waarom denk je dat ze mij daar ook maar iets over zouden vertellen?' vroeg Glitsky. 'Zeker als ze het juist al die tijd geheim hebben proberen te houden?'

'Nou,' zei Hardy, 'Ik weet wie de twee agenten zijn die bij mijn zaak betrokken waren. Misschien kun je een goed woordje voor me doen, zodat ze met me willen praten.'

'Dat wil ik best proberen. Maar ik kan je geen garantie geven dat het lukt.'

'Nee, dat weet ik. Maar misschien helpt het.'

Op dat moment ging de deur achter hen open. Frannie stond daar met Zachary in haar armen en Treya stond achter haar.

'Wat zijn jullie hier aan het bekokstoven?' vroeg Frannie.

'Een gewapende machtsovername,' antwoordde Hardy. 'Het wordt tijd dat wij de boel gaan regeren en alles in orde maken.'

'Prima idee,' zei Treya. 'Misschien kan Abe de revolutie beginnen met het in orde maken van de koelkastdeur. Die piept al wekenlang zo erg dat ik er gestoord van word.'

Toen ze eenmaal thuis waren en Frannie in de badkamer bezig was, liep Hardy beneden naar de telefoon in de keuken. Hij kreeg het antwoord-apparaat van de Hunt Club, het bureau van privédetective Wyatt Hunt.

'Wyatt,' sprak hij in op fluistertoon. 'Ik wilde je nog even waarschuwen voor die Khalils. Zorg dat je onopvallend te werk gaat. En als je erachter bent of en wanneer iemand met de FBI heeft gepraat, moet je rustig aan doen. Probeer zo veel mogelijk bijzonderheden te achterhalen, maar als je ook maar de minste tegenwerking ontmoet, zorg dan dat je niemand tegen de haren in strijkt. Meld het mij onmiddellijk. We moeten daar geen slapende honden wakker maken. Als dit je de indruk geeft dat het risicoprofiel van deze klus omhoog is gegaan, heb je het bij het juiste eind. Dus wees voorzichtig. Voorzichtig is het sleutelwoord, oké?'

Toen hij boven de slaapkamer binnenkwam had Frannie haar pyjama al aan en lag in bed. Ze legde haar boek neer. 'Wat heb jij uitgespookt?'

'Ik heb beneden de boel afgesloten, dat is alles.'

Ze keek hem onderzoekend aan. 'Is alles in orde?'

'Geen zorgen,' zei Hardy. 'Niets aan de hand.'

34

Hardy bleef er de rest van het weekend over nadenken en maandagochtend om halfacht belde hij vanuit huis het mobiele telefoonnummer
van Darrel Bracco. De rechercheur leek blij al zo snel iets van hem te
horen en vertelde Hardy dat ze Hanna Bowens dagboek nog niet hadden
gevonden, maar dat hij de vorige dag een van Hanna's beste vriendinnen
had gesproken, een zekere Nora Bonner, die Jenna's gevoel dat haar moeder geen zelfmoordplannen had bevestigde. Bonner en Hanna waren
twee dagen voor Hanna's dood nog uit eten geweest en ze had voortdurend en gedreven gesproken over wat ze de moord op haar man had
genoemd.

'En heeft Hanna toevallig ook gezegd wie hem volgens haar had vermoord?'

'Ze geloofde dat het iets te maken had met een zaak waaraan hij werkte, maar ze wist niet precies welke. Hij praatte thuis nooit over zijn werk.'

'Maar hoe kwam ze dan op dat idee?'

'De laatste dagen had hij haar verteld dat hij op iets heel belangrijks
was gestuit en dat hij misschien een of ander groot onrecht aan de kaak
kon stellen.'

'Maar hij zei niet wat het was?'

'Hij wilde er niets mee doen voordat hij het zeker wist.'

'Maar waarom heeft Hanna dat de politie dan niet eerder verteld?
Want als Charlie iets groots op het spoor was...'

'Omdat niemand er aandacht aan besteedde, daarom niet. Het was
geen moord, weet je nog?'

'Oké,' zei Hardy. 'Hanna wilde uitzoeken waar hij mee bezig was geweest. Hoe ging ze daarbij te werk?'

'Dat is precies waar ik achter probeer te komen. Ik zou in haar geval
zijn secretaresse hebben opgezocht. Of misschien had hij wel een privédetective ingeschakeld. Maar het lastige is dat het allemaal al zo lang
geleden is. Bowen wordt al bijna een jaar vermist. Wie zal het nu nog
weten of het zich herinneren?'

'Die secretaresse misschien.'

'Goed. En wie was dat?'

'Dat zal wel ergens in zijn administratie te vinden zijn. We zijn er in ieder geval naar op zoek. Hopelijk is ze nog in de stad. Waarschijnlijk werkt ze bij een ander advocatenkantoor. Of misschien weet zijn dochter het wel; dat is een snellere manier om erachter te komen.'

'Het is de moeite waard om uit te zoeken. Ik zal het haar vragen.' Bracco zweeg even. 'Mag ik jou nou eens wat vragen?'

'Natuurlijk.'

'De laatste keer dat ik je sprak bij jou op kantoor leek je er niet veel vertrouwen in te hebben dat dit iets op zou leveren. Nu bel je me nog voor ik op het bureau ben. Is er misschien iets gebeurd wat ik zou moeten weten?'

Hardy dacht er even over na en antwoordde toen: 'Dat is een terechte vraag. Het antwoord is ja, al is het allemaal nog wat voorbarig. Ik werk aan de beroepszaak van een van Bowens cliënten. Hij was ermee bezig vlak voordat hij verdween. Evan Scholler. Een van de getuigen die ik hoop te spreken te krijgen, zou wel eens een motief kunnen hebben gehad om Bowen te vermoorden.'

'Je meent het.'

'Het is nog maar een vermoeden, maar ik ben het aan het uitzoeken. Ik heb het dit weekend met Glitsky besproken.'

'En wat zei hij?'

'Wat zegt Abe meestal?'

'Niet veel.'

'Dat zei hij deze keer ook. Maar als jij van een onafhankelijke bron een bevestiging zou kunnen krijgen dat Hanna gedurende haar laatste dagen heeft geprobeerd contact te krijgen met diezelfde mensen...'

'Wie zijn dat?'

'Het is een familie. De familie Khalil.' Hardy spelde de naam voor hem. 'De vader en moeder zijn ongeveer vier jaar geleden in Redwood City vermoord en iedereen dacht dat mijn cliënt Scholler het had gedaan. Maar dat ligt nu waarschijnlijk toch anders.'

'Dus die Khalils hebben hun eigen ouders om zeep geholpen?'

'Nee, maar het is wel goed denkbaar dat ze de moord hebben gepleegd waarvoor mijn cliënt achter de tralies is beland. Voor de goede orde: de naam van het moordslachtoffer was Ron Nolan. Mijn privédetective is er ook mee bezig. Dus ik kan inderdaad zeggen dat er schot in lijkt te komen, maar het kan net zo goed vals alarm blijken te zijn.'

'Dan zou ik ook met die Khalils moeten praten.'

'Ja,' beaamde Hardy, 'maar eerst moeten we er nog achter komen over wie we het precies hebben, want op dit moment hebben we daar nog geen idee van. Het is een grote familie. En jij bent bijna klaar met de laatste uren van Hanna. Als jij iets ontdekt weet je waarschijnlijk meer dan ik en dan hebben we hopelijk iets concreets in handen om ze mee te confronteren. Ondertussen blijf ik ook spitten. En als ik ergens op stuit zal ik je zeker bellen.'

'Ik moet je er wel op wijzen dat dit politiewerk is, zeker als Charlie Bowen is vermoord.'

'Daar ben ik het helemaal mee eens. Ik zoek alleen maar munitie voor mijn hoger beroep. Maar als Hanna Bowen blijkt te zijn vermoord, is dat natuurlijk ook een zaak voor de politie. En die kwestie is veel recenter.'

Bracco zweeg, iets langer nu. 'Het lijkt me het beste dat we elkaar op de hoogte houden.'

'Dat ben ik zeker van plan. Daarom bel ik je nu ook. Ik heb echt geen zin jouw werk te gaan doen, Bracco. Het enige wat ik wil is dat mijn cliënt vrijkomt uit de gevangenis.'

Bracco lachte kort. 'Dat is het verschil tussen ons. Ik wil mijn cliënten er juist ín hebben.'

Tegen lunchtijd reed Hardy opnieuw naar het zuiden. Hoewel zijn cliënt hem dat ook had kunnen vertellen, had hij het adres en het telefoonnummer van Tara Wheatley gekregen van Everett Washburn, die hem ook had laten weten waar ze werkte. Hij had een boodschap ingesproken en gezegd dat hij Evans advocaat was, waarna ze hem tijdens haar eerstvolgende pauze onmiddellijk had teruggebeld. Ze hadden afgesproken elkaar om kwart voor twaalf voor de school te ontmoeten.

Toen hij haar vanuit de ingang naar de plek zag lopen waar hij had geparkeerd, begreep Hardy onmiddellijk hoe alle drukte over haar was ontstaan. Hij had net een boek gelezen van T. Jefferson Parker, een van zijn favoriete auteurs. Het heette *Silent Joe* en een rode draad in het boek was het concept van een vrouw die volgens een van de hoofdpersonen beschikte over de 'X-factor': een aantrekkingskracht die zo sterk was dat iedere man er voorgoed door werd veranderd. Het ging om meer dan uitsluitend fysieke schoonheid of seksuele aantrekkingskracht, hoewel die er allebei bij kwamen kijken. Het was iets krachtigers, iets subtielers – iets wat veel gevaarlijker was.

Wat de X-factor ook was, Tara Wheatley beschikte er ruimschoots over.

Toen ze bij de auto was aangekomen, bleef ze bij het rechterportier staan en schonk hem een glimlach die hem in een eerdere periode in zijn leven had doen smelten. Ze droeg een zonnebril tegen het felle licht. Het lange haar viel tot op haar schouders. Haar vale, oranje jurk onthulde niets, maar maakte desalniettemin oerdriften in hem wakker.

'Waarom zijn mannen toch altijd zo dol op cabrio's?' vroeg ze. 'Ik neem aan dat jij Hardy bent?'

'Dat klopt.'

Hardy boog opzij, maar ze deed het portier zelf open. Ze stapte in en Hardy zag dat haar benen gebruind waren en dat ze eenvoudige sandalen droeg. Hij bedacht dat het maar goed was dat ze lesgaf aan jongens van elf en twaalf jaar. Als ze iets ouder waren geweest, zou ze hen waarschijnlijk wild maken.

'Waarheen?' Hardy schakelde naar de eerste versnelling en liet de koppeling opkomen. 'Kan ik je ergens een lunch aanbieden?'

Ze schudde haar hoofd. 'Ik heb maar drie kwartier. Rijd maar een stukje door; dan kunnen we misschien ergens parkeren. Als er maar schaduw is.'

Hij reed het parkeerterrein af, sloeg rechts af en reed de heuvel op. Hij volgde de weg totdat ze in een lager gelegen wijk terechtkwamen waar de huizen schuilgingen achter oude eiken.

'Je kunt hier parkeren waar je wilt,' zei ze.

Hardy gehoorzaamde en stopte langs het trottoir aan de lommerrijke straat. Er stonden fraaie huizen met relatief kleine tuinen. Zodra hij de motor had afgezet en de handrem had aangetrokken, draaide ze zich naar hem toe, trok haar linkerbeen op en stak haar voet onder haar rechterbovenbeen. 'Het spijt me dat ik je zo snel bij die school weg wilde hebben,' zei ze, 'maar het is beter dat de mensen me niet voor het schoolgebouw met een vreemde man zien praten. Ik heb al niet zo'n beste reputatie. Tijdens het proces ben ik daardoor bijna mijn baan kwijtgeraakt.'

'Waarom? Omdat je een vriend had?'

'Omdat ik er twee had. Weliswaar niet tegelijkertijd, maar voor sommige mensen volgde de een toch wat te snel op de ander.'

'Voor wie dan?'

'Moeders in buitenwijken, Hardy. Die moet je nooit onderschatten. Er waren er nogal wat die altijd al een hekel aan me hebben gehad. Het lijkt wel alsof ze me als een bedreiging zagen, al heb ik geen idee waar dat vandaan zou kunnen komen.' Hardy had daar wel degelijk zijn gedachten over, maar die hield hij wijselijk voor zich. 'Hoe dan ook, gelukkig zijn de nonnen me blijven steunen, want ik hou van mijn werk en ik hou

362

van mijn leerlingen. Maar hoe kan ik je helpen? Is alles goed met Evan?'

Dit was haar eerste vraag geweest toen hij haar die ochtend belde, zodra hij haar had verteld wie hij was. Maar deze keer lokte deze vraag bij hem een wedervraag uit: 'Hoe lang heb je hem dan al niet gezien?'

Het bracht haar zichtbaar in verlegenheid. 'Twee weken.'

'Dat valt nog wel mee.'

Ze haalde haar schouders op. 'Het is niet goed. Niet als hij de man is van wie je houdt. En ik hou van hem. Maar hij zit al twee jaar in de gevangenis. Drie jaar, als je de voorlopige hechtenis erbij optelt.' Ze liet haar kin zakken, schudde langzaam haar hoofd en zuchtte diep. 'Het valt allemaal niet mee.'

'Dat kan ik me voorstellen.'

'Ik bedoel, wat moeten we doen als hij in de gevangenis blijft?' vervolgde ze. 'Hij wil niet met me trouwen. Dat heb ik hem al honderd keer voorgesteld. Volgens mij begint hij de hoop te verliezen. Ik weet niet meer wat hij nou eigenlijk van me wil. Soms weet ik zelf niet eens meer wat ik wil. Ik weet dat ik hem wilde. Ik wil hem nog steeds. Dat wil zeggen, ik wil nog steeds een leven met hem. Begrijp je? Maar niet dit.' Plotseling kwam er weer hoop in haar ogen. 'Maar ik heb onze relatie nog niet opgegeven hoor. Beslist niet. Dat moet je niet denken. Maar het is alleen zo moeilijk. Er komt geen einde aan.'

'Dat wil ik graag geloven,' zei Hardy.

Ze keek hem aan en vroeg: 'Denk je dat er nog een kans is? Denk je dat hij ooit nog vrijkomt?'

'Dat weet ik niet, om je de waarheid te zeggen. Ik wil je geen valse hoop geven, maar ik begin te denken dat er een kans is.'

'Had het daarom zoveel haast?'

Hardy knikte. Misschien had hij een beetje overdreven door te zeggen dat hij haar op zo kort mogelijke termijn wilde spreken, maar nu ze hier waren had hij er geen spijt van. Hij had het gevoel dat alles in een stroomversnelling begon te raken en hij wilde de vaart erin houden. 'Er is een goede kans dat de FBI met de Khalils heeft gesproken, maar dat niet aan de openbaar aanklager heeft meegedeeld. Als dat waar is, is er grond voor een hoger beroep.'

'Dat is fijn om te horen. Maar daar weet ik niets van.'

'Nee, dat verwachtte ik ook niet.' Hardy aarzelde even. 'Maar ik wilde je graag een paar vragen stellen over Ron Nolan.'

Ze wreef met haar hand over haar voorhoofd en streek een lok opzij. 'Ik wist wel dat het er ooit van zou komen.'

'Hoezo wist je dat?'

'Ik weet niet... Het was een vergissing dat ik met hem omging. Ik snap nog steeds niet waarom...' Ze liet de vraag in de lucht hangen en maakte de zin niet af. 'Ik denk vaak dat het allemaal mijn schuld is.'

'En waarom?'

'Ik had Evan nooit moeten vertellen dat Ron hem bij de FBI had aangegeven. Ron wist natuurlijk dat ik dat aan Evan zou doorvertellen zodra hij het aan mij had verteld. Hij heeft me gewoon gebruikt. En toen is Evan naar zijn huis gegaan...'

'Dus jij gelooft dat Evan hem heeft vermoord?'

'Nou, ik bedoel... Ik geloof niet dat hij zichzelf was op dat moment, maar ik denk...'

'Je denkt van wel?'

Ze haalde opnieuw haar schouders op en knikte vervolgens. 'Ik zou niet weten hoe het anders kan zijn gegaan.'

'Er kunnen een heleboel andere dingen zijn gebeurd, Tara. Niemand schijnt precies te weten wat er is voorgevallen. Dus tenzij Evan jou iets heeft verteld wat hij tijdens het proces heeft verzwegen...'

'Nee! Zo is het niet. Hij kon het zich niet herinneren.'

'Ik geloof hem. Misschien zou het beter voor je zijn als jij het ook geloofde. Maar wat ik me afvraag is of Ron wel eens met jou heeft gesproken over het werk dat hij voor Allstrong deed. Hoe lang zijn jullie eigenlijk met elkaar omgegaan?'

'Van september tot mei. Hoe lang is dat? Acht maanden? Wat wil je weten over zijn werk?'

'Alles wat je me erover kunt vertellen.'

'Nou, hij hield van zijn baan, het betaalde erg goed en hij was vaak onderweg.'

'Heen en weer naar Irak?'

'Daar moest hij soms naartoe, ja.'

'Ondanks het feit dat hij werd verdacht van dat schietincident in Masbah?'

'Dat heb ik nooit geweten totdat Evan het me vertelde, vlak voordat ik het uitmaakte met Ron. Maar daar maakte Ron zich geen zorgen over. Hij maakte zich nooit ergens zorgen over. Ik weet zeker dat hij minstens drie of vier keer naar Irak is gegaan. Al was het maar om daar zijn salaris te ontvangen, in contanten.'

'In contanten?'

'Ja.' Ze ging verzitten. 'Hij heeft me een keer een in plastic verpakte stapel bankbiljetten laten zien zo groot als een baksteen. Die had hij mee teruggenomen uit Irak. Dat was ongeveer vijftigduizend dollar.'

'Waar had hij dat voor gekregen?'

'Ik denk dat ze hem gewoon op die manier uitbetaalden. Het was zijn normale salaris. Dat vertelde hij me in ieder geval.'

'Maar hoe kreeg hij dat dan de grens over?'

'Hoe bedoel je?'

'Ik bedoel dat je zoveel contant geld het land helemaal niet mag invoeren. Dat moet je aangeven bij de douane.'

Ze schudde haar hoofd. 'Nee. Daar had Ron nooit problemen mee. Hij vloog altijd met militaire toestellen vanuit de luchtmachtbasis Travis. Hij kende alle piloten en commandanten. Hij kende iedereen. Dat was gewoon de manier waarop Allstrong zakendeed.'

'Tara,' vroeg Hardy, 'is het nooit bij je opgekomen dat Ron die fragmentatiegranaten op dezelfde manier uit Irak heeft meegenomen en hier het land heeft binnengebracht? En dat hij ze heeft gebruikt om er het echtpaar Khalil mee te vermoorden?'

'Natuurlijk. Ik wist dat Evan dat niet kon hebben gedaan. Maar het was ook niet te bewijzen dat Ron het had gedaan. Maar ja, hij was zo'n enorme leugenaar. Hij loog over alles tegen me. En ook tegen Evan.'

'Heb je hem ooit wel eens iets horen vertellen over de Khalils?'

'Nee, niet echt. In ieder geval niet voordat ze dood waren.' Ze keek Hardy aan met een gefrustreerde uitdrukking op haar gezicht. 'Ik wou dat ik wist wat je wilt horen. Want als het Evan zou helpen, dan zou ik het zeggen. Maar ik wist nauwelijks iets van Rons werk.'

'Ik probeer je helemaal niet iets te laten zeggen, Tara. Ik probeer gewoon zo veel mogelijk te weten te komen over Ron Nolan en de kringen waarin hij verkeerde. Ik wil weten wat voor soort man hij was. Misschien kan dat me helpen bij de beroepszaak.'

'Als je wilt weten wat voor soort man hij was kan ik je wel helpen. Hij heeft over zichzelf wel eens gezegd dat hij een strijder was.'

'Een strijder? Wat bedoelde hij daarmee?'

'O, daar hebben we uitgebreid over gesproken. Het beviel me helemaal niet en ik was het absoluut niet met hem eens, maar zoals hij het uitlegde leek het volstrekt logisch.'

'Hoe dan?'

'Hij zei dat de wereld nu eenmaal strijders nodig had en dat het de taak van de strijder was te doden. Dat was zijn missie. Zo zag hij zichzelf.'

'Als iemand die kon doden.'

'Als iemand die kon doden.' Ze knikte. 'En ik weet dat hij het kon. Op een avond... Ach, laat ook maar zitten.'

'Wat?'

Ze zweeg even en haalde haar schouders op. 'Nou het was tijdens een van onze eerste afspraakjes...'

35

Glitsky zat achter zijn bureau en telefoneerde met Bill Schuyler, de plaatselijke chef van de FBI, die hij redelijk goed kende en met wie hij al talloze malen op collegiale en zelfs vriendschappelijke wijze contact had onderhouden over diverse zaken. Maar dit keer was de toon verre van vriendschappelijk of collegiaal.

'Bill,' zei Glitsky, 'probeer je me nou wijs te maken dat die agenten alle twee ontslag hebben genomen?'

'Inderdaad.'

'Op hetzelfde moment?'

'Daar kan ik je niets over meedelen, Abe. Ze zijn niet langer bij ons in dienst. Meer weet ik ook niet.'

'Kun je me dan in contact brengen met hun direct leidinggevende?'

'Dat ben ik, Abe. Wat wilde je nog meer weten?'

'Ik wil weten waar ze zijn.'

'Dat heb ik je zojuist verteld. Ze hebben ontslag genomen.'

'Je hebt me zojuist ook verteld dat je hun direct leidinggevende bent. En toen we elkaar twee uur geleden spraken wist je nog helemaal niet dat ze weg waren bij de FBI.'

'Ik heb al een tijdje niet meer persoonlijk met ze samengewerkt, Abe. Ze hebben hun snor gedrukt, naar het zich laat aanzien.'

Glitsky zweeg even en probeerde het nog een keer. 'Het gaat hier om een moordzaak, Bill. Freed en Riggio hebben een paar jaar geleden een getuigenverklaring afgelegd in Redwood City en ik zou graag willen weten met wie ze in de betreffende zaak contact hebben gehad.'

'Staat dat dan niet in de rechtbankverslagen?'

'We vroegen ons af of sommige rapporten met betrekking tot die zaak wel zijn overgedragen aan de openbaar aanklager.'

'Ik ben er zeker van dat ze alles hebben overgedragen wat ze hadden moeten overdragen. En sinds wanneer onderzoek jij een moordzaak in Redwood City? Dat ligt toch niet binnen jouw jurisdictie? En wie zijn "we"?'

'Die zaak in Redwood City lijkt in verband te staan met een paar moorden die in San Francisco zijn gepleegd, Bill. En "we", dat zijn de advocaat die aan de zaak werkt en ondergetekende.'

'Nou, hoe dan ook, Freed en Riggio zijn niet beschikbaar.'

'Omdat ze niet meer bij jullie werken?'

'Dat klopt, Abe. Had je verder nog iets?'

'Als je zegt dat ze niet meer bij jullie werken, Bill, bedoel je dan dat ze bij een andere federale eenheid zijn aangenomen? Of wou je me wijsmaken dat een paar FBI-agenten van net in de dertig plotseling hebben besloten toch maar filiaalchef te worden van een Dairy Queen-vestiging in Texas zonder jou te vertellen waar dan precies?'

'Het was leuk je weer eens te hebben gesproken, Abe. Goeiendag.'

Maar zo'n goeie dag had Glitsky niet. Het was vroeg in de middag. Vijf minuten eerder had hij de tl-verlichting uitgedaan en de deur van zijn kamer gesloten. Zijn beide handen rustten op het vloeiblad van zijn bureau en af en toe, met onregelmatige tussenpozen, trommelde hij met zijn vingers. Hij keek strak en met aangespannen kaakspieren voor zich uit.

Hij had geen grapje gemaakt toen hij Hardy had verteld dat je als gewone politieman geen echte vrienden had bij de FBI. Maar het verzoek dat Hardy hem had gedaan om een van zijn contacten bij de FBI te vragen de agenten Jacob Freed en Marcia Riggio aan te sporen met Hardy te praten als deze hen zou bellen, leek Glitsky dermate onschuldig dat hij een dergelijk bureaucratisch rookgordijn nooit had verwacht. Hij had in meerdere zaken met Schuyler samengewerkt en afgezien van de gebruikelijke competentiestrijd hadden ze het op het persoonlijke vlak altijd tamelijk goed kunnen vinden.

Toen Hardy hem vrijdagavond had verteld dat hij een aantal vragen had met betrekking tot de lotgevallen van het echtpaar Bowen en dat er mogelijk een verband zou bestaan met de zaak-Scholler, had Glitsky er geen enkel probleem mee gehad zijn oordeel op te schorten. Dat soort vragen hoorde bij zijn vak. Er waren maar weinig mensen die het fatsoen hadden te verdwijnen of de pijp uit te gaan zonder hun nabestaanden op te zadelen met onduidelijkheden en twijfels.

Maar de onverklaarbare en onaannemelijke verdwijning van de twee agenten die betrokken waren geweest bij het FBI-onderzoek naar de zaak-Scholler confronteerde Glitsky met een van de andere wetmatigheden van het beroep van rechercheur: toeval bestaat niet.

Het was geen toeval dat zowel Ron Nolan als Arnold Zwick voor Allstrong had gewerkt.

Drie gebroken nekken in één weekend was evenmin toeval.

Afgezien hiervan was het in principe best mogelijk dat Charlie Bowen tijdens de voorbereiding van het hoger beroep in de zaak-Scholler doodgewoon was verdwenen. En voor de zelfmoord van zijn vrouw, zes maanden later, bestond een volstrekt redelijke en plausibele verklaring.

Dat FBI-agenten een andere baan namen was op zich ook niet ongewoon.

Maar dat al deze gebeurtenissen samenkwamen in een ogenschijnlijk willekeurige opeenstapeling van toevalligheden deed een te groot beroep op het toch vrij grote voorstellingsvermogen van Glitsky. Deze feiten moesten met elkaar in verband staan. Op welke manier wist hij nog niet. Maar het begon erop te lijken dat er een relatie was met ieder geval één moord, en misschien zelfs wel twee of nog meer. Moorden die in zijn stad waren gepleegd. Onder zijn verantwoordelijkheid. Wat betekende dat hij moest optreden.

Het feit dat Allstrong en de FBI erbij waren betrokken, maakte het speelveld behoorlijk complex. Aanvankelijk had hij de zaak-Scholler, die hij slechts in grote lijnen kende, beschouwd als een ordinaire ruzie tussen twee mannen over een vrouw. Maar plotseling leken Hardy's theorieën over de betrokkenheid van de Khalils en hun zakelijke belangen in Irak en wellicht zelfs een mogelijke betrokkenheid van de Amerikaanse regering ineens niet meer zo vergezocht. Abe geloofde weliswaar dat de FBI als er cruciale belangen op het spel stonden een oogje toe zou knijpen als een belangrijke informant iemand van het leven beroofde, maar hij kon zich toch moeilijk voorstellen dat ze een actieve rol zouden spelen bij het verdoezelen of plegen van een moord.

Hoe dan ook, de enige conclusie die hij kon trekken was dat ze bij de FBI meer van deze zaak wisten dan ze los wilden laten. Ze wisten waarschijnlijk precies wie de Khalils had vermoord. En wie een einde aan het leven van Ron Nolan had gemaakt. En als dat iemand anders was dan Evan Scholler, betekende dit dat de FBI willens en wetens de verkeerde man levenslang naar de gevangenis had laten sturen.

Als een van de leden van de familie Khalil Nolan uit wraak had vermoord en vervolgens Bowen en misschien ook diens vrouw omdat ze erachter waren gekomen, en de FBI wist daarvan...

Hij trok de telefoon naar zich toe, pakte de hoorn en toetste een nummer in dat hij uit zijn hoofd kende. 'Dag Phyllis,' zei hij. 'Je spreekt met Abe Glitsky. Geef me Diz alsjeblieft.'

Hardy's privédetective verrichtte zijn onderzoekingen voornamelijk achter zijn computer in het grote pakhuis vlak bij het Paleis van Justitie dat hij tot woning had verbouwd. Het kostte hem weinig moeite de bijzonderheden van de moord op het echtpaar Khalil op internet te vinden. In het weekend had hij Hardy nog gesproken om precies vast te stellen waaruit zijn opdracht bestond. Na het eerste telefoontje op vrijdag, toen Hardy alleen maar had willen weten met welke familieleden de FBI eventueel over de zaak-Scholler had gesproken, was die opdracht inmiddels iets complexer geworden. Hunt moest er nu achter komen wat er tijdens die gesprekken precies aan de orde was gekomen, zonder daarbij slapende honden wakker te maken en zichzelf in gevaar te brengen.

Maar nu, op maandagmiddag, wist hij dat de uitgebreide familie Khalil bestond uit drieëntwintig verschillende gezinnen die zich hadden gevestigd op verschillende locaties in het gebied ten zuiden van San Francisco en San Jose, en aan de andere kant van de baai tot aan Hayward en Fremont. In principe was ieder gezin franchisehouder van een 7-Eleven-filiaal, maar vier van de gezinnen hadden er meer dan één. De familie had zich in het land gevestigd nadat Ibrahim en Shatha met hun vier kinderen als eersten naar de VS waren geëmigreerd, nog voor het uitbreken van de eerste Golfoorlog.

De oudste broer, Abdel Khalil, was na de moord op zijn ouders opgetreden als woordvoerder van de familie en leek de meest voor de hand liggende bron van informatie. Abdel bestierde drie winkels aan El Camino Real tussen de steden Millbrae en San Bruno, maar hij leidde zijn onderneming vanuit een kantoorgebouw met veel glas op een bedrijventerrein bij het vliegveld van San Francisco.

Hunt stapte uit zijn Mini Cooper. Er stonden geen bomen op het terrein en hij liep door de felle zon naar de ingang en betrad de tamelijk kale receptie van AMK Incorporated. In de receptie zat een donkere, morsige jongeman in hemdsmouwen achter een omvangrijk en nogal vol bureau, het enig aanwezige meubelstuk. Hij was zo te zien bezig met administratief werk. Bijna op de rand van het bureau stond een mok dampende thee. De screensaver op zijn monitor vertoonde een computersimulatie van een 7-Eleven-filiaal in een doorsneewinkelcentrum. Uit een radio klonk zachtjes oosterse muziek. Misschien was het wel een Irakees wijsje, dacht Hunt.

Hunt had zijn afspraak die ochtend onder valse voorwendselen gemaakt, waarschijnlijk met deze jongeman. Hij had zich uitgegeven voor een journalist die bezig was met een artikel over maatschappelijk succesvolle immigranten. Nadat hij zich had voorgesteld, glimlachte de jongen zenuwachtig naar hem en verdween door een deur. Hunt bleef staan wachten voor het bureau.

Even later schudde Hunt een goed uitziende man van een jaar of vijfendertig de hand. Met zijn snor leek hij een beetje op Saddam Hoessein, hoewel hij westers gekleed was, in een broek die leek te horen bij een kostuum en een lichtblauw overhemd zonder stropdas met het bovenste knoopje open. 'Welkom, meneer Hunt, mijn naam is Abdel Khalil. Kan ik u misschien iets te drinken aanbieden? Een kop thee misschien? Koffie? Cola?'

'Koffie graag, zonder suiker.'

'Prima. Gaat u mee naar mijn kantoor?' Khalil knipte tweemaal snel met zijn vingers, waarop de jongen overeind sprong, een buiginkje maakte en verdween.

Hunt liep met Khalil mee naar een ruimere kamer aan de achterkant van het gebouw. Vanuit de stoel die Khalil hem had aangewezen, aan de andere kant van het eenvoudige bureau, had hij ongehinderd uitzicht op de baai en de toestellen die op het vliegveld landden.

De kamer was uiterst functioneel ingericht, net als de receptie. Aan een van de muren was een levensgrote kaart van het gebied rondom de baai bevestigd. Naast het bureau stond een aparte computertafel. Khalil was net achter zijn bureau gaan zitten toen er op de deur werd geklopt en de receptionist binnenkwam met een kop koffie. Zwijgend gaf hij die aan Hunt, waarna hij de kamer verliet en de deur weer achter zich sloot.

'Goed, meneer Hunt.' Khalil plaatste zijn handen op het bureau. Zijn uitspraak van het Engels was vlekkeloos en verried een goede opleiding. 'Smaakt de koffie? Prima. En wat kan ik voor u doen? Ik hoorde dat u een artikel aan het schrijven bent?'

Dit was altijd een lastig moment. Hunt plaatste zijn kopje terug op het schoteltje op de kleine bijzettafel naast hem. 'Ik moet u eerlijk bekennen dat het iets anders ligt. Mijn verontschuldigingen. Ik ben privédetective en werk voor een advocaat die een hoger beroep in de zaak-Evan Scholler aan het voorbereiden is. Als u me nu de deur wilt wijzen, zal ik u dat niet kwalijk nemen.'

Khalil, die hierover verbaasd maar ook lichtelijk geamuseerd leek te zijn, maakte een wegwuivend gebaar. 'U zit net. En waarom denkt u dat ik niet met u over Evan Scholler zou willen praten?'

'Misschien is het een gevoelig onderwerp.'

'Waarom?'

'De algemene opvatting is toch dat hij uw ouders heeft vermoord?'

'Ja.' Het gezicht van Khalil kreeg een sombere uitdrukking. 'Dat was een moeilijke periode. Maar ik hoop dat we dat achter ons kunnen laten. Zei u dat Scholler in beroep gaat tegen zijn vonnis?'

Hunt knikte.

'Nou, dan wens ik hem succes.'

'Werkelijk? Dat vind ik nogal verrassend.'

'Waarom zou dat verrassend zijn?'

'Als hij uw ouders heeft vermoord, bedoel ik.'

'Maar dat is hem nooit ten laste gelegd. En eerlijk gezegd leek het me destijds ook niet zo waarschijnlijk, tenzij je ervan uitging dat hij, na wat hem allemaal was overkomen, alle Irakezen haatte en er zomaar wille- keurig een paar had uitgekozen om ze af te maken.' Khalil schudde zijn hoofd. 'Daar heb ik nooit veel geloof aan gehecht.'

'Wie heeft ze volgens u dan vermoord?'

'Ik denk dat het Ron Nolan is geweest.'

'Waarom denkt u dat?'

'Nou, vanwege die fragmentatiegranaten bijvoorbeeld. Het scheen dat hij uit hoofde van zijn werk regelmatig op en neer reisde naar Irak, van- waar hij dat soort spullen gemakkelijk had kunnen meenemen. Als je per militair transport reist heb je nauwelijks last van de douane.'

'Maar waarom?'

'Hoe bedoelt u: waarom?'

'Waarom zou hij uw ouders hebben willen vermoorden? Wat voor mo- tief had hij daarvoor?'

Khalil trok een grimas nu de herinneringen weer bovenkwamen. 'Vol- gens mij heeft hij in Irak een contract aangenomen om mijn vader te li- quideren. Onze familie heeft zakelijke belangen in Irak en ik denk... Nou, ja, zoiets had ik in ieder geval vernomen, en toen ik het de FBI vertelde...'

'Wacht even, alstublieft. Wilt u zeggen dat u daarover met de FBI hebt gesproken?'

'Vanzelfsprekend.'

'En u hebt ze verteld dat u vermoedde dat Ron Nolan uw ouders had vermoord, omdat u zoiets had gehoord van uw bronnen in Irak?'

'Inderdaad.'

'En wat zeiden ze bij de FBI?'

'Dat leken ze al te weten. In ieder geval weerspraken ze niet dat het waarschijnlijk zo was gebeurd. Ze verzekerden ons dat ze het verder zou- den onderzoeken. Maar ja, na wat er vervolgens met Nolan is gebeurd...'

372

'Dus ze hebben met u gesproken over de rechtszaak tegen Scholler?'

Dit leek hem even tot nadenken te stemmen. Hij draaide zich opzij, fronste zijn wenkbrauwen en keek naar buiten. Daarna keek hij Hunt weer aan. 'Dat kan ik me niet echt herinneren.'

'Maar waarover hebben ze dan met u gesproken?' Hunt leunde naar achteren. Hij moest dit even verwerken. 'Maar goed, het spijt me dat ik u onderbrak. Dus u zegt dat de FBI niet geloofde dat Scholler uw ouders had vermoord.'

'Dat klopt. Dat is waarschijnlijk ook de voornaamste reden dat hij er nooit voor is aangeklaagd. Iedereen die ik sprak bij de FBI was het met me eens dat Nolan de dader moest zijn geweest.'

'Maar hebben ze Nolan nooit...'

'Nolan was dood, meneer Hunt. Wat moesten ze er nog aan doen? Het was over, klaar en uit. Zelfs al hadden mijn broers en neven hem willen vermoorden, hij was al dood.'

'Dus u wilt zeggen dat Scholler Nolan heeft gedood?'

Nu keek Khalil hem oprecht verbaasd aan. 'Nou, ja, natuurlijk. Dat wordt toch door niemand betwijfeld? Of wel soms?'

Nou, eerlijk gezegd wél, wilde Hunt zeggen. *Mijn baas heeft daar nogal wat vraagtekens bij.* Waarop Khalil zou vragen: *Wie heeft Nolan dán vermoord?* Waarop Hunt zou antwoorden wat Hardy dacht: *Nou, jullie natuurlijk. Iemand uit jullie familie.* Maar Hunt besloot het anders aan te pakken. 'Oké. Niemand twijfelt eraan dat Scholler Nolan heeft vermoord. En de FBI heeft jullie verteld dat Nolan jullie ouders hoogstwaarschijnlijk heeft vermoord. Maar wisten ze ook waarom? En wisten ze wie de opdracht had gegeven?'

'Het korte antwoord is dat ze dat in het begin niet wisten; toen konden ze niets vinden. Ik hoorde van mijn familieleden dat ze daar enorm veel mensen hebben ondervraagd.'

Hunts mond viel bijna open van verbazing. 'In Irak? Is de FBI helemaal naar Irak gereisd om mensen te ondervragen over de dood van jullie ouders?'

'Natuurlijk, want daar leidde het spoor al vrijwel onmiddellijk naartoe.'

'Maar ze hebben niet ontdekt wie de opdracht heeft gegeven?'

'Uiteindelijk geloofden ze dat ze wisten wie het was.' Er verscheen een zuinig glimlachje op het gezicht van Khalil. 'En wij – mijn familieleden – hebben gecontroleerd of ze het bij het juiste eind hadden. Die FBI van jullie, die weten wat ze doen. Ze zijn heel competent en werken uiterst effectief.'

Hunt ging iets meer rechtop zitten. 'Wat hebben ze dan ontdekt?'

'Nou, zoals ik al zei werd alles uiteindelijk duidelijk. Maar eerst moet u weten dat mijn vader, Ibrahim, een briljant zakenman was. Hij gaf zijn jongste broer, Mahmoud, advies met betrekking tot diens uitgebreide zakelijke belangen in Irak. Mahmoud probeerde arbeidskrachten te leveren voor een bouwproject daar, een heel winstgevend bouwproject. Maar de voornaamste onderaannemer en de belangrijkste concurrent van Mahmoud was een Koerd, genaamd Kuvan Krekar. De FBI is tot de conclusie gekomen dat die Krekar opdracht heeft gegeven mijn vader en moeder te elimineren om onze zaken daar te verstoren, en tot op zekere hoogte is hij daarin geslaagd. In ieder geval tijdelijk.' Toen Khalils glimlach weer verscheen kreeg die een dodelijke betekenis. 'Twee jaar geleden kreeg ik bericht dat de heer Krekar helaas om het leven was gekomen door een bermbom. Zoals u weet maakt mijn land een buitengewoon gewelddadige episode door. Maar het goede nieuws is dat Mahmoud de laatste tijd uitstekende zaken doet, en het lijkt erop dat we erin zijn geslaagd die zwarte bladzijde om te slaan.'

36

Om halfvijf zaten Hardy en Hunt aan een tafeltje bij het raam in Lou de Griek, een bar – en volgens sommigen ook een restaurant – pal tegenover het Paleis van Justitie. Het feit dat men van mening verschilde of je het ook een restaurant kon noemen, had te maken met de nogal wisselende kwaliteit van het eten dat er werd geserveerd. Veel klanten kwamen er alleen maar om iets te drinken aan de kleine bar voorin en ze waagden zich niet aan de steeds wisselende dagschotel die Chui, de vrouw van Lou, iedere dag in elkaar draaide.

De dagschotel was het enige wat je er kon bestellen en ter ere van de verschillende culturele achtergrond van de Chinese Chui en Lou, die van Griekse afkomst was, probeerde ze meestal iets te maken waarin de beide totaal verschillende culinaire tradities waren verenigd. Je kon dus op een willekeurige dag worden getrakteerd op wontons met taramasalata – oftewel viskuit – in een avgolemnosoep, Chinese noedels met moussaka of de veelbesproken yeanlingschotel. Nadat de openbaar aanklager Clarence Jackman ooit publiekelijk had verklaard dat dit zijn 'favoriete lunchgerecht hier in de stad' was, had een panel van zes lokale topkoks zich verdiept in de samenstelling ervan. Ze waren er behoorlijk door van streek geraakt.

Omdat het etablissement zich beneden straatniveau bevond – je moest vanaf Bryant Street een trap af voordat je naar binnen kon – bevonden de ramen waardoor Hardy en Hunt naar buiten konden kijken zich ergens hoog in de muur. Ze boden uitzicht op het trottoir van de steeg aan de achterkant en het enige wat je kon zien waren de voeten van voorbijgangers, vuilniszakken en af en toe een zwerver die voor het raam een slaapplaats had gevonden.

Vandaag hadden Hardy en Hunt weinig aandacht voor hun omgeving. Hardy, die het grootste deel van de dag had gewerkt aan de eerste opzet van zijn pleidooi inzake de PTSS voor de beroepszaak van Evan, zat enigszins voorovergebogen aan tafel, terwijl hij zijn beide handen om een koffiemok had gevouwen. Hij leek diep in gedachten verzonken. Hunt zat schuin tegenover hem op de ronde bank en draaide zijn bierglas langzaam rond op het tafelblad. Hunt had al bij Hardy op kantoor verslag uitge-bracht en daarna had Hardy Glitsky teruggebeld, waarna ze hadden afge-sproken elkaar hier te ontmoeten om de koppen bij elkaar te steken.

'Heb je niet genoeg aan het feit dat de Khalils met de FBI hebben ge-sproken?' vroeg Hunt. 'Vrijdag was dat nog het enige wat je wilde weten.'

'Dat herinner ik me,' zei Hardy. 'Dat is alweer lang geleden. Maar dat argument ga ik zeker gebruiken. De Khalils hadden een sterk motief om Nolan te vermoorden. Dat had de jury moeten weten, zodat ze zelf had-den kunnen beslissen of er redelijkerwijs aan Evans schuld kon worden getwijfeld. Het is aan de jury en niet aan de FBI te beslissen wat belang-rijk is en wat niet. Maar voor een schending van het Brady-principe is het bovendien nodig dat het achtergehouden bewijsmateriaal hoogstwaar-schijnlijk twijfel aan de schuld van de verdachte zou hebben gezaaid. En het idee dat er een onbekende derde partij was die ook belang had bij Nolans dood is waarschijnlijk niet genoeg voor de rechtbank om Evan een nieuw proces te geven. We hebben domweg iets sterkers nodig als we wil-len aanvoeren dat de Khalils Nolan hebben vermoord...'

'En dat zie ik gewoon niet, Diz. Echt niet. Het is natuurlijk mogelijk, maar je had die Abdel moeten horen. Als hij er niet absoluut van over-tuigd was dat Scholler Nolan had vermoord, moet hij onmiddellijk bij het toneel.'

'Nou, misschien heeft het vooruitzicht van de arrestatie van hemzelf of een van zijn familieleden wel onvermoede acteertalenten in hem wakker gemaakt. Dat zou toch kunnen?'

Hunt haalde zijn schouders op. 'Misschien, maar mijn intuïtie zegt iets anders.'

'Goed dan, laten we er hoe dan ook even van uitgaan dat de Khalils Nolan niet hebben vermoord en Scholler ook niet. Wie heeft het dan gedaan?'

'Wat dacht je van de FBI? Misschien was er wel veel meer geld in het spel dan wij nu weten en misschien zijn die twee agenten daarom wel verdwenen. Ze hebben het gevonden en zijn ermee vandoor gegaan naar het buitenland.'

'Misschien,' zei Hardy zonder veel enthousiasme. 'Het is een spannend verhaal. Maar ik geloof er weinig van.'

'Ik ook niet,' zei Hunt, terwijl hij naar de deur wees. 'Het is irritant dat we er niet uit komen. Maar daar heb je Glitsky. Misschien heef hij een idee.'

Glitsky was niet alleen. Hij had Bracco meegenomen. Hardy stelde Hunt aan hen voor. Lou kwam achter de bar vandaan en liep naar hun tafel om de bestelling op te nemen: een groene thee voor Glitsky en een cola light voor Bracco. De mannen wisselden de laatste feiten uit. Het verhaal dat Hardy van Tara had gehoord over de drie overvallers in de Tenderloin in San Francisco, dat er duidelijk op wees dat Nolan die doden op zijn geweten had, zorgde voor de nodige opwinding aan tafel.

Bracco sprak als laatste en vertelde Hardy en Hunt wat hij Glitsky al eerder had gemeld. Hij had Deni Pichaud, de secretaresse van Bowen, weten te lokaliseren en ruim een uur met haar gesproken over de zaken waaraan haar baas gedurende de laatste dagen voor zijn verdwijning had gewerkt. Ze kon er niet veel over zeggen, want zoals iedereen wel wist had Bowen een omvangrijke praktijk en volgens Pichaud verlegde hij zijn aandacht steeds van de ene zaak naar de andere, afhankelijk van welke cliënt hem belde. Het hoger beroep van Scholler zei haar niets.

Toen Bracco was uitgepraat, keken de mannen elkaar lange tijd zwijgend aan. Hardy verbrak de stilte als eerste: 'Waar staan we nu?'

'In de stront, als je het mij vraagt,' merkte Hunt op.

Glitsky, die een hekel had aan onwelvoeglijk taalgebruik, wierp de privé-detective een afkeurende blik toe, blies vervolgens in zijn kop thee, nam een slokje en zei: 'Het draait om de FBI en Irak. Dat is het enige wat nog over is.'

Hardy schudde zijn hoofd. 'De FBI heeft Nolan niet vermoord, Abe.'

'Misschien was het tóch Scholler,' zei Bracco. Hij stak zijn hand op. 'Ik weet wel dat hij je cliënt is, maar...'

'Ja, maar dat doet er nu al bijna niet meer toe,' zei Glitsky.

'Voor mij doet dat er wel degelijk toe, mannen,' reageerde Hardy. 'Dat is de reden waarom Hunt en ik hier zijn. Dus als jullie het goedvinden laten we de vraag wie Nolan heeft vermoord nog even open en kijken we waar dat ons brengt.'

'Prima,' zei Glitsky. 'Ik wil weten wie het echtpaar Bowen uit de weg heeft geruimd, en we weten in ieder geval zeker dat Scholler dat niet heeft gedaan.'

'Dus je gaat er nu van uit dat Bowen en zijn vrouw zijn vermoord?' vroeg Hunt.

Glitsky knikte. 'Totdat het tegendeel is bewezen.' Hij stak een vinger uit naar zijn rechercheur aan de andere kant van de tafel. 'Dus, Darrel, vanaf heden kun je daar meer tijd in gaan steken. Behandel ze maar als gewone moordzaken. Getuigenverklaringen, als je eraan kunt komen, bewijsmateriaal idem dito, telefoongegevens, financiële gegevens – de hele bliksemse boel.'

Bracco knikte vastberaden. 'Begrepen.'

'Ondertussen,' vervolgde Glitsky, 'vraag ik me af wat het verband is tussen Irak en de FBI en het echtpaar Bowen.'

'Ik heb een idee,' zei Hardy. 'Laten we even teruggaan naar Nolan. De FBI heeft met hem gesproken en zijn baas werkt in Irak. De FBI en Irak komen hier dus samen in één zin voor.'

Hunt ging erop door. 'Oké. En Abdel Khalil zegt dat Nolan van een zekere Kumar of zo de opdracht heeft gekregen zijn ouders uit de weg te ruimen.'

Hardy, die zelden iets vergat, corrigeerde: 'Kuvan.'

'Goed, Kuvan. Kuvan betaalde Nolan veertig- of vijftigduizend dollar om de Khalils uit de weg te ruimen. Daarna maakte iemand van de familie Khalil in Irak die Kuvan weer af.'

De vier mannen zwegen en concentreerden zich op hun drankjes. Ten slotte schraapte Hardy zijn keel. 'Dit is wel een érg keurig pakketje,' zei hij.

Glitsky keek hem aan. 'Wat bedoel je?'

'Ik bedoel dat het zo allemaal feilloos in elkaar past, afgezien dan van twee details, namelijk Charlie en Hanna Bowen. En volgens mij zijn we het er allemaal wel over eens dat die in ieder geval niet zijn vermoord door de FBI, nietwaar?'

Iedereen knikte.

'Nou, corrigeer me maar als ik ergens een denkfout maak, maar stel dat het spoor inderdaad naar Irak leidt, alleen niet naar Kuvan maar naar Allstrong? Stel nou eens dat die erachter zitten?'

'Net zoals ze achter de moord op Zwick zitten,' beaamde Glitsky.

'Maar weten we dat zeker?' vroeg Bracco. 'En zelfs als dat zo is, wat betekent dat dan?'

'Voor Zwick maakt het niets uit, zoals je zegt. De FBI heeft zich nooit met dat onderzoek bemoeid,' antwoordde Hardy. 'Maar met betrekking tot de Khalils zou dat betekenen dat de FBI een Amerikaans bedrijf met belangrijke contracten daar uit de wind houdt door de schuld – en daarmee de wraak – af te schuiven op die Kuvan. De zoveelste Irakese zakenman die helaas het slachtoffer wordt van de oorlog. De Khalils krijgen hiermee hun zin, omdat ze kunnen voldoen aan hun verplichting om wraak te nemen. En hier kijkt niemand meer naar Nolan of naar Allstrong. Einde verhaal.'

'En de FBI zou dit hebben gedaan? Maar waarom in vredesnaam?' vroeg Glitsky.

'Omdat Allstrong ergens op hoog niveau relaties heeft. Zowel hier als in Irak. Zo hoog in de boom dat ze de FBI controleren.'

Glitsky maakte een afkeurend geluid.

'Ik weet het, ik weet het,' zei Hardy. 'Jij houdt niet van dit soort complottheorieën. Maar dat betekent nog niet dat zoiets niet voorkomt, Abe.'

'Ik hou er best wel van,' zei Bracco.

Hunt mengde zich erin met: 'Ik ook. Ik ben er gek op.'

'Misschien ontgaat me iets,' zei Glitsky, terwijl hij Hardy aankeek. 'Wat is de FBI volgens jou nou gaan onderzoeken, Diz? De moord op Nolan?'

'Nee, de moord op de Khalils.'

'Ik dacht dat ze hadden geconcludeerd dat jouw cliënt dat had gedaan?'

Hunt corrigeerde Glitsky. 'Nee, Redwood City dacht dat Evan het had gedaan, niet de FBI. Volgens Abdel was de FBI er al in een vroeg stadium van overtuigd dat Nolan het echtpaar Khalil had vermoord.'

'Maar waarom gingen ze dan naar Irak?'

'Misschien wel om te achterhalen waar die fragmentatiegranaten vandaan kwamen,' zei Hardy. 'En om de mensen met wie Nolan werkte te verhoren. Misschien wel zijn baas, die naar we inmiddels wel kunnen aannemen opdracht heeft gegeven voor de moord.'

'Maar waarom, Diz?'

'Nou, daarvoor moet ik de zaken een beetje extrapoleren, maar zeg het me maar als je je er niet in kunt vinden. Allstrong had een vruchtbare relatie met die Kuvan. En de Khalils zaten Kuvan dwars. Dit zijn overigens allemaal zaken die Wyatt min of meer vanmiddag van Abdel bevestigd heeft gekregen. Dus Allstrong geeft die Nolan de opdracht het echtpaar Khalil uit de weg te ruimen. Dat is overigens het soort werk dat Nolan gewend is te doen.'

'Oké.' Glitsy draaide zijn kopje thee langzaam rond en probeerde de puzzelstukjes op hun plaats te krijgen. 'Maar hoe passen de Bowens in dit plaatje?'

'Bowen begint aan de voorbereiding van het hoger beroep in de zaak-Scholler, net zoals ik nu aan het doen ben. Hij begint dezelfde vragen te stellen die ik ook heb gesteld, maar in plaats van Wyatt naar Abdel Khalil te sturen, zoals ik nu heb gedaan, gaat hij uit van de veronderstelling dat niet Evan maar Nolan het echtpaar Khalil heeft vermoord. Dus wie had er volgens Bowen belang bij dat dit niet uitkwam?'

'Allstrong,' zei Hunt.

Hardy knikte. 'Tien bonuspunten.'

'Wie had er belang bij dat er wát niet uitkwam?' vroeg Glitsky.

'Allstrong. Ze kunnen in Irak zo ongeveer doen en laten wat ze willen zolang ze hun contracten maar nakomen en aan de vraag voldoen. Maar als het uitkomt dat ze op Amerikaanse bodem genaturaliseerde Amerikanen mollen om hun zakelijke belangen in Irak veilig te stellen, dan moet ik er toch van uitgaan dat Allstrong geen nieuwe contracten meer zou krijgen, hoe groot de puinhoop daar in Irak ook is. Want zoiets zou hier een enorme heisa geven. Misschien zouden ze zelfs ook hun lopende contracten verliezen, als ze al niet voor de rechter moeten verschijnen wegens moord.'

Bracco slurpte het laatste restje van zijn cola light op. 'Over hoeveel geld praten we eigenlijk? Voor Allstrong, bedoel ik. Wat is de totale waarde van hun orderportefeuille?'

Hunt antwoordde. 'Toen ik dit weekend op internet het een en ander over Nolan opzocht werd ik daar ook nieuwsgierig naar. Hun eerste jaar in Irak, toen Nolan al op de loonlijst stond, bedroeg de waarde van hun contracten met de Amerikaanse overheid in totaal ongeveer driehonderdvijftig miljoen dollar.'

'Je neemt me in de maling,' zei Bracco. 'Allstrong Security? Ik bedoel, wie zijn ze nou helemaal? Niemand heeft er ooit van gehoord. Het is niet bepaald Halliburton.'

'Nee, maar ze doen aardig hun best,' zei Hunt, 'dat is wel duidelijk.'

'Misschien zijn ze inderdaad niet te beroerd om een moord te doen voor een goed contract,' zei Hardy droogjes.

Glitsky leunde naar achteren. Zijn lichaamstaal verried dat hij nog steeds twijfelde. 'Goed, dus je punt is dat Bowen eerst naar Allstrong is gegaan met deze verdenkingen en niet naar de Khalils?'

'Dat vermoed ik,' zei Hardy.

'En toen heeft Allstrong hem vermoord?'

Hardy knikte. 'Of het laten doen.'

'Dat is nogal drastisch, nietwaar?'

'Misschien wel vanuit jouw gezichtspunt, dat geef ik toe. Maar dit zijn beroepssoldaten. Geweld is normaal voor hen. Dat is hun manier om conflicten op te lossen.' Hardy boog zich over de tafel en vervolgde enthousiast: 'Luister, Abe, Allstrong had die hele Nolan-kwestie al achter zich gelaten. Iedereen geloofde dat Evan Scholler het echtpaar Khalil had gedood om zijn eigen zieke motieven. Iemand in Washington met voldoende macht – een generaal, een Congreslid, in ieder geval iemand die door Allstrong wordt betaald om de juiste contacten te onderhouden – heeft de FBI opgedragen of op een andere manier zover gekregen Kuvan op te offeren aan de resterende Khalils.'

Glitsky schudde opnieuw zijn hoofd. 'Ik weet dat we hier allemaal geen grote fans van de FBI zijn, maar ik moet zeggen dat ik zoiets voor onmogelijk hou. Absoluut onmogelijk. Misschien gaan ze in hun enthousiasme soms wel eens iets te ver, maar je maakt mij niet wijs dat ze zomaar een onschuldige Irakees opofferen omdat dat iemand zakelijk goed uitkomt.'

Hardy knikte instemmend. 'Maar stel nu eens dat ze het niet wisten, Abe? Stel dat iemand daar hoog in de boom, een generaal of een senator of noem maar op, naar het hoofd van de FBI ging en Allstrong de hemel in prees en allerlei vuiligheid over die Kuvan vertelde? Zodat de zaak als opgelost kon worden beschouwd en de agenten ervanaf werden gehaald?'

'En als iemand anders er dan nog eens op terug wil komen,' zei Bracco, 'zoals jij vanochtend, dan werken ze er gewoon niet meer.'

'En Allstrong blijft buiten schot,' zei Hardy.

'Totdat Bowen komt opduiken,' voegde Hunt eraan toe.

'Zo is het,' zei Hardy. 'Plotseling kwam het probleem weer terug. Een regelrechte bedreiging van het voortbestaan van Allstrong, nog véél acuter dit keer. Daarom moesten ze zich van Bowen ontdoen voordat hij het in de publiciteit kon brengen. Of alleen al om te voorkomen dat hij nog meer vragen zou stellen. Hij moest gewoon weg.' Hardy keek de andere drie mannen aan. 'Ziet iemand hier misschien een flagrante incongruentie?'

Glitsky keek Bracco veelbetekenend aan. 'Niet schrikken, Darrel, hij gebruikt vaak dat soort rare woorden.' Hij richtte zijn blik weer op Hardy. 'Ben je er wel zeker van dat Bowen daadwerkelijk contact heeft opgenomen met Allstrong? Ik bedoel, kun je dat ook bewijzen?'

'Nee, maar daar kunnen we achter komen. Dat moeten we kunnen achterhalen aan de hand van de telefoongegevens waar je het eerder over had.' Hardy richtte zich tot Bracco. 'En ik zou die van Hanna ook maar opvragen.'

Glitsky voelde zich geroepen zijn rechercheur in bescherming te nemen en zei enigszins kortaf: 'Darrel weet heus wel hoe hij zijn werk moet doen, Diz.'

'Het spijt me,' zei Hardy tegen Bracco. 'Soms laat ik mezelf een beetje gaan. Maar ik geloof echt dat we hier iets bij de kop hebben.'

'Laten we eerst maar eens proberen het een en ander hard te maken,' zei Glitsky. Hij dronk zijn thee op en zette het kopje langzaam terug op het schoteltje. Toen hij het woord weer nam klonk er afkeer door in zijn stem. 'Ik heb er werkelijk moeite mee te geloven dat we hier met een samenzwering te maken hebben. En een doofpot. Door iemand die hoog genoeg is geplaatst om invloed te kunnen uitoefenen op de FBI. Ik blijf geloven dat dit soort dingen bij ons niet gebeurt.'

'Met alle respect, maar meen je dat nou?' vroeg Hunt. 'Dit zijn dezelfde lieverdjes die ons hebben opgezadeld met Abu Ghraib en al die andere ellende daar. Iemand als Kuvan opofferen voor een hoger doel, als dat betekent dat je meer geld kunt pompen in een hardwerkend en godvrezend bedrijf als Allstrong Security, daar draaien ze echt hun hand niet voor om. Wij zijn tenslotte de goeien, dus alles wat we doen is ook goed.'

'Ja,' zei Glitsky, 'dus laten we hopen dat we het hier bij het verkeerde eind hebben.'

Hardy dacht aan Evan Scholler, die voor de rest van zijn leven in de gevangenis zat. Hij hoopte niet dat ze het bij het verkeerde eind hadden. Hij zag geen enkele andere mogelijkheid dan het scenario dat hij zojuist had geschetst en hij had zijn geloof in de intrinsieke goedheid van de mens allang verloren. Natuurlijk waren er rechtvaardige mensen en misschien hadden de meeste mensen wel goede bedoelingen. Maar anderen, vooral diegenen die zich aangetrokken voelden tot oorlog en andere vormen van chaos, waren bereid alles te doen voor geld, voor macht of voor een combinatie van beide. Liegen, bedriegen en doden hoorden daar gewoon bij. Voor hen bestonden de elementaire regels van de beschaving niet.

Hardy was ervan overtuigd dat dit hier aan de orde was. Het morele verval dat in Irak en in de machtscentra zowel hier als in het buitenland was ingetreden, had het alledaagse leven in Irak vergiftigd. Wat een bedrijf als Allstrong onderscheidde van de rest was dat het arrogant en onverantwoordelijk genoeg was om dat morele verval en de chaos mee terug te nemen naar het alledaagse leven in de Verenigde Staten.

Dat, meende Hardy, kon niet worden getolereerd.

37

Hardy zat in de woonkamer aan de voorkant van zijn huis in zijn luie stoel te lezen, met zijn voeten op de poef. Hij droeg dezelfde boxershort die hij zes uur geleden had aangetrokken voordat hij naar bed ging. Toen hij een uur geleden wakker werd – hij had gedroomd dat iemand hem boven de Grote Oceaan uit een vliegtuig had geduwd – had hij het dekbed van zich af geslagen en was blijven liggen totdat zijn hartslag weer normaal was en hij langzaam weer tot rust was gekomen door te luisteren naar de vredige, regelmatige ademhaling van zijn vrouw.

Toen hij de slaap niet meer kon vatten, was hij opgestaan. Beneden had hij gewoontegetrouw de koelkast geopend, erin gekeken en hem weer gesloten. Daarna ging hij naar de woonkamer en keek naar zijn tropische vissen die in hun kleine, donkere aquarium rondzwommen.

Na het diner had hij het grootste deel van de avond naast zijn aquarium en achter zijn computer doorgebracht, in een poging zo veel mogelijk over Allstrong Security te weten te komen. Hunts analyse van hun financiële succes klopte, maar hij had er niet bij verteld dat de huidige contracten van het bedrijf in Irak een waarde vertegenwoordigden van achthonderdveertig miljoen dollar.

Allstrong was belast met de beveiliging van zestien vliegvelden in Irak. Ze bewaakten elektriciteitsnetten in tweeëntwintig administratieve regio's. Ze hadden de verantwoordelijkheid voor de valutawisseling in het hele land en voor de wederopbouw van de elektriciteitsverbindingen in de extreem gewelddadige provincie Anbar. Volgens de website telde het bedrijf in Irak achtentachtighonderd medewerkers, onder wie vierhonderdvijfenzestig voormalige Amerikaanse militairen, grotendeels officieren.

Het bedrijf had bovendien activiteiten ontplooid in verschillende andere landen. Zo waren er ruim vijfhonderd ex-commando's voor hen aan het werk in Indonesië, Afghanistan, Koeweit, Nigeria en El Salvador, waar ze zich toelegden op logistiek en veiligheid. In het indrukwekkende nieuwe hoofdkantoor in de buurt van Candlestick Point in San Francisco werkten nog eens tweehonderd mensen. Hier specialiseerde het bedrijf zich vooral in gemeentelijk waterbeheer en – vreemd genoeg – ook in het kweken van meerval als een duurzame en goedkope voedselvoorziening voor ontwikkelingslanden.

Jack Allstrong, de oprichter, president en CEO, was in maart 2005 vanuit Irak naar het hoofdkantoor in de Verenigde Staten teruggekeerd. Hij woonde in zijn eentje in een villa in Hillsborough en bestierde zijn zakenimperium vanuit San Francisco, hoewel op de website stond te lezen dat hij als het dringend nodig was vrijwel op afroep beschikbaar was om zich per privéjet naar ieder denkbaar probleemgebied te begeven. Het bedrijf bezat onder meer twee Gulfstream V-toestellen.

Tegen de tijd dat hij naar bed ging tolde Hardy's hoofd van de vele mogelijkheden die Allstrong bood voor een hoger beroep in de zaak-Scholler. Zodra Bracco de link had gelegd tussen Allstrong en Nolans betrokkenheid bij de moord op de Khalils of de dood van de Bowens, kon Hardy aanvoeren dat er cruciaal bewijsmateriaal was dat de jury in het oorspronkelijke proces nooit had gezien en dat het oorspronkelijke vonnis redelijkerwijs had kunnen beïnvloeden. Zijn verzoek op basis van schending van het Brady-principe zou worden toegewezen en waarschijnlijk kwam er vervolgens een nieuw proces. Hij twijfelde er sterk aan of er dan nog een jury te vinden was die Evan opnieuw zou veroordelen. Daarvoor was er te veel ontlastend materiaal opgedoken.

Maar Hardy's onderbewustzijn had al deze optimistische conclusies inmiddels alweer verworpen. Onderuitgezakt in zijn luie stoel in de woonkamer probeerde hij vrijwel vergeefs iets te bedenken waardoor Allstrong als persoon of als bedrijf met welk misdrijf dan ook in verband kon worden gebracht.

Als Jack Allstrong Nolan mondeling opdracht had gegeven het echtpaar Khalil uit de weg te ruimen en hem in contanten had betaald, waar het naar uitzag, dan kon Hardy erop rekenen dat er geen enkel bewijs en geen enkele aanwijzing meer voorhanden was. Zeker niet na al die jaren.

Misschien had Charlie Bowen het enige bewijsstuk boven water gekregen dat er bestond, en misschien had hij dat op slinkse wijze doorgegeven aan zijn vrouw. Maar wat het ook was geweest, het zou nu ook wel niet meer te vinden zijn. De moorden op Charlie en Hanna waren ongetwijfeld met professionele finesse uitgevoerd.

Zelfs als Bracco ontdekte dat Charlie en/of Hanna Bowen vlak voor hun dood contact hadden opgenomen met Allstrong of hem hadden bezocht, wat zou dat bewijzen? Zou dat leiden tot de ontdekking van Charlies lichaam, dat waarschijnlijk allang aan de vissen was gevoerd? Of zou er plotseling een huurling opduiken die in Hanna's garage was geweest om haar lichaam omlaag te trekken zodat ze haar nek zou breken zodra ze van de ladder viel?

Hardy wist het antwoord al.

En zolang Allstrong alles ontkende – en als er geen bewijzen waren, waarom zou hij dan iets bekennen? – bleef hij onaantastbaar, waar ze hem ook van beschuldigden. Bovendien had hij zich, gezien de groei van zijn onderneming, inmiddels waarschijnlijk omringd met assistenten, stafleden en zijn eigen advocatenteam, waarmee hij zich kon afschermen van lastig, maar minder volk zoals Hardy of rechercheur Bracco, als die hem brutale vragen wilden komen stellen. Misschien zou Hardy hem niet eens te spreken kunnen krijgen.

Toen hij de krant in het portiek hoorde ploffen deed hij zijn ogen weer open. Het begon buiten al langzaam licht te worden.

Na drieënhalf uur aan zijn bureau te hebben gewerkt, wierp Hardy een boosaardige blik op zijn telefoon, die naast zijn elleboog rinkelde. Hij had acht pagina's af van zijn verzoek uit hoofde van de schending van het Brady-principe. Hij had overtuigend beargumenteerd dat Washburn inzage moest hebben gehad in de informatie van de FBI. Dan was hij in staat geweest de nu plotseling verdwenen en zogenaamd voormalige FBI-agenten relevante vragen te stellen over Nolan en zijn fragmentatiegranaten. Hij had zijn mobiele telefoon uitgezet en Phyllis expliciet opgedragen geen telefoongesprekken door te verbinden. Hij moest zich kunnen concentreren.

Maar toch ging nu de telefoon.

Hij legde zijn pen neer en nam op. 'Dit moet wel een noodgeval zijn,' zei hij op milde toon. 'Staat het gebouw in brand?'

'Nee. Maar inspecteur Glitsky zei dat ik je moest storen. Kennelijk heeft iemand vanochtend geprobeerd Evan Scholler in de gevangenis te vermoorden. Ik heb inspecteur Glitsky onder de knop. Moet ik hem doorverbinden?'

'Dat lijkt me een goed idee, Phyllis. Doe maar, alsjeblieft.' Hij hoorde een klik en vroeg: 'Hoe gaat het met Evan?'

'Hij leeft nog, maar hij is lelijk te pakken genomen. Het mes heeft een rib geraakt, anders was zijn lichaam nu op kamertemperatuur.'

'Dus hij redt het?'

'Het is niet honderd procent zeker, maar hij schijnt een goede kans te maken.'

'Wat is er gebeurd, Abe? Was hij betrokken bij een vechtpartij?'

'Nou, het is altijd een beetje lastig om er precies achter te komen wat er in zo'n gevangenis gebeurt, maar afgaande op de eerste berichten lijkt het op een gerichte aanval. De dader was een Salvadoraanse gangster uit Los Angeles, een zekere Rafael Calderon. Vóór vanmorgen heeft niemand die twee ooit eerder samen gezien.'

'Dus je wilt zeggen dat het in opdracht is gebeurd?'

'Ik zeg nog helemaal niets. Ik vertel je alleen maar wat ik tot nu toe heb gehoord. En ik heb ook gehoord dat die Evan van jou een modelgevangene was. Kennelijk had hij geen vijanden en gedroeg hij zich er ook niet naar om ze te maken.'

'Dus moet het van buiten zijn gekomen?'

'Dat weet ik niet. Misschien was het iets persoonlijks waar we niks van weten. Ik wil niet meteen conclusies trekken. Maar heb jij misschien nog wat informatie?'

Het schoot Hardy, na zijn research van de vorige avond, meteen te binnen dat Allstrong Security een aanwezigheid aan het ontwikkelen was in El Salvador. Afgezien van zijn internetresearch de vorige avond, had hij ook in een eerder stadium al tijdschriftartikelen en boeken gelezen waarin werd uitgeweid over de hechte relatie tussen Amerikaanse huurlingen en Salvadoraanse gangsters in dat land. Hij nam kort de tijd om Glitsky ervan op de hoogte te brengen en vroeg toen: 'Hebben ze die Calderon al verhoord?'

'Calderon heeft minder geluk gehad dan Scholler.'

'Wil je me vertellen dat hij dood is?'

'Dat klopt.'

'Heeft Scholler hem gedood?'

'Nee. Scholler lag bloedend op de grond. Toen de bewakers het geschreeuw hoorden en ter plekke arriveerden, sloten ze Calderon in, die vervolgens helemaal door het lint ging. Hij had zijn mes nog en hij viel ze aan. Dat resulteerde in iets wat na de verhoren ongetwijfeld zal worden aangeduid als proportioneel geweld in het kader van zelfverdediging.'

Hardy realiseerde zich dat hij de telefoon zo strak vasthield dat zijn knokkels wit waren geworden. Als Calderon het op zich had genomen Scholler in de gevangenis in opdracht van iemand anders te vermoorden en faalde of werd gesnapt, dan kon hij verwachten zelf te worden vermoord door een handlanger van zijn opdrachtgever of een andere gevangene die tot de betrokken bende behoorde, nog voordat hij kon worden ondervraagd met het risico dat hij zou doorslaan. En Hardy wist bovendien dat degene die de opdracht had gegeven binnen de kortste keren een nieuwe aanval op het leven van Scholler kon laten uitvoeren.

Na het telefoongesprek kon Hardy zich niet meer concentreren op zijn verzoekschrift. Hij besloot naar het Paleis van Justitie te lopen om zijn zinnen te verzetten. Het mooie weer hield aan en als Glitsky al had geluncht, kon Hardy een paar straten verderop iets gaan eten in een van de vele goede restaurantjes in SoMa, South of Market. Maar Abe was in zijn kamer. Hij at een rijstcracker en dronk mineraalwater. Ter ere van het bezoek trok hij zijn bureaula open, haalde er een handvol ongepelde pinda's uit en liet die op het bureaublad vallen.

Hardy kneep er een open. 'Dit was Allstrongs werk, Abe.'

'Calderon? Misschien.'

'Niet misschien. Beslist.'

Glitsky schudde zijn hoofd. 'Begrijp me niet verkeerd, ik wil het graag geloven, maar ik heb niet voldoende bewijs, Diz. Als ik je daarmee een plezier doe kan ik je zeggen dat ik geloof dat het mogelijk is, en dat geloofde ik een paar dagen geleden nog niet. Maar ik wacht tot Darrel ergens mee komt voordat ik conclusies trek.'

'Die conclusies had ik al getrokken zodra ik van die steekpartij hoorde. Er is gewoon geen andere conclusie mogelijk.'

'Ik wil niet lullig doen, maar hou jezelf niet voor de gek. Je weet verdomd goed dat het niet te bewijzen is.'

Hardy kauwde bedachtzaam op zijn pinda. 'Wil je weten hoe het werkt? Waarom Allstrong erachter zit?'

'Oké, maar geef alsjeblieft de korte versie.'

'Prima. Zes weken geleden is Hanna vermoord. Allstrong heeft nu twee mensen moeten laten elimineren in verband met het dreigende hoger beroep van Scholler. Hij gelooft dat al het bewijs waarschijnlijk is weggewerkt, maar hij weet dat dit hoger beroep boven de markt blijft hangen zolang Evan Scholler in de gevangenis zit. Met alle risico's van dien: types zoals Bowen en ik die langs kunnen komen om hem onaangename vragen te stellen. Misschien komt er ergens nog wel meer bewijs boven water waaruit blijkt dat hij betrokken is geweest bij een moord in de Verenigde Staten.'

'Laten we dat hopen,' zei Glitsky.

Hardy knikte. 'Dus komt Allstrong op een ander idee.'

'Scholler uit de weg laten ruimen.'

'Je neemt me de woorden uit de mond.' Hij nam een nieuwe pinda. 'Als

Scholler dood is, dan is het hoger beroep ook afgelopen. Einde verhaal. Maar het probleem is dat Scholler in de gevangenis zit. Het is niet onmogelijk, maar het betekent dat hij zijn Salvadoraanse connecties moet inschakelen en gebruik moet maken van gangsters uit Los Angeles.' Hardy benadrukte de logica van zijn betoog met een weids armgebaar. 'Dat allemaal zes weken na de dood van Hanna Bowen.'

'Briljant.' Glitsky stak een pinda in zijn mond. 'Je hebt het helemaal uitgevogeld.'

'Ik heb Bowen ook uitgevogeld. Die hebben ze in de oceaan gedropt.'

Nu schoof Glitsky naar het puntje van zijn stoel. 'Hoe weet je dat?'

'Dat heb ik gedroomd,' zei Hardy grinnikend. 'Maar ik verzeker je dat het zo is gebeurd, Abe. Je kunt zijn DNA in een van Allstrongs vliegtuigen vinden, dat beloof ik je.'

'Dan zal ik toch eerst een huiszoekingsbevel moeten hebben.' Glitsky leunde naar achteren en vouwde zijn handen in zijn schoot. 'Ik wil je dolgraag geloven, Diz, echt waar. En zodra er een rechter is die me zo'n bevel geeft, spring ik erbovenop. Of ik verzin een smoes zodat ik Bracco kan sturen om een praatje met hem te maken. Maar voor het zover is...' Hij haalde zijn schouders op. 'Ik wacht op Bracco. Hij vindt iets of hij vindt niets. Doorgaans, áls er iets is, dan vindt hij het wel.'

'Ja, maar ondertussen loopt mijn cliënt nog steeds gevaar.'

Glitsky keek naar de klok aan de muur. 'Diz, dat lijkt me vergezocht. Echt waar. En in het slechtste geval, volgens je eigen model, zou de volgende aanval pas weer over zes weken moeten plaatsvinden.'

Glitsky had het gekscherend bedoeld, maar volgens Hardy was de volgende aanval een stuk dichterbij dan zes weken.

Terug op kantoor gaf hij Phyllis opnieuw de opdracht geen telefoongesprekken door te verbinden, waarna hij nog twee uur stevig doorwerkte. Het minste wat hij als advocaat kon doen was het verzoekschrift zo spoedig mogelijk in te dienen om de boel in beweging te zetten. Ook hij had gewacht tot Bracco op de proppen kwam met een aanwijzing waaruit bleek dat Charlie of Hanna Bowen Allstrong had gebeld, maar er was ook nog een andere en veel directere manier om erachter te komen. Hij kon gewoon de telefoon pakken en het vragen.

Het was geen aanpak waar Glitsky bij mee zou zijn en Hardy, die gewend was er door analyse achter te komen hoe dingen waren gebeurd, had zich daar tot nu toe bij neergelegd. Maar Glitsky was bezig twee moorden in zijn regio op te lossen en te bewerkstelligen dat er een moordenaar achter de tralies terechtkwam. Hardy had echter maar één taak. Hij moest zorgen dat zijn cliënt vrijkwam.

Dat was een essentieel verschil, en bovendien was de kwestie acuut geworden, omdat het leven van Evan in de gevangenis inmiddels gevaar liep. Hardy had gehoopt dat de politie bewijs zou vinden voor een verband tussen Allstrong en het echtpaar Bowen, omdat dat zijn verzoekschrift extra kracht zou geven. Maar hij had het niet echt nodig om het te kunnen indienen. De FBI en de Khalils leidden uiteindelijk tot Allstrong en Nolan, maar de eigenlijke vraag was of de eerdere FBI-verhoren wel of niet deel hadden moeten uitmaken van de presentatie van de aanklager. En daar was weinig twijfel over mogelijk.

Hoewel het makkelijk genoeg leek Allstrong gewoon te bellen, was er één aspect dat Hardy goed bij zijn overwegingen moest betrekken. Deze mannen hadden bewezen dat ze weinig moeite hadden korte metten te maken met diegenen die een bedreiging vormden voor hun zakelijke belangen. Als Hardy's theorieën klopten – en daar was hij inmiddels vrijwel zeker van –, dan hadden ze zowel Charlie als Hanna Bowen vermoord en bovendien een serieuze poging ondernomen Evan uit de weg te ruimen. En dat allemaal zonder een spoor van bewijs achter te laten dat hen met die misdrijven in verband kon brengen.

Hardy realiseerde zich dat het risicoprofiel van zijn eigen leven dramatisch zou verslechteren zodra hij dat simpele telefoontje had gepleegd. Hij bracht zichzelf ermee in dezelfde positie als Charlie Bowen, vlak voordat die voorgoed van de aardbodem was verdwenen.

Maar hij had de informatie domweg nodig. Hij moest het zeker weten. Pas dan kon hij zijn verzoekschrift indienen.

Tegenover het potentiële risico stond de mogelijke opbrengst.

Hardy had het telefoonnummer van het hoofdkantoor van Allstrong opgeschreven tijdens zijn internetresearch de vorige avond. Net zoals hij dat bij ieder zaak zou hebben gedaan. Nadat hij zijn verzoekschrift met de aantekening DRINGEND erop had weggebracht naar de afdeling Tekstverwerking, sloot hij de deur van zijn kamer, ging achter zijn bureau zitten, haalde zijn aantekeningen tevoorschijn, trok de telefoon naar zich toe en toetste resoluut het nummer in.

38

'Jack Allstrong, alstublieft.'

'Ik zal even kijken of hij er is. Kan ik hem zeggen wie hem wil spreken?'

'Dat vraag ik me af. Hoe kunt u hem zeggen wie hem wil spreken als hij er niet is?'

'Hoe bedoelt u?'

'U zei dat u ging kijken of de heer Allstrong er is. Maar als u hem gaat vertellen wie hem wil spreken, dan betekent dat toch dat hij er is? Of vergis ik me nu?'

Hardy genoot er niet van zijn logica op de arme receptioniste los te laten, maar na de aanval op Evan had hij geen tijd meer te verliezen. 'Zeg alstublieft tegen de heer Allstrong dat mijn naam Dismas Hardy is en dat ik hem dringend wil spreken.' Hij spelde zijn naam. 'Ik werk als advocaat aan het hoger beroep van Evan Scholler, een zaak waarvan ik zeker weet dat hij die kent. Vertel hem alstublieft ook dat ik het werk voortzet van Charlie Bowen, de advocaat die de beroepszaak de afgelopen zomer als eerste heeft opgepakt. Als hij het druk heeft, zegt u maar dat ik blijf hangen totdat hij tijd voor me heeft.'

Het wachten duurde niet langer dan een minuut. Er klonk een stem met een ondefinieerbaar zuidelijk accent die volkomen gespeend was van nervositeit, woede of angst. 'Jack Allstrong hier.'

'Meneer Allstrong, mijn naam is Dismas Hardy en...'

Een zware, bulderende lach. 'Ja, ik weet inmiddels hoe u heet. U hebt grote indruk gemaakt op onze Marilou, moet ik zeggen. En die is gewoonlijk toch niet voor een kleintje vervaard. Ze vertelde me dat u voor luitenant Scholler werkt?'

'Voor Evan, dat klopt.'

'Evan, inderdaad. Ik denk altijd nog aan hem als luitenant. Dat was hij toen hij bij ons werkte.' Hij zweeg even. 'Godallemachtig, wat is dat uit de hand gelopen tussen hem en Ron Nolan, nietwaar? Wat kunnen mensen elkaar het leven toch moeilijk maken. En dan nog wel twee van zulke fantastische jonge kerels. Maar ik neem niet aan dat u ooit het genoegen hebt gehad Ron te ontmoeten?'

'Nee, helaas.'

'Erg jammer. Hij was een goed mens, een goed soldaat en een trouwe werknemer. Wat hem is overkomen is niets minder dan een godvergeten nachtmerrie, meneer Hardy, eerlijk waar. En ik weet dat het voor een deel te wijten is aan de hoofdwond van de luitenant, dus neem ik het hem iets minder kwalijk dan ik normaal gesproken zou doen. Oorlog kan het slechtste in de mens bovenbrengen. En deze oorlog is daar geen uitzondering op. Iedereen die er ooit een heeft meegemaakt, weet dat. Bent u veteraan, meneer Hardy?'

'Jazeker. Vietnam.'

'Nou, dan weet u waar ik het over heb. Maar dit keer krijgen de soldaten, onze mannen ter plaatse die het werk moeten doen, tenminste respect. Dat werd hoog tijd, vindt u ook niet?'

'Zeker,' beaamde Hardy. 'Maar ik bel u vanwege het hoger beroep dat ik ga instellen om de heer Scholler uit de gevangenis te krijgen en...'

'Wacht eens even!' Allstrongs stem kreeg een scherp randje. 'Momentje, hoor. Zegt u nou dat u probeert de luitenant uit de gevangenis te krijgen? Niemand twijfelt er toch aan dat hij Ron heeft vermoord?'

'Nou, de jury dacht dat er redelijkerwijs niet aan kon worden getwijfeld, wat niet betekent...'

'Wacht nou eens even, meneer Hardy. En bespaar me de juridische haarkloverij. Volgens mij heb ik al duidelijk gemaakt dat ik veel respect had voor luitenant Scholler, in ieder geval totdat hij gewond was geraakt en zelfs ook nog daarna. Hij was een dappere soldaat, een natuurlijk leider die goed was voor zijn mannen. Maar het lijkt me geen goed idee dat de man die een van mijn eerste medewerkers en een verdomd goede vriend van me naar de andere wereld heeft geholpen straks weer vrij op straat rondloopt. En ik ben zeker niet van plan u te helpen met dat hoger beroep van u.'

'Meneer Allstrong, ik geloof niet dat Evan Scholler degene is geweest die Ron Nolan heeft vermoord.'

'Nou wordt-ie helemaal mooi. Daar staat u dan toch wel alleen in. Ik heb nog niemand gesproken die er ook zo over denkt.'

'En Charlie Bowen dan?'

Allstrong aarzelde geen moment. 'Die ook niet.'

'Dus u hebt met hem gesproken?'

'Een paar keer. Vorige zomer, geloof ik. Dat weet ik niet meer precies. Wat is er trouwens met hem gebeurd? Op het ene moment was hij hier om me allerlei vragen te stellen en leek hij in de startblokken te staan met net zo'n hoger beroep als waar u nou mee bezig bent. En het volgende moment leek het wel alsof hij van de aardbodem was verdwenen.'

'Dat klopt inderdaad,' zei Hardy. 'Hij is verdwenen.'

'Zomaar ineens?'

'Kennelijk.' Hardy kon zijn woede nog maar moeilijk in bedwang houden en besloot dat het tijd werd Allstrong wat meer onder druk te zetten. 'Hebt u Charlie Bowens vrouw wel eens ontmoet?'

'Ik geloof van niet.'

'Heeft ze nooit naar uw kantoor gebeld?'

'Dat zou best kunnen, maar daar kan ik me niets van herinneren. Waarom zou ik iets van haar af moeten weten?'

Hardy presenteerde zijn gevolgtrekkingen alsof het feiten waren. 'Tijdens Charlies verdwijning werkte ze aan een paar van zijn dossiers. Ik weet niet of u er iets over hebt gehoord, maar zes weken geleden heeft ze zelfmoord gepleegd.'

Voor het eerst aarzelde Allstrong even. Vervolgens maakte hij een smakgeluidje. 'Nou het spijt me uiteraard om dat te horen. Was het omdat Charlie haar had verlaten?'

'Dat is wat de meeste mensen denken, neem ik aan. Maar er zijn ook andere theorieën.'

'Over de reden waarom ze zelfmoord heeft gepleegd?'

'Niet alleen waaróm ze zelfmoord heeft gepleegd, maar ook óf ze wel zelfmoord heeft gepleegd. Er zijn aanwijzingen dat ze is vermoord door iemand die het op zelfmoord wilde laten lijken.'

'Waarom zou iemand dat doen? Waarom zou iemand haar willen vermoorden, bedoel ik?'

'Misschien omdat ze iets had ontdekt over de dood van haar man. Wat weer betekent dat de zaak van Charlie Bowen misschien wel meer is dan een simpele verdwijning. Misschien is hij ook wel vermoord.'

'Dat zijn allemaal veronderstellingen.'

'Dat klopt, en hier is er nog een. Misschien is Charlie wel vermoord omdat het hoger beroep dat hij aan het voorbereiden was iemand niet goed uitkwam.'

'En wie zou dat dan moeten wezen?'

'Degene die Ron Nolan werkelijk heeft vermoord.'

'Aha.' Allstrong slaagde erin ontspannen te grinniken. 'En zo komen we er dus op waarom u denkt dat Scholler het niet heeft gedaan.'

'Dat klopt. Dat zijn mijn theorieën over Charlie en Hanna Bowen. Volgens mij zijn ze allebei vermoord en ik denk dat degene die erachter zit ook heeft geprobeerd Evan Scholler vanochtend te laten vermoorden in de gevangenis. Maar dat is mislukt.' Hardy wist niet of Allstrong dit al had gehoord van zijn bronnen in de gevangenis en hij dacht dat het geen kwaad kon dat hij dit nu van Hardy te horen kreeg.

En hoewel uit niets bleek dat deze informatie voor Allstrong iets anders betekende dan het zoveelste onbelangrijke element van een vergezocht samenraapsel van theorieën, begon de gemaakt vriendelijke toon van beide mannen snel te verdwijnen. Toen Allstrong antwoordde was de gemoedelijke zuidelijke tongval helemaal verdwenen. 'Nou, dit is allemaal erg interessant, maar ik heb er geen flikker mee te maken. En zoals ik al heb gezegd, ben ik niet van plan jou te helpen de moordenaar van Ron Nolan uit de gevangenis te krijgen. Dus als er nog iets anders is waar ik je mee kan helpen, kom maar op. Anders heb ik hier nog het een en ander te doen. Ik ben bezig een bedrijf te runnen.'

'Dat begrijp ik volkomen,' zei Hardy. 'Maar ik dacht dat je juist graag wilde weten wie Ron Nolan werkelijk heeft vermoord. Of het echt Evan Scholler is geweest of iemand anders, dat zal jou toch wel interesseren, neem ik aan? En alles wat je me nu kunt vertellen, kan me helpen de waarheid te achterhalen. Ik baseer mijn hoger beroep op dingen die de FBI heeft ontdekt, maar die ze tijdens het proces tegen Evan niet hebben onthuld. Ik neem aan dat je iets af weet van fragmentatiegranaten?'

'Zeker.'

'Nou, dan zul je ook wel weten dat Nolan, toen hij bij jou in dienst was, meerdere van die dingen in huis had liggen.'

'Ik heb begrepen dat Scholler ze daar had verstopt om Ron erin te luizen.'

'Nee, dat ligt anders.' Hardy had geen moeite met het oplepelen van de volgende onwaarheid. 'Sinds het proces is duidelijk aan het licht gekomen dat die versie niet klopte. De FBI heeft vastgesteld dat Evan die dingen onmogelijk mee naar huis had kunnen smokkelen, terwijl Nolan ze gewoon in zijn plunjezak kon hebben meegenomen.'

'En waarom zou hij dat doen?'

'Omdat hij ze graag gebruikte om zijn sporen uit te wissen nadat hij mensen uit de weg had geruimd.'

Allstrong barstte in lachen uit, maar deze keer hoorde Hardy er net zoveel vrolijkheid als nervositeit in. Toen hij was gekalmeerd, antwoordde Allstrong: 'Die beschuldiging is beneden alle peil, Hardy. Ron deed hier personeelswerving voor ons. Hij was niet aangesteld om mensen uit de weg te ruimen.'

'Maar dat deed hij wel. Dat heeft de FBI met grote stelligheid tegenover diverse leden van de familie Khalil verklaard, waarvan hij er twee heeft vermoord. En dat bewijsmateriaal zal ik in de beroepszaak ook voor de rechter brengen. Als Nolan in opdracht mensen elimineerde, wordt wraak een belangrijk motief voor zijn eigen dood. En op die manier kan Evan misschien worden vrijgepleit.'

Allstrong kwam terug op het punt dat Hardy hem had voorgelegd. 'Wou jij zeggen dat Nolan in opdracht mensen vermoordde? Dat is absurd.'

'Daar denkt de FBI anders over.'

'Maar wie betaalde hem dan?'

'Nou, de FBI heeft de Khalils laten weten dat ze denken dat het een van jullie voormalige zakenrelaties in Irak was, een zekere Kuvan Krekar.'

'Kuvan is dood. Al een paar jaar.'

'Dat weet ik. Hij is in Irak door de Khalils uit de weg geruimd, maar ik geloof niet dat Kuvan Nolan daar opdracht voor had gegeven. En voor wat het waard is: de rechercheurs van de afdeling Moordzaken van de politie in San Francisco die met de zaak bezig zijn, denken daar net zo over als ik en zullen de kwestie voorlopig zeker niet laten rusten. Ze denken dat degene die Nolan heeft betaald om het echtpaar Khalil te elimineren ook de hand heeft gehad in de dood van Charlie en Hanna Bowen. Heb jij enig idee wie dat zou kunnen zijn?'

'Absoluut niet.'

'Dat is grappig, want wij hebben allemaal het idee dat het iemand moet zijn binnen jouw bedrijf. Iemand binnen Allstrong Security, Jack.'

Na een lange stilte zei Allstrong: 'Als je ooit naar buiten komt met die belachelijke beschuldiging, Hardy, bereid je er dan maar op voor dat je de rest van je leven bezig zult zijn met de rechtszaak die ik tegen je zal aanspannen.'

'Ik ben blij dat ik het heb gedaan,' zei Hardy. 'Ik moest de boel gewoon een beetje opschudden. En het was best grappig.'

Frannie zat naast hem aan de bar van de Little Shamrock. Haar broer, Moses McGuire, stond tegenover hen aan de andere kant van de bar. 'Ik vond het best wel grappig,' zei Frannie tegen Moses, waarbij ze Hardy ironisch na-aapte. '*Ik vind het best wel grappig* een man te bedreigen die al minstens twee mensen heeft vermoord en nog eens drie pogingen daartoe heeft gedaan om te zorgen dat bepaalde informatie niet naar buiten kwam. *Ik vind het best wel grappig* dat ik ook op zijn dodenlijst kom, zodat mijn gezin en ik van nu af aan iedere dag bang moeten zijn om te worden

vermoord. Dat vind ik verschrikkelijk grappig.' Frannie was rood aangelopen en ze keek woedend.

Hardy pakte haar hand en zei: 'Zo'n vaart zal het echt niet lopen, Frannie. En weet je waarom? Moses weet waarom, nietwaar Moses?'

McGuire nipte van zijn soda met citroen. 'Omdat je Allstrong hebt verteld dat de politie ook op de hoogte is. Jou vermoorden, net als Charlie
en Hanna Bowen, brengt hem geen steek verder.' Hij stak een vinger omhoog. 'Maar er zit een kleine denkfout in jouw strategie die mijn slimme
zusje allang heeft ontdekt, Diz. Als die gast zulke goede contacten heeft
dat hij invloed kan uitoefenen op de FBI – en daar lijkt het op – waarom
zou hij dan geen invloed kunnen uitoefenen op Abe Glitsky en Darrel
Bracco?' Hij wendde zich tot Frannie. 'Heb ik het zo duidelijk genoeg uitgelegd?'

Ze knikte, nog steeds ziedend. 'Kristalhelder,' zei ze.

'Jongens, kom op,' protesteerde Hardy. 'Hij gaat heus geen twee politiemensen vermoorden, zeg. En wie weet wie er nog meer bij het onderzoek
betrokken is. Dat gaat gewoon niet gebeuren.'

'Hij hoeft ze niet te vermoorden,' merkte Frannie op. 'Maar stel nou
eens dat hij ervoor zorgt dat ze van de zaak af worden gehaald? Waar blijf
je dan?'

'Dan sta je er alleen voor, Diz,' maakte zijn zwager haar betoog af.

'Oké, maar als die situatie zich onverhoopt mocht voordoen, wat me
sterk lijkt...'

'Dan krijg jij net zo'n ongeluk als Charlie Bowen,' zei Frannie.

'Nee. Als dat gebeurt zal Abe niet rusten voordat...'

Frannie sloeg met haar vlakke hand op de bar. 'Maar dan ben jij al een
lijk, stomme idioot!'

In de stilte die volgde pakte Hardy opnieuw zachtjes Frannies hand
vast. 'Nou, dan kan ik de hele zaak maar beter snel afronden, nietwaar?'

Hardy kon er luchtig over doen, maar in feite hadden Frannie en Moses
wel een beetje gelijk. Sterker nog: ze hadden volkomen gelijk. Hij had
zich gerealiseerd dat hij als gevolg van zijn recente stap meer risico zou
lopen en daar kon hij mee leven. Hij had het probleem bovendien stevig
ingedamd door Allstrong te laten weten dat de politie al met hetzelfde
onderzoek bezig was.

Maar hoe langer hij erover nadacht, hoe meer zorgen hij zich begon te
maken. Hij had er onvoldoende bij nagedacht dat zijn telefoongesprek
met Allstrong Frannie ook in gevaar kon brengen. Dat was niet zijn be-

doeling geweest, maar het kon wel degelijk een bijkomend gevolg zijn van wat hij had gedaan.

Dus kwam er een relatief vroeg einde aan hun uitgaansavond, die ze in hun favoriete restaurant Yet Wah hadden doorgebracht. Frannie, die nog steeds behoorlijk van streek was over Hardy's telefoongesprek met Allstrong, ging meteen naar bed. Hardy liep naar zijn luie stoel in de woonkamer en belde Bracco op zijn mobiele nummer. De rechercheur nam op en Hardy vertelde hem hoe hij Allstrong onder druk had gezet. Bracco reageerde iets enthousiaster dan Frannie. Toen Hardy was uitgesproken, zei hij: 'Dus we weten nu allebei dat Charlie en Hanna Bowen met Allstrong hebben gesproken. Dat heb ik kunnen afleiden uit de telefoongegevens. Maar wat hebben we hier verder aan?'

'Dit zegt ons nog veel meer.'

'Wat dan?'

'Dat dit voor hem iets persoonlijks is. Het is niet alleen maar zakelijk.'

'Hoe weet je dat?'

'Voornamelijk omdat hij zelf aan de telefoon kwam. Hij stond me persoonlijk te woord, terwijl daar geen enkele noodzaak voor was. Hij heeft tweehonderd mensen in dienst. Ik verzeker je dat er diverse filters bestaan tussen de receptie en hemzelf. Maar als ik hem onaangekondigd bel met een mededeling over Evan Scholler en het echtpaar Bowen, dan komt hij meteen aan de telefoon. Hij wilde weten wat ik wist, hoeveel risico hij liep. En je kunt er zeker van zijn dat ik hem dat goed duidelijk heb gemaakt.'

'Waarom wilde je dat doen?' vroeg Bracco. 'Waarom zou je hem waarschuwen dat we hem in het vizier hebben?'

'Mijn vrouw heeft me hetzelfde gevraagd,' antwoordde Hardy. 'Maar door hem een beetje onder druk te zetten kunnen we hem misschien verleiden iets stoms te doen.'

'Ja, met jou, misschien.'

'Misschien, maar dat lijkt me onwaarschijnlijk. Ik heb Allstrong duidelijk gemaakt dat hij mij niet kan vergelijken met een advocaat die helemaal in zijn eentje werkt en achter wie een aantal maanden later misschien nog eens een echtgenote aan komt. De politie is er nu ook mee bezig. Als een van ons verdwijnt of iets overkomt, komt hij nog meer in de belangstelling te staan. Dus moet hij iets anders bedenken om dit op te lossen, om ervoor te zorgen dat dit onderzoek verdwijnt. En ik ga dat een beetje voor hem faciliteren.'

'Hij zal nooit bekennen opdracht te hebben gegeven voor een moord in de Verenigde Staten. En hij zal ook nooit toegeven dat hij verantwoordelijk is voor wat Charlie en Hanna Bowen is overkomen.'

'Natuurlijk niet. Maar dat heb ik ook niet nodig. Ik wil alleen mijn cliënt maar vrijkrijgen. Hij moet denken dat dat het enige is wat ik wil.'

'Maar ik wil die moorden oplossen,' zei Bracco.

'Vanzelfsprekend,' antwoordde Hardy. 'Dat moet je ook doen. Maar je zult het toch met me eens zijn dat het er niet erg gunstig uitziet. Zoveel harde bewijzen hebben we niet. Ondertussen weet Allstrong dat Evan Scholler in dit alles de hoofdpersoon is. Daarom is hij vanochtend in de gevangenis aangevallen. Hij gelooft dat al zijn problemen verdwijnen als Scholler verdwijnt.'

'Maar ík verdwijn heus niet,' zei Bracco.

'Als hij geen sporen achterlaat zul je geen keus hebben. Ik heb het gevoel dat deze kerel zijn zakenimperium heeft opgebouwd door overal waar hij zich heeft gevestigd de plaatselijke autoriteiten te omzeilen. Nu heeft hij politieke macht en maatschappelijk aanzien. We kunnen hem niet rechtstreeks confronteren.'

'Heb je een beter idee?' vroeg Bracco.

'Eerlijk gezegd denk ik van wel,' antwoordde Hardy.

Toen hij even na elf uur zachtjes de slaapkamer binnenliep, deed Frannie het licht op haar nachtkastje aan.

'Hoi,' zei Hardy.

'Hoi.' Ze tikte op het matras naast haar. 'Het spijt me,' zei ze. 'Ik was alleen maar ongerust. Ik ben nog steeds ongerust, maar ik wil er geen ruzie over maken.'

Hij liep naar haar toe, ging op de rand van het bed zitten en legde een hand op haar schouder. 'Ik ook niet.'

Even later zuchtte ze diep. 'Hoe ging het?'

'Ik geloof dat Darrel er wel wat voor voelt. Hij wil niets liever dan dat die kerel tegen de lamp loopt. Net als ik.'

'En Abe?'

'Met hem heb ik nog niet gesproken. Ik ben bang dat hij bezwaren heeft die ik op dit moment nog even niet wil weerleggen.'

Frannie sloot haar ogen en zuchtte opnieuw. 'Vind je het echt zo belangrijk?'

'Charlie Bowen vertelde zijn vrouw dat het het allerbelangrijkste was waaraan hij ooit had gewerkt. Het was zijn kans om de wereld ten goede te veranderen.'

'De wereld veranderen, hè?'

'De goeie ouwe wereld, ja.' Hij streelde haar nek. 'Ik heb dit gevecht niet gekozen, Frannie. Het is me in de schoot geworpen. En nu blijkt dat deze man het glimlachende gezicht is van het kwaad in deze wereld. En het ergste is nog dat hij het allemaal verpakt in patriottisme en trouw aan de vlag, terwijl hij beschikt over het leven van anderen met als enig doel nog meer geld te verdienen. Ik walg ervan.'

'En jij moet het doen? Jij bent de enige die het kan doen, Dismas Hardy?'

'Ik heb alle troeven in handen,' zei Hardy. 'Ik kan hem overwinnen en ten val brengen.'

'En de mensen die hem politiek de hand boven het hoofd houden?'

'Die ook, als het een beetje meezit. Maar met Allstrong alleen ben ik ook al tevreden. Ik probeer alleen maar te doen wat rechtvaardig is, Frannie. Voornamelijk in het belang van mijn cliënt.'

'Ik weet niet zeker of ik je wel geloof, lieverd. Volgens mij wil je de wereld redden.'

'Als dat me lukt,' zei Hardy, 'dan wil ik een deuntje dat ze speciaal voor mij spelen als ik ergens in het openbaar verschijn.'

39

Hardy sliep een stuk minder goed dan hij gewend was. Om zestien minuten over twee haalden gierende autobanden buiten op straat hem voor het eerst uit zijn slaap. Hij was meteen klaarwakker en liep naar beneden om te controleren of de voordeur en de achterdeur op slot zaten, wat het geval was.

Hij liep naar de bijkeuken, deed het licht aan, maakte de kluis onder zijn werkbank open en haalde zijn pistool eruit. Het was een .40 kaliber Smith & Wesson M&P. Hij aarzelde even, pakte het vervolgens, deed er een vol magazijn in, transporteerde een patroon naar de kamer en haalde de veiligheidspal eraf. Daarna ging hij voorzichtig en systematisch alle vertrekken langs. De kinderkamers en de woonkamer. Vervolgens deed hij boven hetzelfde in de salon en de eetkamer. Er was niemand.

Weer terug in de slaapkamer legde hij het wapen in de la van zijn nachtkastje, met de veiligheidspal erop, waarna hij weer in bed kroop.

Om acht minuten over halfvijf werd hij opnieuw wakker. Ditmaal van een hard, metalig geluid: iemand die iets in een afvalcontainer gooide of een vuilnisbak die was omgevallen. Hij pakte het pistool en maakte opnieuw een ronde door het huis, met hetzelfde resultaat.

Hij besefte dat het niet de moeite waard was weer naar bed te gaan, zette een pot koffie en liep naar de voordeur om de krant te gaan halen. Maar eerst stak hij voorzichtig zijn hoofd naar buiten en keek naar links en naar rechts. Pas toen hij zich ervan had vergewist dat zich op straat geen verdachte figuren ophielden liep hij naar buiten om de krant te pakken.

Dit liep niet zoals hij het had gepland.

Ongeveer vijf minuten voordat bij Frannie de wekker zou gaan, liep hij weer naar boven, legde een hand op haar schouder en maakte haar voorzichtig wakker.

'Is er iets?' vroeg ze.

'Tot nu toe niet. Maar vannacht heeft mijn onderbewustzijn me gewaarschuwd dat je gelijk had. Ik ben de halve nacht wakker gebleven uit pure ongerustheid. Ik had ons niet in deze situatie moeten brengen. Het spijt me.'

Ze pakte zijn hand en zei. 'Oké. Verontschuldiging geaccepteerd. Maar wat wil je nu doen?'

'Misschien is het niet zo'n slecht idee om een paar dagen een hotel te nemen. Zie het maar als een soort vakantie.'

Ze kwam overeind en liet zijn hand los. 'Is er vannacht soms nog iets anders gebeurd wat je me niet wilt vertellen?'

'Nee. Maar ik heb nog eens even goed nagedacht over deze gasten. Totdat het Allstrong duidelijk is dat Glitsky en Bracco inderdaad samen met mij aan het onderzoek werken, wat hopelijk vandaag of morgen het geval zal zijn, staan we er alleen voor. Daar had Moses gelijk in.'

Frannie huiverde. 'Ik geloof dat ik me beter voelde toen je net deed alsof we ons nergens zorgen over hoefden te maken.'

'Ik ook. Maar ik geloof dat het op dit moment niet verstandig is er zo mee om te gaan. Ik denk dat we de komende paar dagen beter een beetje voorzichtig kunnen doen.'

Frannie liet het even tot zich doordringen en zuchtte ten slotte. 'Een paar dagen?'

'Waarschijnlijk niet veel langer.'

'Waarschijnlijk.' Ze schudde haar hoofd. 'Heb je enig idee hoe graag ik zou willen dat je hem niet had gebeld?'

'Natuurlijk. Dat begrijp ik. Ik weet niet of het iets uitmaakt, maar ik had gewoon het gevoel dat ik geen andere keus had.'

'Oké,' zei ze. 'Nou voel ik me ineens een stuk veiliger.'

Allstrong realiseerde zich natuurlijk dat Hardy iedere dag naar zijn kantoor reed, maar Hardy overtuigde zich ervan dat hij dat risico kon minimaliseren door snel de afgesloten parkeergarage binnen te rijden en daar meteen de lift naar zijn verdieping te nemen. Zodra hij binnen was kon hij rekenen op de beveiliging van zijn eigen kantoor, waar hij voldoende vertrouwen in had.

Maar toen hij wilde parkeren, zag hij vlak voor de muur van zijn parkeervak een bruin papieren zakje liggen. De aanblik ervan deed hem even verstijven. Het was precies het soort onschuldig ogende voorwerp dat best eens een geïmproviseerde bom zou kunnen zijn, bedacht hij. Een soort bermbom. Hij zette zijn koplampen aan om het verdachte voorwerp beter te verlichten. Zo op het oog leek er weinig mee aan de hand.

Hardy trok de handrem aan, opende het portier en liep erheen. Hij raakte het zakje voorzichtig aan met zijn voet en boog zich toen voorover om het op te rapen. Het woog bijna niets en er zaten alleen maar een paar servetten, een klokhuis en een paar lege boterhamzakjes in.

Hij grinnikte geforceerd om zijn eigen paranoïde gedrag, stapte weer in zijn auto en reed hem in het vak. Vervolgens stapte hij uit, liep naar de lift, drukte op de knop en wachtte.

Op kantoor legde Hardy de laatste hand aan de definitieve versie van zijn verzoek, waarin hij bij de onderbouwing van de schending van het Brady-principe veel aandacht besteedde aan het verband tussen Allstrong Security, Nolan en het echtpaar Khalil. Hij voegde er een verklaring van Hunt bij met details over het onderhoud dat deze had gehad met Abdel Khalil. Ook de informatie van Tara Wheatley over de hoeveelheid contant geld die Nolan had meegenomen uit Irak voerde hij op, omdat dit kon wijzen op betaling voor de moordaanslag op het echtpaar Khalil. Het feit dat de FBI Abdel Khalil had gehoord zonder een verslag daarvan over te dragen aan de openbaar aanklager vormde de kern van zijn betoog.

Alles overziend geloofde Hardy dat het verzoekschrift genoeg vragen opriep over belangrijk bewijsmateriaal dat niet tot de rechtsprocedure was toegelaten en hij verwachtte dat er in ieder geval een hoorzitting zou volgen. En als de aanstaande ontwikkelingen met Allstrong ondertussen gunstig verliepen kwam er mogelijk ook een nieuw proces voor Evan.

Tevreden met het resultaat stuurde hij een van zijn assistenten naar de beroepsrechtbank om het verzoekschrift in te dienen, waarna hij voldeed aan de verplichting een afschrift ervan aangetekend op te sturen aan Mary Patricia Whelan-Miille in Redwood City. Hij stuurde ook per gewone post een afschrift aan Jack Allstrong, dat hij markeerde als 'persoonlijk en vertrouwelijk'. Hij wilde dat Allstrong wist wat hij deed en wanneer hij het deed, zodat hij kon nadenken over de mogelijke gevolgen, mocht hij proberen iets te ondernemen om het proces te dwarsbomen.

Daarna belde hij de gevangenis, waar men hem vertelde dat Evan nog in de ziekenboeg lag en dat zijn toestand stabiel was. Misschien kon hij de volgende dag al bezoek ontvangen.

Hardy's mobiele telefoon ging. Het was Bracco. 'Het is gelukt,' zei hij. 'De aloude zin "ik neem aan dat u graag zult meewerken aan een lopend onderzoek naar een moord" deed weer wonderen. Hij kon wat tijd voor me vrijmaken en ik rijd er nu naartoe.'

'Veel plezier,' zei Hardy. 'Maar wees voorzichtig.'

'Natuurlijk.' Bracco lachte kort een klonk een beetje nerveus. 'Ik lust ze rauw.'

Allstrong en zijn advocaat, die zich voorstelde als Ryan Loy, leidden Bracco door een doodhof van gangen naar een schitterend ingerichte ovale vergaderruimte met een zo te zien speciaal ontworpen vergadertafel met twaalf bijpassende stoelen eromheen. Op het midden van de tafel stond een groot boeket en iemand had een dienblad neergezet met koffie, koekjes en fruit. Gezeten aan de tafel, met zijn koffie en zijn koekje, had Bracco uitzicht op het zuidelijke gedeelte van de baai, die glom in het zonlicht.

Jack Allstrong had tijdens hun wandeling door het pand op zijn gebruikelijke joviale manier de ideale gastheer gespeeld en hem met trots gewezen op de hoofdkwartieren van de verschillende divisies waaruit zijn bedrijf nu was opgebouwd: computerveiligheid, waterveiligheid, privatisering, logistieke advisering, waterbeheer. Loy, die er in zijn strakke pak en met zijn dure stropdas formeel en gereserveerd uitzag, maakte eveneens een oprechte en sympathieke indruk. Iedereen die hen in de gangen passeerde zag er fris, energiek, goed gekleed en jong uit.

Loy sloot de deur van de vergaderzaal en liep om de tafel heen om links van Bracco plaats te nemen, terwijl Allstrong twee stoelen verderop aan zijn rechterkant ging zitten. Bracco haalde zijn recorder tevoorschijn en plaatste die pontificaal tussen hen in op de tafel.

'Het spijt me, brigadier,' zei Loy, die halverwege deze handeling zijn kopje koffie in de lucht hield. 'Ik dacht dat we een ongedwongen onderhoud zouden hebben en geen formeel verhoor.'

'Wat het ook is,' antwoordde Bracco op neutrale toon, 'ik moet er natuurlijk altijd een verslag van maken. Ik had begrepen dat u wilde meewerken. Meneer Allstrong hoeft geen enkele vraag te beantwoorden als hij dat niet wil. Dat hebt u toch goed begrepen, hoop ik?'

Loy keek Allstrong aan en die knikte.

Bracco pakte de recorder, zette hem aan en sprak in: 'Dit is brigadier Darrel Bracco, rechercheur Moordzaken, legitimatienummer 3117, zaaknummers 06-335411 en 07-121598, in gesprek met Jack Allstrong, eenenveertig jaar, en zijn advocaat Ryan Loy, zesendertig jaar. Het is 9 mei, woensdagochtend kwart voor twaalf, en we bevinden ons op het hoofdkantoor van Allstrong Security in San Francisco. Meneer Allstrong, hebt u een advocaat genaamd Charles Bowen gekend?'

'Jazeker.'

'Hoe goed hebt u hem gekend?'

'Niet zo goed. Ik heb hem twee of drie keer hier op kantoor ontmoet om met hem te praten over een beroepszaak waar hij mee bezig was.'

'Die van Evan Scholler.'

'Ja.'

'Had u enig idee waarom de heer Bowen u in dit verband wilde spreken?'

'Een van mijn voormalige werknemers, Ron Nolan, was het slachtoffer in die zaak. Scholler is uiteindelijk veroordeeld omdat hij hem heeft vermoord.'

'Is het u bekend op welke gronden Bowen beroep wilde aantekenen?'

'Geen idee.'

'Ondanks het feit dat hij twee of drie keer met u heeft gesproken?'

'Ja. Is dat een probleem?'

Bracco haalde zijn schouders op. 'Praatte hij iedere keer als hij hier was over hetzelfde?'

'Ja.'

'En wat was dan precies het gespreksonderwerp?'

'Ik geloof dat hij Nolan op een of andere manier in verband probeerde te brengen met een echtpaar dat een paar dagen voordat Nolan om het leven werd gebracht was vermoord. Als ik het me goed herinner probeerde hij te suggereren dat Nolan op een of andere manier iets met die moorden te maken zou hebben, wat volstrekt belachelijk was. Dat heb ik hem ook gezegd.'

'Kunt u zich nog herinneren wat hij u precies heeft gevraagd?'

'Nee. Ik kon zijn vragen niet echt beantwoorden. Het is alweer een tijd geleden en het leek me bovendien niet zo belangrijk.'

'Wanneer hebt u hem voor het laatst gezien?'

'Dat weet ik niet. Ergens vorige zomer.'

'En wanneer hebt u hem voor het laatst telefonisch gesproken?'

'Dat kan ik me niet herinneren.'

'Weet u dat de heer Bowen de afgelopen zomer is verdwenen?'

'Ja, ik geloof dat ik daar onlangs het een en ander over heb vernomen. In ieder geval hoorde ik vanaf een zeker moment niets meer van hem.'

'Is het u bekend dat uit zijn aantekeningen blijkt dat hij u heeft gebeld op de ochtend voor zijn verdwijning?'

Loy besloot dat hij genoeg had gehoord. Hij stak zijn hand op en zei: 'Ogenblikje, Jack. Waar leidt dit naartoe, brigadier?'

'De heer Bowen heeft kennelijk op de dag van zijn verdwijning nog contact gehad met de heer Allstrong. Ik vraag me af of hij zich nog herinnert waar dat gesprek over ging.'

Nu stak Allstrong zijn hand op. 'Het is goed, Ryan.' Daarna vervolgde hij tegen Bracco: 'Ik herinner me helemaal geen laatste telefoongesprek. U vertelt me nu pas dat dit laatste telefoongesprek heeft plaatsgevonden op de dag dat hij naar verluidt is verdwenen. Wat mij betreft is het best mogelijk dat de heer Bowen het hoofdkantoor hier heeft gebeld over een of andere routinekwestie. Dat zou ik echt niet weten. Hoe dan ook, ik kan me niet herinneren toen met hem te hebben gesproken. En trouwens, waarom heeft niemand me deze vragen afgelopen zomer gesteld, toen ik me al die dingen misschien nog wat beter had kunnen herinneren?'

'De zaak-Bowen is onlangs heropend als een mogelijke moordzaak en we gaan er daarom nu dieper op in dan toen het alleen maar een vermissing was.'

Hierop ging Loy meer rechtop zitten. 'Als de heer Allstrong verdachte is in een moordzaak, brigadier, dan moet ik hem adviseren dit gesprek nu te beëindigen.'

'De heer Allstrong kan dit gesprek beëindigen wanneer hij maar wil. En ik heb niet gezegd dat hij ergens van wordt verdacht. Maar naar het zich laat aanzien, heeft de heer Allstrong contact gehad met de heer Bowen op de dag waarop deze is verdwenen.' Bracco keek hierbij uitsluitend Allstrong aan. 'En dat brengt mij op mijn volgende vraag, over de echtgenote van de heer Bowen. Hebt u haar ooit ontmoet of haar ooit via de telefoon gesproken?'

'Nee.'

'Weet u dat heel zeker?'

'Ja.'

'Het lijkt er namelijk op dat zij diverse malen uw nummer heeft gebeld. Hebt u daar een verklaring voor?'

'Hij heeft al gezegd dat hij haar niet heeft gesproken,' kwam Loy opnieuw tussenbeide. 'Meneer Allstrong krijgt honderden telefoontjes op een dag, brigadier. Voor de meeste mensen die hem willen spreken, heeft hij helemaal geen tijd.'

'Meneer Loy, uw cliënt heeft me laten weten dat hij aan dit onderzoek wil meewerken. Er zijn een paar vragen die ik hem wil stellen.' Bracco zweeg even en knikte bedachtzaam. 'Hij hoeft mijn vragen niet te beantwoorden, maar ik ben geïnteresseerd in zijn antwoorden en niet in uw suggesties van wat er wel of niet gebeurd kan zijn. Dus meneer Allstrong, nogmaals: hebt u enige verklaring voor het feit dat mevrouw Bowen diverse malen uw nummer heeft gebeld?'

'Ja, natuurlijk. De heer Loy heeft gelijk. Heel veel mensen willen mij spreken.'

'Dat wil ik graag geloven. Maar het laatste telefoontje dat mevrouw Bowen tijdens haar leven pleegde was met u. Op de dag voor haar dood. Ik neem aan dat u het wel zult begrijpen als wij een beetje nieuwsgierig worden als van twee mensen die Allstrong Security bellen er een vlak na dat contact verdwijnt en de ander sterft.' Het was niet helemaal waar, maar dat hoefden Loy en Allstrong niet te weten. Het belangrijkste was volgens Hardy geweest dat Bracco hier zijn opwachting maakte, zodat ze wisten dat de politie nu ook met de zaak bezig was.

'Nou, goed dan,' zei Loy. 'U hebt uw vragen gesteld. Meneer Allstrong heeft u verteld wat hij weet. Als er verder niets meer is, denk ik dat het tijd wordt dat we een einde maken aan dit onderhoud.'

Maar Bracco negeerde Loy opnieuw. 'Meneer Allstrong,' vervolgde hij, 'als u deze telefoontjes niet zelf hebt afgehandeld, met wie zou mevrouw Bowen dan gesproken kunnen hebben?'

Allstrong haalde zijn schouders op. 'Ik zou het Marilou kunnen vragen. Dat is onze receptioniste. Ze is onze eerste verdedigingslinie. Als mevrouw Bowen hysterisch of verward was over wie ze wilde spreken of waar ze het over wilde hebben, zou ze met niemand zijn doorverbonden. Maar zoals Ryan hier al zegt: dat kunnen we altijd uitzoeken.'

Bracco pakte eindelijk zijn koffie en nam een slok. Die was lauw geworden en hij trok een gezicht.

'Is er iets, brigadier?' vroeg Allstrong.

Bracco stak zijn arm uit en zette de recorder uit. Hij besloot dat hij nog een laatste steen in de vijver zou gooien. 'Dit schiet helemaal niet op, heren. Ik kwam hier in de veronderstelling dat u met deze moordonderzoeken wilde meewerken, maar ik merk dat ik hier niet veel wijzer word. Eerlijk gezegd vind ik jullie gedrag verdomd defensief voor mensen die niets te verbergen hebben.'

'Dat is belachelijk,' zei Loy. 'We hebben antwoord op al uw vragen gegeven. De heer Allstrong weet gewoon niets meer van het echtpaar Bowen dan hij u al heeft verteld. Hij staat aan het hoofd van een grote onderneming met vestigingen verspreid over de hele wereld. Hij heeft geen tijd om zich met dit soort futiliteiten bezig te houden. Hoor eens, brigadier, het spijt ons dat meneer Bowen is verdwenen en we vinden het vervelend wat er met zijn vrouw is gebeurd. Maar het is gewoon absurd om aan te nemen dat er enig verband zou bestaan tussen Allstrong Security en deze gebeurtenissen.'

'Daar sluit ik me helemaal bij aan,' bevestigde Allstrong.

Bracco schoof zijn stoel naar achteren. 'Nou, bedankt voor uw tijd dan maar.'

Om kwart over drie stond Glitsky voor een monitor in de kleine video-kamer tussen de twee minuscule verhoorkamertjes die uitkwamen op de smalle gang die door een glazen wand was afgescheiden van de recherche-kamer. 'Ik geef het op,' zei hij tegen Debra Schiff. 'Vertel me maar wat het is.'

'Het is de bovenkant van je hoofd, inspecteur.'

Glitsky keek opnieuw. Zijn grijzende haar was altijd kortgeknipt. Hij boog zich voorover naar de monitor die een doorsnee van slechts achttien centimeter had. 'Dat zou kunnen,' zei hij. 'Maar het is onmogelijk te bewijzen.'

'Zie je ook maar één stukje van je gezicht dat te identificeren is?'

'Nee.' Hij keek haar aan. 'Is dit de enige camera die we daar hebben?'

'Ja, inspecteur.'

'Godallemachtig.' Glitsky liep de videokamer uit, deed een stap naar links en wandelde opnieuw de verhoorkamer binnen die hij een minuut geleden had verlaten.

Het was een vertrek van één meter twintig bij één meter vijftig, dus eigenlijk meer een kast. Er zaten geen ramen in. Verdachten in moord-onderzoeken werden vaak voor een ondervraging naar deze kamertjes ge-bracht, waar ze alleen gelaten konden worden en in theorie konden wor-den geobserveerd terwijl ze zaten te frunniken, tegen zichzelf praatten of andere dingen deden die belastend waren en door de rechtbank konden worden toegelaten als bewijs. Het probleem was dat de camera die dit allemaal werd verondersteld op te nemen en slim was verstopt in het plafond, niet zodanig kon worden gericht dat er ooit iets anders zichtbaar werd dan de kruin van de verdachte. Zoals Schiff zojuist aan Glitsky had gedemonstreerd. Het kamertje was gewoon te klein.

'Het is hopeloos,' zei Schiff. 'Zo kunnen we niet werken. We moeten een nieuwe kamer hebben.'

'Ik dacht dat dit de nieuwe kamer was.' Glitsky had gelijk. De afdeling Moordzaken was nog maar een klein jaar geleden in zijn geheel van de vierde naar de vijfde verdieping verhuisd. Helemaal opnieuw ingericht en zogenaamd het nieuwste van het nieuwste. 'Maar je hebt gelijk, het is wel een beetje klein. Wie heeft de tekeningen eigenlijk goedgekeurd?'

'Niemand. Dat is het probleem. Er zijn een paar jongens van Berovin-gen die hier in het gebouw bijverdienen met klussen.'

'Hebben we dit dan niet aanbesteed?'

Schiff lachte. 'Neem je me in de maling? Voor het onderhoud in het gebouw schakelen we onze eigen medewerkers van de afdeling Onderhoud in. Als we dit gaan aanbesteden, krijgen we last met de bond. Dan komen we aan hun banen.'

'Nou, waarom heeft de afdeling Onderhoud dit dan niet gedaan?'

'Omdat ze daar zeggen dat ze een achterstand hebben van drie jaar en omdat ze ons er vijfenzeventigduizend dollar voor in rekening hadden gebracht die we uit ons eigen budget hadden moeten betalen.'

'Geweldig,' zei Glitsky. 'En waar zouden we die nieuwe kamer dan moeten plaatsen, volgens jou?'

'Dat weet ik niet, Abe. Waar dan ook. Misschien in de kleedruimte. Of we zouden een deel van de computerkamer kunnen afscheiden, die is sowieso veel te groot. Maar dit is gewoon idioot.'

'Dat ben ik met je eens.' Bij wijze van grap suggereerde hij: 'Ik zal het eens voorleggen aan de afdeling Facilitaire Zaken.'

Schiff kon er niet om lachen. 'Hoe eerder, hoe beter, Abe.'

'Ik weet het, Debra. Ik zal zien wat ik kan doen, echt waar. Maar terwijl hij bezig was deze administratieve sores af te wikkelen, zag hij dat een van de receptiemedewerkers door de smalle gang naar hem toe snelde. 'Hé, Jerry,' riep hij. 'Wat is er aan de hand?'

'Ik heb het hoofd van de plaatselijke FBI onder de knop, inspecteur. Hij zegt dat het dringend is.'

De bel ging in Hardy's hotelonderkomen. Ze hadden een kleine suite gehuurd in het Rex, niet ver van Hardy's kantoor, en Hardy was er even voor vijven gearriveerd.

Hij liep naar de deur en tuurde voor de zekerheid door het kijkgaatje. Glitsky stond in de relatieve duisternis van de gang en staarde nors voor zich uit. Toen Hardy de deur opende keek de inspecteur hem met gefronste wenkbrauwen aan. 'Toen Phyllis me vertelde dat je hier zat dacht ik even dat ze een grapje maakte.'

'Ja, ze is een echte grappenmaakster, onze Phyllis.'

Glitsky wierp een snelle blik om zich heen. 'Jij gelooft kennelijk dat dit nodig is.'

'Het is uit voorzorg, niet meer dan dat.'

Glitsky knikte. Hij keek strak voor zich uit. 'Hoe dan ook, we moeten praten.'

'En kijk eens wat we hier aan het doen zijn, is het niet wonderlijk?'

Abe perste zijn lippen op elkaar, waardoor zijn litteken extra reliëf kreeg. 'Wil je weten wat het resultaat is van jouw ondoordachte advies aan Darrel Bracco om een praatje te gaan maken met die gasten van Allstrong?'

Hardy's gezicht betrok. 'Er is hem toch niets overkomen?'

'Nee, lichamelijk is hij nog wel in orde.' Glitsky duwde de deur open en Hardy deed een stap opzij om hem binnen te laten, waarna hij achter hem aan liep naar de kleine salon. Glitsky trok de stoel onder de schrijftafel vandaan en ging zitten. 'Maar hij is wel een beetje nijdig op je. Net als ik trouwens.'

'En waarom?' Hardy liet zich op de tweezitter zakken.

'Omdat hij net het gevoel kreeg dat er schot begon te komen in die zaak-Bowen – in allebei, beter gezegd. Dat hij ze best zou kunnen oplossen als hij er de tijd voor kreeg. Maar dat zal nu niet meer gebeuren. Nooit meer.'

'Waarom niet?'

'Omdat ik vanmiddag een telefoontje heb gekregen van Bill Schuyler. Herinner je je Bill Schuyler? Hij is de FBI-baas die plotseling de agenten die hebben getuigd in de zaak-Scholler niet meer kon vinden.'

Hardy's gezicht klaarde op, al probeerde hij zijn enthousiasme zo goed mogelijk te onderdrukken. 'Vertel me alsjeblieft dat de FBI de zaak heeft overgenomen.'

'Helemaal. Van A tot Z.'

'Met een beroep op de nationale veiligheid?'

'Met een beroep op het feit dat ze niet van plan zijn verantwoording aan me af te leggen. Ze doen het gewoon en we kunnen er niets tegen beginnen. Maar zelfs Schuyler vond het kennelijk toch wel nodig om erbij te zeggen dat het hem niet echt beviel, maar dat het van het allerhoogste niveau kwam en dat hij er echt niets aan kon doen. Heb je enig idee wat een enorme concessie dat is, voor zijn doen?'

'Ik geloof het graag.'

'Dat zal best. Dus weet je waar Darrel en ik de afgelopen drie uur mee bezig zijn geweest? Met het inpakken van al onze dossiers over de beide Bowen-zaken en het afleveren daarvan bij het federale gebouw. Dit waren twee vermoedelijke moorden in mijn gebied, Diz. En ik ben eraf gehaald om redenen die ik niet begrijp.'

'Dat verklaart dus jouw minder vrolijke bui. Niet dat je daar normaal gesproken een bijzondere reden voor nodig hebt. Maar goed. Dit is sneller dan ik had verwacht.' Hij stak een hand omhoog. 'Ik heb het niet over die drie uur. Ik heb het over de voortvarendheid waarmee Allstrong iemand bij de FBI aan de touwtjes kan laten trekken. Hij moet daar echt een heel goed contact hebben, maar dat hadden we al vermoed, nietwaar?'

'Dus jij wist dat dit eraan zat te komen?'

Hardy knikte. 'Ik hoopte dat er zoiets zou gebeuren. Dat het zo snel gaat is een verrassing, maar het kan helemaal geen kwaad.'

Glitsky zag er duidelijk weinig heil in. 'Nou, het is fijn dat jij er zo mee in je nopjes bent, maar Darrel en ik voelen ons allebei een beetje genomen.'

Hardy schudde zijn hoofd. 'Ik heb Bracco gisteravond verteld, en ik vertel jou nu ook, dat je Allstrong nooit zult kunnen pakken voor Charlie of Hanna Bowen. Met geen mogelijkheid. Die zaken zijn dood en begraven, Abe. Het bewijsmateriaal dat er ooit was is allang verdwenen. Die jongens zijn keiharde professionals. Ik denk dat er vanaf het begin al nauwelijks enig bruikbaar bewijs is geweest. Dus deze overname door de FBI is heel goed nieuws.'

'Ik kan mijn enthousiasme nauwelijks bedwingen. Maar goed, misschien kun je me eens uitleggen waarom we hier zo blij mee moeten zijn.'

Hardy ging rechtop zitten. 'Plotseling is de hele materie, waarvan Allstrong dacht dat hij volledig stabiel en onder controle was, weer vloeibaar geworden. Het is weer een lopende zaak. Hij moet de vinger aan de pols houden, ageren en reageren om te zorgen dat het de juiste kant op gaat. En dat betekent weer dat hij een deal met mij zal moeten sluiten.'

'Net zoals hij dat met Bowen heeft gedaan?'

Hardy schudde zijn hoofd. 'Nee, niet als het aan mij ligt, Abe. Niet opnieuw. Zo heeft hij het al een keer geprobeerd, maar die methode heeft averechts voor hem uitgepakt. Dat ziet hij heus wel in.'

'Ik hoop dat je gelijk hebt. Maar dan nog. Als de FBI zorgt dat hij immuun blijft voor gerechtelijke vervolging, wat kun jij dan nog voor verschil maken? In het ergste geval ben je een lastpost. Maar als de FBI blijft voorkomen dat iemand een zaak tegen hem kan aanspannen, dan wordt hij nooit veroordeeld wegens moord.'

'Ja, maar dat is het nu juist. Dat wil ik ook helemaal niet. Ik wil alleen maar zijn hulp om mijn cliënt uit de gevangenis te krijgen. Daarna heeft hij geen last meer van me.'

Glitsky keek Hardy bijna vernietigend aan. 'Ik hoop niet dat ik je nu hoor zeggen dat het jou er de hele tijd alleen maar om te doen is geweest die verdomde cliënt van je uit de bak te krijgen.'

Hardy maakte een abrupte hoofdbeweging toen hij Glitsky hoorde vloeken. Als hij dat deed was hij veel kwader dan Hardy zich had gerealiseerd. 'Abe,' zei hij op geruststellende toon, 'luister alsjeblieft naar me.

Of je het nu leuk vindt of niet, mijn cliënt is het enige middel dat we nog hebben om Allstrong aan te pakken. Wat er is gebeurd met Charlie en Hanna Bowen is geen bedreiging meer voor hem, dat is geweest. Voor de aanslag op het leven van Evan in San Quentin geldt hetzelfde. De aanvaller is dood, en dat was trouwens niet meer dan een uit de hand gelopen ruzie tussen gedetineerden. Dus wat is de enige andere misdaad waarvan we weten dat hij die op Amerikaanse bodem heeft gepleegd? Dat is het geven van de opdracht om het echtpaar Khalil te vermoorden, waar of niet? Dat leidt naar Nolan. En wie is de enige die Allstrong in verband kan brengen met Nolan? Dat ben ik. Dus hij zal zich gedwongen voelen contact met me te zoeken.'

'En dan?'

Hardy schoof naar het puntje van de tweezitter en keek Glitsky aan. 'Dan speel ik mijn troeven uit.'

40

Evan kwam in een rolstoel naar de bezoekersruimte. Hij zou volledig herstellen, vertelde hij Hardy, maar grapte daar onmiddellijk achteraan dat hij hoopte dat hij die woorden nu echt nooit meer hoefde te horen. Hoe dan ook, het was een goed teken dat hij over vrijwel alles grapjes kon maken. De aanval was volledig onverwacht geweest en was professioneel uitgevoerd meteen nadat hij de doucheruimte was binnengelopen, waarvan hij had verwacht dat die verlaten zou zijn. Alleen zijn rib had in de weg gezeten, vertelde hij Hardy. Voor zover hij zich kon herinneren waren er geen getuigen.

Hardy had een kopie van zijn verzoekschrift meegenomen en ze bespraken verschillende juridische details die hij aanvankelijk niet begreep, totdat hij het uiteindelijk met Hardy eens was dat dit een benadering was die wel eens effect zou kunnen sorteren. Hardy bracht hem ook op de hoogte van de ontwikkelingen rond de onderzoeken naar het lot van het echtpaar Bowen. Ze bespraken het feit dat de FBI het onderzoek had overgenomen en vroegen zich af wie de mysterieuze hoger geplaatste was die zoveel invloed kon uitoefenen op de FBI.

'Daar zullen we misschien wel nooit achter komen,' zei Hardy. 'Iemand die denkt dat het belangrijker is dat mensen als Allstrong bedrijven kunnen opbouwen die groeien en bloeien dan je zorgen te maken of ze zich wel aan de letter van de wet houden. Wat zou het als je een paar mensen moet afmaken? Kijk eens naar de banen die ze creëren, wat ze betekenen voor de infrastructuur. Dat is de prijs toch zeker dubbel en dwars waard? Niet lullen, maar poetsen!'

'Ik ben gek op dat argument van de nationale veiligheid. Want wat dan nog als Allstrong ten onder gaat? Wat gebeurt er dan helemaal?'

'Nou, op z'n minst is dat enorm schadelijk voor de oorlogsinspanning, al het goede opbouwwerk dat Allstrong daar doet zou er maar onder lijden. Dat is een sprookje dat het altijd heel goed doet.' Hardy glimlachte wrang. 'Maar ik vermoed dat die man aan de top, wie het ook is, dan ook wel een substantieel deel van zijn clandestiene bijverdienste zou verliezen.'

Evan zuchtte en keek bedrukt. 'Ik vind het moeilijk te bevatten dat zoiets werkelijk gebeurt.' Hij keek om zich heen naar de gevangenismuren. 'Maar ik kan ook nog steeds niet begrijpen dat dit hier me werkelijk overkomt.'

Het telefoontje kwam even na enen, vlak nadat Hardy weer op kantoor was gearriveerd.

'Meneer Hardy? Jack Allstrong hier.' Hij had zijn gemoedelijke stem weer terug. 'Ik heb vanochtend het afschrift ontvangen van het beroepsschrift dat u hebt ingediend in die kwestie-Evan Scholler. De heer Loy zegt dat we waarschijnlijk een dagvaarding kunnen verwachten. Hij bewondert uw werk, meneer Hardy, en hij heeft me verteld dat er een goede kans is dat de rechtbank u op z'n minst een hoorzitting zal toestaan. Misschien dat we ons tijdens ons laatste gesprek een beetje te veel hebben laten gaan. Ik vroeg me af of u er misschien iets voor voelt vanmiddag langs te komen bij ons op het hoofdkantoor.'

Het leek Hardy niet verstandig meteen toe te happen. 'Als u geen idee hebt van de relatie tussen de heer Nolan en de Khalils, zoals u de vorige keer zo stellig beweerde, weet ik niet of we veel te bespreken hebben.'

'Tja, u schijnt er zo zeker van te zijn dat die Scholler Nolan niet heeft vermoord, wie weet is er iets wat we daaraan kunnen doen. Volgens mij heeft het beslist zin er eens over van gedachten te wisselen.'

Hardy liet hem nog een paar seconden in onzekerheid. 'Ik heb vanmiddag eventueel wel wat tijd, maar het lijkt me echt beter dat u even bij ons langskomt.'

Hardy zat aan zijn bureau met zijn schrijfblok voor zich. Hij had al een paar aandachtspunten genoteerd die in het komende gesprek aan de orde moesten komen. Hoewel hij de gedachte dat hij het ding nodig kon hebben nu al bijna gênant vond, had hij zijn pistool in de bovenste linkerla gelegd, zodat hij het snel kon pakken als er aanleiding voor mocht zijn.

Toen Phyllis Allstrong binnenliet deed hij alsof hij nog aan het schrijven was. Hij keek op en zei: 'Sorry, een momentje nog', terwijl hij een gebaar maakte naar de Queen Anne-stoel met de rechte rugleuning, die hij eerder al aan de andere kant van zijn bureau had neergezet. Terwijl Allstrong ging zitten en zijn koffertje naast de stoel op de grond plaatste deed Phyllis de deur achter zich dicht. Hardy krabbelde nog een paar regels. Ten slotte legde hij zijn pen neer en schoof het schrijfblok opzij.

'Het lijkt erop,' zei Hardy, 'dat jij ergens in Washington een beschermengel hebt die het onderzoek naar de lotgevallen van het echtpaar Bowen heeft weggetoverd. Maar zolang Evan Scholler leeft en in de gevangenis zit, zal ik of zal een willekeurige andere advocaat blijven speuren naar het verband tussen Allstrong, Ron Nolan en de Khalils. Wie het ook is geweest, degene die Evan onlangs uit de weg wilde laten ruimen heeft zijn kans gemist en aangezien hij inmiddels op een veilige plaats wordt vastgehouden, krijgt hij waarschijnlijk geen nieuwe kans. Zoals je onlangs hebt ontdekt zijn advocaten die zich met beroepszaken bezighouden gemakkelijk vervangbaar. En geloof me, Allstrong: iedereen die mijn verzoekschrift en mijn aantekeningen – waarvan inmiddels talloze kopieën in omloop zijn – leest, zal het oppakken als ik het onverhoopt mocht laten liggen. Is dat een goede samenvatting van de situatie?'

Allstrong, die cowboylaarzen van slangenleer en een groen gabardinen pak droeg, leunde naar achteren, sloeg zijn benen over elkaar en keek Hardy ontspannen en welhaast vriendelijk aan. 'Het is een welsprekende vertolking van je persoonlijke mening, neem ik aan,' zei hij. 'Maar, zoals ik de vorige keer al heb gezegd: iedere suggestie dat ik betrokken zou zijn bij welk misdrijf dan ook wijs ik af. Ik ben er zeker van dat de federaal onderzoekers geen enkel bewijs zullen vinden van welke betrokkenheid van Allstrong Security dan ook bij wat er eventueel met het echtpaar Bowen is gebeurd.'

'Nee, daar ben ik ook wel zeker van,' beaamde Hardy.

'En ze zullen ook geen bewijs vinden dat ik Nolan opdracht heb gegeven iemand te vermoorden. Dat is niet de manier waarop ik zakendoe.' Hij sloot zijn pro-formaverkoopverhaal af met een voorbeeldige vertegenwoordigersglimlach.

'Als je, zoals jij, kunt regelen dat Stevie Wonder en Ray Charles het onderzoek doen,' zei Hardy, 'dan zou het me nog verbazen als het telefoonnummer van het hoofdkantoor van Allstrong aan het licht komt, zelfs al staat dat gewoon in het telefoonboek. Maar daar gaat het me niet om. Wat ik ga onthullen is het bewijs dat de FBI inmiddels al heeft verzameld en waaruit blijkt welke gebeurtenissen in Irak hebben geleid tot de moord op het echtpaar Khalil. En als jouw bedrijf dan verwikkeld raakt in een publiek schandaal omdat de rol van Nolan daarbij aan het licht komt, dan is dat alleen maar meegenomen.'

Allstrong hoorde dit onbewogen aan. 'En waarom denk jij dat de FBI kan bewijzen dat Allstrong iets met die moorden te maken heeft?'

'Dat is wat federaal agenten leden van de familie Khalil hebben verteld. En wat zij hebben gevonden, kan ik ook vinden.'

'Maar ik heb begrepen dat die FBI-agenten ook hebben verteld dat de opdracht afkomstig was van Kuvan Krekar. Zo is het toch?' vroeg Allstrong.

Hardy knikte. 'Zo heb ik dat ook begrepen.'

'Nou dan.'

'Nou dan wat?'

'Nou, dan is het toch duidelijk wie opdracht voor die moord heeft gegeven? Kuvan. Ik niet. Allstrong Security had er niets mee te maken.'

'Dat lijkt logisch, maar er is één kwestie die ertegen pleit. Of twee, beter gezegd. De heer en mevrouw Bowen. Dat hele gedoe met Nolan en Kuvan en de Khalils was een gesloten boek totdat Charlie Bowen het weer opensloeg. Als de Bowens nu nog leefden, dan had ik waarschijnlijk ook wel geloofd dat de moord op het echtpaar Khalil het idee was van Kuvan en dat hij er opdracht voor had gegeven. Maar toch was er iemand die Charlie dood wilde hebben, omdat hij op het punt stond te ontdekken en aan de grote klok te hangen wie er in werkelijkheid opdracht had gegeven voor de moord op het echtpaar Khalil. En jij weet wie dat was, Jack. Je weet dat omdat jij het was.'

Allstrong liet zijn schouders even hangen. 'O, krijgen we dat weer.'

'Ik ben bang van wel.' Hardy keek zijn tegenstander recht in het gezicht.

Allstrong haalde zijn schouders op, knikte, boog zich naar voren, pakte zijn koffertje, legde het op zijn schoot en klikte het open. Langzaam zei hij: 'Helaas is dit een nogal ongemakkelijke toestand geworden.'

Gedurende één irrationeel moment dacht Hardy dat hij alles verkeerd had ingeschat en dat hij binnen anderhalve seconde dood zou zijn. Voordat hij zelfs maar kon reageren en zijn eigen pistool kon pakken, dat hij stom genoeg in zijn linkerla had opgeborgen. De kogel uit Allstrongs pistool met geluiddemper zou zonder waarschuwing door de bekleding van het dure koffertje exploderen en Hardy naar de vergetelheid transporteren. Zo maakte je immers een einde aan ongepaste dreigementen.

Hardy's hand bewoog zich naar de la. Hij begon hem open te trekken. Maar hij had onvoldoende tijd.

Het was voorbij. Zijn leven was afgelopen.

Maar op het moment waarop Allstrong had moeten schieten als hij dat van plan was geweest, praatte hij door in plaats van het wapen te gebruiken dat hij ongetwijfeld in zijn koffertje had liggen. 'Ik moet bekennen dat ik bewondering heb voor je lef en je doorzettingsvermogen. Om precies te zijn wil ik je een voorschot aanbieden op wat juridisch werk dat ik graag door jou wil laten doen. Die Loy is best een capabele bedrijfsjurist, maar hij heeft toch niet het killerinstinct dat soms nodig is in mijn branche. Net als al onze topmedewerkers zul je in contanten worden betaald.'

Allstrong draaide het koffertje om en liet Hardy de keurig opeengepakte stapeltjes bankbiljetten van honderd dollar zien. Nergens een pistool te bekennen.

Hardy ademde opgelucht uit, bracht zijn trillende handen omhoog en vouwde ze ineen op het blad van zijn bureau. Zijn knokkels zagen spierwit.

En Allstrong vervolgde: 'Dit is tweehonderdduizend dollar, Hardy. Die wil ik je graag aanbieden als voorschot op te declareren werk in het eerste jaar. Als je wilt kan ik regelen dat het naar een buitenlandse bankrekening wordt overgemaakt, een Zwitserse bank of waarheen je maar wilt. Je werkt formeel voor een van onze Irakese dochterondernemingen, die niet belastingplichtig zijn in de Verenigde Staten. Dus of je het wel of niet bij de belastingen aangeeft mag je helemaal zelf weten.'

'Ik vraag me af hoeveel van mijn belastinggeld er in dat koffertje zit.'

'Doe niet zo naïef,' beet Allstrong hem toe. 'En probeer me niet af te zeiken.' Door de nogal onverhulde poging tot omkoping had hij, al was het dan stilzwijgend, al toegegeven dat alles waarvan Hardy hem had beschuldigd de waarheid was. 'Ik adviseer je met klem goed na te denken over dit aanbod. Zoals je al hebt gemerkt staan mij ook andere mogelijkheden ter beschikking, al zijn die misschien duurder en riskanter.'

Hardy klakte met zijn tong en produceerde een grijns. 'Ik dacht dat we dat stadium achter ons hadden gelaten, Jack.'

Allstrong deed het koffertje langzaam dicht en zette het weer naast zich op de grond. 'Begrijpen we elkaar, Hardy?'

'O jawel, we begrijpen elkaar heel goed, Jack. Maar nee, we hebben geen deal. Ik dacht dat ik allang duidelijk had gemaakt wat ik wil. Ik wil Evan Scholler uit de gevangenis hebben. Het interesseert me niet hoe. Maar dat is mijn prijs.'

'Stel nu eens dat de FBI plotseling bewijzen vindt waaruit blijkt dat Nolan betrokken was bij de moord op het echtpaar Khalil? En stel dat er aanwijzingen zijn dat sommige leden van de familie Khalil banden hebben met terroristische organisaties? En dat uit telefoontaps blijkt dat ze van plan waren Ron Nolan te vermoorden? Zou dat voldoende zijn, Hardy?'

'Ik denk van wel. Dus wat jij moet doen, Jack, is mij dat bewijsmateriaal bezorgen.'

'En dan?'

'En dan ben ik niet langer in jou geïnteresseerd.'

Maar Allstrong leek nog niet bereid het helemaal op te geven. 'Maar stel nou dat zulk materiaal helemaal niet bestaat?'

Hardy keek hem veelbetekenend aan. 'Ja, maar wij weten wel beter, nietwaar? De FBI had het al gevonden voordat ze met de kinderen van het echtpaar Khalil gingen praten. Jij hebt het gezien voordat je besloot Kuvan op te offeren.'

Er viel een lange stilte.

Ten slotte knikte Allstrong. 'Hij had die granaten nooit moeten gebruiken,' zei hij langzaam, alsof hij een ingewikkelde kwestie aan een kind probeerde uit te leggen. 'Dat was zijn eigen beslissing, maar het was een tactische blunder. Het kon hem niets schelen. Hij was een veiligheidsrisico geworden. Hij hield ervan dingen op te blazen. Dat vond hij leuk. Die idioot dacht dat hij onaantastbaar was.'

'Als je het mij vraagt,' zei Hardy, terwijl hij in de kamer van Glitsky een pinda in zijn mond stopte, 'heeft hij Nolan ook opgeruimd. Niet zelf, want hij zat op dat moment in Irak. Maar een van zijn mensen heeft Nolan uitgeschakeld. Dagelijks werk voor die gasten.'

'Maar waarom?'

'Allstrong zei het zelf: Nolan was een veiligheidsrisico geworden. Hij heeft fragmentatiegranaten gebruikt waarvan kon worden nagegaan dat ze van Allstrong afkomstig waren.'

Bracco stond tegen de muur geleund met zijn armen over elkaar te mokken. 'Dus hij geeft je niks wat met hemzelf in verband kan worden gebracht? Ik heb het over die fragmentatiegranaten.'

'Nee, dat doet hij niet. Misschien komen ze wel uit bij zijn bedrijf, maar dan kan onze Jack heel goed aanvoeren dat Nolan ze heeft gestolen of zoiets, dat hij op eigen initiatief handelde toen hij de Khalils vermoordde. Dat het een freelanceklus was.'

'Het doet er trouwens allemaal niet toe.' Glitsky leunde in zijn stoel naar achteren, een en al frustratie. 'We weten toch dat iemand hem de hand boven het hoofd houdt? Die vent is zo goed als immuun. Ik kan nog steeds niet geloven dat de FBI hieraan meedoet. Schuyler zou zoiets nooit op eigen houtje flikken.'

'Ik zou het niet te persoonlijk opvatten, Abe,' zei Hardy. 'Hij doet het inderdaad niet op eigen houtje. Hij heeft waarschijnlijk ook te horen gekregen dat het te maken heeft met de nationale veiligheid. En hij gelooft zijn bazen. Er staan hogere belangen op het spel. Dus uiteindelijk worden we er allemaal beter van.'

'Wat een puinhoop,' antwoordde Glitsky.

'En Charlie en Hanna Bowen?' vroeg Bracco. 'Wat doen we met die moorden? Zijn dat dan burgerslachtoffers die nu eenmaal helaas altijd vallen als het oorlog is? Moeten we dat dan maar laten zitten? Is dat eerlijk?'

Hardy keek hem aan. 'Die zaken had je nooit rond gekregen, Darrel. Nooit. In geen duizend jaar. Vraag het Abe maar.'

Glitsky haalde bij wijze van antwoord zijn schouders op.

Hardy stak een hand op. 'Ik zeg niet dat ik er blij mee ben, maar het is gewoon de realiteit.'

'Het is waardeloos,' zei Bracco. 'Wat moet ik tegen Jenna zeggen als ze me straks weer belt? Dat patsers zoals Allstrong overal mee wegkomen? "Sorry, maar zo zit het leven nu eenmaal in elkaar? Jouw ouders doen er niet toe"?' Hij sloeg met zijn vlakke hand keihard tegen een metalen archiefkast. 'Daar baal ik van.' Hij liep de kamer uit.

'Het is nog niet afgelopen,' riep Hardy hem achterna.

In de stilte die volgde bromde Glitsky: '"Het is nog niet afgelopen." Wat bedoel je daar eigenlijk mee?'

'Ik bedoel dat ik de komende weken een lading bewijsmateriaal binnenkrijg. En het mooie van bewijsmateriaal is dat het voor zichzelf spreekt.'

Gliksky staarde hem aan. 'O ja, dat is waar ook. Het is goed voor die cliënt van jou. En het is goed voor jou.'

'Niet alleen voor ons,' zei Hardy.

'O nee?' vroeg Glitsky opnieuw. 'Voor wie dan nog meer?' Hij ging rechtop zitten en schudde vol walging zijn hoofd. 'Doe de deur achter je dicht, als je wilt. Ik heb nog werk te doen.'

41

Hardy zat in zijn kamer en opende zijn post. De afgelopen drie weken had hij per aangetekende post een stroom aan documenten ontvangen van het kantoor van de FBI in San Francisco. De FBI had zijn werk zoals gebruikelijk uiterst grondig gedaan. Ze hadden vastgesteld dat granaatfragmenten die na de aanslag waren gevonden in het huis van het echtpaar Khalil overeenkwamen met een partij identieke granaten in de magazijnen van Allstrong Security op BIAP. Bovendien hadden ze een kogel die op de plaats delict was gevonden getraceerd naar het vuurwapen dat in Nolans rugzak had gezeten, samen met de granaten. Materiaal dat van Nolans harde schijf was gekopieerd bracht niet alleen de vanuit diverse standpunten gemaakte foto's van het huis van het echtpaar Khalil aan het licht, maar ook foto's van de beoogde slachtoffers die eruitzagen alsof ze waren ingescand. Nolans bankafschriften toonden dat, naast tweewekelijkse automatische stortingen van tienduizend dollar, vier dagen voor de moord op het in Menlo Park wonende echtpaar Khalil, nog eens twintigduizend gulden was overgemaakt. Op een stukje papier ter grootte van een kwart A4'tje stonden in het handschrift van Nolan de namen en het adres van de slachtoffers te lezen, naast wat onleesbare krabbels en tekeningetjes, en de aantekening '50.000 dollar', die diverse malen was omcirkeld.

De bewijsvoering waarmee de Khalils in verband werden gebracht met een complot om Nolan te vermoorden was al even indrukwekkend. De verslagen van de telefoontaps, compleet met een integrale vertaling in het Arabisch, verscheen in een keurig nette map. En er waren rapporten van informanten, waarop sommige namen in het belang van de nationale veiligheid zwart waren gemaakt, waaruit duidelijk viel af te leiden dat sommige Khalils betrokken waren bij een complot om Nolan te vermoorden ter vergelding van de moorden in Menlo Park.

Hardy moest toegeven dat Allstrong het grondig en vernuftig had aangepakt. Al dit bewijsmateriaal vormde een waardevolle ondersteuning voor de positie die Hardy in zou nemen tijdens de beroepsprocedure in de zaak-Scholler, maar er kwam niets in voor wat op rechtstreekse of indirecte betrokkenheid van Allstrong zelf of zijn onderneming wees.

Ondertussen was er, zoals Hardy had voorzien, in de plaatselijke kranten een stroom aan artikelen verschenen over de ongelukkige manier waarop de FBI in de zaak-Scholler te werk was gegaan. Het debat in de media concentreerde zich op de vraag of de handelwijze van de betreffende agenten, die in de behandeling van een zaak tegen een rasechte oorlogsheld cruciaal bewijs hadden achtergehouden, moest worden gekarakteriseerd als extreem incompetent of ronduit misdadig. Er werden FBI-agenten overgeplaatst, geschorst en gedegradeerd.

Glitsky, die dit nieuws dagelijks samen met Hardy volgde, genoot er met volle teugen van. Hardy had geprobeerd hem duidelijk te maken dat het onwaarschijnlijk was dat de werkelijke schuldigen ooit echt zouden worden aangepakt, maar Glitsky genoot van de heisa die de FBI over zichzelf had afgeroepen.

Nu trok Hardy een envelop van eenentwintig bij negenentwintig centimeter naar zich toe. Hij was per gewone post gearriveerd, zonder vermelding van een afzender en gericht aan hemzelf. Persoonlijk en vertrouwelijk. Hij trok er twee kopieën uit van gefaxte e-mailberichten tussen Rnolan@sbcglobal.net en JAA@Allstrong.com. Ze waren verstuurd op de dag na de moord op het echtpaar Khalil en bevatten een bevestiging dat Nolan zijn meest recente opdracht had voltooid en een verzoek om het restant van zijn honorarium over te maken naar een zeker bankrekeningnummer. Allstrong kon de heer Krekar geruststellen dat 'de situatie zoals beloofd is genormaliseerd'. Krekar zou inzake de Anbar-contracten niets meer in de weg worden gelegd.

Hoewel dit allemaal niet echt grappig was, leek op Hardy's gezicht een spoor van een glimlach door te breken. Misschien moest hij Glitsky vertellen dat Bill Schuyler niet de laffe en volgzame ambtenaar was die hij moest voorwenden te zijn, als hij tenminste zijn baan niet kwijt wilde raken. Maar iedere vermelding van zijn naam in dit verband zou de man alleen maar in nog grotere problemen brengen. En bovendien kon het bewijsmateriaal in principe van iedere willekeurige andere FBI-agent tussen San Francisco en Bagdad afkomstig zijn die ongeveer wist wat er speelde en ervan walgde dat de FBI gedwongen was geweest daar medeplichtig aan te zijn.

Hardy realiseerde zich dat hij, bij gebrek aan ondersteunende getuigen of enige andere manier om de authenticiteit van de documenten aan te tonen, met deze stukken niet meer in handen had dan twee vellen papier die in de rechtszaal waardeloos zouden blijken te zijn. Hij zat achter zijn bureau, trok voor de honderdste of misschien wel duizendste keer aan de strakke huid om zijn kaak en overdacht de gevolgen van wat hij overwoog te gaan doen.

Hij had Allstrong niets beloofd. Sterker nog: hij had hem volstrekt duidelijk gemaakt dat hij met het materiaal dat hij ontving moest kunnen doen wat hij wilde. Bovendien was dit bewuste materiaal hem niet door Allstrong toegespeeld. Hij was Allstrong niets verschuldigd. Allstrong had het zelf al gezegd: het was een nogal ongemakkelijke toestand geworden.

Hij stond op en liep, zonder een woord tegen iemand te zeggen, door het kantoor naar de reprokamer, waar hij een kopie maakte van de beide pagina's. Toen hij weer terug was borg hij de kopieën op in zijn dossier en begon in zijn aantekeningen te zoeken naar het adres van Abdel Khalil.

Het was een koele zondagmiddag in de tweede week van juni. Hardy en Frannie snoeiden de rozen die tegen de schutting in hun tuin groeiden. Ze praatten over hun kinderen, die binnen een paar dagen voor de zomervakantie naar huis zouden komen. 'Ik vind dat ze allebei maar moeten gaan werken,' zei Hardy. 'Ik had ook altijd een baantje tijdens de zomervakantie.'

'Natuurlijk, lieverd,' zei Frannie. 'Ik zie het al voor me: de vierjarige Dismas, ploegend op de akkers. Om er nog maar van te zwijgen dat je iedere dag vijftien kilometer moest lopen naar school, door metershoge sneeuw.'

'Vergeet die sneeuw maar,' zei hij. 'Het was in San Francisco, weet je nog?'

'Ja, maar hoe kan ik weten wat voor klimaat we hadden toen jij zo klein was?' Frannie genoot er soms van hem een beetje te pesten over hun leeftijdsverschil van elf jaar.

'Doe niet zo bijdehand, jij.' Hij boog zich voorover en knipte een roos af, vlak onder de knop.

'Hé!' Ze keek hem aan.

'Het zal aan mijn oude ogen liggen,' zei hij, terwijl hij overeind kwam. 'Ik mikte lager.'

'Nou, als je zo doorgaat zal ik ook eens lager mikken.' Ze haalde speels uit met de tuinschaar in de richting van zijn kruis.

Hardy bewoog zich opzij en maakte een hoofdbeweging naar een punt achter haar schouder. 'Kijk eens wat de kat nu weer heeft meegenomen.'

Glitsky liep hun tuin binnen via het smalle pad tussen hun huis en dat van de buren. Hij was in vrijetijdskleding en had zijn handen in de zakken van zijn verweerde leren jack gestoken. Hij liep naar het tweetal toe, omhelsde Frannie en kreeg een kus op zijn wang van haar terug, waarna hij haar man aankeek. 'Wanneer laat jij je telefoon nou eens aanstaan?'

'Ik weet het. Slechte gewoonte.' zei Hardy. 'Maar het is zondag, dus ik dacht dat ik het me wel even kon permitteren. Morgen is er weer een dag. Maar misschien ook niet.'

'Misschien ook niet, wie weet. Weet jij er iets van?'

'Waarvan?'

'Jack Allstrong.'

Hardy voelde dat zijn maag zich samentrok. Zijn adem stokte, hij schraapte zijn keel en probeerde te slikken. 'Nee. Wat is er met hem?'

'Hij stapte vanmorgen in Hillsborough in zijn auto en toen hij de motor wilde starten is hij de lucht in gevlogen, net als de helft van zijn huis. Het is de hele tijd al op het nieuws.'

'Ik kijk op zondag ook nooit televisie.'

Glitsky bleef staan alsof hij voor standbeeld speelde.

Frannie raakte zijn arm aan. 'Abe? Wat is er?'

'Ik weet het niet, Fran. Ik weet niet wat er is. Dat wilde ik aan Diz vragen.' Hij bleef Hardy aankijken.

Hardy zoog de frisse lucht naar binnen. En opnieuw haalde hij langzaam en beheerst adem. Vervolgens zuchtte hij diep en knielde op het gras van zijn tuin.

Epiloog

[2008]

Op een warme nazomerdag, ongeveer zes maanden na het overlijden van Jack Allstrong, speelde een ensemble van vier uitstekende jazzmusici bigbandarrangementen in de tuin van Eileen Scholler. Ze liep vanuit het huis de tuin in en baande zich – glimlachend, begroetingen uitwisselend, handen schuddend en hier en daar een arm of een rug aanrakend – onder de ballonnen een weg door de talloze gasten. Ten slotte arriveerde ze bij een tafel onder een citroenboom vol goudgele vruchten waaraan Dismas en Frannie Hardy een glas witte wijn dronken met Everett Washburn.

'Ha, daar zitten jullie. Helemaal achterin. Hebben jullie er bezwaar tegen als er een oudere vrouw aanschuift?'

'Ik zie nergens oudere vrouwen,' merkte Washburn op. 'Maar stralende moeders van oorlogshelden zijn altijd welkom.'

Hardy trok een stoel naar achteren en terwijl ze ging zitten sprongen de tranen haar in de ogen door wat Washburn had gezegd. Ze glimlachte naar het drietal. 'Oorlogsheld. Ik had niet gedacht dat iemand dat ooit nog van Evan zou zeggen. Maar nu...' Ze maakte een gebaar in de richting van de vele aanwezige gasten en keek Hardy aan. 'Hoe kan ik je ooit terugbetalen?' vroeg ze.

'Geloof me, Eileen,' antwoordde hij, 'het resultaat, daar kan wat mij betreft geen honorarium aan tippen.' Nadat de beroepsrechters hadden besloten dat Evan een nieuw proces moest krijgen, had de openbaar aanklager van San Mateo afgezien van verdere vervolging. Want het zag ernaar uit dat de FBI er niet veel voor voelde om mee te werken. Daarbij beriepen ze zich op de nationale veiligheid en de noodzaak hun eigen interne onderzoeken niet aan de grote klok te hangen. De openbaar aanklager had dit gretig aangegrepen als argument om de aanklacht te laten vallen en Mary Patricia Whelan-Miille had slechts pro forma protest aangetekend. 'Fantastisch om te zien dat Evan weer vrij man is. En kijk eens hoe hij ervan geniet.'

Ze keken naar Evan, die, met zijn arm om het middel van Tara, ergens verderop stond in een groepje met zijn vader en een paar andere mannen en vrouwen van zijn eigen leeftijd. Tony Onofrio was erbij en zelfs Stan Paganini ontbrak niet.

425

'Ik denk nog steeds vaak dat ik droom,' zei Eileen. 'Alsof ik ieder moment wakker kan worden en dat hij dan weer in de gevangenis zit.'

Frannie boog zich naar haar toe en pakte haar hand. 'Dat gebeurt echt niet. Wat wél gaat gebeuren is dat hij over een week met Tara trouwt. En het zou mij niet verbazen als je niet lang daarna grootmoeder zult worden.'

Eileen kneep in Frannies hand, richtte haar blik even omhoog en keek Frannie toen weer aan. 'Als God dat toch eens zou laten gebeuren,' zei ze. 'Maar ik durf het nog steeds niet te hopen na alles wat we hebben meegemaakt.'

'Je zult er snel genoeg aan wennen,' zei Hardy.

'Nee,' zei Eileen, terwijl ze gelukzalig naar hem glimlachte. 'Je begrijpt het niet. Ik wil er nooit aan wennen. Ik wil juist iedere dag weer net zo blij zijn als nu dat hij weer terug is in ons leven en nooit vergeten hoe dat voelt en hoe gelukkig we zijn. Dit hadden we nooit meer verwacht en nu het toch is gebeurd, lijkt het... Nou, het is gewoon een wonder. We leven in een sprookje en we mogen nooit vergeten hoe gezegend we zijn. Ik ben ontzettend dankbaar!'

Plotseling stond ze op. Ze liep achter Washburn langs, boog zich naar voren en omhelsde Hardy langdurig. Ze gaf hem een dikke zoen op zijn wang en kwam weer overeind. 'Dank je wel,' zei ze. 'En nu ga ik mijn zoon maar weer eens knuffelen.'

'Dat is een goed idee,' zei Hardy. 'Doe het ook maar namens mij.'

Toen ze weg was nipte Washburn van zijn wijn en zei: 'Ik moet jullie bekennen dat ik me hier een beetje ongemakkelijk voel. Ze had dit feestje al vier jaar geleden moeten vieren.'

Hardy schudde zijn hoofd. 'De overheid heeft vals gespeeld, Everett. Ze hebben belet dat hij een eerlijk proces kreeg. Ik zou dat mezelf niet verwijten.'

Frannie boog zich naar voren. 'Nee, maar dat doet hij wel,' zei ze. 'Wat niet wegneemt dat je gelijk hebt.'

'Nou, hoe dan ook. Te laat recht gesproken is geen recht gesproken, zeggen ze wel eens. Maar vandaag kies ik voor beter laat dan nooit.' Hij keek in de richting van Evan. 'Die jongen heeft veel te verduren gehad. Maar dat geeft je wel het vertrouwen dat hij van de rest van zijn leven een succes zal maken. Er is niet veel meer dat hem er nog onder kan krijgen, vermoed ik.'

'Mee eens,' zei Hardy. 'Het ziet er goed uit.'

* * *

426

Evan wist dat hij te maken had met een expert in het man-tegen-mangevecht en hij kon zich niet veroorloven te aarzelen. Zodra Nolan de deur opende zette hij zijn schouder ertegen en ramde hem zo hard mogelijk verder open. Nolan schoot naar achteren, zijn been raakte de salontafel en hij viel. Nog voordat hij de grond had geraakt, was Evan al boven op hem gesprongen. Hij plantte zijn knie tegen Nolans borst en deelde met de boksbeugel drie kaakslagen uit.

Maar de alcohol in zijn bloed werkte niet in zijn voordeel. Nolan vocht terug met een karateslag tegen Evans nek, waardoor hij opzijviel, naast de open haard op zijn rug belandde en bovendien nauwelijks meer adem kreeg.

Nolan draaide zich om en overbrugde de afstand van anderhalve meter met één enkele sprong. Evan maakte een wilde slagbeweging, die Nolan afweerde met zijn arm, maar hij wist hem wel met zijn knie in het kruis te raken, zodat Nolan ineenkromp en Evan nog twee keer met de boksbeugel naar Nolans hoofd kon uithalen. Hij raakte hem niet vol, maar hield Nolan daarmee wel op afstand. Dat duurde echter niet lang, want Nolan herstelde zich en er verscheen een vastbesloten grijns op zijn gezicht. 'Jij gaat hartstikke dood,' zei hij.

Evan hapte naar adem, krabbelde overeind en greep de pook die naast de open haard stond. Hij bracht hem omhoog, wachtte even, liep er toen mee naar voren en haalde uit. Nolan maakte een ontwijkende beweging en terwijl de pook langs zijn hoofd suisde stapte hij opzij en gaf Evan een trap in zijn maag, waardoor hij opnieuw nauwelijks meer adem kon krijgen, al kon hij Nolan nu vanaf de andere kant met de pook raken.

Omdat hij niet alleen buiten adem was maar bovendien dronken, was Evans reactievermogen lang niet zo goed als normaal. Nolan slaagde erin de pook vast te pakken. Hij trok Evan ermee naar zich toe, drukte zijn lichaam tegen dat van Evan en gooide hem met een judoworp over zijn schouder, waarna hij hem tegen de grond sloeg. Evan belandde half op de vloer en half tegen de salontafel. Het voelde alsof zijn rug was gebroken, maar hij wist dat het spoedig afgelopen was als hij bleef liggen en Nolan zijn gang liet gaan. Dan zou zijn vijand hem vermoorden. Dus gaf hij in uiterste wanhoop nog een trap, die Nolan hard tegen de knie raakte, waardoor hij een halve draai maakte en in elkaar zakte tegen de stenen ommanteling van de open haard. Het metalen haardgereedschap dat er had gestaan kletterde op de grond.

Toen Evan weer probeerde op te staan wilde zijn lichaam de dringende bevelen van zijn hersenen echter niet gehoorzamen. In een uiterste inspanning slaagde hij erin een paar keer om zijn as te rollen in de richting van de salontafel, zodat hij die als dekking kon gebruiken. Nolan kwam langzaam weer overeind en begreep dat hij in het voordeel was.

Evan, die nog steeds nauwelijks adem kreeg en alleen nog als een soort on-scherpe film waarnam dat een schaduw langzaam omhoogkwam en zich in zijn richting bewoog, probeerde half overeind te komen op zijn knie, wanhopig zoekend naar iets wat hij als wapen kon gebruiken. Zijn enige kans was de pook, die tussen hen in op de grond lag. Met een dierlijke grom pakte hij hem vast, maar op datzelfde moment zette Nolan zijn voet op Evans arm, terwijl hij met zijn andere voet een trap tegen de zijkant van Evans hoofd uitdeelde. Die kwam zo hard aan dat Evan met zijn hoofd tegen de muur terechtkwam en het bewustzijn verloor.

Er was geen tijd. Hij kwam vrij snel bij en met zijn gezwollen tong proefde hij het bloed in zijn mond en voelde hij de korsten op zijn lippen. Hoewel het overal donker was zag hij Nolan door de deuropening rommelen in de kast waarvan hij wist dat hij daar zijn pistool bewaarde.

De pijn in zijn hoofd straalde nu uit naar zijn nek, zijn rug en zijn benen. Hij kon geen spier meer verroeren. De minste beweging – het iets verder ope-nen van zijn ogen, zijn hoofd een centimeter draaien, zijn knie een klein stukje optrekken – had als gevolg dat alles om hem heen een stukje donkerder werd. Kwetsbaarder kon hij niet zijn.

De voetstappen kwamen dichterbij, bijna schuifelend. Maar vastberaden.

Hoewel het bijna pikkedonker was nam Evan toch de schaduw waar die zich over hem heen boog. Nolan had het pistool in zijn hand.

Toen, fluisterend: 'Stomme klootzak.'

Evan bewoog of reageerde niet. Hij dacht niet dat hij nog iets kon doen.

Nolan torende boven hem uit. Hij had Evan zwaar verwond, misschien wel levensgevaarlijk, maar zelf had hij ook schade opgelopen. Uit de manier waarop Nolan bewoog kon Evan duidelijk opmaken dat hij gewond was. Met één zwaar gehavende arm kostte het hem moeite een patroon in de kamer te krijgen. Hij moest het een paar keer opnieuw proberen.

Evan had geen keus. Hij moest opnieuw aanvallen. Hij verzamelde al zijn krachten, kronkelde en trapte Nolan tegen de onderkant van zijn knie, waar-door deze omviel. Evan slaagde erin overeind te krabbelen en de hand waar-mee Nolan het pistool vasthield met zijn eigen beide handen vast te grijpen. Hij kon het gevaar nog afwenden. Met zijn vrije hand begon Nolan harde sto-ten uit te delen tegen de zijkant van Evans hoofd.

Maar Evan durfde geen van beide handen los te laten om zijn hoofd te be-schermen. Het pistool was belangrijker. Als hij dat losliet was hij er geweest.

Uit alle macht probeerde hij het los te rukken uit de hand van zijn vijand.

Hij trok zo hard dat Nolans hand loskwam van de grond. Hij probeerde nog meer kracht te zetten en deed een uiterste poging het wapen te bemachtigen.

En toen had hij het pistool in zijn hand, met de loop tegen Nolans voorhoofd.

Het was voorbij.

Nolan zakte in elkaar alsof de lucht uit hem wegliep. Hij spreidde zijn armen op de vloer in een gebaar van overgave. Gedurende één seconde, die voelde als een minuut, bewogen ze geen van beiden.

Toen slaakte Nolan een kreet en haalde voor het laatst bliksemsnel uit naar Evans hoofd.

Het pistool ging af.

Dankwoord

Ter voorbereiding van dit boek heb ik met veel Irak-veteranen gesproken en heb ik de nodige boeken gelezen over dit land en de oorlog die, ook bij het ter perse gaan van dit boek, nog dagelijks Amerikaanse en Irakese levens kost. Ik dank met name Mike Dufresne voor zijn toelichting op de rol van de Nationale Garde in Irak; Don Currier voor zijn inzichten over de oorlog en zijn fantastische foto's; T. Christian Miller, auteur van *Blood Money: Wasted Billions, Lost Lives, and Corporate Greed in Iraq*; Aaron Moore, sergeant eerste klasse bij de Amerikaanse marine; Craig Denton en Rick Tippens.

Andere boeken die op de een of andere manier hebben bijgedragen aan *Verraad* zijn onder meer *Blood Stripes: The Grunt's View of the War in Iraq* van David J. Danelo; *Ambush Alley; The Most Extraordinary Battle of the Iraq War* van Tim Pritchard; en *Licensed to Kill: Hired Guns in the War on Terror* van Robert Young Pelton. Ondanks al deze research is het uiteraard mogelijk dat er onjuistheden of onvolledigheden in dit boek voorkomen, en daarvoor is uitsluitend de auteur verantwoordelijk.

Zoals bij al mijn Dismas Hardy-boeken ben ik ook nu weer veel dank verschuldigd aan mijn grote vriend Al Giannini, openbaar aanklager in het district San Mateo. Al is briljant, onvermoeibaar en onverbeterlijk enthousiast. Hij heeft in belangrijke mate bijgedragen aan de totstand-koming van ieder deel van dit boek, vanaf het allereerste idee tot en met de definitieve versie. Niemand kent het recht en de menselijke natuur zo goed als hij, en als de juridische beschrijvingen in dit boek geloofwaardig overkomen, dan is dat voornamelijk te danken aan zijn scherpe blik en oordeelsvermogen.

Bij uitgeverij Dutton ben ik gezegend met fantastische professionals op het gebied van verkoop, marketing, publiciteit en redactie. Mijn diepste gevoelens van dankbaarheid voor hun toewijding, enthousiasme, goede smaak en intelligentie gaan uit naar mijn uitgever Brian Tart; mijn uitste-kende nieuwe redacteur Ben Sevier; Lisa Johnson, Trena Keating, Beth Parker, Erika Imranyi, Kara Welsh, Claire Zion, Rick Pascocello, Susan

Schwartz en Rick Hasselberger voor het zoveelste fantastische boekomslag. Hoewel hij inmiddels werkzaam is bij een andere uitgeverij, wil ik ook graag voor de laatste keer mijn hoed afnemen voor Mitch Hoffman, die vele jaren mijn redacteur is geweest bij Dutton en die nog een waardevolle inbreng heeft geleverd bij de start van dit project.

Mijn trouwe assistente Anita Boone zorgt iedere dag opnieuw voor de rust en orde in mijn schrijfomgeving die ik nodig heb om mijn boeken te kunnen realiseren. Ze is een fantastisch mens en ik prijs me gelukkig met haar. Peter S. Dietrich, arts, bracht niet alleen zijn medische kennis in maar ook zijn expertise op het terrein van sterkedrank. Karen Hlavacek en Peggy Nauts zijn eersteklas proeflezers. Gelukkig heb ik diverse vrienden die me helpen in het oog te houden dat er behalve boeken nog andere belangrijke dingen in het leven zijn. Daarbij doel ik onder meer op de getalenteerde schrijver Max Byrd, mijn boezemvriend Don Matheson, Frank Seidl en Bob Zaro. En ik wil hier Justine en Jack vermelden, mijn kinderen, die allebei een bron van inspiratie en feiten vormen voor mijn boeken.

Verschillende personages in dit boek danken hun namen (maar niet hun fysieke eigenschappen of hun karakter, want die zijn volledig fictief) aan individuen die ruime schenkingen hebben gedaan aan verschillende goede doelen. Zoals Ryan Loy aan de Borders Group Foundation; Marcia Riggio aan de Santa Clara Valley Chapter of Brandeis University National Women's Committee (Science for Life Campaign); Felice Brinkley aan het First Amendment Project; Mary Patricia Whelan-Miille aan Yolo County Court Appointed Special Advocates (CASA); en Arlene en David Ray (voor het personage Stephan Ray) aan Stop Cancer.

Barney Karpfinger, mijn agent, heeft mijn idee voor dit boek vanaf het eerste moment van harte ondersteund en me geholpen met de ontwikkeling en de structuur. Ik beschouw hem als een goede vriend en een belangrijke partner in mijn werk. Zonder hem zou mijn carrière een stuk minder voorspoedig zijn verlopen.

Ik vind het altijd prettig reacties te ontvangen van mijn lezers en ik nodig u graag uit me deelgenoot te maken van uw vragen en opmerkingen op mijn website: *www.johnlescroart.com*.